柳鸣九文集

卷 6

法国文学史（下）

海天出版社（中国·深圳）

图书在版编目（CIP）数据

柳鸣九文集.6,法国文学史.下/柳鸣九主编.
—深圳：海天出版社,2015.6
 ISBN 978-7-5507-1321-5

Ⅰ.①柳… Ⅱ.①柳… Ⅲ.①柳鸣九—文集②文学史
—法国 Ⅳ.① I217.2 ② I565.09

中国版本图书馆 CIP 数据核字（2015）第 051076 号

柳鸣九文集.卷6
LIUMINGJIU WENJI JUAN 6

出 品 人	陈新亮
项目负责人	于志斌
选题策划	林星海
责任编辑	陈 嫣
责任校对	钟愉琼　李小梅
责任技编	蔡梅琴
装帧设计	李松璋

出版发行	海天出版社
地　　址	深圳市彩田南路海天综合大厦（518033）
网　　址	www.htph.com.cn
订购电话	0755-83460202（批发）　0755-83460239（邮购）
设计制作	深圳市斯迈德设计企划有限公司（0755-83144228）
印　　刷	深圳市新联美术印刷有限公司
开　　本	787mm×1092mm　1/16
印　　张	33.75
字　　数	437 千
版　　次	2015 年 6 月第 1 版
印　　次	2015 年 6 月第 1 次
定　　价	115.00 元

海天版图书版权所有，侵权必究。
海天版图书凡有印装质量问题，请随时向承印厂调换。

思考中的柳鸣九

柳鸣九在书房

陋室中的劳作者

三卷本《法国文学史》修订本

法国文学史（下）

柳鸣九 主编

中華文匯

本卷说明

《法国文学史》下卷编写分工情况如下：

第一章、第四章、第五章、第六章、第九章、第十二章，由柳鸣九执笔；

第二章，由黄晋凯执笔；

第三章，由罗新璋执笔；

第七章，由吴岳添执笔；

第八章，由孟明执笔；

第十章，由施康强执笔；

第十一章，由金志平执笔。

全书的章节大纲的拟定、学术组织工作与最后修改定稿均由柳鸣九承担。

目 录

第六编　十九世纪后期、二十世纪初期的文学

第一章　19世纪后期、20世纪初期的社会历史状况与文学发展 … 002
- 第一节　19世纪后期、20世纪初期的历史发展与社会状况 … 002
- 第二节　文化环境与文学状况 … 012
- 第三节　文学中的科学精神与自然主义主潮 … 021
- 第四节　文学中现代性的趋势与象征主义 … 038

第二章　巴黎公社文学 … 047
- 第一节　概况 … 047
- 第二节　鲍狄埃 … 054
- 第三节　瓦莱斯 … 064
- 第四节　克莱芒与米歇尔 … 074

第三章　龚古尔兄弟 … 082
- 第一节　龚古尔兄弟的生平 … 082
- 第二节　龚古尔兄弟的历史著作 … 086
- 第三节　龚古尔兄弟的小说创作 … 090
- 第四节　龚古尔兄弟的日记 … 100

第四章　左拉 … 105
- 第一节　左拉的生平与创作道路 … 105
- 第二节　左拉文艺思想的发展与自然主义实验小说论 … 110
- 第三节　左拉前期的文学创作 … 121

第四节 《卢贡—马卡尔家族》的总体结构、社会历史内容与艺术特点 ⋯⋯ 136
第五节 《卢贡—马卡尔家族》的主要作品 ⋯⋯ 162
第六节 左拉后期的文学创作 ⋯⋯ 214

第五章 都德 ⋯⋯ 226

第一节 都德的生平 ⋯⋯ 226
第二节 都德的短篇小说 ⋯⋯ 228
第三节 都德的长篇小说 ⋯⋯ 236

第六章 莫泊桑 ⋯⋯ 257

第一节 莫泊桑的生平 ⋯⋯ 257
第二节 莫泊桑的短篇小说 ⋯⋯ 259
第三节 莫泊桑的长篇小说 ⋯⋯ 279
第四节 "梅塘之夜"的其他作家 ⋯⋯ 300

第七章 法朗士 ⋯⋯ 304

第一节 法朗士的生平 ⋯⋯ 304
第二节 法朗士的前期作品 ⋯⋯ 307
第三节 法朗士的后期小说 ⋯⋯ 312
第四节 法朗士的艺术特色 ⋯⋯ 326

第八章 前期罗曼·罗兰 ⋯⋯ 328

第一节 前期罗曼·罗兰的创作道路 ⋯⋯ 328
第二节 罗曼·罗兰的戏剧理论和戏剧作品 ⋯⋯ 331
第三节 《约翰·克利斯朵夫》及其他小说 ⋯⋯ 342

第九章　其他种种倾向的小说家 …… 355

第一节　布尔热与其他心理小说家 …… 355
第二节　巴雷斯 …… 370
第三节　洛蒂与其他异国风情的作家 …… 378
第四节　列那尔与其他社会人生写实作者 …… 388
第五节　追求浪漫想象的作家 …… 396

第十章　帕纳斯派诗歌与象征派诗歌 …… 402

第一节　帕纳斯派诗歌 …… 402
第二节　象征派诗歌 …… 411

第十一章　戏剧中多种多样的风格与倾向 …… 439

第一节　小仲马与其他同时代剧作家 …… 439
第二节　自然主义戏剧 …… 455
第三节　社会剧 …… 461
第四节　心理剧 …… 467
第五节　爱情剧 …… 470
第六节　喜剧 …… 473
第七节　诗剧 …… 477
第八节　象征剧及其他 …… 481

第十二章　文艺批评家与历史散文家 …… 489

第一节　泰纳 …… 489
第二节　其他文艺批评家 …… 502
第三节　勒南 …… 511

第六编

十九世纪后期、二十世纪初期的文学

第一章 19世纪后期、20世纪初期的社会历史状况与文学发展

第一节 19世纪后期、20世纪初期的历史发展与社会状况

19世纪后期、20世纪初期是法国从资本主义初级阶段向发达阶段转变的时期,是资本主义秩序与资产阶级的统治在法国日趋稳定与发展的时期,其基本历史内容是:生产力的巨大发展、社会改革的深化、资本主义文明的建立与社会主义运动的发展。

1852年拿破仑建立第二帝国之后,在法国进行了近20年的统治。1870年爆发的普法战争以法国的惨败告终。9月2日,拿破仑三世在色当无条件投降,当了普鲁士国王的俘虏,9月4日,巴黎人民涌入立法院,要求废黜被俘的皇帝,这一天,第二帝国寿终正寝,以甘必大为首的共和国国防政府正式产生。战争仍在继续,9月19日起,普鲁士军队包围了巴黎,国防政府的首领逃往外省组织抵抗,但仍节节败退,由于失败,资产阶级当权派日益转向妥协。10月27日,法国元帅巴赞在麦茨要塞率部17万不战而降,引起了巴黎人民群众莫大的愤慨,4天后,巴黎爆发了推翻国防政府的人民起义,虽然很快就告流产,但正式揭开了法兰西内战的序幕。

自普鲁士人入侵法国后,巴黎30万工人组成了国民自卫军,各区都设有监督抗战的警备委员会,具有革命传统的巴黎斗志昂扬,

特别是马克思领导的第一国际在战争爆发后两次发表了关于普法战争的宣言，在思想上对革命的巴黎产生了深刻影响。而且，第一国际于 1864 年成立以后，在法国就组成了它的支部，会员达 3000 余人，社会主义在巴黎人民中早已有了深厚的群众基础。因此，充满革命热情并且已经武装起来的巴黎人民，与日益倾向议和投降并对革命人民采取敌视镇压态度的国防政府势必发生尖锐的冲突。10 月 31 日起义后，第二年 1 月 22 日又发生了第二次反国防政府的起义，虽然再次失败，但接踵而来的 3 月 18 日起义终于把反动军队与反动派头子梯也尔赶出了巴黎，革命人民占领了市政厅，解放了全城。26 日，经过全民选举，巴黎公社诞生了。它不仅是巴黎的最高权力机构，而且是全法兰西的政权，其中工人委员占三分之一，其余为革命知识分子，就政治派别而言，则是布朗基派与新雅各宾派占多数，他们基本上是继承了法国大革命九三年激进传统的革命家。

巴黎公社革命是 19 世纪"最伟大的革命"[①]，它首先致力于粉碎旧的国家机器，废除国家的常备军，以人民的国民自卫军代替，取消法院与警宪，释放了所有的政治犯，等等；它建立起新型的国家政权，废除议会制，成立担负领导职能的各种委员会，在委员会中实行民主集中制，规定公社委员与主要工作人员都由选举产生，取消高薪制；公社还在经济、文化、新闻、出版、教育等等方面，颁布了一些新的法规与命令。在短短的时期里，巴黎的面目焕然一新，充满了革命的朝气。

巴黎始终没有摆脱被围困的状态，公社的革命也从未能从巴黎推广到全国。几乎从成立的时候起，它就一直面临着被镇压被扼杀的形势。这种形势变得愈来愈严峻，集中在凡尔赛的以梯也尔为首的资产阶级反动派得到了喘息的机会，又从普鲁士人那里得到了支援，很快就进行疯狂地反攻。5 月 21 日凡尔赛的反动军队攻入巴黎，公社社员

---

① 马克思：《法兰西内战》第 135 页，人民出版社，1971 年。

进行了可歌可泣的浴血奋战,战斗继续到 28 日,最后一批社员退守到拉雪兹神甫公墓后也都壮烈牺牲,这就是历史上有名的"五月流血周"。公社失败,约有 3 万社员被屠杀,约有 4 万人被判处苦役或流放非洲,法国的革命力量与社会主义力量在梯也尔的屠刀下几乎被斩尽杀绝。巴黎公社既标志着法国 19 世纪社会革命最激进的形式,它的失败也标志着以街垒战与群众起义为内容的 19 世纪法兰西革命史诗的终结。

在普法战争与巴黎公社革命中,法国损失了 14 万人,梯也尔以高昂的代价与普鲁士人签订的和约又规定法国赔偿 50 亿法郎,割让富有煤、铁、森林资源的阿尔萨斯省与洛林省的一部分,普军继续占领法国领土直到 1875 年 3 月。由此,整个法国元气大伤,疲惫不堪。厌倦战争与纷争、渴望和平与秩序成为民众的普遍情绪,梯也尔在这种历史条件下以保守主义的精神进行了国家的重建。1871 年 8 月,他成为共和国总统,开始了法国的第三共和国的时代。

梯也尔通过发行公债的办法筹得款项,付清了普鲁士所索取的巨额战争赔款,使普鲁士占领军提前 18 个月撤出了法国领土;他继续实施严厉镇压一切社会主义活动的法令,巩固资产阶级国家的秩序;他的税收政策与兵役法也适应资产阶级利益;他的外贸与关税政策目的则在于使法国不依赖外国。在内政上,他赞助以甘必大为首的资产阶级共和派的活动,导致共和派的左翼在议会取得明显的进展,由此,引起了包括波旁王朝派、奥尔良王朝派与波拿巴主义者的保守君主派的不满与反对,1873 年,梯也尔在议会里被推翻,麦克马洪元帅当选为共和国总统。

麦克马洪代表着一个保守的"道德秩序"时期,他的身后是形形色色的教权派与君主派,在政治上以敌视共和与恢复宗教道德秩序为目的,在他的任期里,旨在清除共和思想与社会革命思想的宗教宣传活动与迷信活动大为猖獗,共和主义在法国处于守势。事态的发展说明，1789年以来的各种政治传统与派别的余绪，都在新的历史条件下继续存在与活动，从而使得法国政治统治的形式与格局仍然不稳定，只不过由于历史条件的限制，麦克马洪所代表的保守君主派力量的复辟企图始终未能得逞。到了1875年，《三月宪法》的通过则更是一个明显的转折点，这部宪法是各种政治力量与利益妥协平衡的结果，它模仿英国君主制度的议会制而又确立了共和国的政体形式，规定参议院由一部分终身议员与一部分经间接选举的议员组成，众议院由直接普选产生，共和国总统由两院联合选出，总统享有国王般的权力，但必须通过内阁才能行使，而内阁则集体对议会负责。这是一种既可以成为君主立宪制又可以成为共和制的折中体制，然而在各种政治力量激烈冲突的条件下，却成了一个有弹性的格局而得以长存，它保证了法国有一个持久的政治制度，标志着这个国家成为一个稳定的资产阶级共和国。从此以后，虽然各个阶段仍充满了矛盾与斗争，各届政府的政策也各有不同，但政体形式问题，共和制与君主制之争的问题在法国的政治生活中基本上已经解决。特别是经过议会选举中共和派与君主派的竞争，共和派逐步取得了胜利，到1879年已经牢牢控制了国家，杜绝了回到君主制的任何可能，其标志就是麦克马洪在本年度的下台与共和派朱尔·格雷维当选为总统。

从朱尔·格雷维上台，经萨提·卡诺、埃米尔·卢贝、累蒙德·普安卡雷等相继就任总统，直到第一次世界大战爆发，法国的政局基本稳定，矛盾与纷争却从未间断，不仅有共和派与保守君主派的矛盾，而且也有共和派之间，即以甘必大、朱利·费里为代表的温和、稳健的共和派与以克雷孟梭等为代表的激进共和派的纷争，还有19世纪80年代以后又逐渐抬头的社会主义、工人运动与资产阶级国家的斗争，正是在这种错综复杂的政治利益矛盾与派别纷争的背景下，出现了一些政治风潮与社会事件，如布朗热危机、巴拿马运河丑闻以及德雷福斯案件等等，这些事件不仅构成这个时期的重要历史内容,而且都与文学有密切的关系。

由于激进共和派克雷孟梭的坚决要求,布朗热于1886年被温和的共和派内阁任命为陆军部长。布朗热以其对普鲁士人的复仇情绪与民族主义而在民众中颇享声誉,被视为能替法国光复失土的希望,他从军队里赶走了几个保王派,又对工人表示同情,这更使他赢得了民主将军的称号,布朗热主义在法国红极一时,因他引起了温和共和派政府的戒备,一切不满现行政府的右翼、左翼与中间派都以他为中心,希望他成为一把反现行政府的军刀。在1889年的选举中,他大获全胜。反政府的派别,特别是右翼势力狂热地期望他发动政变,但他在政权唾手可得之际有所顾忌,犹疑不前。政府果断地采取了措施,以逮捕相威胁,逼他逃亡比利时。1891年,这位将军在其情妇的墓前自杀,从此,布朗热狂潮在法国销声匿迹。

巴拿马运河丑闻发生在1892年年底、1893年年初。以苏伊士运河的开凿者费迪南·德·莱塞普斯为首的巴拿马运河公司成立于19世纪80年代。因款项不济,工程拖延了下来,公司决定发行按期抽签还本的债券,为得到批准,对议会与政府中的一些要员进行了贿赂。但发行债券一举并未使公司在1888年免于破产,1891年对破产的调查导致真相大白,计有一百多名议员得到贿赂,克雷孟梭等一批共和派的政治要人卷入了丑闻,几乎所有的大报刊也都得过贿赂,在丑闻的打击下,政府与当权的共和派声誉扫地。

德雷福斯案件集中表现了当时法国的政治矛盾。1894年,当局发现有法国军官将秘密军事文件出卖给德国驻巴黎武官,犹太血统的德雷福斯上尉被诬控为罪犯。在并无证据的条件下,他被军事法庭判处终身监禁,全国掀起了一阵间谍恐惧症、反犹太主义与民族主义的浪潮。在德雷福斯的亲属与同情者的努力下,冤案的真相被揭露,德雷福斯纯属无辜,真正的罪犯是另一个军官埃斯泰哈齐,但是政府当局却极力庇护真犯,并拒不复审冤案。案件受到全国的关注,成为一个政治性事件，不同政治倾向的各种力量都从各自的立场与利益出发，反对或者维护德雷福斯，站在德雷福斯一边的是进步的知识分子、工人、有民主情绪的军官与官员，反德雷福斯的则是军队当权派、保守的君主派、教权派、反犹太主义者、民族主义者及一部分小资产阶级。特别是当冤案真相大白而仍得不到昭雪时，斗争更趋激烈，著名作家左拉正是在这个时候，发表了给支持反德雷福斯的总统费利克斯·富尔的公开信《我控诉》。这个政治事件持续了两三年，围绕着它的斗争大大动摇了温和的共和派的统治，导致19世纪90年代以后至20世纪之初激进共和派的得势与社会主义力量的抬头。到1899年，冤案得以改判，德雷福斯获得特赦，事件趋于平息，但彻底昭雪却迟至1906年。

从第二帝国崩溃到19世纪末、20世纪初，法国的历史发展中充满了屈辱与丑闻，由此，这个时期的共和国有"不光彩的共和国"之称。然而，这又是一个社会生产力获得巨大发展、海外殖民地不断扩张、资产阶级政治趋于稳固并走向制度化、社会改革与法治不断深入的时期。与所有这一切同步进行的，还有社会主义力量的稳步发展与政治生活的"左"倾趋向。

社会生产力的巨大发展是从第二帝国时期开始的，在此时期，钢铁生产增加了3倍，铁道与机车数量约增加了4倍，以巴黎为中心的铁道运输网完成了，新兴工业如铅工业、钠工业、化学工业等纷纷建立，蒸汽机在各部门都得到了广泛的运用，电报已经发明，摄影术已开始普及，横渡大西洋的大轮船公司建立了起来，有了3000吨吨位的远洋邮轮，各个港口都已经现代化，马赛、波尔多等开始成为国际港口，农业也有巨大的发展，开始了机械化进程，甜菜、葡萄等种植业格外繁荣，商业的兴旺非常普遍，金融与工商业中出现了大规模的信贷银行、股份公司和交易所，在巴黎有了左拉笔下的那种巨大的百货公司，巴黎博览会上盛况万千，参观人数突破 1000 万。城市的面貌也大为改观，巴黎、里昂、马赛等城市都进行了大规模地建设与美化，基本上形成了今日所见的规模。到第三共和国时期，这一场物质生产领域里的社会革命继续保持着兴旺的势头，电话、留声机、电梯、电灯、电影相继问世，1895 年，第一辆汽车开始行驶，1889 年埃菲尔铁塔的落成显示了法国钢铁生产与建筑业的奇迹，1899 年雷诺汽车厂建立，20 世纪初，法国的钢铁生产又在原来的基础上增加了 3 倍，毛纺业、棉织品与丝绸生产、铝生产以及汽车与飞机生产都在世界上处领先地位。巴黎变得更加美丽辉煌，成为繁华欢乐的世界之都，1900 年的巴黎博览会参观人数上升到 5000 多万。这一场在半个多世纪里持续不断进行的物质生产的革命使法国发生了深刻地变化，使它开始进入发达的资本主义社会。

在 19 世纪后期、20 世纪初期，与社会生产力的巨大发展同步进行的是较为深刻的社会变革。这种变革与革命斗争、革命运动并无直接联系，而是物质生产力的发展带来的必然结果。在政治制度上，是彻底摆脱了专制独裁的统治形式而变为代议制共和国，并逐步建立了稳定的议会民主的政治秩序。这个过程在第二帝国后期已经开始，拿破仑三世相继实行了以下措施：同意议会有质询权；颁布了允许集会与结社的法律；给予报纸杂志以言论自由；给予立法院制定法律、修正法律、表决国家预算的权力；允许政府由议员中选出的部长组成；允许自由组阁；重大的政治问题则举行全民投票。所有这些措施导向了自由化的、君主立宪性的帝国，而这种帝国与秩序共和国其实只有一步之差。第三共和国时期，1875 年的宪法在各种政治力量重新恢复平衡的局面下，奠定了代议制共和国的法律基础。地方选举的制度化也是极为重要的社会改革。由于议员产生于地方选举，而在地方选举中人民拥有直接表达自己意志的权利，这种民主化的政治方式长时期的持久作用也就弥补了这部宪法中的含混不清，堵塞了通向专制政体的途径,确立了共和国的议会民主的秩序:选举产生的总统的权力受到严格的限制,各届政府依照宪法仅仅对议会负责,报纸杂志有言论与出版自由,公民有人身自由并有权集会结社。所有这些法规的确立终于使法国完成了由人治到法治的政治改革过程。

同样具有深刻意义的是宗教信仰的改革。第三共和国的政治家一直致力于进行政教分离、缔造"没有上帝"的共和国的变革,亦即使政治生活摆脱宗教的影响。这一社会改革也是缓缓渐进、最后才见成效的。1905年通过的"关于国家与教会分离的法令"就是初见成效的标志。法令规定共和国对任何宗教既不承认也不给予津贴,教会的财产需清查造册,国家放弃对教会的监督,教会是自由的,更重要的是,法国人从强制性宗教信仰中解脱了出来而拥有了信仰自由。

与此相关的社会改革还广泛地在教育领域里进行。在法国,学校从来就是教会的势力范围,教育始终受宗教的影响,第三共和国进行了从教会手里夺回教育、使各级学校"世俗化"的改革。这一改革尽管遇到很大的阻力,时断时续地进行,但经过持久的努力与通过一系列法案,毕竟逐步取得了一些成果,如关闭耶稣会中学,耶稣会教士不能继续办学,修道会成员不经批准不能从事教育工作,教会学校必须通过审批,撤销各私立大学的学位授予权,建立免费的、义务的和世俗的教育,完善世俗教育的体制,重新编纂摆脱宗教影响的教科书,对教学方法与教材进行更新,等等。教育改革使学校成为培养具有共和思想与各种人才的场所,大大巩固了共和政治的社会思想基础,教育改革还使法国基本上消灭了文盲,大大促进了科学文化的发展。此外,在妇女问题上也发生了移风易俗的变革,妇女有史以来第一次进入了某些社会职业的领域,如参加教育工作,担任教师,出任律师等等。

生产力发展与社会改革的一个重要社会效果是资本主义文明化程度的提高。文明礼貌的习惯在全社会中普及,学校取消了体罚,社会风气也变得较为和善，打斗侮骂被视为不文明的行为。对家具服饰的讲究、对化妆品与精神消遣读物的需求，在资产阶级以外的较低阶层中也很常见。医院、养老院、疗养所的数目大为增加，慈善义举成为时尚等等。

随着资本主义的发展，对外扩张与海外殖民成为这一历史时期的重要内容。这种扩张与殖民活动早在第二帝国时期就已经开始，并且已经达到了相当的规模。在非洲，1854年至1865年征服了塞内加尔，1869年凿通并掌握了埃及的苏伊士运河；在亚洲，1860年英法联军侵略中国，法国通过《天津条约》得到了通商海港，1867年又征服了交趾支那并使柬埔寨划入法国的势力范围。到第三共和国时期，法国进一步推行扩张主义与殖民主义政策，1881年武装占领了突尼斯，1883年至1896年占领了西非，1900年前后又占领了撒哈拉的主要部分而将黑非洲与北非殖民地连成了一片，同时又向赤道非洲与东非扩张，侵占了刚果、吉布提和索马里的部分领地，1911年又将摩洛哥变为保护国。在印度支那，19世纪80年代初的法国完全占领了越南，1884年再次对中国进行侵略战争，1885年至1886年侵占了全部印度支那。到第一次世界大战前，法国已经成为拥有广大殖民地的宗主国，从对殖民地的投资、剥削与压榨中，获得了巨大的经济利益，国内与海外殖民利益直接间接有关的行业与居民比以前大大增加，因而对异国事物的兴趣与好奇成为社会的时尚。正因为法国的对外扩张是世界资本主义列强瓜分世界殖民地的一个组成部分，列强之间的争夺引起了政治上与经济上的尖锐矛盾与冲突，导致1914年第一次世界大战的爆发，法国作为争夺殖民地的列强之一，自然也就成为第一次世界大战中的一个主要角色。

社会主义力量真正意义上的壮大与发展，也是在这个历史时期。虽然第一国际成立后就在法国建立了支部，但不久就被勒令解散，在巴黎公社革命中真正起主导作用的是继承了1793年资产阶级革命精神的派别，而不是马克思主义派别。随着巴黎公社的失败与白色恐怖，社会主义在法国销声匿迹将近10年之久，19世纪70年代后期才开始有了真正的转机。那时，从流放地回来的茹尔·盖德与马克思的女婿保尔·拉法格，又在法国开始了马克思主义的宣传，对改良主义与无政府主义进行了斗争。1879年在马赛召开的工人代表大会上，第一次通过了成立工人政党的决议，党纲的制定得到了马克思的亲自指导。工人党成立后，很快就发生了盖德派与主张只提出一些可能实现的政治要求的"可能派"的斗争，盖德派退出了1882年的党代表大会。盖德派基本上遵循了马克思主义的路线，在他们的领导下，社会主义思想得到传播，工人运动有了发展，1886年德卡兹维尔矿区发生了大罢工，众议院中也第一次出现了为工人辩护的工人代表，1889年在巴黎举行的第二国际成立大会标志着国际工人运动的新胜利，次年，法国工人罢工示威庆祝五一国际劳动节又获成功，1891年的庆祝活动虽被残酷镇压，但参加这次斗争的拉法格却在狱中当选为众议院议员，再次显示了工人运动的力量。1893年，众议院选举中，包括盖德在内的工人党党员12人当选为议员，其他社会主义派别也获得12个席位，包括米勒兰与饶勒斯在内的"独立社会主义者"则拥有25个席位，组成了社会主义者在议会的党团。

然而，不同的社会主义派别之间实际上仍存在深刻的分歧。以米勒兰、饶勒斯为首的独立社会主义者主张社会主义者议员参加资产阶级政府以进行自上而下的改良，被称为"入阁派"；反入阁派则主张阶级斗争，反对阶级调和，把参加资产阶级政府内阁视为背叛行为。因此，1899年米勒兰的入阁又引起了法国工人运动的公开裂痕。1906年众议院改选，激进共和派的克雷孟梭出任总理后，工人运动又有了发展，从1905年至1911年，参加罢工的人数平均每年达23万余人，仅1909年就发生了罢工1300余次。但在入阁问题上的分歧使法国的工人政党公开分裂为反入阁派组成的法国社会党（盖德派）与由入阁派组成的法兰西社会党（饶勒斯派）。虽然1905年两个社会党联合组成了统一社会党，但裂痕仍然没有弥合。1909年，新一届内阁组成，入阁的布里安、米勒兰、维维安尼都是"独立社会主义者"，他们与激进共和派组成了联合内阁，站到了工人运动的对立面。盖德派在口头上是主张阶级斗争的，但实际上也热衷于议会斗争。将近半个世纪的历史事实一方面说明，工人运动与社会主义力量在法国从来没有像现在这样占有如此重要的地位，另一方面也说明，如何在法国争取社会主义胜利的问题还远远不具备实际加以解决的历史条件。行程刚刚开始，探索还将继续。不论怎样，从总的历史发展趋势来说，新兴阶级的政治力量已经逐渐壮大起来，它日益在法国的政治社会生活中发挥作用与影响，它正是从这个时期开始，在文化领域的精英中征集自己的追随者与同情者，并且开始促成相当一部分知识分子思想向左转的社会传统。

第二节　文化环境与文学状况

19世纪后期至20世纪初期的文学，与其他时代的文学一样，也是自己时代历史社会条件下的一种正常合理的发展，对于19世纪前期的文学而言，它也并不是一种倒退或没落，它作为一种社会精神生产，在资本主义初级阶段稳步发展的社会历史环境中进行，所获得的客观条件实际上要比前一个历史时期更为有利，因而它自然具有了自己的风貌与价值，如果要指出它的总体状况的话，那就是普遍的繁荣。

首先，出版的条件比过去时代更为有利。这个时期以代议制、普选制与出版自由、议会民主为内容的资本主义民主体制的巩固与发展，在社会生活中的直接后果之一，就是报纸杂志的增多，各种政治力量、各种派别都办刊物报纸，作为自己的喉舌与舆论阵地。这种趋势从19世纪70年代就已经开始，到1898年，全国报纸杂志已有

578种之多，报纸杂志的种类五花八门，内容也大为扩充，有政治、时尚、社会新闻、体育、医药、宗教、金融、自然科学、漫画以及音乐、戏剧与文学专栏，此外还有专门的文学刊物。不论何种报纸杂志都为文学创作与文艺批评提供了经常持久而又与广大读者保持紧密联系的园地。这个时期的作家很少有人不是通过这种发表途径与宣传媒介获得其最初声誉的。不仅报刊最先将作家已完成的作品奉献在读者面前，如莫泊桑的绝大部分短篇最初都在《高卢人报》《吉尔·布拉斯报》《回声报》等报纸杂志上发表，左拉轰动巴黎的长篇《小酒店》与《娜娜》最初在《公益报》与《伏尔泰报》上问世。而且，报纸杂志的专栏在某种程度上还可以成为作家或批评家的造就者，如勒梅特尔的《当代人》与古尔蒙的《后语集》，都是报纸杂志文章汇编的大型评论集，奠定了他们名重一时的批评家的地位。除报纸杂志以外，文学出版事业的发展也为文学创作提供了更好的条件，这种发展也是从第二帝国时期就开始的，19世纪80年代末至90年代已经达到相当高的水平。如因出版了波德莱尔与内瓦尔的全集而闻名的莱维出版社在1878年印刷的书籍达200万册。1889年，全国出版的书籍达到15000种。这个时期书籍出版中纸张质地的提高、印刷字体与装帧的改进固然值得注意，更有实际意义的是大量普及本的发行，它使各种层次的文学作品都扩大了流传的范围。总之，报纸杂志与出版事业的巨大发展为文学提供了有利的物质条件。

  对文学发展具有深刻影响的，还有这个时期的教育改革。教育改革从19世纪80年代就全面铺开，在初等、中等、高等三个层次的教育领域里同时进行并坚持不懈。经过25年的努力，在包括农村的全国范围里所普及的初等义务教育，使法国的文盲数量大幅度下降，所剩无几。在中学教育中，公立的世俗中学的建立和公立中学与私立教会中学的竞争都大大提高了教学质量。中学里还增设了社会科学的课程。大学中的文学院与理学院的改组与综合性大学的发展，使教授的人数大为增加，学术空气更趋浓厚。作为教育改革的直接后果，是社会文化水平的普遍提高，它对各个领域里的积极作用自不待言，对文学的发展也起了间接的推进作用，它使得阅读成为普遍的社会需要。阅读文学作品的习惯不仅在城市人民中很普及，而且开始深入农村，报纸上的连载小说就是最经常的读物。教育改革的后果，在大量补充读者群的同时，还大大扩充了写作后备军，使得全社会中具备写作能力、有条件进入文学创作领域里的人数猛增，特别是在较低的社会阶层中更是如此。任何一个人只要有兴趣，都可以尝试一下文学创作。如果有才能与机遇，则可望成为文学领域里的一个成功者。高等学校中社会科学与人文科学的发展对文学起了更为明显、更为直接的作用，它大大推动了文学理论研究、文学史研究与当代的追踪性文学评论的发展，使得大学讲坛上涌现出一批学者兼批评家，造成了文学批评的昌盛。

19世纪后期、20世纪初期文学普遍繁荣状况的明显标志是各种文学类别的全面发达。在法国文学史上，单项的繁荣是不少时代文学的特点，如17世纪文学以戏剧见长，18世纪文学以哲理小说著称。19世纪前期文学虽然在戏剧、诗歌、小说等各方面都获巨大的丰收，但这几个类别的繁荣并不是同时出现的：诗歌与戏剧的繁荣主要是在19世纪二三十年代浪漫主义文学风行的时期；小说的繁荣则是19世纪30年代至四五十年代现实主义文学的昌盛时期。而19世纪后期、20世纪初期的文学则呈现出各种类别同步发展、全面开花的局面。

首先，在19世纪60年代，理论批评领域中就出现了突破，泰纳在1864年至1869年之间完成并发表了他的力作《英国文学史》与《艺术哲学》，建立了他著名的实证主义文艺理论体系。以其高度的理论成就，泰纳不仅是法国19世纪最重要的理论批评家，而且是黑格尔之后欧洲最深刻最有力的一个美学家，他的出现在这个时期的法国文学中具有重大的意义,他开辟了一个文学批评昌盛的新局面,带出一批杰出的批评家,标志着法国文学批评领域达半个多世纪的持续繁荣的开端。

几乎与理论批评之突破同步进行的,是小说中自然主义大繁荣时期的来到。从19世纪60年代开始,龚古尔兄弟就出现在这个领域并给小说创作带来了新意,虽然他们在艺术上没有巴尔扎克、福楼拜那样的魅力,但他们写社会下层、写病态、把生理学引入文学描写的创作方法,毕竟是写实文学的一种演变与发展。他们推出了《勒内·莫普兰》与《热曼妮·拉瑟顿》等小说,宣告了自然主义文学的产生,得到世界性的声誉。紧接着,左拉的文学创作活动带来了法国自然主义文学的鼎盛时期,他的巨型家族史小说《卢贡-马卡尔家族》第一部作品于1871年问世,它标志着自然主义小说高度繁荣的20多年,在这20多年中,左拉几乎每年发表一部有分量的长篇,直到1893年家族史小说最后一部《帕斯卡医生》出版为止。左拉的家族史小说是法国文学史上少有的宏伟建筑之一,其中《小酒店》《娜娜》《萌芽》《金钱》等都是享有高度世界声誉的小说杰作。因此,左拉的名字本身就足以说明这一时期法国文学的昌盛。而且,由于他的影响超出了本土,几乎遍及世界各国,在不少国家里都掀起了自然主义文学的浪潮,他在一定程度上也代表了这一时期法国小说的世界性的荣誉。当然,构成这个时期法国小说巨大繁荣局面的,不仅有左拉,还有与他同时期的其他杰出的人物。莫泊桑以其丰硕的创作业绩大大增加了这个时期法国文学成就的分量,他的出现意味着法国短篇小说创作艺术达到了世界高峰,他数量巨大的短篇小说中经典性的名篇比比皆是,使他成为法国文学以至世界文学中的"短篇小说之王",而其长篇小说如《一生》《漂亮朋友》也是这个时期中步入世界文学名著之林的杰作。都德也对这个时期的小说昌盛做出了自己的重要贡献,他的短篇中有《最后的一课》《柏林之围》这样不朽的传世名篇,他的长篇小说《小东西》成为法国文学中经典性的名著，他富有特色的艺术风格给这个时期的小说园地带来了清新的气息。此外，一批自然主义的信奉者、追随者如阿莱克斯、瑟阿尔、厄尼克、于斯曼等等，他们在小说中也都取得了或大或小的成就，他们的创作活动给自然主义小说的繁荣增添了一些实在的内容，壮大了自然主义文学的声势。

从19世纪90年代起，自然主义文学因左拉结束了家族史小说的写作和莫泊桑的去世而全面退潮，但小说领域并没有因此出现冷清与荒芜的局面，如果说19世纪90年代以前是自然主义小说一元化的大繁荣时期，那么，这一大繁荣局面刚出现衰退之势就在19世纪90年代初被另一种多元化的小说创作的繁荣非常及时地取代了。对这种繁荣之所以可称之为多元化的，就在于它具有多种风格、多种倾向与多种内容，是由法国文学中另一批具有高度才情与独创性的杰出人物所造就的，他们是法朗士、罗曼·罗兰、布尔热、巴雷斯、普雷沃、洛蒂、勒纳尔、凡尔纳，等等。由于他们各自不同的独创性，这个时期的心理小说、寓意小说、哲理小说、历史小说、异国题材小说、传统现实主义小说、科幻小说，都全面地丰收。这些作家笔下出现了一大批具有艺术生命力、广为流传的杰作，如《企鹅岛》《泰绮丝》《约翰·克利斯朵夫》《弟子》《冰岛渔夫》《胡萝卜须》等等。由他们所造就的小说创作多样化的局面，成为20世纪法国小说继续多元化发展的基础。

诗歌的昌盛是19世纪后期、20世纪初期文学的重要内容之一，这个时期诗歌领域里新潮起伏，人才辈出，其繁荣也是与小说的繁荣同步进行的。它开始于19世纪60年代，最先集中表现为帕纳斯派的出现，诗歌领域里能出现同主张、同创作倾向的流派，本身就说明了诗歌创作的昌盛，而且这个诗派还具有强大的阵容，组成它的有勒孔特·德·李勒、科佩、苏利－普吕多姆、埃雷迪亚以及让·拉奥尔（Jean Lahors）、卡蒂尔·孟戴斯（Catulle Mendés）等人，他们属于有创造性的新一代，敢于向19世纪上半期以来统治了法国诗坛的浪漫主义挑战，另辟促进诗歌前进的道路，将诗的视野与笔致从主观世界引出，转向内容无比丰富的客观世界，从对大千世界的观察与感受中发掘诗意，在对客观事物的描绘中追求诗艺，以精美的文句、和谐的节奏与丰富严格的韵律来实现诗的美，给当时的诗坛带来了新意与复兴。他们的创作力相当旺盛，从19世纪60年代到90年代献出了大量诗作与一些诗集，其中有不少广为流传、进入了法国教科书的佳作，正是他们造成了19世纪后期第一次诗歌创作的高潮。19世纪后期诗歌创作的第二次高潮是象征主义，象征主义的主要诗人最初都是帕纳斯派的成员，这一脱颖而出的事实说明这个时期法国诗坛充满了活跃的生命力与创造性，保证了法国诗歌的高潮迭起。象征主义在理论主张与创作实践上的业绩是由马拉梅、魏尔伦与兰波三位诗人作出的，他们有创见、有才华，他们的创作与活动照耀了19世纪80年代至世纪末的法国诗坛，使之发出异彩，在他们之后，又有莫雷亚斯、雷尼耶、萨曼·雅姆斯等一批后期象征主义诗人，维持着这个时期的诗歌繁荣，直到20世纪初期以后。更为重要的是，象征主义诗歌在艺术的成就与影响方面是划时代的，它开一代诗风，其意义远远超出法国本土与诗歌领域，对整个20世纪欧美各国文学都产生了巨大而深刻的影响，成为法国文学的一大骄傲。

　　与小说、诗歌相比较，这一时期的戏剧显得有些失色，然而，这只是就成就的高低相对而言，事实上，这个时期的戏剧绝非贫乏，而是五光十色。社会生活的提高、巴黎作为国际都会的繁华程度的增加、世界博览会这一类大型节庆活动的频繁举行，都使戏剧成为必不可少的娱乐，使戏剧创作成为容易获得票房价值与商业性成功的途径，这对剧本的生产来说是一种巨大的社会推动力，不仅致力于戏剧的人努力追求舞台的光荣，而且小说家、诗人、评论家中也有很多人要在戏剧领域里显显身手。为博得观众的掌声，左拉、莫泊桑、都德、罗曼·罗兰、勒纳尔、凡尔纳、勒梅特尔都曾写过剧本或改编过剧本并取得了一定的成功。这种社会性的原因足以说明这个时期戏剧创作的繁荣。繁荣集中表现在戏剧形式的多样化与丰富，出现了佳构剧、良知剧、社会剧、心理剧、爱情剧、历史剧、诗剧、自然主义戏剧与象征剧各种形式争艳的局面，这是以往任何时期的戏剧所没有的。尽管这个时期没有出现堪称伟大的戏剧作家，但每一种戏剧形式中都拥有不止一个有才能的代表者，小仲马、奥吉埃、贝克、罗斯丹、克洛代尔等，就是其中的出色人物，他们的一些作品，如《茶花女》《群鸦》《普瓦里埃先生的女婿》《西哈诺·德·贝热拉克》《缎子鞋》，直到20世纪仍是法国剧院的保留剧目，而且，这个时期的法国文学与戏剧舞台还熏陶与孕育了比利时籍的象征主义戏剧大师梅特林克。

　　这个时期文学普遍繁荣还表现在作家数量、作品数量的大幅度上升。虽然这个时期能在世界文学中占第一流位置的巨人不如19世纪前期的文学中那样多，但是，以往任何时代所拥有的作家队伍都不如这个时期这样庞大，而且，在这个时期庞大的作家队伍里，不断涌现一批又一批富于才情的人物。小说、诗歌、戏剧、理论批评各个类别的全面发展就已经显示了这一点，而小说、诗歌、戏剧各种类别中倾向、形式与风格的多样化就更说明问题，如在小说中，除自然主义小说拥有众所周知的大师外，其他心理小说、异国题材小说、哲理寓意小说、传统现实主义小说等，都拥有自己的杰出代表人物，一种倾向的小说中又往往不止一两个作家，而是涌现出成批的作家，心理小说中不仅有布尔热，而且有弗罗芒丹、普雷沃、埃尔维欧、艾斯托尼埃等相当一批同道；异国题材小说中也不仅有洛蒂，还有法雷尔、夏夫里戎、贝尔特朗等一批后继者；实证主义理论批评中不仅有泰纳，还有一个包括法盖、布吕纳介、朗松等的强大阵容。因此，这个时期可以在文学史上享有一席地位的人数比过去时代为多，而在这些作家中又普遍存在着多产的倾向，像蒙田、梅里美、福楼拜那样以少量的作品获得文学光荣的作家愈来愈少见，拥有上十卷以至数十卷作品的作家却大有人在，巨型的多卷本小说已屡见不鲜，甚至巨型的多卷本文学批评论著也不是个别现象。所有这些都是文学创作作为社会精神生产的规模在资本主义日趋发达的历史条件下必然扩大的进程的一部分，它是一个开端，预示着20世纪文学生产的规模将更加扩大。

与普遍的繁荣相联系的，是这个时期的文学呈现出了多种多样、纷纭复杂的思想：社会主义的、传统民主主义与人道主义的、民族主义的、爱国主义的、个人主义的、颓废主义的等等。

巴黎公社的革命、社会主义思潮的传播、无产阶级之登上政治舞台，使文学中产生了一股鲜明的革命文艺的潮流，巴黎公社文学就是集中的体现。它揭露、诅咒、抗议和控诉资本主义世界、资本主义制度与资产阶级，它憧憬着被压迫者的光明未来。仇恨、愤怒、激情、理想是它的主要内容，激昂慷慨是它的主要基调，而其表现形式则主要是诗歌，其中最杰出的代表就是鲍狄埃。这种新兴的无产阶级文学在小说中也取得了出色的成就，如瓦莱斯的作品，它在思想上与艺术上都达到了很高的水平，足以跻身于法国文学名著的行列。在文学批评领域，无产阶级也开始有了自己的声音，拉法格为其代表，他的文论以阶级分析为武器，尖锐而深刻，但有时不免流于偏颇，它对雨果的严厉批判就是如此。

传统的人道主义与民主主义思想在这个时期的文学中，仍像过去一样具有强大的生命力，并形成了这个时期文学中的一种主要倾向。很多作家仍然以人道主义思想作为尺度去衡量资本主义社会的现实与人际关系，从而得出否定性的结论，并在自己作品中采取批判的立场，左拉、莫泊桑、都德、罗曼·罗兰、法朗士莫不如此。同样，民主主义的政治思想与社会历史观点，也往往是一些作家对待现实政治问题的依据，有的作家正是以这种思想为支撑点，敢于只身对抗整个资产阶级的国家机器，从而使自己上升到作家兼斗士的境界，如左拉。因此，人道主义思想与民主主义思想在这个历史时期仍不失为一切杰出作家、伟大作家所具有的思想品格与思想价值的主要标志，它的影响是如此深刻而巨大，即使在无产阶级诗人鲍狄埃的《国际歌》里，也保持着它的概念与词汇。

这个时期还有一股强劲而活跃的思潮激励着法国作家，那就是爱国主义与民族主义。固然，它与拿破仑一世的光荣帝国以来的法国民族感情一脉相承，但更是这个时期民族所经历的历史事件与所面临的政治现实的直接后果，普法战争、法国的失败、屈辱与损失以及整个这个历史时期中与一个强大的富有野心的普鲁士为邻的现实，就是这种思潮壮大、激荡、流行的根由。它最初鲜明地出现于普法战争后左拉、莫泊桑、都德等作家的作品中，尔后更为强化、更为集中地表现在巴雷斯的民族主义三部曲小说里。在前一批作家那里，它的内容是对侵略者的揭露与憎恨、对爱国的抵抗战士的颂扬、对法国战败罪责的追究，而在后来的作家那里，则演变为雪耻的意志、奋发图强的民族精神、政治对抗的心理与韧性抵抗的意识。虽然文学中的这股思潮在80年代与政治领域里的布朗热风潮合流，但毕竟是这个时期法国广大社会阶层的民族感情之体现，在这个时期的文学中始终是一股超越于渺小感情的浩然之气。

以个性自由为最高准则的个人主义，由于德国哲学家尼采（1844～1900）的唯意志论与超人哲学以及法国哲学家柏格森的生命力哲学的产生而具有了新内容、新形态，对这个时期的文学家深有影响并构成了他们作品中的一个重要倾向。尼采的唯意志论把人要在财产、能力、权势的种种方面得到满足的意志视为人行为的动力，认为强力就是道德，他的超人哲学把人区分为不同的等次，认为"一个充实的、雄厚的、伟大的、完全的人要胜过无数残缺不全、渺小琐细的人"，并大力颂扬"超人"，他的著作于1893年至1900年之间译成法文出版，颇为流行。柏格森（1859~1941）继承并发展了尼采的唯意志论，他认为最根本的动力是"生命力的冲动"，由此构成生命的源源不断的洪流，整个世界就是这样一种精神性的过程，他的几部重要论著发表于1888年至1919年之间。尼采与柏格森这两个思想家的哲学影响在这个时期的文学中打下了明显的烙印。巴雷斯的自我崇拜三部曲与罗曼·罗兰的《约翰·克利斯朵夫》就是突出的两例。在这里，个人的意志与感情都昂扬到前所未有的高度，个性的奋发力与冲击力更为强劲，个人的超俗感、优越感与自我意识也更为浓厚。与此有关的是，以个性与自我为中心的个人主义向另一个极端发展，不免产生悲观厌世、消极颓唐的思想倾向。这种颓唐倾向更集中地表现在诗歌之中，象征派诗人都属于这种倾向。他们富有感染力的抒写使颓唐的色彩在这个时期的文学中显得比过去时代更为明显。

此外，这个时期的文学中还有两种体现在题材问题上的思想倾向：一种是对异国题材的爱好与追求；一种是对心理题材的爱好与追求。前一种思想倾向是这个时期法国海外殖民事业在社会生活中所引起的对异国他乡的关注心理在文学中的反映，它在作品中往往表现为对异国风情的猎奇与迷醉，但同时又流露出欧洲文明的优越感与对落后地区民族的某种偏见，以洛蒂为代表的一批作家就是如此。后一种思想倾向则与心理学的发展有关，心理学不仅促进了文学中心理描写的方法，甚至心理学范畴的问题也成为文学家有意加以研究、讨论的对象，布尔热就是这种倾向的代表。

第三节　文学中的科学精神与自然主义主潮

如果说19世纪后期、20世纪初期文学发展的普遍状况是繁荣与复杂，那么，在一片纷纭复杂之中，这个时期的文学也有它突出的特征与主要的潮流，那就是科学精神渗入文学领域，与社会历史、文学传统等诸因素一起发生作用,合力形成了这个时代的文学主潮——自然主义。

法国自然主义文学出现在19世纪50年代至70年代的第二帝国时期,这一时期的社会历史条件为这种文学提供了必要的土壤与气候。

拿破仑三世统治法国的20年,是一个"充满了疯狂与耻辱的奇特时代",它以1851年一次卑劣的政变为开端,在这次政变中,路易·波拿巴纠集了"由所有各个阶级中淘汰出来的渣滓、残屑和糟粕"①作为自己所依靠的力量而黄袍加身,开始了一个"由一帮政治冒险家和金融冒险家剥削法国"②的帝国。这个帝国在欧洲意味着战争,它梦想恢复拿破仑一世的疆界,不断投向黩武的狂热与战争的冒险。在国内,投机倒把、贪污舞弊与恣意盗窃的行为,都发展到疯狂的程度。从拿破仑三世的宫廷到整个上流社会的寻欢作乐、骄奢淫逸的风气则比过去的七月王朝更为炽烈、更为露骨。这种社会现实必然引起像左拉、莫泊桑这一类在相对清贫生活状况中冷眼旁观的知识分子的反感与不满,诱发并激起他们在文学中的揭露意识与批判意识,由此,就有可能产生某种继承19世纪前期批判现实主义的揭露精神的文学。

从19世纪文学发展到第二帝国时期的行程来看,注定要产生的这种新文学绝不可能是浪漫主义的,而只能是写实性的,而且必然比以往的文学具有更彻底的写实性。这不仅因为七月王朝以来资产阶级社会完全埋头于财富的创造与和平竞争,冷静务实的风尚已使得浪漫主义奔放的想象、夸张的风格与泛滥的主观感情,日渐成为过时的文学趣味,真实与自然成为文学表现的标准;也不仅因为主张"不要妖怪,也不要英雄"、而在严格写实方面又比巴尔扎克有所发展的福楼

---

① 马克思:《路易·波拿巴的雾月十八日》,《马克思恩格斯选集》第一卷,第652页。
② 恩格斯:《〈法兰西内战〉1891年单行本导言》,《马克思恩格斯选集》第二卷,第327页。

拜直到整个19世纪70年代结束仍作为承上启下的人物，活跃在第二帝国时期乃至第三共和国时期的文坛上，直接指导着、影响着后来成为主力的一批作家的成长；更主要的是因为：拿破仑三世愚蠢地投入普法战争，遭到可耻的失败，带给法兰西民族严重的灾难与莫大的屈辱。由此，在整个社会中所激起的对第二帝国的憎恨与愤怒达到了极点，这种愤怒反映在文学中，必然是对第二帝国时代彻底的、无情的暴露。事实上，左拉正是怀着对第二帝国进行总清算的创作意图来进行《卢贡－马卡尔家族》的写作，对拿破仑三世帝政的满腔愤怒使得这部巨著所作的揭露令人触目惊心。同样，也正是对普法战争共同的痛楚感受，促使自然主义流派"梅塘集团"的合集《梅塘之夜》问世。

既然第二帝国的现实决定了必然出现一种文学来继续本世纪前期现实主义文学的批判精神与写实原则，那么，这种文学本来很可能就是巴尔扎克式的现实主义的继续与重复，然而，第二帝国时期新的社会历史条件，却使这种文学在与过去的现实主义文学基本精神一致、基本倾向相同的基础上，又有着自己的新特点，这就是它与实验科学、自然科学的更进一步结合，由此，它就有了自己的称谓：自然主义。

第二帝国既是一个耻辱的时期，也是一个充满了生产活力的时期，在这个时期，法国基本上完成了资本主义工业化。生产力的猛进是以自然科学的发展为基础的，反过来又促进了科学研究的发展，而科学精神的昌明与自然科学的进步，又不可避免地使从事文学活动的人们在创作思想上受到新的启迪与熏陶，自觉或不自觉地将自然科学中的某些新观念与新方法引入文学领域。

这种影响与引入基本上有三个途径、三个方面。首先，这一时期整个自然科学的发展决定了实证主义哲学的盛行，而实证主义的盛行，则为文学提供了实验科学的精神与相应的方法。实证主义哲学的创建者奥古斯特·孔德（Auguste Comte，1798～1857）的主要理论著作《实证哲学教程》（*Le Cours de philosophie positive*）虽然发表于七月王朝时期,但他另一部代表作《创建人道主义宗教的实证政治学体系》(Le Système de politique posititive instituant la religion de l'humanité,1852~1854)却发表于第二帝国时期。更重要的是,这种哲学在第二帝国时期成为官方推崇的哲学体系,因而特别流行。孔德的实证哲学把人类的智慧发展分为三个阶段,他清算了前两个发展阶段,即神学阶段与形而上学阶段,宣告了实证阶段的来临。他认为"在这个实证阶段里,人类的智慧认识到要获得绝对的观念是不可能的,因而不再去探求宇宙的起源与终极,也不再去认识现象的隐秘原委,而致力于通过同时运用论证与观察去揭示宇宙万物的实际法则,亦即宇宙万物之间在次序与类似上的持恒关系。"(《实证哲学教程》第一讲)总之,在他看来,人类的智慧在实证阶段是致力于认识客观的法则,而实证哲学的任务从根本上说来就是要把科学的方法运用于对社会事物的研究,就在于要说明人也从属于客观法则并对这些法则加以解说。具体地说,就是"要在建立一种社会物理学的同时,完成观察科学体系的建立"。孔德的实证哲学由于顺应科学与生产技术日益发展的时代潮流而在19世纪下半期具有很强的生命力。由此,科学精神成为这一时期的哲学的主导精神,而实证哲学在思想文化领域里的巨大影响又由于它得到了两个成就卓越、其作用举足轻重的学者的信奉与宣扬而更为扩大。一个是利特雷(Emile Littré,1801~1881),他著有《哲学意义上的科学》与《法语辞典》,在思想界颇有权威。另一个则是著名的文艺理论家与批评家泰纳,他在19世纪后期文化思想承袭的链条中,是一个关键性的人物。泰纳把实证主义哲学的科学精神创造性地运用于文学理论,在这个领域里更为全面、更为深化地运用了科学的方法,提出了种族、环境与时代三因素决定文学发展的理论体系,而且把生物学、动物学以及生理遗传的观点运用于文学批评,成为这个时期实证主义文学批评的大师。他的影响通过不同的途径深入渗透到文学创作与文学批评两个领域。在文学创作中，左拉曾明确地承认泰纳是他的精神导师之一，正是在继承泰纳的实证主义文艺思想，包括泰纳关于"自然主义"的解释与含义的基础上，左拉形成了他的自然主义创作论的思想，并进而加以实践，创作了巨型的自然主义小说《卢贡－马卡尔家族》。

其次是达尔文学说的影响。1859年，达尔文的名著《物种起源》在英国发表，它提出了以自然选择为基础的进化论学说，阐述了人类起源与性的选择的理论，震动了当时的学术界，成为19世纪自然科学的三大发现之一。1862年达尔文这一名著译成法文在法国出版，很快就产生了巨大的广泛的影响，对文学也不例外。在文学理论中，同样还是泰纳最先也最出色地接受了这种影响并加以运用，他的决定文学的三条件说就体现了达尔文关于环境对自然的影响与选择的理论，他的三条件说中的种族性之说更是达尔文生物遗传学的一种具体演绎，而泰纳的这些理论又影响了文学创作。整个说来，达尔文学说促使文学家从自然科学的角度来对人加以考察，把人看做是自然人，把民族看做是自然人的族类，并导致对人性与遗传之间的关系、对人性与实际环境之间的关系的把握，为自然主义文学提供了如何认识人、如何表现人的理论基础。左拉所宣称的他要在《卢贡－马卡尔家族》中"研究一个家族中的血统问题与环境问题"的意图，他要赋予自己的作品的"两个因素（其一为纯粹人的因素，其二为环境的社会作用与物理作用的因素）"，就是来源于此。

有了科学的精神与实证的方法，有了对人的总体认识的科学体系，还不足以产生自然主义文学，自然主义文学的产生，除了以上两个前提条件外，还直接得益于法国本国生理学与实验医学的迅速发展。1851年，法国著名生理学家克洛德·贝尔纳的论著《肝脏的糖合成机能》的发表揭开了法国生理学、医学新发展的序幕，1854年、1855年，他相继在两个高等学府主持生理学与实验医学的讲座，1858年，他又发表了《实验方法论》一书，1865年，他最重要的论著《实验医学研究导论》出版，除此以外，还有吕卡思早在1847年发表的《关于神经系统健康与疾病的自然遗传的生理哲学的论文》。所有这些开辟了对人的生理机能与神经现象的认识领域，使文学家对人的认识又有了新的角度，为他们的生理描写提供了启迪乃至具体的指导，对自然主义文学创作产生了直接的作用，左拉正是接受了这些医学论著的影响，才进行自然主义文学创作的。

从形成与发展的过程来说，"自然主义"一词最先出现于泰纳的文艺批评，1858年，他在著名的《巴尔扎克论》里，不止一次指出巴尔扎克身上所存在的"自然科学家"的品格，认为"他以自然科学家的身份描写现实"，把他称为"自然主义者"。虽然泰纳并没有充分论证出巴尔扎克何以是一个"自然科学家"以及他究竟在何种程度上可说是真正在创作中充分运用了自然科学的方法，但他第一次提出了"自然主义"的概念并赋予它这种特定的内涵：文学创作理应和自然科学的观念、自然科学的方法更紧密地结合。这无疑是一种与19世纪前期现实主义文学有所不同的更新更明确的创作主张。当然，这一创作主张在文学创作中的贯彻运用并发展成为思潮流派，还有待时日。

19世纪60年代是法国自然主义文学真正形成的时期。最先在文学创作中体现出新的自然主义倾向的是龚古尔兄弟。龚古尔兄弟早在19世纪50年代就开始小说创作，19世纪60年代，陆续创作出他们一系列重要的小说：《夏尔·德马依》（1860）、《费洛曼娜修女》（1861）、《勒内·莫普兰》（1864），特别是1865年出版的《热曼妮·拉瑟顿》，更是法国自然主义文学的第一部代表作。他们为自然主义文学开辟了道路，这不仅因为他们较其他作家更早登上文坛，而且因为他们的创作显示了日后将由左拉大大加以发展的一些萌芽。首先，他们开始把科学精神与科学方法引入文学，强调文学作品的资料文献性质，他们在1864年就这样认为，"现时的小说是由依据自然之口述或笔录所构成的"。由此，小说的内容应为现实生活中所闻所见的确实事实，而搜集事实则应成为小说创作的一个重要步骤，他们1860年、1861年相继发表的小说《夏尔·德马侬》与《费洛曼娜修女》的内容就具有这种实际的确实性，或带有自传性质，或为实际所闻，因而，搬用事实与搜集事实也就成为创作这两部小说的重要手段。其次，龚古尔兄弟根据文学作为"人文资料"的思想，力求更进一步扩大文学的表现范围，把下层人民的实际生活状况引入文学，他们在《热曼妮·拉瑟顿》的序言里这样指出："生活在19世纪这个普选制的时代，这个民主自由的时代，我们要问，人们称之为'下等阶级'的人群是否无权进入小说。"他们正是以这部小说提供了一个先例。对自然主义更有意义的是，龚古尔兄弟自觉地把自然科学的方法开始运用在人物描写中，他们在同一篇序言里提出："今天，小说强制自己去进行科学研究，完成科学任务，它要求这种研究自由而坦率。"并且在《热曼妮·拉瑟顿》中通过一个女仆的沉沦故事，在"赤裸裸的对感官享乐的逼真描绘后面，隐含着对性爱心理的临床研究"，直接影响了后来左拉的《戴蕾斯·拉甘》的写作。

紧接着龚古尔兄弟进行自然主义文学开拓的是左拉。左拉在19世纪60年代初进入文学创作领域，他怀着传统的现实主义文艺思想，逐渐涤荡了自己身上浪漫主义的气息，在新思潮的影响与龚古尔兄弟的启发下，于1867年、1868年相继写出了他早期自然主义的代表作《戴蕾斯·拉甘》与《玛德莱娜·费拉》。前一部小说把人作为自然人来加以描写，表现了人的生理要求如何决定了一对男女的欲望与罪行，后一部作品不仅描写了生理状况对人物心理的影响，而且直接把当时遗传学中的"感染说"引入文学创作，表现了感染与遗传因素在人物命运中的作用。两者都贯穿了人物的个性取决于人的生物本能的认识，都带有对人类的"临床研究"的性质。而1868年左拉对进化论、遗传学、生理学、实验医学的系统钻研，使他进一步制订了写作以血缘遗传脉络为联系纽带的多卷本家族史小说的宏大计划。

19世纪70年代与80年代，是法国自然主义文学兴旺昌盛时期，这个时期作为自然主义文学发展的高潮，具有三个方面的涵义：一、它是自然主义文学主要实绩创造的年代；二、它是自然主义文学理论正式阐明的年代；三、它是自然主义文学流派形成的年代。在这三个方面，左拉都居于中心的地位。

法国自然主义文学创作最巨大、最主要的实绩就是左拉的包括了二十部长篇小说的《卢贡-马卡尔家族》，这既是一个家族的血缘遗传的自然史，又是一个家族在现实生活中发展变化的社会史。它的第一部于1871年问世，其余绝大部分作品都发表于19世纪70年代与80年代，其中1877年的《小酒店》、1880年的《娜娜》、1885年的《萌芽》、1887年的《土地》与1891年的《金钱》，都获得了巨大的成功，引起了强烈的反响，有的甚至以其严酷的写实与无情的暴露而惊世骇俗。在理论方面，左拉并没有一开始就提出一整套自然主义的创作纲领，而是在他进行自然主义文学创作达10年之久、作出了一定实绩的时候，才发表他系统地阐明自然主义文学理论的论著。他的名著《实验小说论》出版于1880年，次年，其他几部论著《自然主义戏剧》《我们的戏剧作家》《自然主义小说家》《文学资料》也相继问世，构成了自然主义的理论文献之库。

自然主义文学流派不像19世纪上半期的浪漫派那样形成于文学业绩的创造之前，也不那么富有戏剧性，而是逐渐形成于自然主义文学不断创作、逐步扩大影响的徐缓过程之中。虽然早在1865年，当《热曼妮·拉瑟顿》问世的时候，左拉就已经与龚古尔兄弟有书信来往，但有较密切的联系是在1868年之后。1869年底，左拉又结识了福楼拜，于是，逐渐形成了一个趣味相投的文艺圈子。这时，龚古尔兄弟中已有一人去世，这个圈子由福楼拜、埃德蒙·德·龚古尔、左拉、都德以及俄国作家屠格涅夫5人组成，从1874年4月14日开始，每逢星期天经常在一起聚餐，史称"五人聚餐会"。后来，聚餐会的成员又有所增加，新参加的是后来成为"梅塘集团"成员的文坛新手。1877年，《小酒店》的成功使左拉的文学声誉大为提高，一批年轻的作家推崇他为大师，团聚在他周围，每逢星期四到左拉家聚会，由此正式形成了一个文学团体，以左拉的梅塘别墅命名，是为梅塘集团。其成员除左拉外，还有莫泊桑、阿莱克斯、瑟阿尔、于斯曼、厄尼克。1880年，"梅塘集团"六作家的合集《梅塘之夜》问世，在这个集子里，莫泊桑以其名篇《羊脂球》脱颖而出，像一颗新星开始在法国文坛上光华四射。

1890年以后，法国自然主义走向衰落。1893年，左拉完成了《卢贡-马卡尔家族》最后一部小说《帕斯卡医生》以后，很快改变了原来自然主义的方向而从事空想社会主义小说《三名城》《四福音书》的创作。同年，莫泊桑下葬于蒙巴那斯公墓。1896年，埃德蒙·德·龚古尔逝世。至于"梅塘集团"的其他成员，他们与左拉的创作倾向本来就不完全一致，有的接近福楼拜，有的接近龚古尔，有的接近波德莱尔，《梅塘之夜》是他们唯一的一次文学联合行动。虽然法国自然主义文学的巨浪在19世纪90年代趋于平息，但却开始波及德国、英国、西班牙、意大利、日本、美国以及拉丁美洲，使这些国家与地区同时或相继产生了相同的文学倾向，形成了19世纪后期至20世纪初期这一历史阶段中一种世界性的重大文学现象。

在法国自然主义文学潮流中，令人瞩目的几个大家就是龚古尔兄弟、左拉、莫泊桑以及都德，他们各自以其创作成就、文学活动与艺术个性而在文学史上占有不同的地位。

龚古尔兄弟二人在文学史上是一个不可分割的实体，他们一个长于思索，一个富有才情，始终亲密合作，共同进行了一系列文学活动。他们具有广泛的兴趣与多方面的才能，在创造出小说实绩之前，先在历史散文、艺术史话、人物传记方面获得了一定的成就。他们是18世纪法国历史精细的研究家，他们的历史散文作品基本上都是以这个世纪的历史、艺术、人物为对象，他们以生动形象的文笔再现了当时一个个社会生活场景，带有丰富的历史色彩，使这些作品具有的文学价值大大超过了其历史、学术的价值。而在他们关于18世纪绘画艺术的作品里，则又表现了艺术评论家精微的鉴赏力。他们主要的文学成就是小说创作，他们合写的小说有七部，主要以他们生活圈子里常见的中下层人物的生活为描写对象，题材比过去有所开拓，弟弟茹尔死后，埃德蒙单独完成的四部小说也具有这个倾向。由此，在他们的作品里，出现了一个颇有特色的人物群：女仆、落魄文人、普通画家、妓女、马戏团杂技演员。正是在把文学描写范围向中下层扩展这一点上，他们最先显示出了自然主义小说的特点，并提供了最早的代表作。他们作为自然主义先行者的意义还在于，他们较早地开始在创作中把对真实的追求推向严格的程度。他们的小说在一定程度上带有实录性，题材故事大都确有其事，场景与细节也往往是实际资料凑集而成。他们对人物性格的病理性的研究与描写，开左拉家族史小说的先河。他们对法国文学史的另一大贡献，是他们从1851年直到1896年几乎坚持了半个世纪的《龚古尔日记》，这部卷帙浩繁的日记生动地记述了整个自然主义文学时期文坛的动态、作家交往、轶闻趣事以及当时的社会风貌，具有很高的历史文献价值。他们还给后世留下了龚古尔学院与龚古尔文学奖，沿袭至今，兴盛不衰，在20世纪法国成为鼓励写实文学发展的机构与旗帜。所有这些构成了龚古尔兄弟在自然主义文学潮流中的显著地位，尽管他们以刻意求精的语言风格写出来的小说往往缺乏想象与艺术性，流于平板，不能算是高水平的文学成果。

　　左拉在法国自然主义文学中享有经典大师的地位。他具有宏大的气魄与雄浑的才力，不仅是自然主义文学主要实绩的创造者，而且可说是自然主义创作理论唯一的发言人。他的《卢贡-马卡尔家族》无疑是法国文学史上数一数二的巨著，是法国历史中整整一个时代几乎无所不包的形象历史。而它作为人类资料、作为生理临床研究、作为自然科学精神与文学的结合，又全面地显示了自然主义文学的特征。这部巨著的客观存在本身清楚地表明，自然主义就是现实主义传统的继续与发展，就是现实主义在新的历史条件下的一种特定的形式，而左拉则是巴尔扎克最伟大的继承者。在理论上，左拉同样继承并发展了过去传统的写实论的思想，同时又将自然科学、实验医学的观点带到文艺理论的领域，从而建立了一整套自然主义创作论的理论体系。左拉的自然主义文艺理论把文艺创作中对自然科学方法的运用强调到一种绝对的地步，轻视并否定了文艺创作本身的一些特殊的规律与因素，带有很大的机械论的成分，不能完全正确地指导文艺创作。不过，事实上左拉本人的创作大大超出了他理论的范围而具有更生动、更充沛的活力。左拉的风格具有多种成分，他的气质本来是浪漫主义的，这给他的早期创作带来了灵动的格调。而在他全盛时期的作品里，这种浪漫主义色彩又与自然主义方法所决定的烦琐、滞重与严酷的写实形成一种独特的结合，有时还造成某种象征性的意象。左拉是法国文学史上具有最强烈的民主主义思想与社会正义感的作家之一，他的文学创作与文学活动鲜明地体现了进步的倾向。他的家族史小说充满了对第二帝国强烈的愤慨和大胆的暴露，他怀着良知与勇气投入了社会政治活动，向资产阶级国家机器进行了大无畏的斗争，并留下了一批充满战斗激情的政论。难能可贵的是，他还能把握社会时代的脉搏，接受了社会主义思潮的影响，在自己的作品中描写与歌颂了无产阶级的斗争，讴歌了美好的社会主义理想。左拉以其文学成就在法国文学史中具有重大的意义，是推动文学前进的少数第一流巨人中的一员，他给传统的现实主义增添了一些新的内容，其中合理的主张与方法对文学更真实地描写现实与描写人起了开拓性的作用，对后来的法国文学与世界文学都发生了深远的影响，在19世纪法国文学中，左拉完全可以与巴尔扎克、雨果比肩而立。

莫泊桑是自然主义文学潮流中晚于龚古尔兄弟与左拉的新秀。他主要从事短篇小说创作，数量达三百篇之多，在法国文学史上是空前的。他继承并发展了现实主义小说的传统，把短篇小说创作艺术推进到一个前所未有的高峰，他那些以严谨的结构、清晰简约的风格集中表现现实生活中一段段插曲的短篇，至今仍在法国文学以至世界文学中保持着经典的地位。他在长篇小说创作上也取得了出色的成绩，留下了《一生》《漂亮朋友》这样的杰作。他的小说取材面相当广泛，特别对普法战争、公务员、小人物、诺曼底乡镇生活以及新闻出版的内幕有细致生动的描写。他受业于福楼拜而又在自然主义文学潮流中受到熏陶，接受了左拉的影响，虽然他后来否认自己是自然主义者，但他的作品中显然有自然主义的痕迹，特别是在从生理的角度对人物进行观察与描写上。

另一个作家阿尔封斯·都德，他完全是在自然主义文学潮流兴盛的时期进行写作，而且与左拉、龚古尔兄弟的关系也相当密切，但他在自己的创作中却游离于这个潮流之外而保持了他个人的创作特色。他在对外在世界的写实中注入淡淡的诗意与温情，形成了自己独特的风格。当然，他不可能完全不受时代潮流的影响，他的剧本《生存竞争》就被认为是"舞台上的达尔文主义"。

在真实地描写现实上，自然主义文学与19世纪上半期传统现实主义的文学从根本上是一致的，但是，由于自然主义作家的创作方法全面地渗透了自然科学的精神，在如何真实地描写现实上，自然主义文学也就与现实主义文学有所不同而形成了自己的特色。

自然主义把自然科学的方法带进文学创作，首先表现在追求一种自然科学式的周全齐备、细致具体的描写。从宏观而言，自然主义文学对它所要反映的第二帝国这一时期社会生活的各个领域、各个方面都有全面细致的描写。左拉的家族史小说，每一部都是以一个特定的社会生活面为其对象，二十部小说就有二十个社会生活面之多，真正堪称"第二帝国的全部历史"，描写范围之广，足以与巴尔扎克分为各种场景的《人间喜剧》媲美，而描写之分门别类、齐备周全，则有过之无不及，如《土地》写农村，写尽了农村中各个阶层、各种类型人物的生活状况；如《萌芽》写工厂，则写尽了各种类型的工人形象等等。就微观而言，自然主义把对具体场景、具体事物的描写提高到前所未有的周详细致的程度，包括对场景与事物的情势、状态、位置、度量等等，都力求进行精确的描绘。如左拉对金融交易所（《金钱》）、对巴黎大菜市场（《巴黎之腹》）、对万象剧场（《娜娜》）、对蒸馏器（《小酒店》）、对火车头（《人兽》）等等的描写都是著名的例子。如果说，对场景与事物的描写在过去现实主义作品中往往要服从于表现主题、塑造人物、叙述故事的需要的话，那么到了自然主义文学中，则具有了相对独立的意义，它本身不仅仅是一种从属的手段，而是在相当程度上开始成为一种文学表现的目的。

自然主义文学根据自然科学的客观主义的精神，在对生活事件、生活过程以及人物行为的描写中，力求排除任何浪漫的不平凡的色彩，力求避免任何人为的布局与匠心的安排，而致力于追求日常生活化，力求以平淡无奇的生活图景与生活进程来达到真实地描写现实的目的，由此，就使不具有任何主观色彩、任何典型意义的生活细节也得以进入文学，如一个妇女梳妆的具体过程、一个男人洗澡的琐细小节、一桌酒席上菜敬酒的种种情况、几个农民一次劳动的始末详情，等等。这种客观的、平淡的细节描写在左拉的自然主义代表作中屡见不鲜，它们给人一种生活实录与照相的印象。

自然主义贯彻自然科学冷静严格精神的另一个必然的后果，是对严酷真实性的追求，它比过去现实主义的"不美化现实"的立场更进一步，直面现实中的丑恶，敢于并乐于表现与描写各种丑恶：或为社会生活中的丑恶，如《金钱》中贫民窟中男女杂居的情景；或为人性的丑恶，如《土地》中布托夫妇如何杀父；或为道德状况的丑恶，如《漂亮朋友》中杜洛华捉奸的场面；或为人物生理上的丑恶，如《小酒店》中古波因酒精中毒发疯的景象；或为人类形体上的丑恶，如《娜娜》中女主人公染病身亡后可怕的尸体；或为两性关系中的丑恶，如莫法伯爵撞见老朽的舒阿尔侯爵像一摊烂泥躺在妓女怀里的情节。自然主义彻底打破了文学表现的禁区，真正做到了让一切都进入文学作品，在文学史上留下了一些前所未有的触目惊心、惊世骇俗的篇章，从艺术上来说，这些篇章虽因描写过于淋漓尽致而经常使人不能卒读，但另一方面，由于作家的批判意识与严酷的写实，往往又能对腐朽丑恶的事物达到无情暴露的效果。

自然主义较之过去现实主义的一个最明显的不同，在于它开始从生理的角度来观察人、理解人与表现人，它重视自然人的一面，在相当大的程度上把人的行为、意识、思想、感情归之于人的生理机体，并以这种观点在作品中对人物加以描写。在法国文学史中，以往的作家在描写人的时候，往往只限于表现人的"灵"与"情"，不是善的"灵"与"情"、美的"灵"与"情"、正常的"灵"与"情"，就是恶的"灵"与"情"、丑的"灵"与"情"、反常的"灵"与"情"，即使是写出了人的多面性的巴尔扎克，也没有触及人的生理机能。而自然主义则把人的"血"与"肉"都带进了文学，它所表现的人都是体现了自然机能、按生理机制运转的"血肉之躯"，它开拓了一个新的方面，即人的"灵"、人的"情"、人的"欲"与人的生理条件、血肉之躯的关系。左拉在整个家族史小说中对人的描写，就是建立在对这种关系的认识基础上，他力图将家族的生理遗传因素表现为影响家族成员的性格与命运的重要根源。同样，莫泊桑也是从这种认识出发来塑造人物形象，在他的笔下，杜洛华这个人物与巴尔扎克的拉斯蒂涅虽同为野心家，但在拉斯蒂涅身上只能看到野心、贪欲、谋略与手段本身，而杜洛华的野心、贪欲、谋略与手段，则往往与生理的要求与冲动有关；在另一部作品《一生》中，莫泊桑也表现出婚姻生理学是影响男女主人公的家庭关系、决定女主人公命运的一个重要因素。自然主义的这种描写从另一个方面开拓与充实了对人的写实，对 20 世纪文学产生了明显的影响。

自然主义文学在 19 世纪后期具有头等重要的意义，它以其成就与贡献在整个法国文学的发展中占有显著的地位。自然主义文学的成就与贡献，总的来说，就是它出色地对自己的时代社会进行了真实的描写，在真正意义上构成了自己时代社会的一面镜子，既留下了一份充分说明整整一个历史时期经济政治、风俗人情的文献资料，又留下了一份在叙述文学中真实描写现实与描写人的艺术经验的财富。

在对时代社会的描写上，自然主义文学既有很大的广度，也有一定的深度。就本时代的历史事件而言，从路易·波拿巴的政变到普法战争乃至巴黎公社，在不止一个作家的作品里都得到了正面的、专门的描写；就本时代的发展潮流而言，资本的集中、垄断组织的出现、社会生产规模的空前扩大、社会主义思潮的兴起与流行，在这里都得到具有强烈光度的清晰反映；就社会的本质而言，上层的荒淫腐朽、下层的悲惨不幸、尖锐的贫富对立，在不少作品里都被揭露得淋漓尽致，使人触目惊心；就社会构成而言，贵族世家、资产阶级暴发户、地主、工业家、金融家、投机商、文人、艺术家、手工业者、产业工人、富裕农民、雇工、农村流氓无产者、城镇小店主、军官、士兵、妓女、演员、教士、公务员等等，各阶级各阶层人物的形象在自然主义作家的笔下都有栩栩如生的再现；就地域与社会生活面而言，从巴黎到外省，从上层社会的沙龙到社会下层的贫民窟，从工矿区到农村，从政治斗争、军事生活与文学艺术、新闻报刊，从金融投机到商业活动，从教士医生的行业到娼妓的人肉市场，所有这些在自然主义文学里都有详尽的描写。这些成就清楚地表明，自然主义文学在反映时代社会的真实风貌上，其广泛周全与细致具体的程度，实际上已超过 19 世纪前期的现实主义文学。

特别应该指出的是，在 19 世纪后期的法国，劳资矛盾、无产阶级与资产阶级的矛盾比过去更为发展、更为尖锐。因而，社会主义思潮在法国得以迅速传播，并开始与工人运动结合，这构成了那个历史时期中一个重大的社会现实，这种社会现实要求在文学中得到反映，文学中的这一历史任务在相当大的程度上是由自然主义文学担负了起来。自然主义文学不仅比 19 世纪前期的文学更多更具体地表现了社会下层的悲惨生活，而且，在法国文学史上第一次正面地细致地描绘了各种工人的形象与他们的劳动生活状况，直接表现了他们反对资本主义剥削的斗争以及与社会主义思潮的结合，左拉的《萌芽》就是这样一部杰作，他的作品构成了自然主义文学的一项特别的贡献。

还应该看到，由于自然主义作家在描写社会生活时力求准确、实在，自然主义文学作品里就得以拥有大量的政治经济、社会历史、风土人情的细节。工厂矿山的设备水平、农场的生产规模与劳动组织、交易所的经济手续、农民的生产工具与劳动程序、市场的价格、金融市场资本流通的详情、菜市场上的品种与大百货商店的销售情况，等等，所有这些都被描写得细致而精确，具有高度的认识价值与历史学价值。

自然主义文学无疑也存在着明显的局限。自然主义作家对自己作为历史学家的要求虽颇为严格，但他们很少像 19 世纪前期的现实主义作家那样，要求自己也具有思想家与哲学家的素质，因而，他们作品中的思想意义远不如前期现实主义作家丰富，缺少思想的闪光与隽永的意味。有的作家，如莫泊桑，原来思想格调就不高，加之只专注于写实而忽略思想性的挖掘，更形成了客观主义的倾向。同样，自然主义作家也很少要求自己在艺术形象中思考与探索道德伦理的意义，因而他们的作品中道德伦理倾向有时显得过于淡泊，特别是莫泊桑作品更是如此。自然主义文学严格的写实，尽管给文学带来了一些重大的贡献，但它缺少艺术的加工与提炼，过于烦琐，造成叙述与描写上的呆板与滞重，而它对丑恶肮脏事物的描写，有时又缺少节制，使有的篇章引起反胃的效果。自然主义作家从生理与遗传的角度描写人，固然开拓了对人的描写领域，但当他把生理遗传的因素加以绝对化时，就削弱了对人的正常人性与社会性、阶级性的挖掘，在一定程度上损害了人物形象的描写。

科学精神、实证主义对文学的影响是如此巨大，远远不限于自然主义小说，甚至诗歌这一特殊的领域亦未能例外，帕纳斯派的诗歌就是科学精神与实证主义思潮所引起的结果。从勒孔特·德·李勒，到科佩、苏利－普吕多姆、埃雷迪亚，这个诗派的诗人把诗歌引出主观世界，把对客观世界中形形色色的现象与事物的精细描绘作为诗歌的主要内容，将宗教、神话、历史，甚至自然科学等等丰富渊博的学识带进诗歌，是对浪漫主义诗歌的一次否定，正像自然主义小说是对浪漫主义小说的一次否定一样，同样都打着深刻的实证主义的印记。帕纳斯诗歌始于19世纪60年代，昌盛于七八十年代，与自然主义小说是平行发展的，它们同为科学精神与实证主义的双胞胎，并且互为掎角之势，构成了19世纪后期科学精神在文学中大发扬的局面。

至于科学精神、实证主义对文学理论批评的影响更是不言而喻，它由于泰纳本人在这个领域里而更为直接、更为明显，由于泰纳的理论活动，特别由于他在高等学校长期任教，这一时期投身于文科的学子几乎没有未受他直接熏陶或间接影响的。正是从这一代学子中，出现了像法盖、布吕纳介、朗松这样一批杰出的批评家，他们基本上都是泰纳的信奉者与后继者，都或多或少从泰纳那里吸取了精神营养，承袭了思想观点与批评方法，成为理论界、学术界、教育界又一代有影响的名师。这就是出现于19世纪后期的以泰纳为标志的实证主义理论批评的高潮。如果说实证主义在19世纪80年代以后，因自然主义小说的极盛期已过，帕纳斯派诗歌为象征主义诗歌所取代而在文学创作领域失去了指导性的地位的话，那么它直到20世纪初期在理论批评界却一直具有压倒一切的优势而保持其主流派的地位，虽然在这个时期法朗士与勒梅特尔的印象主义文艺批评也有很高声誉，古尔蒙的象征主义的理论批评亦颇有新意。即使是在今天，实证主义的理论批评在法国文学史研究中仍具有相当重要的地位与影响。

同样，科学精神与实证主义也渗透到历史散文的领域，与泰纳齐名的勒南亦承受了这种影响，并将它有机地融合在自己的思想观点与方法之中，使他那具有柔和高雅风格的历史散文论著透出了科学的光辉。

第四节　文学中现代性的趋势与象征主义

19世纪后期、20世纪初期的文学，在法国文学史上的特殊意义还在于，它是走向20世纪现代性文学的重要阶段。从历史时序来看，这个时期的文学与当今20世纪文学相衔接本是不言而喻的，然而，在历史上，一个时代紧跟着另一个时代并不一定就是那个时代的前奏，如18世纪对于17世纪、17世纪对于16世纪，等等。而19世纪后期、20世纪初期的文学却在真正意义上是20世纪现当代文学的前身。

作为前身与前奏的含义，既可以说这一时期文学中的若干成分对20世纪现当代文学具有明显的影响，这些成分在后来发展得更为充分鲜明。也可以说，20世纪现当代文学中已经明朗化的现代性倾向，早在19世纪后期、20世纪初期的文学中便已露端倪，现代性倾向中的一些因素与成分在这个时期已经萌芽生长。特别有意义的是，这种现代性倾向不仅对此前的 19 世纪上半期的文学而言是创新的，而且对整个传统文学而言也是创新的。它具有划时代的意义，而它的萌芽正是发生在 19 世纪后期、20 世纪初期，这个时期的文学可以说是法国文学发展过程中的一道分水岭。

正如我们已经指出的，这个时期文学队伍的空前壮大、作品数量显著增长与各种文学类别中的多样化等等这些总体性的特点，在 19 世纪上半期文学中并不显著，而在 20 世纪现当代文学中却表现得更充分更鲜明，这种文学生产的规模扩大与多样化、多元化趋势正是文学中现代化的一个明显的标志。这一现代化的进程始于这个时期的文学是很自然的，因为正是在这个时期法国进入资本主义初级繁荣阶段；这一现代化的趋势在这个时期的文学中与 20 世纪现当代文学中前后贯通、日益明显突出也是很自然的，因为这个时期法国的繁荣发展正是 20 世纪将要来到的社会繁荣发展的前奏。

这个时期文学在总体状况上的一些特点，并不是文学走向现代性趋势的唯一标志，甚至也不是主要的标志。主要的标志还在于这个时期文学中出现了一些新的艺术内容、艺术形态，它们与传统文学大相径庭，而对 20 世纪现当代文学却有深刻的巨大的影响，在其中引发出强大的持续不断的现代派艺术潮流，形成一次又一次反传统文学的高潮。

首先是诗歌中的象征主义，它是 20 世纪现代派文学的一个重要的源头。

象征主义的产生来自法国文人天性中常见的那种对固有的文学传统、对旧的美学趣味的厌倦与对新的艺术风格、新的艺术意境的自觉追求。它所出现于其中的诗歌领域从 19 世纪 20 年代起就是浪漫主义的天地。半个世纪以来，雨果高踞于诗坛之上，直到 19 世纪 80 年代初期还发表了他的著名诗集《历代传说》的最后一部，维持着诗王的余威。然而，新一代诗人对浪漫主义那种自我感情的膨胀与泛滥、痛苦的呼号、高昂的语调、浓重的色彩、华美而浮夸的诗风都已经感到厌倦，他们寻求新的诗歌。诗歌领域中这种不可扭转的趋势，首先表现为19世纪70年代帕纳斯派诗歌的出现。帕纳斯派要求诗歌从内心转向外在世界，在表达内心情感上力求含蓄以及具有严格的诗歌格律等，都是针对浪漫主义诗歌的。它是诗歌中一次变革的尝试，因此，它几乎囊括了当时所有企图寻找诗歌出路的有志之士。不仅有戈蒂耶、波德莱尔、邦维尔这些先行者，以勒孔特·德·李勒为首的真正意义上的帕纳斯派的诗人，而且还有后来另辟蹊径的马拉梅与魏尔伦。但是，帕纳斯派冷静而无动于衷的诗风以及与此有关的在文学领域里盛行的科学精神，还有这种精神给文学所带来的某些刻板滞重的图景，不仅没有满足诗歌变革的要求，反而与诗歌创作不无矛盾，于是，象征主义作为对所有这一切的厌倦与反动应运而生，其两位主将则正是从帕纳斯派阵营中走出来另谋出路的马拉梅与魏尔伦。

时代的精神气候给象征主义提供了生长的条件。19世纪下半期的英国哲学家斯宾塞（1820～1903）认为"理性只能认识相对的事物"，绝对的事物则"不能被认识"的不可知论哲学，于19世纪70年代初译成法文出版，在青年一代中颇有影响。德国著名作曲家瓦格纳（1813～1883）的歌剧《黎恩济》《幽灵船》《帕西发尔》《特里斯当和伊瑟》等相继在19世纪60年代至80年代中译成法文进入了法国的文化生活。他那宣扬宗教神秘主义、叔本华的悲观哲学与尼采超人哲学的歌剧音乐也使得法国的文艺青年如痴如醉。这些成为启示与诱因，促使诗歌对隐秘的内心生活与人生神秘意义进行探索，给诗人们指出了新的诗的意境，促进了象征主义诗歌的产生。特别不容忽视的是，在本民族的文学里已经有了先行者有力的启迪，那就是波德莱尔的"应和"论。波德莱尔认为自然界是神秘的，其中万物之间互有感应、互为象征，各以不同的方式呈现自己，并诉诸人的感受，与人的内心世界感应契合，而人们内心对客观万物的颜色、声音、气味的不同感受，即视觉、听觉、嗅觉、味觉、触觉之间彼此又可以互相应和、互相沟通、互相转化。如果说，波德莱尔的"应和论"在它问世的19世纪50年代并没有造成多大的影响，那么到了19世纪七八十年代追求新出路的诗人那里，则无异于诗歌创作的圣经。

象征主义是一个有理论、有宣言、有创作实绩、有派别活动的实实在在的文学运动，从其发展来看，19世纪70年代是它做出创作实绩与进行理论孕育的阶段。首先，马拉梅于1869年在《当代帕纳斯》上发表了著名诗篇《希罗底亚德》，这首诗固然是按帕纳斯派的方式以历史题材为诗，但赋予了女主人公的珠宝、镜子、一颦一笑、一举一动以特殊的意义，构成了微妙的象征，而其中大量的意象又互相应和、沟通、暗合，展示出一种新的诗风，标志着马拉梅从帕纳斯派到象征主义的转变。此后，他沿着新路走下去，以1876年《牧神的午后》的发表，达到他诗歌艺术的最高峰。虽然马拉梅的诗歌创作一直继续到19世纪八九十年代，但他主要的诗歌创作成绩却是在19世纪70年代做出的。同样，兰波也是如此，兰波是最能代表象征主义诗歌成就的主要诗人之一，他的不朽名篇几乎都写于19世纪70年代初。他闻名遐迩的《醉船》与《元音十四行诗》是1871年的作品，他著名的象征主义诗论《慧眼人的信》也写于此时。他的两大诗集之一《地狱的一季》早在1873年就已经出版，而另一著名的散文诗集《彩画录》虽发表于1886年，但成书时间也不迟于1873年，1874年以后，他就彻底搁笔，告别了文学创作。魏尔伦的创作业绩倒不完全集中于19世纪70年代，他早在19世纪60年代登上诗坛，是帕纳斯派的成员，一直到19世纪90年代仍不断发表诗集，但他作为象征主义大师的创作道路却是从1871年开始的，正是在这一年他接受了兰波的影响，然后才完成从帕纳斯派到象征主义的飞跃。他那被视为象征主义诗歌创作宪章的著名《诗艺》写于这个时期，他著名的代表作《无题浪漫曲》与后来发表时一分为三的另一部诗集《监狱集》（分为《智慧集》《今昔集》与《平行集》发表）也是在19世纪70年代完成的。虽然从19世纪80年代到他逝世，他又陆续有十多部诗集问世，但它们在情调、意境与审美价值上都没有超出这两个诗集所显示的象征主义诗风。总之，马拉梅、魏尔伦、兰波这三个开拓者与主将在19世纪70年代所做的一切，实际上已经在理论与创作两方面为象征主义打下了坚实的基础，足以保证象征主义的不朽。

19世纪80年代是象征主义扩大理论宣传与形成流派运动的阶段。在19世纪70年代，象征派的三个开拓者并不享有多高的声誉，从19世纪80年代起，马拉梅与魏尔伦的名气开始日益增长，兰波的出名则更是以后的事。在声望提高、受到新派文艺青年推崇之际，马拉梅从1880年起，每逢星期二在罗马街自己的寓所接见他的信徒，是为著名的"马拉梅的星期二"，参加的有勒内·吉尔（René Ghil，1862~1925）、卡恩（Gustave Kahm，1859~1936）、拉弗格（Jules Laforque，1860~1887）、莫克尔（Albert Mockel，1866~1945）、雷尼耶（Henri de Régnier，1864~1936）、维埃莱·格里凡（Vielé-Griffin，1863~1937）、克洛代尔（Paul Claudel，1868~1955）、纪德（André Gide，1869~1951）、瓦莱里（Paul Valéry，1871~1945）等，这些初露头角的文艺青年在当时实际上形成了象征主义的一支相当可观的追随者队伍，颇有声势，他们之中不止一人将成为20世纪法国文学中的第一流人物，如纪德、瓦莱里、克洛代尔。1883年，魏尔伦在刊物上发表了一系列文章，推荐赞颂科比叶、兰波与马拉梅，后结集为《厄运诗人》，确立了象征主义几个主要人物的文学地位，扩大了他们以及他自己的影响。1884年，魏尔伦又发表了他写于19世纪70年代的重要文论《诗艺》，宣告了他的诗歌创作的纲领。1855年，勒内·吉尔发表了诗体的《文论》（Le Traité du verbe），次年，马拉梅又为《文论》的单行本撰写序言，都宣传了文学的象征性。

1886年，属于这个文学潮流的青年诗人莫雷亚斯（Qean Moréas，1856~1910）在《费加罗报》上发表著名的《宣言》一文，提出对新一派诗人不应称之为"颓废派"，而应称之为"象征派"，象征主义之名由此而来。从这时起，这个文学潮流与派别才有了自己正式的称谓，正如过去现实主义与实证主义事后才有了自己的称谓一样，莫雷亚斯因此也获得了象征主义发起人的称号。同年，魏尔伦替已远离诗坛的兰波发表了《彩画集》，而从19世纪80年代到90年代，魏尔伦本人又有将近10个诗集问世。这个时期，文学刊物有1886年创办的《象征主义》与1889年问世的《笔杆》（La Plume）作为象征主义的喉舌，后来的《法兰西水星》也大力宣传象征主义。所有这一切在19世纪80年代形成了象征主义文学运动与派别活动的高潮。在这个时期里，以拉弗格为代表，以颓唐的内容与情调为其创作特点的颓唐派诗人，也与象征派同路而行，并参加它的活动，从而壮大了象征主义的声势。

19世纪80年代以后，象征主义作为一个文学运动与流派逐渐退潮，发生了分化，魏尔伦与马拉梅都进入了他们的老境，莫雷亚斯标新立异，另组"罗马派"，勒内·吉尔也组建"和声进化派"，虽然运动已经解体，但象征主义作为一种文学思潮与文学创作方法，却对此后法国文学持久地产生深远的巨大影响。

象征主义既有一整套理论主张，也有丰硕的创作成果，它的主张、实践与成果都具有新的反传统文学的特色。总括起来，在关于诗的主观性、关于诗的暗示艺术与关于诗的语言三个方面，它都有创新。

象征主义反对诗歌像浪漫主义诗人雨果所要求的那样成为自己时代的"回音"，也反对诗歌像帕纳斯派主张的那样成为对客观世界进行描绘的工具，它宣称自己"是一切说教、一切虚伪感情、一切客观描绘的敌人"，它大力强调诗的主观性，主张诗歌应致力于表现个人内心深处隐秘的情感。在所表现的人的感情、思绪与意念上，象征主义与传统诗歌又有根本的区别。历史的传统诗歌包括浪漫主义诗歌所表现的个人情感都是清晰、鲜明而强烈的，象征主义的表现内容则往往含混、隐晦、灰暗；在传统的诗歌中，情感与思想往往具有充分的形态与完整的绵延，而在象征主义那里，情感思绪往往是零碎的、片断的，既不完整更不充分。象征主义不仅仅追求隐晦与含混而已，它还追求神秘，它力求从事物中发掘出神秘的意蕴，它热衷于表现神秘的感受。象征派继承了波德莱尔的"应和"论，极力在不同的事物之间寻找"应和"的关系，捕捉内心对不同事物的瞬息即逝的微妙感应，并把内心中各种感觉与感受的沟通，转化发展到最彻底、经常是令人不容易理解的程度，而这种对事物的应和关系与内心的通感的过分追求，又往往构成它的神秘意蕴与神秘感受的一种根由。

象征主义在诗歌表现方式上最大的特征是强调暗示，在象征派看来，诗歌是一个含糊、混乱的领域，切忌在其中动用理性的分析与明晓的表述，而应让情感与思想在其中闪现与转化。诗人不应仅仅满足于诉诸读者的智慧，而应该在他身上激起一种复杂的、难以名状的共鸣。诗人不是要使读者明白，而只是要向读者暗示。象征主义诗人认为，像帕纳斯派那样把握住事物的整体、再把它完整地表现出来，就会失去神秘的意味，把一个客观的东西加以名状，就会剥夺掉一首诗大部分情趣，诗歌的情趣在于梦境，由此，诗艺要讲究暗示，而暗示的重要途径就是象征。不仅具体可感的事物可予以象征，而且抽象的思想情感也可以赋予有形的、感性的形式而加以象征。象征派诗人的象征并不是一般传统诗歌中的比喻，传统诗歌中的比喻往往是鲜明的、确切的，而象征派的象征则往往是含蓄的、捉摸不定的，达到了梦的意境，而且，象征派诗人力求其象征性的形象尽可能大量、丰富，在它们微妙的差异变化、互相应和、沟通转化之中，引起读者各种含混的、难以言传的感受，使诗歌达到音乐所具有的特殊艺术效果。

在诗歌的语言问题上，象征派诗人为了使复杂的感受与印象转瞬即逝，为了把这些感受与印象之间微妙的差异表现出来，不满足于传统的缺乏足够弹性的诗歌语言与诗歌格律，他们需要扩大与启用不常见的词汇，并追求语言的音响效果，而在格律上则力求自由，每个诗人都可以进行自己的创造。

象征主义所显示的暗示性、含混性、梦幻性、象征性、非理性主义倾向等等一系列特点，与传统文学的特点形成了鲜明的对照，它的这些特性在当时是"现代派"的、"先锋派"的，而到 20 世纪的文学中又有进一步的发展，构成了 20 世纪文学现代性特征的重要组成部分。从这个意义上来说，法国的象征主义诗歌不仅在法国而且在整个欧美都名副其实地可算是现代派文学的真正开端。它直接培养了瓦莱里、克洛代尔这样出色的继承者，使象征主义诗歌在 20 世纪一个相当长的时期里大放异彩，并进一步发生了深远的扩散；它对 19 世纪末、20 世纪初象征主义戏剧的产生也起了启迪与推动的作用，象征主义戏剧大师梅特林克与克洛代尔曾直接受到它的熏陶；它还是 20 世纪强大的现代派文学超现实主义的一个明显的渊源，而超现实主义对以后的各种现代派文艺又都有深远影响，因此，在 20 世纪其他一些现代派文学的主张与表现方法中，人们也常能辨识出象征主义的零星基因。象征主义的辐射式的广泛作用，清楚地标明了它是法国文学走向现代性的第一步。

向 20 世纪现代性发展的趋向，在这个时期的小说与戏剧领域里也有明显的征兆。

在小说领域里，19 世纪 80 年代自然主义小说达到极盛之后不久，心理小说大为盛行，从事心理小说写作的作家为数之多是过去任何时代所没有的，这种文学现象反映了文学表现人的主体性与主观精神世界的进一步深入，而转向人的主观世界与人的主体性正是文学现代性的一个特征。更为重要的是，这个时期小说中的心理描写不仅在方法上已不再限于拉法耶特夫人与贡斯当的模式，而是更为多样化，这说明了对人类内心活动规律的艺术把握更趋丰富与深化。哲学家柏格森在这个时期提出了绵延说，论述了人内心意识的绵延与活动的复杂性，揭示了新的时空关系，区分了时钟时间与心理时间，无疑是心理学上划时代的创见，它对20世纪现代派的意识流小说发生了巨大的影响。与此相应，在这个时期的小说领域里，已出现了与传统心理描写完全不同的意识流的方法，在象征主义潮流中深受过熏陶的杜雅尔丹（Edouard Dujardin, 1861~1949）于1887年出版的《月桂树已被砍尽》（*Les Lauriers sont coupés*）就是运用这种方法的一部划时代的小说。这部小说的意识流方法以对意识活动的客观呈现来代替传统小说中作家的主观描述与分析，以成分混杂、多层次、具有非理性内容的意识绵延来代替传统小说中成分比较单纯、层次比较表面、内容较为理性的心理活动，是以新的心理学认识为基础的。《月桂树已被砍尽》直接影响与启发了后来著名的意识流小说大师、爱尔兰作家乔伊斯，成为欧美意识流小说的一个源头。至于自然主义，虽然在某些方面被认为与现代性格格不入，但它实际上是传统现实主义走向20世纪现代化的一个关键，它的一些成分与方法，如对人类血肉之躯的描写与对物的描写，已成为20世纪写实主义文学的组成部分，甚至与20世纪现代派小说"新小说"派亦不无渊源关系。

在戏剧领域里，直接受象征主义诗歌影响而产生的象征主义戏剧，将径直进入20世纪，并构成20世纪现代性文学的重要部分，它还对文学中的表现主义有所影响。特别值得注意的是，这个时期出现了雅里的具有反传统倾向的戏剧，它无疑是20世纪荒诞派戏剧的先驱，它所蕴含的一些反传统戏剧的基因在荒诞派戏剧中将得到彻底的充分的发展，将引发出戏剧史上一次极端的反传统的高潮。

第二章　巴黎公社文学

巴黎公社文学是 1871 年巴黎公社革命的产物。它继承了 19 世纪 40 年代工人诗歌的传统,以其革命内容、战斗激情、英雄主义和朴素的艺术风格而在文学史上独树一帜。

巴黎公社文学主要包括公社斗争前后约 20 年间（19 世纪七八十年代）公社战士们的大量文学创作,其基本题材均取自巴黎公社革命事业。

第一节　概况

巴黎公社文学大体上可划分为三个阶段,即：公社诞生前的普法战争时期,公社斗争的 72 天,以及公社失败后的近 20 年间。

1870 年的普法战争,是巴黎公社革命的酝酿时期,也是巴黎公社文学的草创时期。

普法战争是一场两国统治者争夺霸权的战争,他们竭力在国内煽动民族主义情绪,但公社诗人们却清醒地用诗歌揭露反动派的阴谋,并号召两国人民联合起来推翻暴君的统治（如,米歇尔的《和平示威》等）。当普鲁士军队进入法国,迫使法国人民奋起抵抗时,公社诗人们一方面抨击政府的投降卖国,一方面发出了保卫巴黎的呼唤。爱弥尔·德勒（Emile Dereux）的《一块牛排就交出巴黎》,就是一首揭露资产阶级叛卖活动的出色的政治讽刺诗。鲍狄埃的《自卫吧，巴黎》等诗，既义正词严地谴责了第二帝国的腐败，又表达了巴黎人民威武不屈的英雄气概和誓死保卫巴黎的坚强决心。但是，随着普鲁士军队的步步紧逼和法国资产阶级政府的节节退让，人民越来越清楚地看到，只有打倒旧政府，建立新政权才是拯救祖国的唯一出路。于是，从9月4日起，巴黎人民就多次举行起义，为建立红色的公社而斗争。公社的诗人们也以激越的诗句呼唤着新政权的诞生。德勒的《波诺姆之歌》是一首流传广泛的歌曲，歌中唱道："波诺姆，难道你不知道？／觉醒的时刻已经来到，／沉睡百年，／百年来自由在你耳边哭泣呼号。／波诺姆，波诺姆，快起来，曙光正照耀，／公社万岁！／公社万万岁！"鲍狄埃在《一八七〇年十月三十一日》一诗中，同样以饱满的热情呼唤："快成立起红色的公社，／像一轮红日升入天空！"这些诗歌，为巴黎公社的起义作了舆论准备。

　　公社起义的胜利，给文学艺术的发展带来了新的动力。在公社的72天里，在极其艰苦的条件下，与革命事业紧密相连的群众性文艺活动空前活跃。音乐会、诗歌朗诵、戏剧演出、漫画张贴等等，既丰富了民众的文化生活，又鼓舞了战士们的革命斗志。正是在这些丰富多彩的活动中，艺术家们以三四十份报纸杂志为主要阵地，创作了一批直接反映斗争生活、具有强烈革命精神的作品。

　　公社起义后，由于凡尔赛分子的挑唆破坏，巴黎许多博物馆关闭，剧场停演，演员外逃。公社决定派革命的艺术家们接管这些机构，进行整顿。虽然歌剧院的演出未能及时恢复，但群众性的街头演出却比比皆是，而且规模越来越大，深受欢迎。公社还在豪华的杜伊勒里宫举办过大型的音乐会，一些进步的著名演员参加了演出，他们演唱的《贱民之歌》等革命歌曲，使群情振奋，发挥了革命文艺的战斗作用。

　　公社最早建立的艺术家组织，是由著名现实主义画家库尔贝发起的艺术家联合会。联合会由47名艺术家组成执行委员会，其中有工艺美术家、诗人鲍狄埃，雕塑家达鲁，画家米勒，漫画家杜米埃、吉尔等人。这个组织享有很高的声誉，它的纲领在一定程度上代表了公社的文艺政策。由库尔贝、达鲁、鲍狄埃等14人签署的联合会纲领开宗明义地宣布，联合会是由"同意公社共和国原则的巴黎艺术家"组成的，它要"为我们的复兴，为开拓公社富裕的道路，为未来的辉煌前景和世界共和国做出贡献"。它给自己规定的任务是：保存艺术遗产，鼓励创作，发掘现代作品，通过教育振兴未来的艺术。同时，联合会纲领也受到蒲鲁东主义的影响，它强调这个组织应有益于"艺术家道德上和精神上的解放"，促进"不受政府监督和不享有任何优待的艺术自由发展"，"持有各种观点和拥护各种制度的著作都可以在这里出版"等等。

公社委员会内部对应当如何领导文学艺术的问题是存在着分歧的。这种分歧，比较集中地反映在5月19日的一次公社会议上。在讨论剧院的管理问题时，以瓦扬为代表的一些委员强调戏剧的教育作用，强调剧院是"教育人民的工具"，为达到这一目的，公社就应当干涉，但这不同于过去反动派的干涉，这是人民的政权"为了正义和自由"而进行的必要干涉；而以皮阿为代表的一些委员则绝对反对对戏剧或文学进行干涉，认为这不符合"共和主义精神"，他强调，"对艺术不管进行任何监护和给它什么影响，我都认为是对人类思想自由的侵犯"。辩论的结果是瓦扬等人的意见取得胜利，并通过了他提出的关于剧院问题的法令。

公社时期的文学创作以诗歌为主。公社战士们在激烈的战斗之余，或为表达对敌人的仇恨，或为抒发革命的豪情，写下了许多即兴式的诗作。这些诗篇，有的被谱成歌曲，在战壕里传唱；有的印成传单，在街垒中散发；无论以什么形式出现，它们都是公社斗争的一个组成部分。这些诗作短小精悍，语言朴实而铿锵，充分体现了战歌的风格。遗憾的是,由于战斗残酷,时间过短,许多诗篇都未能保存下来,许多作品的作者情况也都失传。这时期保存下来的优秀的诗作有《无产阶级之歌》(拉潘特)、《我们要兄弟般友好》(拉叔赛)、《共和主义者联盟》(赛内沙尔)等等。

公社失败后,许多公社战士遭到监禁、流放,或被迫流亡国外。但是,失败和挫折并没有使他们消沉,公社的作家们在牢狱里、在流放地,或是在异国的土地上,以笔代枪,又开始了新的战斗。他们在作品中控诉凡尔赛分子的血腥罪行,回顾公社走过的道路,缅怀在斗争中牺牲的战友,记录身陷囹圄的境遇;1880年大赦后,诗人们相继回到战斗过的土地上,精神振奋,诗如泉涌,他们歌颂公社的光辉业绩,总结公社的经验教训,以激励人们更高地举起公社的旗帜。这一时期的公社文学,数量众多,形式多样,内容丰富,思想深刻,艺术更趋成熟,形成了一次引人注目的高潮。

首先值得注意的是回忆录。72天的斗争虽然短暂,但却是人类历史上的重要一页。一些公社战士饱蘸深情写下的回忆录,以亲身经历为人们提供了认识巴黎公社的生动而翔实的史料,像路易丝·米歇尔的《公社》(*La Commune*)、马克西姆·维约姆(Maxime Veillaume,1844~1920)的《我的红色笔记》(*Mes cahiers rouges*)、亨利·罗什福尔(Henri Rochefort,1830~1913)的《我一生的遭遇》(*Les Aventures de ma vie*)等等,都是这方面的佳作。另一类史学著作,则将作者个人的耳闻目睹与对历史的全面考察、整理和思索结合起来,构成了独特的史书风格。例如,古斯塔夫·勒弗朗赛(Gustave Lefrancais,1826~1901)在1871年年底写出了《关于公社运动的研究》(*Edude sur le mouvement communaliste à Paris en,1871*),普罗斯贝·利沙加勒(Prosper Lissagaray,1838~1901)在1876年发表的《1871年公社史》(*Histoire de la Commune de,1871*),被马克思称为"第一部真实可信的公社史",具有很高的文献价值。

文学成就更为突出的是小说和戏剧，在这方面，最有影响的是公社作家儒勒·瓦莱斯，他的三部曲长篇小说《雅克·万特拉》和大型剧本《巴黎公社》都在文学史上占据重要地位。此外，一批没有亲自参加过公社斗争的年轻作家，也以公社为题材创作了一些优秀的作品。乔治·达里安（Georges Darien，1862~1921）以《秩序之友》（L'Ami de l'ordre）为题的剧本，猛烈地抨击了疯狂屠杀公社战士的刽子手。让·黎施潘（Jean Richepin，1849~1926）在小说《塞萨丽娜》（Césarine）中以生动的笔触，描写了公社起义的景象。吕西安·德卡夫（Lucien Descaves，1861~1949）的小说《圆柱》（La Colonne），描写的是围绕拆除旺多姆圆柱这一事件所展开的矛盾。他的另一部小说《菲勒蒙，一位老妇的老伴》（Philémon, vieux de la vieille），获得了更高的文学声誉。作家极其细腻地表现了一位公社老战士，在流亡归国后日夜回忆公社事业、在深情怀念中度过余生的感人故事。著名作家莱翁·克拉代尔（Léon Cladel，1835~1892）花费15年时间（1872~1887）写成的长篇《I. N. R. I》①，塑造了公社战士英勇无畏、正气凛然的崇高形象，给人留下深刻印象。由于种种原因，这部小说直至1931年才公开出版。

这一时期公社文学中最令人瞩目的仍然是诗歌。这些诗歌控诉凡尔赛分子的残暴罪行，缅怀在斗争中牺牲的公社英烈，讴歌公社革命的冲天壮举；诗人们还随着工人运动的重新崛起，对巴黎公社的成败得失作了认真地回顾和思考，并以奔腾的激情呼唤人们继续公社的事业，更高地举起公社的旗帜去夺取新的胜利。

当屠杀公社社员和无辜群众的枪声尚未停止的时候，克莱芒就写出《浴血的一周》，愤怒谴责了凡尔赛分子的暴行；面对着公社

---

① 《I. N. R. I》，根据《新约》记载，这四个字母是写在被钉死的耶稣的上方的。作者以此作书名，意将公社社员的牺牲与耶稣的殉难作类比。

失败后尸横遍地的白色恐怖，鲍狄埃带着忧愤之情，写出了灼人心肺的名篇《难道你一点也不知道？》；让·特罗埃尔（Jean Trohel, 1820～？）的《牺牲者和刽子手》（1882）一诗，则列举刽子手的大量罪行，以严正批评诗人雨果在敌我之间的所谓"公正"立场，并希望诗人能为英雄的牺牲者唱出真诚的"礼赞"，以使烈士们能"永世流芳"等等。在许多揭露凡尔赛分子暴行的诗歌中，都贯穿着一个鲜明的主题——复仇，为烈士们复仇，为公社复仇。因而使这些诗歌除愤懑之情外，还昂扬着战斗的意志。如马赛公社的战士克洛维斯·于格（Clovis Hugues, 1851～1907）在监禁期间写成的《狱中诗钞》（*Poèmes de prison*），就是这样的诗作，诗人在其《狱中歌》（1873）中，历数敌人的疯狂肆虐，同时发出了复仇的呼喊：

>　　热血在沸腾，
>　　牢门在风暴的袭击中，
>　　为了所有被放逐的弟兄，
>　　起来！起来！起来！
>　　誓为被镇压的公社复仇，
>　　进行决死的斗争！

诗人们能够不为艰难挫折所压服而始终保持昂扬的斗志，是因为他们深信公社的事业是正义的，而正义的事业是不会死亡的：

>　　不，你没有死！
>　　为根除旧世界
>　　我们只要高呼你的英名，
>　　千万愤怒的群众就会再度奋起。
>　　……

> 而人民将要扬眉吐气,
> 这是历史的规律!
> 敬礼!光辉的明天!
> 敬礼!正义的胜利!
>
> ——于格:《公社礼赞》

正由于诗人对未来抱有坚定的信念,因而总是对未来充满乐观主义的精神,诗人们回忆昨天的斗争,也为的是激励今天的人们去争取明天的胜利。如欧仁·夏特兰(Eugène Chatelain,1829~1902)在诗集《1871年的流亡者》(*Les Exilées de*,1871)中,曾特地为孩子们写了一首《公社万岁》,以明快的笔调描绘了没有压迫、没有贫困的光辉前景,他希望孩子们将成为幸福的一代。

从时代的需要出发,为革命斗争服务、为无产阶级政治服务,是巴黎公社诗歌的鲜明特征。诗人们大多是公社战士,72天的革命孕育了他们的诗情,斗争现实不断激发着他们的灵感,使命感更使他们自觉地以文艺为武器,这就给他们笔下的诗歌带来了全新的思想:彻底消灭剥削制度,建立人民的新世界。这种明确的阶级意识,是形成其独特诗风的内在依据。

> 让你们的诗篇,
> 风骨似钢,
> 洗练又明朗。
> 要实现革命的宣言,
> 势必鼓动群众的思想。

夏尔·凯勒(Charles Keller,1843~1913)的《致诗人》中的这几句诗,正是公社诗歌风格的概括写照。高昂的格调,喷涌的热情,明朗的色彩，铿锵的节奏，构成了一曲曲雄浑的战歌。即令是那些悼战友或控诉敌人的诗歌，也都同样渗透着乐观的精神。

公社诗歌既深深扎根于现实斗争的土壤，又富于丰富的想象和理想的光彩，从而使这些具有强烈倾向的政治抒情诗生动、形象、富有感染力。如亨利·勃里萨克（Henri Brissac，1826~1907）的《装石灰袋》，从在奴岛上苦役犯艰苦的烧石灰劳动写起，由"视而不见的烟尘"联想到"翻腾的思想"——"你也展翅飞翔，／去把人民的头脑武装，／用新天地的曙光／把群众的心坎照亮！／让世界像火山爆发，／喷出炽热的岩浆！"诗人想象力的驰骋，始终与对革命的执着追求紧密相连。

公社诗歌继承了民歌和19世纪三四十年代工人诗歌的传统，语言朴素、口语化，节奏明快、流畅，既易于朗诵，又便于谱曲，是真正意义上的"人民诗歌"，深受广大工农群众的欢迎。

此外，浪漫主义诗人雨果、象征主义诗人兰波和魏尔伦，都曾以公社斗争为题材创作过一些优秀的诗篇，也是直接与巴黎公社有关的一份珍贵的文学遗产。

第二节　鲍狄埃

1. 鲍狄埃的生平

欧仁·鲍狄埃（Eugène Pottier，1816~1887）是巴黎公社诗人的杰出代表，曾被列宁誉为"最伟大的用歌作为工具的宣传家"[①]。

鲍狄埃出身于劳动者世家，祖父是裁缝，父亲是制作木箱的手工业工人。由于家境贫困，鲍狄埃13岁就被迫辍学，进入父亲的工厂开始了艰苦的童工生活。少年鲍狄埃十分喜爱诗歌，坚持勤奋自

---

① 列宁：《欧仁·鲍狄埃》，《列宁选集》第二卷，第435页。

学。1830年七月革命胜利时，他写下了他的第一首诗歌——《自由万岁》。翌年，他的第一部诗集《少年诗神》出版，诗集贯穿着反对专制暴政，反对民族奴役，争取自由、民主的思想和强烈的爱国主义精神。

19世纪三四十年代，鲍狄埃先后当过小学的管理员、纸店伙计和印染厂的绘图工。他在劳动之余，经常兴致勃勃地出席一些民间诗社组织的诗歌晚会，这不仅使他结识了许多诗友，在切磋中提高诗艺，而且使他有机会广泛地接触巴黎的劳动者，接触共和主义、巴贝夫主义等各种进步思想。1840年左右，鲍狄埃创作了一首宣传巴贝夫平均共产主义思想的诗歌，题为《是人各一份的时候了》。这首诗获得了"惊人的成功"，在贫困的工人中产生了广泛的影响，被反动派称作是"纵火的火星"。1848年二月革命时，亲身参加起义斗争的鲍狄埃，写下了以《人民》为题的诗篇，热情地讴歌无产者的"巨人"形象，表达了"不自由，毋宁死"的坚强意志。二月革命后，为胜利所激动的诗人，相继出版了两本小诗集：《车间之歌》和《共和之歌》，真诚地歌唱"自由、平等、博爱"的原则，歌唱新政府采取的一系列措施，反映了工人群众对资产阶级共和国的幻想。但是，不久以后，鲍狄埃逐渐认清了新政权的本质，开始在《我饿》《吸血鬼》《该拆掉的老房子》《解闷》《分娩》等诗作中，揭露仍然存在的尖锐的阶级对立与第二共和国的本质，呼吁无产者向资产阶级政府发起新的进攻。

1848年6月22日，巴黎再一次爆发革命。鲍狄埃作为一名"街垒斗士"奋不顾身地投入了激烈的巷战，险些在敌人的枪弹下牺牲。起义失败后的第5天，刚刚离开战场的鲍狄埃就满含悲愤地写出了《一八四八年六月》一诗，以沉郁的笔调控诉了资产阶级的血腥镇压。为了躲避敌人的搜捕，鲍狄埃曾一度带病离开巴黎。回到巴黎后，他又成为各种诗社的活跃分子，经常在聚会上朗读自己的新作。这时，他的许多诗歌，由于被友人谱成歌曲而得到更为广泛的流传。

1848年革命失败后的鲍狄埃，曾一度热衷于傅立叶的著作，颇受空想社会主义思潮的影响，对和平改良的道路产生幻想，把解救社会的希望寄托在"爱"和"劳动"的力量上。马克思和恩格斯亲自领导的第一国际于 1865 年在法国各地相继建立支部后，鲍狄埃终于找到了马克思主义的信仰。他热情地在同行业工人中广泛地进行宣传和组织工作，于 1870 年建立起一个拥有 500 多会员的工艺美术工人的工会，并推动其加入了第一国际。稍后，第一国际又成立了国际工人协会巴黎联合会，鲍狄埃当选为联合会的委员。就在这一年里，他写下了《她何时到来》等诗篇，急切地呼唤新的革命的到来。普法战争爆发前夕，鲍狄埃和第一国际的战友们一道签署了《告全世界各民族工人书》，旗帜鲜明地反对这场不义之战。普鲁士军队进逼巴黎、巴黎人民奋起保卫祖国时，年近半百的鲍狄埃出于爱国主义热情，穿上军装，担任了国民自卫军的一名指挥官，在前线指挥战斗。与此同时，他以诗歌为武器，鼓舞人民坚持抗战，痛斥"国防政府"的"卖国行径"。

  1871 年 3 月 18 日巴黎公社起义的胜利，极大地鼓舞了鲍狄埃的革命激情。他全身心地投入战斗，被群众推选为公社委员。作为"最热情的公社委员之一"，他积极参与公社的革命工作。他曾担任社会服务委员会委员，为改善劳动人民的生活而努力；他热心筹建巴黎艺术家联合会，并成为该会的领导成员之一，为团结知识分子和发展公社的文艺事业做出了重要的贡献。在公社的复杂斗争中，鲍狄埃既表现了高度的原则性，支持成立治安委员会，力主镇压钻进革命阵营内部的异己分子；又能够顾全大局，讲究策略，竭力维护公社内部的团结，注意扩大同盟军的力量。5 月 21 日，凡尔赛分子攻入巴黎，公社战士浴血抵抗。鲍狄埃起初在二区镇定地指挥战斗。二区失陷后，他转到十一区，和费烈、勒弗朗赛、瓦扬、瓦尔兰、德勒克吕兹等公社英雄一起，"度过了斗争的最后日子"。公社失败后，凡尔赛分子迫不及待地发布了鲍狄埃已被逮捕和处决的消息。其实，鲍狄埃已在群众的掩护下，隐蔽到近郊一个工人的家里。他在这里写下了《白色恐怖》一诗，愤怒地控诉敌人的疯狂和残暴。也是在这里，鲍狄埃于 1871 年 6 月，也可以说，是在 5 月的流血失败后的第二天，谱写了雄壮宏伟的共产主义战歌——《国际歌》(*L'Internationale*)。

1871 年 7 月，鲍狄埃带着妻子儿女流亡到英国。1873 年，第一国际总部迁往美国，鲍狄埃也随之前往。在美国的 7 年里，鲍狄埃继续积极投身工人运动，他参加了公社流亡者建立的"平等派"组织，参与了北美社会主义工人党的建党活动，并应邀出席了该党的第一次代表大会。鲍狄埃还在各种工人集会上发表演讲，广泛宣传巴黎公社的事业。这一时期，鲍狄埃在总结历史和思考现实的基础上，写下了几首内涵丰富、思想深邃的长诗，如《巴黎公社》(*La Commune de Paris*，1876)、《美国工人致法国工人》(*The Workingmen of America to the Workingmen of France*，1876)和《工人党》(*The Workingmen's Party*，1878)等，成为诗人创作道路上新的里程碑。

1880 年 7 月，法兰西第三共和政府被迫颁布了对公社社员的大赦令。两个月后，鲍狄埃回到阔别 9 年的祖国。回国后的鲍狄埃，虽已年迈多病，但激越的诗情却有增无减。"我还蕴蓄着青春的活力"，"诗神还感到我相当年轻"(《太老矣》)。在流传下来的二百多首鲍狄埃诗作中，竟有三分之一以上是在他归国后的 7 年里完成的。鲍狄埃这时期的创作，不仅数量甚丰，而且思想和艺术都更加成熟，像《铁匠的梦》(1884)、《起义者》(1884)、《她并没有死亡》(1886)、《被掩盖的墙》(1886)等名篇，都堪称无产阶级诗歌中的珍品。鲍狄埃回国后即参加了法国工人党的行列，积极投入工人党领导的各项斗争。在党内的路线斗争中，鲍狄埃一开始就旗帜鲜明地支持盖德派。1887 年，鲍狄埃最重要的诗集《革命歌集》(*Chants révolutionnaires*)在友人的帮助下出版。诗集主要收入了诗人 19 世纪 80 年代的创作，也收有部分前期的作品。《国际歌》是在这本集子中才第一次正式和读者见面。

同年11月6日，鲍狄埃病逝于巴黎。成千上万的群众高呼着"公社万岁"、"鲍狄埃万岁"的口号，为这位伟大的公社诗人送葬。

2. 鲍狄埃的创作

鲍狄埃从事创作的19世纪30年代到80年代，正是法国工人阶级从自在到自为的时期。在这一历史进程中，"无产者诗人"鲍狄埃和他的阶级一起觉悟、一起战斗、一起走向成熟，他的命运始终和阶级的命运息息相关。在创作上，从他的处女作《自由万岁》到最后一首《魔洛赫》，鲍狄埃为我们共留下二百五十余首诗歌。他的这些诗歌，记录了阶级的脚步、时代的脉搏，被称作是这一时期工人运动的"诗史"。

鲍狄埃对民主主义诗人、民歌大师贝朗瑞十分尊崇。他把贝朗瑞称作"我神圣的典范"，并将自己的第一部诗集《少年诗神》（1831）题献给这位大诗人。这本诗集已初步显示了鲍狄埃创作的基本特点：鲜明的政治倾向和饱满的革命激情。

鲍狄埃是以《自由万岁》这首对自由和革命的颂歌开始登上诗坛的："忠实的人民，你的镣铐已被砸碎，／在你的眼前又闪耀着自由的光辉，／啊，在卖国王朝的桎梏下，／你曾切齿咒骂那万恶的政权！在大屠杀的日子里殉难的勇士，／你们将英名永垂；请在先贤祠接受我们的礼赞，／自由万岁！自由万岁！"这首写于1830年的诗虽然尚欠成熟，但热情奔放的诗句，却真切地传达了当时群众的革命情绪。

在19世纪40年代后期动荡的岁月里，鲍狄埃进入了创作的成熟时期。阶级压迫的现实使他发出了一声声愤怒的控诉，他指责在金融集团统治的七月王朝下"资本这劳动的主宰，／用吸盘汲去了全部利润，／只为着继续敲骨吸髓，／才留点残羹让工人苟延性命。／法律却一意偏袒资本，／颁布严禁行乞的法令。"（《复活节蛋》）他揭示出

1848年二月革命胜利后无产者仍然是极度的贫困和痛苦："身体说：我饿！我饿！／没有必需品供我生活；／贫困这蛆虫在啃啮死者，／但更厉害地把活人折磨。"(《我饿》)而资产阶级篡夺了胜利的果实后建立起来的"正直、公平的共和国，实质上却是以铁腕对付劳动人民、加倍搜刮民脂民膏的政权"(《正直的共和国》)。当国民议会相继制定各种反动政策，以强化对人民群众的统治时，鲍狄埃和工人们一样，彻底打消了对第二共和国的幻想，并揭露了它"外强中干"的本质："这是一幢华丽的楼房，／看热闹的人对它大加赞扬，／但是它早已外强中干，／墙壁裂缝，地基下陷，／尽力支撑也是枉然。"由此，诗人对它作出了严厉的判词：

> 这幢房子，
> 腐朽了，快垮了，
> 拆掉它，是时候了！
> ——《该拆掉的老房子》

19世纪五六十年代，鲍狄埃从各个侧面对第二帝国展开了批判。诗人敏锐地指出波拿巴政权是金融贵族统治的复活："交易所是最理想的匪窟，／金融家在那里运筹帷幄，／……同谋的还有政府。"(《银行家卡杜施》)他愤怒地谴责野心家波拿巴恢复帝制："啊！为了把国家攫为己有，／他叛卖共和国，对她狠下毒手，／他喝干了她的鲜血，／天啊！谁来替她报仇？"(《谁来替她报仇？》)他辛辣地嘲讽帝国的反动腐朽："这伙老朽的笨伯，／乘着华丽的柩车，／和帝国一起游行，／也定会和浓雾一起泯没。"(《帝国的游行》)他猛烈地抨击帝国对群众舆论的严密辖制："话刚出口，就被严寒冻结；……酷寒的冬天，用团团冰块，堵住我们的歌喉。"(《被冻结的语言》)他严肃地批判了帝国在普法战争中的叛卖行径："他们为了追求自己的私利，／竟让国家一天之内威望扫地，／这就是强盗们的统治／使法兰西落到这步境地。"(《自卫吧，巴黎》)鲍狄埃诗歌所针砭的方方面面，无不触及第二帝国反动统治的要害。

19世纪七八十年代，视野更加开阔、思想更加深刻的鲍狄埃，对资本主义制度进一步展开了全面、深入的批判。在他的创作中，我们不仅可以听到诗人继续对贫困、饥饿、失业、死亡等悲惨现象提出的愤怒控诉，而且还能够读到对雇佣剥削、私有制度、宗教蒙昧、"神圣秩序"、经济危机等更深层问题的形象剖析。在这方面，最杰出的作品当推长诗《美国工人致法国工人》。

长诗取材于1876年的费城国际博览会。诗人运用对比的手法，勾画出一幅剥削者的天堂、劳动者的地狱的资本主义世界的图景，引导人们透过资本主义和表面繁荣看到它背后的尖锐矛盾，从而激发人们为消灭这一制度而斗争。

鲍狄埃首先以故作夸张的笔调，描绘了博览会的豪华场面。然后，笔锋陡转，展出了一件件触目惊心的展品：破烂的血衣、饿瘪的肚皮、牢狱般的工场、无产者拥挤的小屋、被饥饿吞噬的儿童、被深井吞没的矿工……"我们的血已经抽出，老板，喝吧！／这绝不是夸张，这是现实，是历史，／你不把它拿来展示？"诗人把这一切称作是"骗人的自由，血腥的进步"，并尖锐指出：

如果我们掉进深渊，进步又有什么用？
如果生产者受苦，生产又有什么必要？

鲍狄埃没有满足于对社会罪恶的陈列展览，而是进一步把批判的锋芒指向雇佣制度、指向整个上层建筑。

资本主义，你的生产

需要多少齿轮！
全靠绞刑架支撑，
你的社会制度才能生存！
……
你们看吧，工具完备！应有尽有
报纸、法院、兵营、银行、
教皇、密探。这一切工具
都在支配人类的金融巨人手上。

鲍狄埃是位执着追求真理、热情歌颂真理的诗人。他以其毕生的精力，"用歌曲做宣传"，为唤醒群众觉悟、传播革命思想而创作。在1848年的革命高潮中，鲍狄埃曾写下《用歌曲做宣传》等诗，强调诗人应该"到阁楼上去"，"到茅屋里去"，"到营房中去"，为"传播真理的光明"，"快背起行囊，装满弹药！／去投入战斗！／歌曲啊，／去投入战斗！"它形象地表明了诗人的革命文艺观。从19世纪40年代到普法战争时期，鲍狄埃在诗歌中一次又一次地呼唤革命。这些诗歌，有的似喷涌的烈焰："开火！再开火！我是雷霆，／我的灵魂在枪膛中沸腾。"（《解闷》）有的是对新时代的预言："母亲，母亲，时候已到，／请用我们的红旗，／覆盖那新生的小宝宝！"（《分娩》）有的则为斗争的胜利而欢呼，并表达了对建立人民政权的强烈愿望："我们已经占领了市政厅，／巴黎，你快宣布公社成立！""快成立起红色公社，／像一轮红日升入天空！"（《一八七〇年十月三十一日》）

公社刚刚失败后写成的《国际歌》，是鲍狄埃创作中最辉煌的诗篇。它是公社伟大斗争实践的产物，是第一国际的"精神产儿"，是诗人深邃的思想和饱满的激情的结晶。

起来，饥寒交迫的奴隶，

>起来,全世界受苦的人!

《国际歌》是一曲无产阶级的正气歌。它以恢宏的气势,庄重的风格,表达了无产阶级消灭旧制度、建立新世界的革命要求:"旧世界打个落花流水,／奴隶们起来,起来!／不要说我们一无所有,／我们要做天下的主人!"在斗争的反复曲折中,诗人着力强调了抛弃幻想、自己解放自己的马克思主义观点:"从来就没有什么救世主,／也不靠神仙皇帝。／要创造人类的幸福,／全靠我们自己。"在《国际歌》中,把握了历史发展规律的鲍狄埃,深信"资产阶级的灭亡和无产阶级的胜利同样是不可避免的"[①],始终以革命乐观主义的精神统领全诗,热情地抒写了"鲜红的太阳照遍全球"的阶级理想。

>这是最后的斗争,
>团结起来,到明天,
>英特纳雄耐尔,
>就一定要实现。

这激情澎湃、充实凝练的诗句,首尾呼应(狄盖特谱曲时,变为副歌),是全诗的主题、全诗的高潮。它是时代的最强音,充分显示了诗人高瞻远瞩的革命气魄和刚毅顽强的战斗意志。

《国际歌》是无产阶级文学的瑰宝,被列宁称为一座"非人工所能建造的纪念碑"、"全世界无产阶级的歌"[②]。它于1888年被工人作曲家狄盖特(1848~1932)谱曲后,迅速传遍了全世界。

作为公社诗人,公社斗争一直是鲍狄埃特别热衷的题材。在这类诗篇中,有对资产阶级暴行的愤怒谴责,有对死难战友的深沉缅怀,

---

① 马克思、恩格斯:《共产党宣言》,《马克思恩格斯选集》第一卷,第263页。
② 列宁:《欧仁·鲍狄埃》,《列宁选集》第二卷,第434~436页。

有对革命胜利的热情讴歌,也有对经验教训的思索总结,所有这一切,他都是着眼现实、放眼未来,为的是激励人们继续沿着"公社走过的道路"前进。他为纪念公社五周年创作的长诗《巴黎公社》,以史诗般的气势著称,艺术地再现了公社斗争的伟大历程,热情讴歌了人民群众创造历史的主动精神,总结了公社失败的经验教训,批驳了反动派对公社的诬蔑诽谤,宣告了资本主义的必然灭亡和公社事业的必定胜利,为宣传马克思主义做出了贡献。他另一些脍炙人口的纪念性的短诗如《公社走过的道路》《公社社员纪念碑》《十四周年》《她并没有死亡》《被掩盖的墙》《纪念一八七一年三月十八日》等,感情真挚,色调明朗,理想的光泽大大增强了感人的艺术力量:

未来在阳光照耀下成长,
没有国界能把他们拦阻:
全世界人民只有一个纲领……
公社走过这条道路!

——《公社走过的道路》

鲍狄埃诗歌的魅力,首先来源于他饱满的革命激情。作为无产阶级的政治抒情诗人,鲍狄埃是用心来歌唱的。他一生追求真理,热爱真理,同时也以火样的热情歌颂革命,宣传革命。诗人常常将奔腾的激情、丰富的想象、鲜明的爱憎、深沉的思考和必胜的信念熔于一炉,升华为诗的语言,既动之以情,又晓之以理,充分发挥了政治抒情诗的特点,在法国诗坛上放射出独特的光彩。

鲍狄埃的创作是以民间歌谣的形式开始的。他继承了民歌的传统,从民歌中汲取了丰富的养料,形成了他平实、纯朴、刚健的诗风。在长期的创作实践中,鲍狄埃对各种诗体都做过认真的探索,无论是气贯长虹的鸿篇巨制,还是精巧严谨的十四行小诗;无论是庄严崇高的政论诗，还是机智精警的谐谑曲，他都努力寻求独创的构思和形象的表现，从而使他深邃明晰的思想与丰富多样的形式和谐结合，深受人民群众的喜爱。

第三节　瓦莱斯

儒勒·瓦莱斯（Jules Vallès，1832～1885）是著名的新闻工作者，巴黎公社最杰出的作家之一。他敏锐的思想和犀利的笔锋，以及他在政论、散文、戏剧、小说等领域所显示的多方面才能，使瓦莱斯在公社作家中占有特别显要的地位。

1. 瓦莱斯的生平

1832年6月11日，瓦莱斯出生于法国中部比邑城一个中学教师的家庭，母亲出身农家。他虽然是这个家庭的一个幸存者（原有兄妹7个，5人夭亡），是学校里经常名列前茅的高材生，但在旧的教育制度下，瓦莱斯仍然不断受到父母和教师的折磨和虐待，这给他的童年留下了浓重的阴影，并形成了他的叛逆心理。

1845年，瓦莱斯随其父来到南特市读书。1848年在巴黎爆发的二月革命在南特也引起了巨大的反响，共和党人在王家广场举行了集会和游行。当时年仅16岁的中学生瓦莱斯，也热情地投入了革命者的行列。他还和同学们一起组织了"青年共和党人俱乐部"，旨在争取学生的"绝对自由"。

父亲担心儿子参与政治活动会影响自己的前途，便把瓦莱斯打发到巴黎去学习。但在这个思想活跃的政治中心，瓦莱斯更丧失了对学习的兴趣而热衷于政治活动。他经常阅读蒲鲁东主编的报纸，聆听米什莱的讲课，进一步接受了有关民主和革命的理论。

1851年12月2日，路易·波拿巴发动政变。为了唤醒巴黎人民，瓦莱斯和他的年轻朋友们在得知消息后，从清晨 7 时就走上街头，进行了近 12 小时的宣传游行；回到南特后，他又参加抗议斗争，并在街垒战中负伤。这些越轨行为，使他父亲惊恐万状，便串通医生，以"大脑器质性损伤"为由，将瓦莱斯关进了精神病院，瓦莱斯则展开针锋相对的斗争，让他的朋友们以将公开揭露这一丑行来要挟其父。两个月后，他因"奇迹般地痊愈"而出院。

家庭的迫害未能遏制瓦莱斯的政治热情，他重又回到巴黎投身反对路易·波拿巴的斗争。1853 年 6 月，他因参与反对第二帝国的活动而遭短期监禁。此后，瓦莱斯曾屡次遭受迫害，但却从未动摇他斗争的决心。

穷困潦倒的瓦莱斯从 19 世纪 50 年代末开始从事写作。最早发表的作品是与人合作的《金钱》(*L'Argent*，1857)。在他执笔的前两章里，他真实地描写了交易所里的活动情景。这部作品的署名是"一个变成交易所经纪人的文人"。

然而，真正显示其文学才能和为他赢得文学声誉的，是瓦莱斯从 1857 年到 1865 年在《费加罗报》《当代》和《林荫大道》等报纸杂志发表的散文。在这些文章中，他以同情的笔调描写了教师、艺术家、发明家等形形色色流浪文人的幻想、奋斗和悲惨的境遇。1865 年，收成集子《叛逆者》(*Les Réfractaires*)。

此时的瓦莱斯已经结识了巴黎的许多知名作家和艺术家，并成为《欧罗巴》等多种报刊的撰稿人。但是，为了能更自由、更彻底地表达自己的政治和文艺主张，瓦莱斯团结了一批年轻人，于 1867 年 6 月 1 日创办了《街道报》。在创刊号上，瓦莱斯发表了署名社论，鲜明地表明了他的激进倾向："我们吹响了进军号，我们将向所有的堡垒、学院、学士院发起冲击，因为他们从那里居高临下地枪杀一切具有自由精神的人……"这份报纸强烈的反叛色彩，使它一开始就受到了官方的监视和干涉，终于在 1868 年 1 月被查禁，先后只出版了三十四期。其后,他又相继创办过《人民》《叛逆者》等报纸,但都很快就夭折了。在这些报纸上,瓦莱斯发表过许多言词激烈的文章。

1870年9月3日,传来路易·波拿巴在普法战争中大败的消息,瓦莱斯再一次愤怒地走上街头,开始了他反对第二帝国和后来成立的"国防政府"的活动。他经常发表演说,参加了10月31日布朗基派的起义,并担任国民自卫队的营长,成为共和派中央委员会二十区的委员。

普鲁士军队威逼巴黎,"国防政府"镇压要求抵抗的群众,形势严峻,群情激愤,瓦莱斯主编的《人民呼声报》于1871年2月22日应运而生。这份报纸一问世,就受到巴黎人民的热烈欢迎,其发行量几天内就从最初的80份猛增至近10万份。但是,3月11日,瓦莱斯因参加过10月31日起义而被捕,《人民呼声报》也随之停刊。3月18日公社革命的胜利给它带来了新生,3月21日,《人民呼声报》复刊,成为公社时期主要的报纸之一,印数仍达10万份左右,还经常供不应求。瓦莱斯仍然担任主编,并经常在该报上发表激动人心的文字。这份革命的战报,一直坚持到浴血周的第3天——5月22日,才因战况危急而不得不停刊。

在选举中,瓦莱斯当选为公社委员,并先后担任过教育委员和外交委员等职。他一面主持报纸工作,一面积极参与公社的领导活动,成为公社的重要活动家之一。但在一些具体政策的讨论中,瓦莱斯曾表现出无政府主义的倾向。例如,他曾力主给报纸以绝对的自由,投票反对治安委员会的建立等等。

凡尔赛分子入侵巴黎后,瓦莱斯以大无畏的英雄气概投入了保卫公社的战斗。他是一直坚持战斗到最后的一批战士们中的一个。公社失败后,他在朋友们的帮助下隐匿起来。8月离开巴黎,取道比利时到达英国伦敦。1872年7月4日,凡尔赛分子在巴黎缺席宣判瓦莱斯死刑,足见敌人对他是多么仇恨。

1872 年底，瓦莱斯在瑞士的洛桑完成了五幕十一场的大型剧本《巴黎公社》(*La Commune de Paris*)，史诗般地再现了刚刚过去的这场震撼世界的革命。

从 1878 年开始，瓦莱斯陆续发表他的具有自传性质的三部曲长篇小说《雅克·万特拉》(*Jacques Vingtras*)。在 6 月 25 日到 8 月 3 日的《世纪报》上首先连载的是三部曲的第一部《孩子》(*L'Enfant*)。为躲避审查，作品署了笔名拉·梭萨德。第二部当时题名《一个反抗者的回忆》(*Mémoire d'un révolté*)，在 1879 年 1 月 13 日到 5 月 13 日的《法国革命报》上连载，署名是让·拉律 (Jean La Rue)，使人联想起瓦莱斯主办过的《街道报》(*La Rue*)。这部小说后来定名为《中学毕业生》(*Le Bachelier*)。

1880 年 6 月至 7 月，瓦莱斯在《正义报》上发表以 1847 年农民起义为题材的中篇小说《工作服》(*Les Blouses*)。同年 7 月 11 日，法国政府宣布对公社战士大赦。3 天后，瓦莱斯就迫不及待地回到了久别的巴黎，从而结束了长达 9 年的流亡生活。

回国后的瓦莱斯重操旧业，不断为《觉醒报》《吉尔·布拉斯》等报纸杂志撰写文章。1882 年 8 月，《雅克·万特拉》的第三部《起义者》(*L'Insurgé*) 开始在《新评论》杂志上刊载。这是三部曲中最重要的一部，真实地记录了公社的斗争。但这次发表只是部分章节，全书是在 1886 年，瓦莱斯身后才出版的。1883 年，瓦莱斯又相继出版了两本文集：《巴黎即景》(*Tableau de Paris*) 和《伦敦街头》(*La Rue à Londres*)。

1883 年 10 月 28 日，瓦莱斯在友人的帮助下终于使《人民呼声报》得以复刊。这份报纸成为当时法国最主要的报纸。瓦莱斯坚持自己的办报主张，吸收各种派别的社会主义者撰稿。在他的报纸上，既可以看到对法国殖民主义政策的谴责，反对失业、维护劳动权利的宣传，也可以读到为无政府主义者的辩护。但瓦莱斯也同意与盖德派合作,并使盖德派在该报中发挥了较大的作用。

1885年2月14日,瓦莱斯病逝,终年52岁。巴黎人民为他举行了隆重的葬礼,10万多人将他的遗体护送到拉雪兹神甫墓地安葬。

2. 瓦莱斯的创作

儒勒·瓦莱斯在现实主义文学艺术繁荣的19世纪五六十年代步入文坛,他十分推崇画家库尔贝和作家福楼拜、龚古尔兄弟等人的作品,认为它们"忠实地"体现了"时代精神和一代人的心灵",均属于"伟大的现实主义"。

同时,作为旧秩序的叛逆者和受压迫群众的代言人,瓦莱斯以更大的热情关注人民群众的命运,把对真和美的追求与人民的利益紧紧联系起来:"上帝作证,我们只关心人民的幸福,我们只爱美,我们只爱真。"因此,他不仅遵从现实主义的"客观性"原则,更强调文学在反压迫斗争中的疗救作用和政治倾向。他高度评价龚古尔兄弟要求文学应当表现"下层人民"的见解,并以鲍狄埃等无产阶级诗人为榜样,不断呼吁要创造出真正属于人民的艺术:"啊,新的法兰西,新的一代,站起来的人民,她多么需要和狂想的浪漫诗歌截然不同的另一种诗歌,正像需要另一种戏剧和另一种小说一样。……我们需要穷苦的劳动兄弟的声音!"(《人民的诗歌》)瓦莱斯的创作,正是这一追求的体现。

瓦莱斯长期从事新闻工作。敏锐的观察力,深刻的判断力,简洁、犀利、热情、洒脱的文风,使他的许多报纸杂志文章自成一格,极富魅力。他的《叛逆者》,曾受到当时作家、批评家的普遍好评,文集《街道》《巴黎即景》等,亦各具特色。而最鲜明反映作家风格的,是他在公社期间为《人民呼声报》撰写的许多富于激情的篇章,它们后来汇集为《人民呼声》(*Le Cri du Peuple*)一书。其中《被出卖的巴黎》《好啊,巴黎》《巴黎国民自卫军》《一八七一年三月十八日》《三月二十六日》《节日》《必须抉择》等文,或是义正辞严的谴责,或是诗意浓郁的抒情,或是情理交融的政论,都像是一首首精粹的散文诗,热情炽烈,内涵丰富。

瓦莱斯在青年时期就有志于涉足戏剧创作,曾和友人合作写过悲剧、喜剧、独幕剧各一部,但都没有获得成功。然而,这些尝试的受挫并没有磨灭作家的勇气,瓦莱斯在公社失败后流亡的初期,便萌发了以戏剧形式再现公社历史的念头。1871年至1872年间,他在伦敦和日内瓦等地走访了许多公社幸存者,获得大量珍贵的素材,他的计划也受到战友们的赞许和鼓励,于是,瓦莱斯便于1872年底完成了大型剧本《巴黎公社》的创作。他曾设法将该剧搬上伦敦的舞台,但却未能如愿,致使剧本长期被湮没,直至第二次世界大战后才被重新发现。

《巴黎公社》构思博大,人物众多,历史感强,是一部激情洋溢、气势磅礴的史诗剧,被认为是文学史上"人民戏剧"流派中的代表作品之一。

全剧共分五幕,题名依次为:《战败的人民》《帝国》《围城》《公社》和《反动》;时间跨度从1848年6月到1871年底,历20余年;出场角色近百,公社委员、起义战士、革命群众、知识分子、资产阶级、商贩、士兵、农民、妓女等等,汇聚了大浪潮中形形色色的人物,构成一组组生动复杂的矛盾纠葛。

在帝国别动队军官波纳尔的指挥下,六月革命的起义工人博杜安兄弟,一个(路易)惨遭枪杀,一个(皮埃尔)被流放非洲。22年后(1870年),重返巴黎的皮埃尔·博杜安又带领群众进行反对帝国的斗争,因6月屠杀有功而晋升的波纳尔继续与人民为敌,又无耻地垂涎于路易·博杜安留下的孤女冉娜;冉娜与资产阶级出身的记者、律师勃里亚在反对专制的共同斗争中相爱,而波纳尔的妹妹维尔奈夫人也钟情于勃里亚,一心想使勃里亚离开政治漩涡。3月18日,人民夺回了蒙马特尔高地的大炮,庄严地宣告公社成立。博杜安成了公社委员,勃里亚和冉娜等都是革命的中坚力量;波纳尔曾一度被国民自卫军逮捕,但却被叛徒拉卡泰尔释放。勃里亚在执行秘密任务时曾受到博杜安的怀疑,险遭处决,但他能以公社利益为重,将个人安危置之度外。在公社最后的日子里,卷土重来的凡尔赛分子波纳尔疯狂镇压群众,博杜安、勃里亚、冉娜等都在街垒上拼死搏斗,但终因寡不敌众而相继被捕。在萨托里集中营里,他们表现了威武不能屈的英雄气概。维尔奈夫人为勃里亚和冉娜在斗争中所表现的崇高气节所感动,拉着她的情人来到狱中与他们对换服装,拯救他们出狱。博杜安等高喊着"公社万岁!社会革命万岁!"的口号从容地走向刑场。

《巴黎公社》从六月革命惨遭镇压起笔,又以相当的篇幅再现了第二帝国统治和普法战争时期民族矛盾与阶级矛盾交织、民不聊生、群情鼎沸的真实情景,从而在更广阔的背景上揭示了公社起义的必然性,增强了剧作的历史纵深感。作家以极大的热忱正面表现了公社的起义斗争,公社胜利给巴黎带来的巨大欢乐;同时,也认真总结了公社的教训(如没有及时占领银行),展示了工人阶级争取解放的道路的艰难曲折。

公社革命是一场翻天覆地的群众运动,瓦莱斯曾将剧本题名为《巴黎人民》。他在剧中塑造了个性各异的革命战士的群像,描写了众多声势浩大的群众场面,鲜明地突出了人民群众的主力军地位。"国际"会员鲁雅克的坚定、孤儿松鼠的机敏、少女冉娜的美丽、忠诚、女工伊莎贝拉的正直、泼辣,甚至出场不多的路易·博杜安、老肖沃洛、米谷等,都栩栩如生,给人以深刻印象;他们尽管地位不同,对革命的理解也不尽相同,但对旧世界的憎恨与对新生活的向往,以及大无畏的战斗精神,却是他们共同的特征。以公社英雄玛雷兹安为原型的皮埃尔·博杜安和革命知识分子勃里亚,是瓦莱斯着力刻画的两个英雄形象。前者是六月革命的老战士、公社斗争的领导者，其百折不挠的革命意志和视死如归的革命情操，可歌可泣；后者则在两种阶级势力的争夺中显示出他崇高的品格和坚定的信念，从而更突出了公社事业的正义力量。

《巴黎公社》是一部现实主义的力作。作为历史见证人的瓦莱斯，在深厚的生活基础上进行艺术提炼，以无产阶级和资产阶级的尖锐冲突贯串全剧，对巴黎公社革命作了多侧面、全景式的反映。众多的人物，都带着阶级的要求和自身的动因卷入了这场你死我活的斗争，并随着形势的发展而发展；11个场景，175场戏，生活气息浓郁，历史的真实感强烈，处处充溢着时代精神，如实地记录了公社斗争的光辉而艰难的历程。

瓦莱斯还是一位著名的小说家。在19世纪60年代，他曾先后发表过短篇《让·戴尔贝纳》（*Jean Delbenne*，1865）和《绅士》（*Un Gentilhomme*，1869）等；在19世纪80年代，他发表了中篇《工作服》。而最负盛名的则是他的长篇三部曲《雅克·万特拉》，即：《孩子》《中学毕业生》和《起义者》。

《雅克·万特拉》是一部自传性很强的作品。但无论是主人公命运的勾画，还是社会生活的描述，都超越了作家纯个人传记的局限，具有较大的概括意义。

瓦莱斯将《孩子》献给那些"在童年时代被老师虐待或者被父母毒打"的人们；《中学毕业生》，则献给"那些熟谙希腊语和拉丁语，但却死于饥饿的人们"；《起义者》的题词是："献给1871年的死难者。他们在公社的旗帜下，拿起武器反抗不合理的世界，结成受苦者的伟大同盟，成为非正义的社会的牺牲者。"这三段献词，表明了三部作品的主要创作意向。

雅克·万特拉从小生活在一个贫穷、愚昧的环境里。当学监的父亲一心想向上爬，但又难以如愿，便把希望和怨气一道倾注在儿子身上，望子成龙的母亲更是天天以毒打这种特殊的方式"严格要求"

儿子，挨打几乎形成了一种"制度"。进入学校后，穷困的家境使他遭到嘲弄，枯燥的课程使他感到厌烦，但他被迫刻苦攻读，取得了优异的成绩。中学毕业后，万特拉来到巴黎谋生，曾先后当过幼儿园保育员、小学教师、拳击教练、工厂文书、讽刺诗人、搬运工人等等，但都未能摆脱生活的困境。在此期间，他一直十分关心政治，是第二帝国的反对派。在一次谋杀拿破仑三世的行动中，被捕入狱。父亲死后，他接替了学监的职务，生活有了保障，革命转入低潮时期，万特拉一度离开了政治斗争。19世纪70年代阶级斗争形势的尖锐化，又激起了万特拉的政治热情。他开始用笔投入战斗，不断撰文抨击统治者，即使为此坐牢也毫不畏惧；继而参加实际斗争，成为国民自卫队的营长，带领队伍攻占了区政府。公社诞生了，万特拉热血沸腾，全心全意地投入公社的事业。他当上了公社委员，他主编的《人民呼声报》复刊了，并在斗争中发挥着巨大的作用。在"浴血的一周"里，他坚持街垒战斗，直到最后一刻才被迫撤离。公社失败后，万特拉在工人的掩护下告别了巴黎、告别了祖国，但他决心要回来和人民一道进行新的斗争。

瓦莱斯通过三部曲《雅克·万特拉》，艺术地记录了从19世纪30年代到70年代初法国社会的历史变迁。这是资本统治日益强化、社会矛盾日趋尖锐、工人阶级日渐崛起的时期。作家围绕主人公的命运，广泛地反映了从外省到巴黎的中下层社会生活，揭示了贫困、腐败、专制等种种社会弊端，直接间接地描写了几次重大的政治斗争。特别是《起义者》的后半部，瓦莱斯浓墨重彩地记述了万特拉视野中的巴黎公社革命，几乎是逐日记载了"浴血周"的英勇战斗，具有珍贵的文献价值。在瓦莱斯笔下，公社的事业是真正劳动者的事业，他们激动地为胜利欢呼，真诚地为政权建设工作，平等地对政策进行辩论，自觉地为保卫公社而奋战。72天虽然短暂并且困难重重，但却是没有剥削压迫的72天，是生机勃勃、自由解放、充满希望的72天，人民群众表现了前所未有的创造精神和英雄气概。

　　三部曲成功地塑造了一个叛逆者的形象，再现了一个革命者的成长历程。万特拉从童年时代起，就在社会和家庭的压抑下形成了反叛的心理和倔强的个性；同时，他在劳动人民中间找到了温暖，从而与他们建立了深厚的感情。青年时代曲折坎坷的经历，磨炼了万特拉的顽强意志和毅力；政治斗争的风风雨雨，使他逐渐走向成熟。作为具有强烈正义感、独立意识和批判精神的自由主义知识分子，他与旧秩序、旧思想体系誓不两立，即使对那些民主主义者的观点，也从不一味盲从。为生计所迫，他曾在严峻的现实面前"决定投降"，接受了他最讨厌的学监职位；但在内心深处，他却把这看作是积蓄力量的权宜之计，有朝一日他还要把社会"砍得鲜血淋淋"。这种一贯的叛逆精神，到普法战争时期和公社革命时期得到了更充分的发展。万特拉一次又一次地投入斗争，用笔，也用枪，完全将个人的生死得失置之度外。"不管将来如何，即使明天会再遭到失败，甚至于死去，我们这一代人总算得到安慰了！"在残酷的阶级大搏斗中，在工人群众的帮助教育下，万特拉逐渐摆脱了"仁慈"、"宽容"等抽象观念的羁绊，更坚定了革命意志，并和战友们一道进行最后的浴血苦战。《起义者》为公社的知识分子英雄树立了一座丰碑。

　　《雅克·万特拉》具有自传的特点，但又并非回忆录式的自传。瓦莱斯主要采用了亲身经历和耳闻目睹的素材，正像他在论及《起义者》时所说，"我的书能否算得上是1871年风暴的准确反映，我不清楚，但它至少是一个被捆在主桅杆上的人的见证。"全书又基本以第一人称方式叙述，这就更增强了作品的实录感，被左拉称为"一部真实的书"。但作家没有拘泥于个人的身世和阅历，而是吸收了丰富的历史营养，从而创造出了典型的时代环境和典型的英雄形象。

　　瓦莱斯是一位十分重视文风、具有强烈创新意识的作家。他那记者兼作家的特殊气质和多姿多彩的笔调，在长篇小说里得到了充分的显示。贯穿全书的是一种刚健有力的雄风,但又随着表现内容的变化而变化。《孩子》的基调是忧郁中透着稚气,《中学毕业生》充满冷峻的嘲讽,《起义者》则突出了英雄主义的激情。而散文式的篇章结构,简洁的描写,敏锐的感受,跳跃的联想,丰富的象征,以及第一人称辅以第三人称的交替叙述,都可以看作是瓦莱斯小说中某种现代性的体现。

第四节 克莱芒与米歇尔

1. 克莱芒

让-巴蒂斯特·克莱芒(Jean-Baptiste Clément,1836~1903)是公社活动家之一,也是负有盛名的公社诗人。

由于受到革命思想的熏陶,克莱芒少年时代就立下了为人民解放而奋斗的志向。为此,他主动放弃了较优越的家庭生活条件,去从事各种艰苦的劳动,用他自己的话来说,是"三十六行样样干过,还吃过不少苦头"。这使他对劳动人民的疾苦有深入的了解。

大约在19世纪60年代,克莱芒开始诗歌创作,并逐渐成为蒙马特尔的著名诗人。《面包之歌》和《未来之歌》是两组颇有影响的诗篇。由于他对第二帝国的敌视态度,和他诗歌中的革命倾向,克莱芒受到警方的注意,迫使他于1867年移居比利时。在此期间,他写下了精美的抒情诗《樱桃时节》(*Le Temps des cerises*),被公认为是克莱芒的杰作。

回国以后,克莱芒创办《棍棒报》,展开对第二帝国的批判,因而被捕入狱。1870年9月4日出狱后,他加入了国民自卫队,并经常为瓦莱斯主办的《人民呼声报》撰稿。他是十八区的警备委员;积极参加了10月31日和1871年1月22日的斗争。

在公社期间，克莱芒表现了极大的热情和革命的坚定性。他当选为公社委员会的委员，先后担任过公共事务和供给委员、军需代表和教育委员等职。对凡尔赛分子，他主张进行毫不留情的斗争。他还经常为《公报》和《人民呼声报》撰稿。在最后的"浴血的一周"里，克莱芒转战蒙马特尔高地和拜尔维尔区，直至最后一个街垒失陷。

公社失败后的两个月里，克莱芒隐藏在巴黎近郊别尔西车站附近的一个工人家里。这时，他"每夜听见枪声，逮捕，妇女和孩子们的叫声。这是得胜的反动派继续在屠杀"，克莱芒"感觉到比在过去长期斗争的日子里更加愤怒和痛苦"，因而提笔写下了著名的《浴血的一周》一诗，其副题是"献给七一年的烈士"。这首诗以极大的义愤控诉了凡尔赛分子肆意蹂躏、疯狂杀害巴黎人民的血腥罪行，对重新陷入痛苦深渊的广大群众表示了深切的同情。但全诗没有一丝悲观的色调，而不断反复的副歌更充分表达了革命者强烈的复仇愿望和对胜利的信心：

> 是的，然而……
> 这不会长久，
> 这些坏日子总有过去的时候。
> 当心我们报仇，
> 所有的穷人都动手！

8月，克莱芒取道比利时到达英国。不久，被法国军事法庭缺席判处死刑。在贫困中度日的克莱芒，时刻怀念着被屠杀的公社社员与被监禁流放的战友，他决心要用诗歌"为战败者的事业服务"。《"滚到墙根去"上尉》《志愿者》和《受苦人》等诗，都不仅揭露了敌人的疯狂罪行，还批评了部分群众的忍让屈从，为的是激励人们不畏强暴，奋起反抗，继续公社的斗争。

1880年大赦后，克莱芒回到法国加入了工人党，并负责宣传工作。他曾受党的委派到阿登省去支持罢工斗争，建立起各行业的工会组织，表现了他的献身精神和组织才能。

1885年5月，克莱芒的《歌集》（*Chansons*）出版。在"序言"中，诗人表白自己的诗是要让"人民看见自己的贫困，关心自己的利益"，以"促使解决重大社会问题的时刻早日来到"。克莱芒越来越明确诗歌的宣传、鼓动作用："去吧，从农庄走到工厂，／从阁楼走到工房，／去到矿井的深处，／'起来！'——向工人们发出呐喊。"（《一路顺风》）他还强调："诗歌要预示社会发展的动向，并为准备未来而斗争。"

克莱芒在将《樱桃时节》收进《歌集》时，加上了这样一段题词："献给1871年5月28日（星期天）在封丹奥鲁瓦街垒勇敢战斗的女护士路易丝公民。"由此，这首诗便成了纪念公社革命的传世之作，"樱桃时节"也成了公社岁月的代称。

> 我永远怀恋樱桃时节。
> 为了那些过去的日子
> 　　我的心在啼血！
> 即使幸运女神降临，
> 也难使我的痛苦泯灭。
>
> 我永远怀恋樱桃时节，
> 记忆常在，情思绵绵。

这首小诗质朴、真挚，如泣如诉，动人心弦，真切地反映了公社战士们对公社的怀念之情。被雷纳尔谱曲后，《樱桃时节》得到了更广泛的流传，深受群众喜爱。

1895 年，克莱芒从阿登省回到巴黎，与盖德·若莱斯等革命者一道工作，坚持进行社会主义宣传。1903 年 2 月 25 日，克莱芒去世，5000 多群众参加了他的安葬仪式。克莱芒留下的一首四行诗，被人们称作是他的"文学遗嘱"，它鲜明地表明了克莱芒作为工人诗人的自觉意识：

伙伴们，已经太久了，
我们总在为他人歌唱，
现在，是时候了，
我们该吟唱自己的诗章。

2. 米歇尔

路易丝·米歇尔（Louise Michel，1830~1905）是巴黎公社的女英雄，著名的活动家，也是一位杰出的女诗人。她深受公社战士们的喜爱，被称为"蒙马特尔的红色姑娘"。

米歇尔是个私生女，但抚养她成人的一对律师夫妇却给了她良好的教育和进步的思想。她从小喜爱诗歌，曾把自己童年时代的习作寄给她尊崇的大诗人雨果，并得到雨果的亲切赞扬。从师范学校毕业后，她回到家乡的农村小学教书，向农民子弟灌输共和主义思想。

1856 年，米歇尔来到巴黎。在这里，她一面教书，一面贪婪地学习各种知识；她结识了许多著名的共和主义者，并开始为共和派报纸撰稿、写诗。对第二帝国的反动统治，米歇尔始终持反对立场，而她的观点接近布朗基主义。1870 年初，在为谋杀路易·波拿巴未遂的努阿尔举行葬礼时，米歇尔曾女扮男装，怀揣短刀参加游行。她还为两名参加过起义的布朗基派战士免遭死刑而多方奔走，并写下《觉醒的人们》一诗呼吁大家都来投入这一援救活动。

普法战争爆发前后，米歇尔以《和平示威》一诗，态度鲜明地宣告："我们要一起攻打的是暴君，／波拿巴和威廉将要遭受同样的命运。"当普鲁士军队入侵法国后，米歇尔就热情投入了保卫法兰西的斗争。她成为蒙马特尔妇女委员会的委员，积极组织群众、特别是妇女的力量。她认为，妇女应当在伟大的斗争中，争取实现男女的真正平等。米歇尔参加了10月31日的游行，并因此而被捕；在1月22日的起义中，她还手执武器参加了巷战。此后，她加入了国民自卫队第六十一营。

蒙马特尔高地英勇无畏的妇女们，在3月18日的伟大起义中发挥了重要的先锋作用，而米歇尔正是这支队伍中的一员。在《公社》一书中，她曾这样诗意地记述了那个激动人心的早晨："朝霞升起了，警钟声划过长空……纵然我们要牺牲生命，但是整个巴黎起义了。人民大众成为人类先锋的时刻到来了。整个高地都放着白色的光芒，照耀着解放的美妙的曙光。"

在公社的日子里，米歇尔表现了非凡的英雄主义精神，始终活跃在最危险的地方。她曾化装只身前往凡尔赛探听军情，并动员那里的官兵拥护公社；她曾积极组织前线的医务工作，不知疲倦地在救护队和战地医院里忙碌；她也曾拿起武器，战斗在前线，4月10日的《公报》上有过这样的记载："在国民自卫队的行列里有许多妇女参加战斗……在第六十一营有一个坚强的妇女参加战斗，她打死了许多宪兵和警察。"在公社最后的一周中，她一直战斗在蒙马特尔高地，直至她所在的战壕里只剩下3个人，仍在顽强地抵抗。

公社被镇压后，凡尔赛分子未能抓到米歇尔，便从家中带走了她的母亲。米歇尔毫不犹豫地前去"自首"，以换取母亲的自由。从此，她开始了长期的监禁和流放的生活。

在监禁和流放中，米歇尔依然保持着乐观的精神和英雄的气概，并创作了许多优秀的诗篇。当她在狱中得知她的战友、公社英雄费烈

将被处死后,她撕开自己的围巾做成一朵象征革命和共和的"红石竹花",并以此为题写下一首深情的诗,偷送给费烈:

> 如果我走进黑暗的墓地,
> 兄弟们,请在你们的姊妹身上,
> 投几束盛开的红石竹花,
> 作为最后的希望。
>
> 在帝国最后的日子里,
> 人民已经觉醒,
> 红石竹啊,是你的微笑
> 告诉我们一切都在苏醒。
>
> 今天,你快到监狱里去吧,
> 去到阴森的牢房里,
> 到沉郁的囚徒身旁开放,
> 告诉他,我们多么爱他。
>
> 告诉他,光阴似箭,
> 一切属于未来;
> 战败者生命无限,
> 而战胜者却面容苍白。

《红石竹花》,情深意浓,不仅表达了米歇尔对她所尊崇、热爱的战友的真挚感情,而且显示了诗人对未来胜利的坚定信念。她在凡尔赛狱中所写的另一首诗将这种信念表现得更加强烈:"从监狱中,坟墓里,波浪间,/不管放逐还是死去,我们要回来的。/我们要回来的，浩浩荡荡的人群；我们要回来的，在四面八方的路上行走……"（《赠我的兄弟们》），这种不屈不挠的精神，贯穿米歇尔的一生，也贯穿她的全部创作。

1873 年 8 月，米歇尔和战友们一道被押送到太平洋上的法国殖民地新喀里多尼亚岛上服苦役。在极其艰苦的环境里，米歇尔仍然以火样的热情拥抱生活。她很快就学会了土著居民的语言，和他们交了朋友，并为土著人的孩子和公社战友的后代开办了一所学校。她还向土著人讲述公社的斗争，支持他们反对白人殖民统治的起义。但是，她更日夜渴望着自由，渴望着投入新的斗争。米歇尔曾几次设法逃离这片岛屿；在《囚徒之歌》中，她向往着在"重返法兰西"的日子里，能再为争取解放而战："这是全球的斗争，／天空翱翔着自由。／被剥夺者的怒吼，／呼唤我们投入战斗。／曙光驱散浓密的阴影。／从血红的地平线上／展现出新的宇宙！"全诗热情洋溢，色调明朗。

1880 年大赦，米歇尔回到巴黎时受到群众的热烈欢迎。回国后的米歇尔立即投入了斗争。1883 年 3 月，由于参加失业者的示威游行，米歇尔再次被捕。在狱中的三年里，她一方面深入研究女犯人的心理，得出了应"消灭这个污浊的社会"的结论；一方面潜心读书写作，先后完成了诗集《生活的历程》(*A travers la vie*)，《故事与传说》(*Contes et Légendes*) 和小说《人类细菌》(*Les microbes humaines*) 等。在这时期的创作中，最重要的是她的《回忆录》(*Mémoires*)。作家以 19 世纪后半叶的政治风云为背景，记述了自己坎坷曲折的一生。书中所展示的米歇尔无私奉献的精神和百折不挠的意志，感人至深。1898 年，米歇尔又完成了她的另一部重要的回忆录《公社》(*La Commune*)，这是巴黎公社革命最珍贵的史料之一。

20 世纪初的头几年里，米歇尔一直十分关注蓬勃发展着的俄国革命，她曾预言"在高尔基和克鲁泡特金的国家里一定会发生巨大的事件"。1905 年 1 月初，贫病交加的米歇尔得知彼得堡工人开始大规模罢工时，挥笔写下了这首充满革命激情的诗歌《1905年俄国革命》：

> 你们的心像炽炭，
> 燃烧在北方寒冷的原野上，
> 风在怒吼，以雷霆之力扫荡。
> 终于出现了觉醒的征象？！
>
> 号角已经吹响，火药味在弥漫，
> "平等"向着太阳，
> 耸立在红色的天空，
> 像灯塔那样辉煌。
> 终于出现了觉醒的征象？！

这是米歇尔一生中最后的一首诗。这首"诗的遗嘱"，有力地表明了米歇尔的一生是热情的革命诗人的一生。遗憾的是，当1月9日俄国革命进入高潮的时候，诗人已经昏迷不醒；10月，米歇尔在马赛的一家旅店里辞世。

米歇尔虽然曾受到无政府主义思潮的影响，但正如蔡特金所说："对于路易丝·米歇尔的无政府主义，不需要加以特别的反驳和原则的争论；她自己也未必深信。路易丝·米歇尔是个感性的革命家，是个本能的社会主义者……她是个富有忘我精神的人民的代言人，是个热情的歌手……是个引人入胜的预言家，她预示着美好未来的黎明。"

第三章　龚古尔兄弟

第一节　龚古尔兄弟的生平

埃德蒙·德·龚古尔（Edmond de Goncourt，1822~1896）和茹尔·德·龚古尔（Jules de Goncourt，1830~1870），是法国19世纪下半叶两位友于兄弟、精于文笔的作家，像他们这样兄弟两人志同道合，终生不渝，通力从事著述，在法国文学史上可说尚无先例。

龚古尔兄弟出生于洛林省一个贵族门第的中产阶级家庭。祖父是制宪会议第三等级的代表。父亲曾任拿破仑军队的骑兵队长，26岁时获荣誉勋位勋章。早年随拿破仑南征北战，屡次受伤，征俄回来时伤势甚重，至47岁，体衰力竭而死。埃德蒙说，他父亲是军人，生平从未购置一件艺术品，但家用器物讲究质地精美，耳濡目染，培育了他们高雅的趣味。母亲是位品德高尚的巴黎女子。父亲早逝，他们由母亲一手抚育成人，她心灵细腻，多愁善感，对两兄弟颇有影响。

1822年5月26日，埃德蒙生于南锡。他性情沉静，中学时志趣在绘画上，因母亲希望儿子能当上大理院律师，便于1841年学习法律，并进公证人事务所熟悉诉讼程序。后来为厚俸，才离开司法界，进入财政部。

茹尔1830年12月17日生于巴黎。自幼身体纤弱，但是调皮活泼，学业优秀，中学会考时，有好几门功课名列前茅。1848年，母亲临终时，把这个 17 岁的少年托付给他哥哥；埃德蒙虽然只比他大 8 岁，却一直像慈父般照应这个弟弟。

母亲身后留下一笔可观的遗产，使他们可以不愁衣食，随心所欲，照自己的意愿安排生活。但投身文学并不是他们的初衷，那时他们曾想以绘画扬名于世。就是说，他们在成为健笔之前，首先是有善于观察的眼睛。

1849 年 7 月，两人打了背包，各携手杖，像当年许多画家一样，徒步周游法国，在风景绝胜处，就地写生。兄弟俩备有一个旅途记事本，轮流执笔，开始只记"菜单和当天的里程"，后来点缀些风景描写，渡地中海时，他们为非洲海岸热带风光所陶醉，旅途印象遂变为真正的文学游记。从此相沿成习，把当天的所见所闻，趁印象鲜明之际，记载入册，以存其真——这就是后来成为他们文学活动的一种重要形式，积成卷帙浩繁的《日记》。

他们于当年 12 月 17 日远游归来，返回巴黎。此后不久兄弟俩写了几个短剧，但既无处发表，更没剧场肯上演。1851 年上半年，开始写他们的第一部小说《一八……年》。作品是自费印刷，原定当年 12 月 2 日发售，恰好逢上拿破仑三世发动政变，印厂老板怕书名上的"一八……"字样会使人以为影射雾月十八，便把广告招贴之类全部销毁，小说推迟 3 天发行，无声无息地与读者见面。小说讲一个男人爱上了两个女子，文体造作，总共才销出六十几本，结果两兄弟只好把近千本书搬回家去，堆在顶楼上，后来付之一炬。

1852 年初，他们有位表兄，先后创办文艺戏剧周刊《闪电》和一份《巴黎》晚报，请他们协助撰稿和编辑事宜。两兄弟为此写了不少文章、小品、美术评论。可是在《晚报》上发表的《从乔治路四十三号到拉斐特路一号巡礼》一文，竟给他们招来一场小小的官司。文中引了 16 世纪的一首情诗，被指控为"有伤风化"，受到传讯，在轻罪法庭跟窃贼之流一起出庭。后以并非故意伤害风化为由，宣告无罪。

《闪电》从创刊便乏人问津,《巴黎》晚报并不景气,终于在 1853 年年底停刊。两兄弟的新闻事业也就此告一段落。在这两份报纸杂志上发表的文章,后来分别收入《1852 年沙龙画展》(*Salon de 1852, 1852*)、《旧文重掇》(*Pages Retrouvées*, 1886)等集子。他们把这一年多的经历称为"文学的练兵生活",为《夏尔·德马依》和《玛奈特·莎洛蒙》等小说积累了创作素材。

从报刊编辑部撤回到家里,他们开始了毕生的著述生活。两人志在绘画,又性喜收藏,便设想从前代文物、实物资料入手,重现历史的社会风貌,在 19 世纪 50 年代先后写出十几本史学和传记著作。其间于 1855 年秋和 1860 年 9 月曾有意大利和德国之行。

19 世纪 60 年代,是他们转向小说创作的 10 年,也是奠定他们文学地位的 10 年。两人勤奋写作,但作品印数不多。他们把文运不佳看做是曲高和寡,以此自我宽慰。当时虽没有赢得预期的荣誉,但在文学圈子里已颇受尊敬。1862 年秋,他们开始赴玛蒂尔特·拿破仑亲王夫人的沙龙晚会,并发起文学家聚会的麻涅晚餐会等。因这些社交活动,得以结识波德莱尔、戈蒂耶、福楼拜、居斯塔夫·多列等著名文学家艺术家。1868 年 8 月,兄弟二人以 83000 法郎高价购进蒙莫朗西大街花园住宅一幢;后来根据埃德蒙遗嘱,龚古尔学院最初便创建于此。

1870 年,对龚古尔兄弟是生离死别的一年。年初,茹尔的健康状况每况愈下,已无法工作,埃德蒙陪他去治疗和休养。一晚在布洛涅森林散步,突然,茹尔停下来对兄长说:"没关系,随别人去非议好了,总有一天得承认,我们写了《热曼妮·拉瑟顿》,这是一本典范型作品,后于我们的,凡以现实主义、自然主义名义制作的作品,此书堪为范本。此其一!还有提倡 18 世纪的艺术趣味,此其二。发现日本艺术,改变世人对东方的看法,此其三。总之,在文学上追求真实,在艺术上复兴 18 世纪趣味,替日本绘画打了一个胜仗:19 世纪下半叶的三大文艺思潮,倡导者是我们。"

茹尔于 1870 年 6 月 20 日去世。他的早逝,对埃德蒙来说是一巨大打击,好比自己死了一半。弟弟是他亲密的朋友,事业的同伴。埃德蒙比较深沉,工作扎实,但艺术家气质不足;茹尔头脑灵活,言词放肆,常有神来之笔。两人的才能相辅相成,在具体作品里往往分不出哪部分是谁写的,但从总的方面说,埃德蒙着重于通篇的构思,茹尔精于文笔的润色。在历史著作和人物传记里,埃德蒙的劳绩多一点,小说方面则反之。

茹尔周年忌日之后,埃德蒙才重新开始社交生活与文学活动。1877 年至 1884 年间,接连发表四部小说。至 1888 年,埃德蒙在为《序跋及文学宣言》(*Préfaces et manifestes littéraires*)这个集子写的前言里称"今天,两兄弟的文学事业已经结束——一个死去多年,一个自知太老",不能再写大部头作品,只能做些自己喜欢的题目。一是回到 18 世纪,编撰悲剧演员克莱蓉小姐和舞蹈演员拉吉玛尔的传记;二是致力于介绍日本绘画,写有《喜多川歌麿》(*Outamaro*,1891)和《葛饰北斋》(*Hokusai*,1896)二书;再就是把自己的小说改编成戏剧:《费洛曼娜修女》(1887)、《热曼妮·拉瑟顿》(1889)、《勾栏女艾丽莎》(1890)。

从 1874 年 4 月 14 日开始,福楼拜、左拉、龚古尔、屠格涅夫、都德等五人常在星期天共进晚餐,时称"五人聚餐会",也叫"福楼拜的星期天"。他们一起聚谈,讨论文艺问题。福楼拜死后,都德和左拉建议,由埃德蒙做盟主,改在龚古尔家里。这恰好与埃德蒙打算成立龚古尔学院的想法不谋而合,便欣然承诺。因一二楼摆设的文物古董甚多,故在顶楼聚会,所以戏称"龚古尔的顶楼"。

埃德蒙的晚年,生活比较悠闲。1896 年 7 月 16 日,埃德蒙客死于都德的郊区别墅,时年 74 岁。根据遗嘱,埃德蒙把全部产业并版权收入作为基金,创立龚古尔学院,以与敌视新兴文艺潮流、具有保守倾向的法兰西学院分庭抗礼。学院由 10 位院士组成,每人各授年金一份,以保证生活来源,使其能不偏不倚地从当年出版的青年作家作品里,评选出最有独创性的小说。龚古尔奖自 1903 年开始,每年嘉奖一部小说,历时已一世纪,已成为法国声誉最高的非官方文学奖。

第二节　龚古尔兄弟的历史著作

1. 18 世纪风俗社会史

最初的文学尝试失败后,龚古尔兄弟便把治学方向转向历史,把目光转向他们偏爱的 18 世纪。于 1854 年、1855 年,接连写出《大革命时期的法国社会史》(*Histoire de la société française pendant la Révolution*),《督政府时期的法国社会史》(*Histoire de la société française pendant le Directoire*)。他们雄心勃勃,要用新法治史。"新"在何处呢?有关大革命的政治史已有多种,而社会史尚未出现。他们拟另辟蹊径,开宗创派,意在用"风俗社会史",发掘史实的"真相"。为此,他们从故纸堆里、实物资料里去探求当时的社会风貌,"描写 1789 年至 1800 年间的法兰西及其风俗,精神,民族面貌,社会色彩,生活和民心","再现一个已经消逝的世界"。他们在《大革命时期的法国社会史》序里说:"为了要重现这个离我们既远又近的社会,我们查证了 15000 件当时的资料:报纸,书籍,册页等。就是说,凡书中提到的任何一桩小事,任何一句无关紧要的话,我们都可以向评论界提供一份资料。"他们的历史著作,特点在于,一是引证的材料繁复多样,二是所写的场面翔实生动。他们完成的社会史,是把一幅幅社会生活的场景,按时序连缀而成,生动固然生动,但波澜壮阔的时代画面不见了,往往带有旖旎的野史色彩。圣伯夫、雨果看了他们的大革命史,曾致书祝贺;他们再现历史的禀赋,也受到当时史学大师米什莱的器重。但也有人对他们的治史方法表示异议，认为过于偏重文物资料，甚至挖苦说，这种社会史只是"大革命中的小插曲"。好心的朋友劝他们莫浪掷精力，于是他们改弦更张，放弃了接着写《帝政时期的法国社会史》的计划，把题目缩小，通过未刊书信、回忆材料等，勾勒历史人物和画坛巨匠，这方面的著作，计有：《莎菲·阿尔努传》(*Sophie Arnould*, 1857)、《十八世纪人物真影》(*Portraits intimes du XVIIIe siècle*, 1857)、《玛丽－安东奈特传》(*Histoire de Marie-Antoinette*, 1858)、《十八世纪的艺术》(*L'Art du XVIIIe siècle*, 1859~1875)、《路易十五的三位情妇》(*Les Maîtresses de Louis XV*, 1860)、《十八世纪的妇女》(*La Femme du XVIIIe siècle*, 1862)等。

《路易十五的三位情妇》初版前言里说："我们拟写的18世纪史，至此完成。这个世纪的每一阶段，社会方面和风俗方面的每一变革，从路易十五到拿破仑，业已按我们的识见和能力作了研究。《路易十五的三位情妇》把读者带到1730年至1775年间；《玛丽－安东奈特传》则从1775年到大革命；《大革命时期的法国社会史》，从1789年到1794年；最后，《督政府时期的法国社会史》，从1794年到1800年……书的题目，足以说明我们的意图和目标。通过路易十五三位情妇的生平，描写路易十五朝；通过玛丽－安东奈特的生平，描写路易十六朝；通过大革命和督政府时期的社会史，描写大革命年代。"

龚古尔兄弟认为社会史是史学著作中最完善的形式。因为社会史囊括一个社会的各个方面，填补了为政治史所遗忘的角落，弥补了为史学家所忽略的领域。他们的具体写法，又可分为两类：一类，如大革命和督政府时期的社会史，以勾画昔日生活的画面，力求传达当时的社会精神；另一类，则是人物传记，写某个特定的人物，以反映围绕着他的那个社会。为了编写这种类型的历史，重现一个特定的社会，不仅要查阅当时的史籍、个人的证词、亲友的回忆，兼及小说剧本、报纸刊物,而且还不能满足于印刷文字,须得考证实物资料,诸如青铜器、大理石、木雕、铜刻、棉布、丝绸,乃至画家的画笔,雕刻家的凿子,建筑师的圆规等等,使史学家的眼睛从这些前代器物上看到过去,脑海里显现昔日的光景,笔底才能依稀仿佛绘出那社会的生活:"只有描绘出一个时代,才称得上史书,而一个时代若不借助细节,不借助具体而微的细节,就无法描绘出来。""写历史,如果连那时代的一件长袍、一张菜单都没看到,就写不生动。"

他们这种治史方法,今日已不觉新鲜,但在当年颇有开创之功。不过他们关心的,不是时代风云,而是时代风云的残剩;他们提供的文物史料,固然凿凿有据,包含部分的真实,展现历史上某些遗忘的角落,但这种探索的方法所勾画的历史场面,就显得有点器局狭小,习尚浮华。20年后,埃德蒙重读他们早年写的一部史书时就曾做过这样的检讨:"这本书,读后的印象是,包含许多华美的辞章,舞文弄墨的片断,争强斗胜的调门,堆砌芜杂,缺少一条叙述的主线,既无层次,也不连贯。读这部研究著作,感觉不到时代的递嬗变化……一件件事,各自为政,按场景归集在一起,不能给读者以连贯的概念……"

2. 18世纪美术史著作及其他

龚古尔兄弟治18世纪史的另一重要领域是美术方面,主要是对油画、版画、素描的研究,表现出真正艺术家的热忱和识见。所著《十八世纪的艺术》一书,是足以造成他们荣名的一部著作。此书的价值,首先在于对所论画家作出有见地的评价,往往用一句精辟的话概括一个画家的特点。在华托备受冷落、无人问津的时候,他们兄弟再三致意,推崇这位具有个人特色、富有艺术魅力的法国画家,称他是"那一世纪最伟大的诗人";对夏尔丹,认为是从小市民中寻找题材、汲取灵感的"市民画家";指出布歇是时代趣味的典型代表,因为优雅既是他的绘画特色,也是那时的社会风尚。其次,对拉图尔、普吕东等画家,引证大量文献资料,勾勒出他们的艺术生涯,把他们的创作同社会环境联系起来加以考察,反过来,又从作品出发,举一反三,说明当时的社会风俗。纵观龚古尔兄弟的画论,既不是圣维克多(1827~1881)式的笔致生动的描述,也不是泰纳式的阐述一种艺术哲学,而是以画家——而非作家——的感受,领悟绘画的内涵,体会绘画的神韵,讲解绘画的技巧,进行艺术分析。

为了给《十八世纪的艺术》一书配制插图,龚古尔兄弟,尤其是茹尔,根据大师的原画,用凹版腐蚀制版法,亲自复制不少名画。据估计,茹尔共做铜版画86幅。1859年2月17日日记里,茹尔说驰骋想象的文字工作,从未像绘画这样使他们入迷,"不仅忘记了时间,而且忘记了人生的烦恼,世上的一切。"他们把这份制铜版画的创作热情,赋予了小说《玛奈特·莎洛蒙》的主人公高利奥里斯,说他进入创作境界,"犹如生活暂时中止"一样。绘画与铜版雕刻对茹尔说来,绝不是门外汉的率尔操觚;正如名副其实的作家一样,他也是名副其实的画家。1861年至1865年的沙龙画展,他都有作品参展。他的素描、水彩画、铜版画,比同时代有绘画才能的作家要高出许多,除雨果外,缪塞、梅里美、戈蒂耶、波德莱尔等都无法望其项背。

埃德蒙也会画素描,并留下六幅铜版画,但他的嗜好在于收藏文物古玩。他在一封信里说:"我嘛,是个收藏家;为一件古董,一件小摆设,连写作的正经行当都会无心理会。"他晚年写有《艺术家之家》(*La Maison d'un artiste*, 1881)一书,书前的短序里说:"近代文学里,描写物已同描写人广泛联系起来。人的一生是在物的包围中度过的,那么为什么不能写物的记事呢?"他把所藏的家珍,油画和素描,青铜和瓷器,家具和壁毯,以及日本的茶巾和卷轴,以收藏家的癖好,一写写了两厚本,计六百五十页!家中收藏之富,简直像生活在美术馆里。眼力之训练,趣味之涵养,天长日久,艺术的感受更趋精微；而感受能力过分精微，趋于极致，终不免带些病态。

第三节 龚古尔兄弟的小说创作

1. 龚古尔兄弟合写的小说作品

龚古尔兄弟的文学成就，主要表现在19世纪60年代从事的小说创作方面。

他们曾说："我们的文学道路相当奇特，是由治历史转入写小说的。这颇不合乎惯例。然而于我们却顺理成章。历史是根据什么写的？根据资料。而小说的资料，就是人生。"（1860年日记）

他们是从18世纪的风俗研究转向第二帝国时期的风俗小说创作的。这一转变，以及他们的人生遭遇，给小说创作带来的印记，大致有三点：一、历史的；二、艺术的；三、病态的。

一、他们由"讲述过去"转到"讲述现时"。即由历史转到小说，由社会风俗史转到社会风俗小说，由18世纪的历史文献转到当代的人文文献。关于小说这种体裁，他们有句名言："历史是已然如此的小说，小说是理该如此的历史。"他们以治史的严谨态度，来从事小说创作。小说的概念，在他们看来，已有变化。"巴尔扎克以来的小说，与我们父辈所说的小说，已无共同之处。眼下的小说，是根据口述材料或'写生'材料来写的，正如史书是根据文字材料写成一样。史学家讲述过去，小说家讲述现时。"他们研究18世纪社会风俗，所凭借的是大量历史文献；他们创作当代社会风俗小说，也援引成例，依靠他们所说的"人文文献"。于是，历来视为想象艺术的小说，在他们手里，奇思异想和浪漫幻想被革出教门，代之以口述材料或实地调查，写成具有科学根据的作品。并自诩他们的作品为"这时代最有历史价值的小说，对本世纪精神史提供事实和真相的小说"。

而"小说家，实际上只是无故事可述的历史学家"。

二、他们由绘画而文学，把美术引入小说，标榜一种"艺术笔法"。所谓"艺术笔法"，就是以细腻的笔触，把艺术之美，亦即把艺术感受，把轮廓、色彩、立体感等印象诉诸文字。为了形容贴切，势必讲究文辞，注重色彩变化，但同时也难免刻意求工，过分雕琢，喜用僻字、怪字、行话，还时常自造新词，打破语法结构等等，反映出一种贵族化的文学情趣。这种"艺术笔法"，是他们长年浸润于18世纪优雅精致的文艺、陶冶而成，但与作品所写下层生活时相抵牾，为评论界所诟病。所以，他们虽摹写平民百姓的生活，作品却无法在贫苦大众中普及。

三、他们多写病态人物，开始以生理学，甚至病理学，代替心理学。埃德蒙生性忧郁，情绪低沉；茹尔虽然天性快活，但年纪轻轻便患有隐疾，心理上不免蒙上一层阴影。他们意识到自己"执着，神经质，对事物的感受近乎病态"，自称是"容易冲动的作家"。埃德蒙在给左拉的一封信里说："我们所有的作品，这或许是付出莫大代价换得的独特之处，落点都在过分敏感上。对这种毛病的描写，我们是近取诸身的。由于不断审视自己，研究自己，剖析自己，结果变得超乎一般的敏感，人生中的芥蒂小事，对我们便构成莫大祸害。"他们往往把意志薄弱、随波逐流的人，把行为不正常、神经有毛病的人，作为书中人物，把小说写成一种病例研究。"唉，是的，我们的作品是病态的……这是我们的不是，但有什么办法，我们是掏出整个心在写作，是跟我们的时代相连的。"作品的基调之所以忧伤而悲观，原因不仅在于他们的气质，还因为在这两位观察家看来，时代的现实是丑恶污秽的。

属于龚古尔兄弟合写的小说，共有七部。1851年出版的《一八……年》，只是不成功的文学试笔；几部重要作品均写于19世纪60年代，最后一部《杰凡赛夫人》，出版于1869年。这些完成于1851年至1869年间的小说，都以现实生活为题材，恰好反映了第二帝国时期社会生活的某几个侧面。

1860年出版的《夏尔·德马依》(Charles Demailly)，是他们第一部真正的小说。初版题名为《文学家》，颇能指明作品的内容；1868年再版时，改以主人公的姓名为题。夏尔·德马依是位醉心于创作的报纸编辑，生平只有"一种爱好，一种忠诚，一种信念，那就是文学"。他的处女作受到批评界贬斥，使他深感痛苦，因为"文学是他的命"。绝望之中，遇到一位赏识其才能的诗人，带他出入文人社团，在一次假面舞会上，结识一位年轻的女演员，由热恋而结婚。但这个无知而恶毒的女人，未过多久便使丈夫苦恼不已。不断的折磨，感情的创伤，已经排演的剧本给撤了下来，水性杨花的妻子终于弃他而去，接踵而来的打击，使年轻作家神昏智乱，失去记忆。

小说颇有点自传性质。龚古尔兄弟借主人公的遭遇，抒发自己在文学界的不得志。书中大段大段文字，有的干脆就是从他们日记里搬来的。他们厌恶妇女的情绪，艺术家应独身的主张，行文里已见端倪。作品是根据他们当年在《闪电》周刊从事新闻工作的经历写成的，情节相当单薄，几乎没有多少杜撰，由主人公的活动，引出一幅幅场景。小说里的20几个人物，都实有所指。所写诗人作家，即以邦维尔、福楼拜、戈蒂耶等为原型，这是两兄弟参照"人文文献"（document humain）从事小说创作的肇始。——后来进一步发展成为自然主义作家的一种创作手法。

《费洛曼娜修女》(Soeur philomène, 1861) 这部小说，用一句话概括，可叫"一绺头发的故事"。费洛曼娜忍受感情波折，出家当了修女，在医院里服侍病人，开始对见习医生怀有未经言宣的好感。后来，这位年轻大夫在做尸体解剖时，得化脓性感染而死。他的同窗好友剪下死者的一绺头发，准备交给不幸的母亲留念。不意修女来为死者祈祷后，放在桌上的头发不翼而飞了。

小说缘起于 1860 年 2 月 5 日，龚古尔兄弟在福楼拜家做客，席间听人讲起鲁昂医院修女的事。他们马上产生写成小说的想法。但医院情况他们不熟悉。"我们需要对真实，对活生生血淋淋的真实作一番研究。"经福楼拜介绍，他们去医院观察，向医生采访，收集直接资料。为探求真实，两兄弟迈出他们小说创作，也是自然主义小说创作的重要一步：社会调查。

1864 年出版的《勒内·莫普兰》（*Renée Mauperin*），在龚古尔兄弟的小说中，是最有社会意义的一部作品。小说最初拟题名《布尔乔亚少年》（*La Jeune Bourgeoisie*），后改题《布尔乔亚少女》（*La Jeune Bourgeoise*），意在描绘布尔乔亚圈子的时尚。勒内·莫普兰代表与作者同时代的"现代少女"，是"近 30 年艺术教育"造成的有些男子气质的女孩，喜欢骑马、抽烟，但不失其细腻、高贵，不受习俗约束，我行我素。她哥哥亨利，是七月王朝时期成长的青年律师，见利忘义，把结婚当发财门径，为了猎娶情妇的女儿，连自家的姓氏都可不要，恣意僭取贵族称号。勒内想阻止这桩卑鄙的婚事，让贵族后裔出面表示异议，不料酿成一场决斗，哥哥身亡，她也含恨而死。小说对资产阶级道德的嘲讽，使作品超乎通常意义上的社会风俗描写，而成为具有一定深度的社会研究。

《热曼妮·拉瑟顿》（*Germanie Lacerteux*，1865），为龚古尔兄弟的代表作，一般视为自然主义小说的开山之作。小说写一个女佣悲惨的一生：苦难的童年，不幸的人生开端，后来服侍一位老处女，勤勤恳恳，深得东家信赖，但却爱上一个好吃懒做的无赖汉于皮永，逼得她步步堕落，酗酒、告贷、偷盗、卖淫。她过着双重生活：忠于职守和溺于痴情，明朗的白天行为和黑魆魆的夜间活动，久而久之，改变了她的性情。热曼妮看上于皮永，而于皮永似乎另有所爱，她变得无比妒悍。明知于皮永是个无赖，但他是她所爱的第一个男人，宁愿"为这个男人卖命，为他守一辈子穷"。书中把热曼妮的妒爱和痴情当作一种病例，偏重于病例分析。龚古尔兄弟把这种病狂归之为生理原因："苦乐失调，神经紊乱，以致失去比例与平衡，趋于极端。"热曼妮的遭遇，取材于在龚古尔家做了25年的女佣萝丝的身世；为了如实描写下层阶级生活，龚古尔兄弟多次去穷人居住区和游乐场，做细致的材料准备工作。"在文学上，只有亲眼目睹的，只有痛切感受的，才能写好。"

小说的初版序言说："读者喜欢看想入非非的小说，但这本小说却是真实的小说。""读者喜欢小说把他们仿佛带进上流社会：这本书却来自穷街陋巷。"他们之所以写这本小说，按作者的解释是：生活在普选制和民主制的时代，下层阶级有权像其他阶级一样，成为小说家关注的对象。那么，难道《悲惨世界》和《巴黎圣母院》不是写下层的吗？对此，龚古尔兄弟有他们自己的看法，认为《悲惨世界》里，"没有一点活生生的东西。人物都是铜铸石雕的，什么都是，但却不是有血有肉的……环境和性格，似是而非，谈不到真实"。他们宣称，《热曼妮·拉瑟顿》里没有谎言，不怕揭示"生活中丑恶的一面"。

小说出版不久，雨果以惯常的夸张笔调，推崇作品具有"这种伟大的品格：真实"。当时还在阿歇特书店做雇员的左拉，致函作者，称赞这是"一部伟大的作品……很大程度上展示了我们时代的生活。"左拉读了《热曼妮·拉瑟顿》，对小说之道有所会意，其著名的《小酒店》就深受此书的启发。

《热曼妮·拉瑟顿》确定了龚古尔兄弟自然主义的文学方向。后来埃德蒙曾颇为自负地说："《热曼妮·拉瑟顿》赋予自然主义小说以完整的程式，后出诸书，俱是以此书所示的方法而创作的！"

1867年出版的以画家生活为题材的《玛奈特·莎洛蒙》(Manette Salomon)，与前面那本以作家生活为题材的《夏尔·德马依》互相呼应。小说最初题作《朗齐普画室》，因书中几位画家、艺术批评家，都受教于朗齐普教授，出身于朗齐普画室。玛奈特·莎洛蒙是位妍丽丰逸的犹太少女。她原是高利奥里斯的模特儿，接着做了他的情妇、妻子，控制了这位意志薄弱的画家。这位具备一切条件可以成名的画家，意识到女人是画家生活里危险的障碍，视爱情为大敌，但在俏丽的犹太女子面前，经不住诱惑，败下阵来。而贪财的模特儿单凭女人的本能，就把一个大有前途的艺术家，变成顺应时尚的画匠。从某些意义上说，高利奥里斯与不幸的夏尔·德马依，是一对难兄难弟。龚古尔兄弟指出：" 《夏尔·德马依》和《玛奈特·莎洛蒙》立足于同一主题：知识界的两位精英，被两个女人逐步扼杀的过程。"

《杰凡赛夫人》（*Madame Gervaisais*，1869），是龚古尔兄弟合写的最后一部小说。杰凡赛夫人是个神经质又略带神秘倾向的女人，故事除两处稍加变易外，实际上以他们一位死于意大利的姑母为蓝本。为了"忠诚于文学"，他们还特地去罗马踏勘，感受宗教气氛。这是一本写宗教神秘主义而又略带反教会色彩的小说。一位天主教作家评论这本小说，认为龚古尔兄弟对天主教只懂点皮毛；乔治·桑不认为这是一本出色的小说。据说当时连一百本也没售出。总之，不怎么成功。

2. 埃德蒙的小说作品

茹尔死后，埃德蒙单独写有四部小说。

第一部是《勾栏女艾丽莎》（*La Fille Elisa*，1877）。早在1862年，他与茹尔就想着手写这一题材，并一起进行多次采访。弟弟死后，为寄托哀思，了却宿愿，埃德蒙于1873年开始构思，写写停停，到1877年才发表。故事写艾丽莎为反抗家庭，逃到巴黎，沦为下等妓女，逐渐对男人产生生理厌恶，在控制不住自己的情况下，杀死一名士兵，判处死刑；由神甫替她申辩，减刑为无期徒刑，关在妇女监狱，长期强制劳动，"在沉默中进行道德赎罪"，因久不与人交往，变得痴痴呆呆，竟致丧失劳动能力，变得跟畜生无异。埃德蒙在序言里声辩作者有权研究一切，包括非公开的卖淫活动。但他这本小说,"卖淫与妓女,只是一个插曲;监狱与女囚,才是本书的兴趣所在。"书中绝无淫秽鄙亵之词,作品要引起社会上对"惩戒制度造成疯癫"的关注。小说出版后,几天内即售出一万册,埃德蒙掩饰不住心头的喜悦:"是的,不管怎么说,我的才能在痛苦和忧患中增长了……舍弟和我倡导的文学运动将冲决一切,至少跟浪漫主义运动一样伟大……"同年,左拉发表卢贡－马卡尔家族史系列小说中第一部具有重大意义的作品《小酒店》。赏识者,开始称他们为"自然主义派";攻击者,则贬斥埃德蒙跟左拉一样滚到污泥坑里去了。

1879年出版的《尚夏诺兄弟》(*Les Frères Zemgano*),是埃德蒙独力创作的小说,系怀念兄弟之作。写作过程中,时时把茹尔的画像放在面前,糅进许多回忆成分。小说以两个杂技演员为主角,"像我弟弟和我一样彼此照应的两兄弟"。乔阿尼与奈洛好不容易练就一个高难度节目,初次演出那晚,由于一个喜欢奈洛而遭到怠慢的马戏团女骑师——"一个给人带来不幸的女人"——使坏,奈洛从高处摔下致残,引起设计这个动作的乔阿尼深自悔疚,不再献艺。书中不少细节,就取自他们自己的生活,如奈洛的杂技技能是乔阿尼教出来的,正如茹尔的写作本领是埃德蒙带出来一样,又如小说再现了母亲临终托孤,把弟弟的手放在兄长手里这一情节。埃德蒙后期作品中,当以此书写得最为成功,也是龚古尔兄弟所有作品中最带感情色彩的一部:小说表现了动人的兄弟手足之情,而他们没有一部作品是专写感情这个题目的。

在小说的序言里,埃德蒙对左拉蒸蒸日上的声誉,言下颇不服气,劝年轻作家应面向上等社会,自然主义"并不是专写等而下之的、令人作呕的、臭气熏天的东西;它来到世上,也是要用'艺术笔法'表现高尚的、可观的、芬芳的一切,对高雅的人,丰富的物,要描其貌,绘其形。而要做到这点,就得作专注的、严密的研究。"福楼拜比较含蓄,认为埃德蒙如此诉诸公论,是多此一举。左拉写信给埃德蒙，对小说表示赞扬，对序言的某些看法表示不敢苟同。埃德蒙的序，和左拉后来写的答辩，是彼此的友谊里第一次出现裂痕。

为了表示与专写下层的自然主义不同，埃德蒙先后写出《拉·福丝丹》（*La Faustin*，1882）和《谢丽》（*Chérie*，1884）两部小说。《拉·福丝丹》颇多取材于悲剧演员拉雪尔（1821～1858）的生平事迹。跟拉雪尔一样，拉·福丝丹也是悲剧演员，她获得盛名后，为了爱情，息影剧坛，避居瑞士，因而不胜痛苦，换来的却是情人临终时的抱怨，怪她是个不懂爱情的戏子。作品以精细的笔触，描绘典雅的法兰西喜剧院和瑞士的湖光山色。有的评论家根据这本作品，说埃德蒙不是真正的自然主义作家，或许代表了与自然主义相反的东西。

在《拉·福丝丹》序言里，埃德蒙宣告他下一本小说，是想根据他们缺乏的"人文资料"，"对一个在首都的温室里成长的少女，作心理和生理的分析"，"但以往男人写的关于女人的那些书，缺少女性的合作"，他希望女读者把自己的少女情怀、罗曼秘史投书相告。这就是两年后出版的《谢丽》一书。小说没有什么故事情节，着重从心理和生理的角度，细致入微地描写谢丽从一个天真未凿的幼女，成长为情窦初开、怀春伤时的少女。她出生在第二帝国的上层社会，祖父是有权有势的法兰西元帅、陆军部长。谢丽从小备受宠爱，游戏、读书、骑马、跳舞、社交……最后在爱情的渴望之中，郁郁死去。作者意在翔实描绘日常生活的画面，表现"高雅的现实"，在反映第二帝国时期上流社会的奢侈豪华方面，或许还有点参考价值。小说的序言较长，埃德蒙宣称这是他最后一部小说，序言相当于他的文学遗嘱云云。

综上所述，龚古尔兄弟全部小说创作共十一部，两人合写七部，埃德蒙单独写了四部。从思想性与艺术性而论，埃德蒙的个人创作，除《尚戛诺兄弟》外，均不及前期兄弟两人合写的作品。

3. 龚古尔兄弟小说创作的特色

龚古尔兄弟喜欢在作品的序言里,表述他们的文学观。他们说过,小说是理该如此的历史。但以其创作实践来看,落在"理该如此"的成分少,"历史"两字的分量重。他们的作品,多半根据真人真事或"人文文献",从实写来,恰成秉笔实录的历史;虽然根据真情实事,由于缺乏去粗取精、由表及里的思辨功夫,缺乏合理想象、概括提炼,结果执者失之,代表性与典型性不足,未能成为理该如此的历史。

他们注重事必有据,写一件事,一种场景,一种心境,必求细节之充实,内容之完备,构成一幅幅素描,一张张写生,以期"表现瞬息的真实"。这本无可厚非,但他们甚至走得更远,置细节的真实于整体的真实之上,而且真实到具体而微,不惜琐碎繁杂,尤其在埃德蒙后期的小说里,干脆把巴黎剧场的剧目,冬季舞会的名称,监狱犯人的专门信笺格式,原封不动复制出来,成为后人所诟病的自然主义手法。

他们作品中的人物,亦非虚构的产物,大都有原型可依。《夏尔·德马依》和《玛奈特·莎洛蒙》,是他们早年生活经历的移植;《费洛曼娜修女》,是缘起于鲁昂医院里一个护士的故事;《勒内·莫普兰》则写到他们自己家里,莫普兰先生和书中的画家,性格特征颇像乃父和茹尔,勒内是他们童年时的一位女友;《热曼妮·拉瑟顿》,是从他们的女佣萝丝生发出来的人物;《杰凡赛夫人》的事迹,类乎他们的一位远房亲戚。遇有不熟悉的环境,不了解的情况,如写《费洛曼娜修女》《热曼妮·拉瑟顿》等作品,他们能走出象牙之塔,进行实地调查,认为不是耳闻目睹的事,小说家就无法描写。为了探求事实真相,他们不惜深入到通常认为要不得的场合。"但人家要问,为什么要选那样的环境呢?"埃德蒙在1871年12月3日的日记里写道:"因为在底层,在文明隐退的地方,才保存现实的本色,人物的本色,语言的本色,一切的本色……因为老百姓,如愿意,就说下等人,对我有种特殊的吸引力,那是未经发现的陌生的人群,像异国情调之于远途跋涉的旅人一样。"与此同时,他们还参照文献资料,如写《勾栏女艾丽莎》,就先后查阅了《巴黎的卖淫业》《巴黎与伦敦的妓院》《监狱设置》《监狱守则》《歇斯底里概论》等书,并做了大量读书笔记。他们认为提供的材料越多,作品的价值就越高。他们把凡属与主题有关的素材,按时间先后,不加选择,以多为贵,串在一起,结果造成情节单薄而描写繁复,贯穿全书的线索细微而枝蔓游离的画面过多。人物的命运,故事的结构,不是通过有关事件推波助澜的发展,而是借助一幅幅静态的画面罗列出来。即使写人物眼前的一刻,展现的也不是动态的画面,而是凝固的瞬间。单纯的客观描写,取代了戏剧性的情节发展。所以,总的说来,作品不够紧凑,艺术效果较差。有的评论家称自然主义小说家为"描写即景小品的能手"(le maniéré de l'instantané),不是没有道理的。

他们强调观察,注重写实,认为作家有权研究一切,甚至生活里丑恶的一面。根据题材的需要,他们不惜降尊纡贵,走向底层,对贫苦百姓的生活表示关切,表现出艺术家的良心,诚属难能可贵。他们说:"我们开始写下等人,因为百姓中的男男女女,更接近自然状态、蒙昧状态,他们单纯而不大复杂。"在他们看来,到穷人家的居室,进门就一览无余,而要研究巴黎的客厅,等椅子上的丝绒坐得磨光了,还没窥透几许。隐约透露一种居高临下的贵人姿态。他们写下等人生活时,模仿其口气,酷肖其身份,采用不少方言俚语,即使是猎奇,也是做了一番努力的;但他们更喜欢标榜他们的"艺术笔法",镶嵌众多雅字、新字、怪字,实际较适宜于富有阶层和文人雅士阅读。尤其在埃德蒙的晚年,唯美的倾向,贵族化的艺术趣味有所抬头,以示与左拉式"鄙俗"的自然主义相区别,倡言写"高雅的现实"，不能不说从原先的立场倒退了一步。

总而言之，他们斩断了小说想象的翅膀，摆脱了浪漫的情调，"小说开始成为文学调研和社会调查的严肃、动人、活泼的形式"，开了"文献小说"的先河。他们以客观的态度，把第二帝国时期的某些社会现象予以"显现"，而谈不到揭露。书中虽罗列大量事例，但仅凭直观印象，只涉及现实生活的外观，未能触及社会的本质，因而缺乏深度。他们的小说，逐渐形成自然主义手法，但基本上是写实的。作为自然主义的先驱作家，他们的《热曼妮·拉瑟顿》可视为自然主义小说的典范，其余作品，属于从传统的现实主义向自然主义过渡的范畴，是以自然主义手法写的现实小说。

第四节 龚古尔兄弟的日记

《龚古尔日记》(*Le Journal des Goncourt*)正如《福楼拜通讯集》一样，是我们了解19世纪下半叶法国文坛情况的另一部重要文献。

日记原定在作者身后发表，但事实上，1887年至1896年，埃德蒙在世时，已节选1851年至1895年间的日记，分九卷出版。1887年版序言的附记里谈到改变初衷的原因：

> 这本日记应在我死后20年发表。在我，这是已定的事。但去年，到都德乡间别墅小住，应他要求，携去旧日记一册。都德颇愿翻阅，对凭即时印象写下的往事饶有兴味，建议我择要公之于世。

这部分日记发表时，考虑到当事人大多在世，文字有所删节，措词也改得较为委婉。即使如此，涉及者几乎人人反对，玛蒂尔特公主担心会树敌太多，劝埃德蒙收兵，而局外人则批评《日记》只记一桩桩孤立的事,未能统揽全局,并责难作者在普法战争时期缺乏爱国热情云云。第一卷出版后,三星期里只售出 2000 册。埃德蒙说:"真的,为这点成绩,引起汹汹公愤,几乎酿成决斗,惹得所剩无几的亲属翻脸,朋友冷淡,真是所为何来?"但作者寄希望于未来,相信后人在《日记》里能看到对他那个时代的"最真实最生动的记载"。1892 年出版的第六卷前面,有篇短序:"40 年来,无论是小说、史书还是别的著作,我都力求说出真相。不幸,这宗旨惹起几多仇怨,几多愤懑……现在刊行的这卷日记,对我幸会的绅士淑女,所说的真话可分为两部分:一部分是令人愉快的真话——人人爱听,另一部分是令人不快的真话——大家不爱听。好吧,在这一卷里,我尽可能为提到的诸位效劳,只挑令人愉快的真话发表,另一部分真话,不顾情面的绝对真话,等我死后 20 年再见……"由于人事原因,中间又经两次世界大战,一等等了 60 年,1956 年至 1958 年始分二十二卷全部出齐。

《龚古尔日记》的书名上,附有"文学生活回忆"这一副题,以示非私人日记性质。

《日记》起自 1851 年 12 月 2 日,在拿破仑三世称帝的喧闹声里,记叙他们第一本小说的发行情况和《闪电》周刊的筹办经过。从行文看来,日记不像记于 12 月 2 日当天,而标上这个日子,当有欲作史笔、为后世留下一部从第二帝国开始日起的时代实录之意。日记最初部分,常不记日子,间隔天数也较长,有些事往往是追记,到 1855 年开始趋于正常,当天事当天记,至迟到第二天早晨,把经过的事,遇有可写,随即记下,不刻意为文,比之他们的作品,文字要朴实平易得多。

日记虽出自两兄弟之手,但"可视作一个自我的流露",叙述"不可分离的两个生命"的喜怒哀乐,以及对世事人情的印象和观感。将一些因缘际会,出现在他们人生道路上的男男女女,"惟妙惟肖地勾勒下来",力求表现瞬息的真实。前期日记,很少有埃德蒙的笔迹，大多为茹尔所记，直到1870年1月20日，乃弟病重不能握笔为止。茹尔物故，埃德蒙不胜痛切，无意于文字，曾一度中止。后来想把茹尔临终情况写出来，一泄几个月来心头抑塞之气。这段文字是这样开头的：

> 几个月过去了，从舍弟手中掉下的笔，由我再度捡起来。初意将这部日记就止于最后的记录，止于死者回顾他童年和青年时代的文字。"何必继续写呢？"我对自己说："我的文学生涯已经结束，我的文学抱负已成死灰。"我今天的想法，一如昨日；但叙述一下弟弟临终的情景，那些令人绝望的日子，心里会宽舒一点——朦朦胧胧中还有种想法，把摧心裂肺的情形记录在案，便于友朋追怀悼惜……

埃德蒙又拿起了笔，就一直记下去，记到1896年7月3日，他逝世前12天为止。

《日记》的时间跨度几近半个世纪，物换星移，人事变迁，但贯穿始终的，是记载了以文艺为终身事业的人，在特定历史条件下的交游与遭际。龚古尔兄弟这样表白：一个潜心文学创作的人，应当摒弃浮华、虚荣、金钱与爱情，也"不需要妻儿子女的情感"，甚至连文名得失都不萦于怀。考之两人的实际生活，当然并不像他们所标榜的那么遗世脱俗，但这或可视为他们为自己所悬的行为准绳。

日记里记有各类拜访、会见、谈话、异闻、轶事、俏皮话、流行语，以及道听途说的传闻等等，近于杂史，反映出第二帝国时期的社会状况和人物风貌。日记是他们日复一日的文学练笔，亦为他们的文学创作积累资料，作为"生活的横断面"，可供日后写作时采纳。

日记里比较有价值的一部分，是记叙作家之间的交往。除相互间的拜访走动外，当时一批自然主义作家，其中不乏单身汉，在一定日期，或写作告一段落，便以文会友，相聚论道。早期有麻涅晚餐会，玛蒂尔特公主的文学沙龙，斯巴达晚餐会，后期有福楼拜的星期天，龚古尔的顶楼；经常参加者有：加瓦尼、福楼拜、戈蒂耶、屠格涅夫、都德、左拉、莫泊桑、圣伯夫、勒南、泰纳等人。高谈阔论，各抒情怀，或相与谐谑，不失名士风流。《日记》记他们的言辞风采，常跃然纸上。另一方面，《日记》也为批评家研究龚古尔兄弟的生活与创作，提供了一份完备的资料。如查阅1862年至1865年日记，可读得他们的女仆萝丝得病、住院、死亡、下葬、索债、真相大白种种记载以及由这件具体事例感发，创作《热曼妮·拉瑟顿》的缘起、酝酿、查访、写作、修改的经过；把这部小说与有关日记进行比较研究，对他们自然主义小说的创作手法当能有所领悟。此外，日记里还散有他们对文艺、哲学、伦理的思考和主张等。

《日记》的宗旨，照埃德蒙的说法，是"尽量把谈话中正在逝去而又令人感兴趣的一切采集拢来"。对人对己，对事件对社会，唯忠实是尚。但即使记录杂事，缀辑琐语，通过执笔者的主观意识，去取之中，褒贬存矣。《日记》节要发表后，颇遭非议，甚至面临群起而攻之的尴尬局面。埃德蒙这时评人论物，语言尖刻，不无偏颇之处。尤其在晚年，单身独处，孤寂凄凉，觉得生活对他不够公平；他又有一个弱点，这时更加明显，就是不愿看到朋友比他更成功。当后起之秀左拉发出耀眼的光辉时，埃德蒙觉得文坛没予他们以应有地位，不免流露出不以为然、轻口薄舌的态度。早期的《日记》大量记载时人交往，趣闻逸事，颇有"笔记小说"的意味；到后期，同代人中，死去的死去，失和的失和，与文艺界的往来也日渐疏阔，加上年老体衰，深居简出，等候文苑后进趋府朝拜，日记内容远不如以前丰富，渐渐只剩下埃德蒙与都德两个老人贫乏的唠叨了。

龚古尔兄弟的《日记》，抱着保留事实真相的目的，几十年如一日，记录他们的所见所闻，尽管有时失之片面或肤浅，但对后世了解他们的文学生涯，了解与他们相过从的作家画家，了解19世纪下半叶法国文坛和社会风貌，提供了大量原始资料，理所当然为文史界所重视。

统观龚古尔兄弟的毕生事业，可说主要在文献方面做功夫。他们从文献着手，研究18世纪的社会风俗；依凭"人文文献"，写作反映第二帝国时期的社会风俗小说；所留下的二十二卷《日记》，更是当时社会的文献宝库。埃德蒙称他们的小说为"文献小说"不为无因。他们强调观察、力求真实、进行调查、凭借文献的创作主张，他们所写的《热曼妮·拉瑟顿》等小说，为自然主义流派起了开路作用，把法国文学的发展推向前进，其影响也远远越出法国国界。

第四章 左拉

第一节 左拉的生平与创作道路

爱弥尔·左拉（Emile Zola，1840～1902）1840 年 4 月 2 日生于巴黎。他的父亲弗朗索瓦·左拉原籍意大利，出自世袭军人的家庭，是一个很有才能的工程师，他的母亲是一个贫苦的手工工人的女儿。左拉的父亲曾在意大利、奥地利、阿尔及利亚等地任职，后来才定居法国，他是普罗旺斯－爱柯斯运河的设计者。正是在巴黎附近的爱柯斯，左拉自由自在地度过了他童年的 6 个年头。他 7 岁丧父，跟随母亲依靠外祖父，过着贫困的生活，亲身体验过被债主不断追逐的痛苦。

左拉从中学时期就爱好文学，特别对浪漫主义作家雨果与缪塞更有一种"狂热"，并很早开始写作。1858 年，他来到巴黎，念完中学后，投考大学落榜，而且贫穷的家境也不允许他继续深造。这个 19 岁的青年，为生计所迫，不得不苦苦寻找职业。他先在巴黎的堆栈找到了一个低微的差事，不久又丢了饭碗。他生活极为贫困，经常只以一块面包和一个苹果充饥，在失业中到处流浪，体验到"处处都是淡漠无情，处处都是轻蔑"，他开始"诅咒这个社会"，同时又耽于"自由"、"和平"的幻想。在艰苦的条件下，他坚持进行创作，为了整夜地进行工作，他必须省吃俭用才能设法买一支价值几个苏的蜡烛，有时，还要把自己的衣服送进当铺，但他却充满浪漫主义的激情,写出了包括三首长诗的诗集《恋爱的喜剧》。

1862年,他开始在著名的阿歇特书店当雇工,由于其文学才能,他被提升担任编辑出版工作,并开始为书店写作散文与小说,但他的第一个短篇《穷人的妹妹》被认为太富于革命性而遭拒绝。他也为共和派的小报写进步的诗歌,还与一些因反对政府而被通缉的革命青年保持来往。

1864年、1865年,他的第一部中篇小说集《给妮侬的故事》与第一部长篇《克洛德的忏悔》相继出版。后者被官方批评界斥为有伤风化,因此,警察当局开始注意左拉,并搜查了他的办公室,导致左拉被书店解雇。在他从事文艺创作的早期阶段,他还作为新闻记者、专栏作家为《大事报》《费加罗周刊》写评论文章,1866年,他把近年来发表的评论收集成《我的恨》(Mes Haines)一书,书名本身就鲜明地表现了作者愤世嫉俗的倾向,其矛头指向统治阶级、保守派、资产阶级学究与庸人。作者在序言中说:"憎恨是神圣的。……每当我反抗我们这时代的庸俗以后,我就感到我更年轻、更勇敢……如果我今天有一点价值的话,那是因为我是孤独的,并且我在憎恨。"另一方面,左拉这个集子中的一些文章,对马奈以及印象派画家,则表示了肯定与赞赏。在这个时期,他还发表了小说《一个女人的遗愿》(1866)、《马赛的秘密》(1867)、《戴蕾斯·拉甘》(1868)、《玛德莱娜·费拉》(1868)。

1868年,左拉在接受孔德的实证主义哲学、泰纳的文艺理论以及克洛德·贝尔纳实验医学的影响的基础上,形成了自然主义的文学创作理论。他的《戴蕾斯·拉甘》《玛德莱娜·费拉》,本来已明显地体现了这种理论,在此基础上,他又更进一步,制订了写一部类似巴尔扎克的《人间喜剧》那样大规模的"第二帝国时代一个家族的自然史与社会史"的计划,这就是著名的《卢贡-马卡尔家族》。

家族史小说的第一部《卢贡家的发迹》,在普法战争之前开始在

《时代报》上登载。接着，又连续发表了《贪欲的角逐》（1872）、《巴黎之腹》（1873）、《普拉桑之征服》（1874）、《教士穆雷的过错》（1875）、《卢贡大人》（1876），但这些作品并没有引起读者强烈的兴趣。在此期间，左拉与俄国文学界建立了联系，1872年，他认识了旅居巴黎的俄国作家屠格涅夫，1875年，他成为彼得堡出版的《欧洲导报》驻巴黎通讯员，他担任此职达6年之久，这使他在俄国有了广泛的影响。1877年，他出版了家族史的第七部长篇《小酒店》，小说虽然遭到资产阶级报刊的批评攻击，但在读者中却获得了很大的成功。

从这时起，左拉在经济上才摆脱了长期的困窘，他从巴黎迁居远郊的乡间梅塘，专心写作，1878年、1880年相继出版第八部与第九部长篇《爱的一页》与《娜娜》，后者轰动一时。从此，拥护自然主义创作的作家都尊奉左拉为领袖，他们经常在左拉的梅塘别墅聚会，主要有莫泊桑、阿莱克斯、瑟阿尔、厄尼克、于斯曼，他们被称为"梅塘集团"。1880年，左拉与这几个作家朋友联合出版了中短篇小说集《梅塘之夜》，这个集子以普法战争为题材，尖锐地暴露了帝国主义战争的野蛮与危害，是法国现代文学中反战文学的先驱。左拉的中篇《磨坊之役》，就是这个集子中的主要作品。

1880年以后，左拉几乎每年都发表一部家族史小说：《家常事》（1882）、《妇女乐园》（1883）、《生之欢乐》（1884）、《萌芽》（1885）、《作品》（1886）、《土地》（1887）、《梦》（1888）、《人兽》（1890）、《金钱》（1891）、《崩溃》（1892），直到1893年出版了最后的一部《帕斯卡医生》。至此，这部大型家族史小说共包括二十部长篇，左拉从30岁开始进行这一庞大的工程，到53岁全部竣工，前后共23年之久。在这个过程里，他还发表与出版了几部理论批评论著：《实验小说论》（1880）、《自然主义戏剧》《我们的戏剧作家》《自然主义小说家》《文学资料》（*Documents Littéraires*，1881）与《战斗》（*Une Campagne*，1882），阐述了他的实验小说论的创作思想，构成了与他大规模的自然主义小说创作实践平行发展、互为补充的自然主义文艺思想体系。

虽然左拉主张自然主义作家对社会道德问题应持客观、冷静的立场，但在家族史的创作与社会政治生活中，却明确地表现了民主主义的政治思想与共和主义的政治态度。1870年，他在报纸上发表文章抨击拿破仑三世为帝政的利益发动战争的卑劣行径，当时被指控犯有煽动颠覆政府罪，幸因帝国垮台才免遭法办，而他整个的《卢贡-马卡尔家族》，就是对第二帝国时期"这一疯狂与耻辱的奇特时代"的无情暴露，表明他是资产阶级人道主义、民主主义思想传统的继承者。而且，19世纪80年代以后，他在家族史小说的创作过程中还"接触到社会主义"。在19世纪90年代初社会主义力量在法国政治生活中又重新活跃的历史条件下，左拉受到时代潮流的感染，在创作思想上又有了变化，他对自己的家族史小说创作感到不满意，力图在思想上与艺术上超越自然主义。因此，1893年，他刚写完家族史小说的最后一部，立即着手写作他的第二套作品《三名城》，1894年，他发表了第一部《卢尔德》，1896年，第二部《罗马》，1898年，第三部《巴黎》。新的一套作品表现了作者要使文学服务于进步事业的自觉目的与热情。在这种思想背景下，左拉勇敢地投入了德雷福斯冤案的斗争。1897年秋，他仔细研究了有关的文件，进行了广泛的调查，肯定德雷福斯是无辜的受害者。他开始行动，在《费加罗报》上发表了三篇文章，宣传真相，驳斥右派的谎言，揭露"无耻的报界"。此后，报纸拒绝发表他的文章，他就发行小册子来表达他的意见。1897年12月14日，他又发表《致青年们的信》，号召青年为正义而斗争，1898年1月6日，他又撰文向全法国发出呼吁。真正的罪犯于1898年1月11日宣告无罪后，左拉极为愤怒，他写了一封《致共和国总统费利克斯·富尔的信》，于1月13日以《我控诉》（*J'accuse…*）为标题，发表在巴黎公社的参加者渥昂所主编的《黎明报》上。左拉在信里，公开控诉国防部和军事法庭的高级官员"犯了违背人道与正义的罪行"，揭露他们"进行了罪恶的不真实的侦查"，"捏造报告"，"组织无耻的集团"，"左右舆论，混淆视听"，指责他们"有意识地开释罪人，冒犯公法"。这天的《黎明报》发行了30万份，《我控诉》这篇愤怒的檄文，震动了整个法国。围绕德雷福斯案件，全国都在争论，议会里形成了对立的两派，右派议员要求立即逮捕左拉，反动报纸对左拉进行恫吓，并宣称应该枪毙他，军队首脑声言，如不严惩左拉，军队就要垮台，并以全体辞职进行要挟。左拉被传到法庭上对质，在恐吓与侮辱下，他屹然不动，宣告："我只有一个思想，真理与正义的思想，我一定会胜利。"最后，左拉被判处监禁一年，罚金3000法郎，反动浪潮在全国愈加泛滥，进步人士则愈来愈多地参加左拉的行列，向他表示支持与敬意。左拉的革命行动和他的《我控诉》，使德雷福斯案件的争论扩大为进步与反动的政治斗争，左拉在这个事件中所发表的文章，后来收集成著名的文集《真理在前进》（*La Vérité en marche*，1901）。

为了抵制法庭对他不公正的判决，左拉听从了朋友的劝告，于1898年7月18日流亡出国，到了伦敦。他侨居英国将近一年，开始写作他另一套新的作品《四福音书》，并完成了第一部《繁殖》（1899）。1899年6月，由于德雷福斯案件真相进一步曝光，高等法院不得不推翻了对德雷福斯的判决，左拉也于两天后回到法国。他继续为德雷福斯案件的彻底解决而斗争，并揭露政府的文过饰非。1901年，他又完成了《四福音书》中的第二部《劳动》，在小说里，他表现了对无产阶级解放事业的向往与理想。1902年，他在完成了《四福音书》的第三部《真理》之后，于9月28日，在巴黎的寓所煤气中毒，不幸逝世。

第二节　左拉文艺思想的发展与自然主义实验小说论

在文学思潮发展史上，左拉以他的自然主义文学观、实验小说论著称。但实际上，他的文艺思想要比狭义的自然主义实验小说论更宽广，他的文学创作，往往超出了他的自然主义实验小说论的规范。

左拉从19世纪60年代初开始从事文学创作，逐渐形成他的文艺观，并且在以后的创作道路上有所变化发展，如果把他写《卢贡－马卡尔家族》以前的那一个阶段划为他文学创作的前期，他写作《卢贡－马卡尔家族》的时期为他创作中期，写作家族史小说以后的《三名城》《四福音书》为他创作的后期，那么，他前期在文艺观基本上是现实主义者；中期，他建立了自然主义文艺的理论体系；后期，他在文艺理论上则基本上维持原状，没有新的重大的发展。

左拉在1893年曾经这样回忆道："我受过三种影响，即缪塞的影响，福楼拜的影响与泰纳的影响。"这三个作家的影响，实际上分别是浪漫主义、现实主义与实证主义的影响，而且都是左拉在他的青年时期、文学创作的前期就已接受了的。

左拉开始走上文学道路的时候，浪漫主义思潮在法国早已过时，左拉与这一思潮实际上是格格不入的。因此，左拉与浪漫主义的关系主要是就这样一种意义而言：他的文艺思想基本上并不是来自浪漫主义，而只是在早期的创作中对浪漫主义作家、特别是缪塞的作品有所借鉴而已。

左拉的文艺思想是在现实主义文艺的高潮中形成的。从19世纪50年代起，现实主义思潮在绘画中有了突出的发展，米勒、库尔贝都相继创作出现实主义绘画的杰作，1855年，库尔贝的画作被巴黎万国博览会拒绝后，他第一次使用了"现实主义"的名称并以"现实主义者"自居。而《现实主义》杂志与《现实主义》论文集又相继于1856年、1857年问世，紧接着则是现实主义文学的代表作《包法利夫人》

的出版。在这巨大的潮流中，左拉不仅形成了他的现实主义文艺观，并且在他进行早期文学创作的同时，还进行了现实主义的批评活动，对当代文学、特别是对当代绘画，发表了一些重要的评论，这就是他的第一个论文集《我的恨》。

在左拉早期的文艺主张中，艺术真实，是他所强调的文艺创作的前提："真实是最首要的"，他把艺术真实当作文学不容置疑的方向来加以肯定："时代的发展肯定是现实主义的，或者更确切地说就是实证主义的"，他强调"一切艺术家都必须研究与再现真实的自然"，他要求艺术家"把自然如他所见到的那样移植在我们的面前"，他向艺术家提出面向真实的生活与真实的人的要求。与此同时，他把艺术真实作为首要的批评标准对当代的文艺进行评判估价，对一切文艺作品都"开门见山地要求有生活气息和符合真实"，推崇一些艺术家身上那种"对自然的诚实的研究"、"对真实和准确的高度追求"。

左拉在强调真实性的前提下，也极力提倡作家的独创性，这是左拉早期文艺思想中又一个重要的方面。左拉所说的独创性的含义，广泛地包括了从观察自然到表现自然的整个过程中的独特的方式，如："发挥一种强有力的、独特的精神，本着一种把自然整个抓在手里的特性"、"听从自己的眼睛和气质进行再创造"、"保持自己的特点"、"把自己的心袒露出来，深刻有力地表现一种个性"等等。在他所强调的独创性中，核心与真髓也就是作家的创作个性，他讲得很明白："一件艺术品只是一种人格、一种个性的体现"，而他自己看待与评判艺术也是从这个角度出发。既然如此，他所强调的独创性的标准与他强调的真实性的标准关系如何呢？在他看来，"一部作品包含两种因素：现实因素即自然，个性因素即人……现实因素即自然是固定的、始终如一的……而个性因素即人则是变化无穷的，有多少作品，也就呈现出多少不同的精神面貌"。应该说，左拉这种理解体现了一种辩证的现实主义精神，既尊重了客观的自然，又照顾了主观反映的能动性,既强调了真实性的标准,又给了独创性以重要的位置,形成了一种两者辩证统一的艺术要求。即要求艺术家"通过他们自己独特的气质所看到的那个样子把自然再现出来",以求展示出一个作为"独特气质的生气勃勃的表现"的"与众不同的世界"。概括起来说,也就是要求艺术家要以自己独特的方式去表现自然的真实,或者是在真实地表现自然的同时显示出自己独特的个性与气质。

应该指出,左拉在不止一个地方,曾否认自己是现实主义者,但就其实际而言,他不仅继承了从狄德罗到福楼拜的传统现实主义文艺思想,而且还以狄德罗那种方式,以现实主义文艺批评标准对当代艺术、特别是当代绘画进行了卓越的评论。他有力地支持了以库尔贝为代表的法国现实主义绘画,他推崇这位杰出的现实主义艺术家"具有强烈的要紧抱真实自然的愿望,既充分地描写肉,也充分地描写粪土";他替以自己独特的方式进行写实的马奈抵挡公众的嘲笑,富有远见卓识地预言,"我们的后代必将在他的画幅面前赞叹不已";他称赞另一位出色的画家莫奈的绘画"向我们叙说了一部体现了力和真实的历史";为了捍卫现实主义的、有创造个性的文艺,他以大无畏的精神对抗官方的批评标准、正统评论家的观点以及世俗的庸俗低劣的艺术趣味,他反对模仿:"不要复古,不要冒充古人的作品,也不要用某种以各个时代的残砖碎瓦拼凑而成的理想制作出来的绘画。"他宣称自己厌恶"谎言与平庸"。他批评文艺中种种不符合生活真实、甚至不符合细节真实的缺点。他把自己对所有这些文学现象的批评与反抗归之于他的憎恨,宣称自己的憎恨"是神圣的"。左拉的现实主义批评活动在当时具有十分进步的性质,引起了凡夫俗子的强烈愤怒,对促进当时文艺中的现实主义的倾向与创造性,无疑起了良好的作用,与当时法国现实主义绘画获得自己的历史地位的过程紧密地结合在一起,在文艺发展史上留下了不可磨灭的痕迹。

还应该指出,左拉在对待文艺的真实性与作家个性的关系问题上，有时还把个性看得比真实性更为重要。他这样表示："你们画得真实，我鼓掌，但你们画得有个性有生气，我的掌声就更热烈。"他还指出："需要真实，需要生活，特别需要彼此互不相同、能够千变万化地描绘自然的感官与心灵。"所有这些再次突出了左拉对于作家要有个性地进行写实的重视。左拉并不满足于过去文学中已有的写实方法和现实主义道路，"我不愿意走任何人走过的路"，他要求在再现自然上有所创新，有所发展，有自己独特的东西，这既是他肯定、赞赏马奈与莫奈在写实上有自己个性的原因，也是他日后以"创造精神"来发展固有的写实文学的传统、创建自然主义的理论与方法的出发点。

1868年，左拉在文艺理论与创作理论上进行了深入的钻研，他从当时生物学、医学、生理学中得到借鉴与启发，在原来的现实主义文艺思想的基础上，形成了他自然主义的文艺思想体系，这种自然主义文艺思想表现在他的几个文艺论集之中：1880年出版的《实验小说论》(*Le Roman expérimental*)、1881年出版的《自然主义戏剧》(*Le Naturalisme au Théâtre*)、《我们的戏剧作家》(*Nos auteurs dramatiques*)、《自然主义小说家》(*Les Romanciers Naturalistes*)，特别是《实验小说论》一书中著名的《实验小说》一文更是他自然主义文学理论的代表作。

自然主义并不是左拉自发地形成或接受的，它是左拉有意识、有目的地创建起来的一种自觉的、标新立异的文学主张。左拉创建这种理论的出发点有两个，一个是他要成为一个划时代的作家，要在创作上与理论上具有自己的、不同于过去时代大作家的东西，要在现实主义道路上有所发展、有所创新；再一个则来自他对文学与社会生活根本关系的认识，在这个问题上，他早期已经有了一系列唯物的观点："艺术像一切其他事物一样，是人类的产物，是人类的一种分泌物；我们的作品的美是从我们身体里分泌出来的。我们的身体随着环境气候、风俗习惯发生变化，分泌物同样也随着发生变化"；既然文学艺术要随时代环境、社会条件而变化，那么，在他看来，不言而喻，"每个社会都有它自己特殊的诗歌"，每个时代的文学家不应该满足于过去时代的文学形式与文学方法，而应该找到"自己社会的诗"，找到"新的形式"；那么，左拉认为自己的时代有什么重要的特征？他认为是科学的活动。这种认识正是他创建自然主义文学理论的一个重要的依据。

"自然主义"一词，并不是左拉首倡。它产生于16世纪，但直到19世纪40年代以前，它只用于哲学领域，其含义是：除自然外，并不存在超自然的事物，一切都包括在自然的法则之中。19世纪40年代，它开始用于绘画，是指对自然的一种写实。在文学上，泰纳1858年2月至3月发表于《评论报》上的《巴尔扎克论》中，实际上给自然主义规定了一些含义："奉自然科学家的趣味为师傅、以自然科学家的才能为仆役，以自然科学家的身份模拟着现实。"如果说，泰纳所论的巴尔扎克并不完全符合这几个含义的话，那么，左拉则是真正继承并发展了这位批评家先行者的上述思想，赋予自然主义这个词以真正自然科学的涵义，并且在这个概念下确立了一整套与自然科学息息相关的文艺思想体系，从而创建了真正在文艺思潮发展史上具有代表意义的自然主义。

应该指出，既然左拉是在现实主义的基地建立起自然主义的理论体系，他的全部自然主义理论就理所当然地包括了现实主义的原则，他在自然主义理论的代表作《实验小说论》中这样明确地规定："小说家最高的品格就是真实感"，而"真实感，就是如何如实地感受自然、如实地表现自然"，他把真实性作为文学创作的目的来要求："你要去描绘生活，首先请如实地认识它，然后再传达出它的准确的印象"，因而他也就把真实性作为文艺作品是否有存在价值的标志："作品不是广泛地建立在真实之上，就没有任何存在的理由"，"当我读一本小说的时候,如果我觉得作者缺乏真实感,我便否定这作品。"如果说,左拉早期的文艺理论往往把真实性与独创性区分开来、同时并重因而带有某种程度的二元论的性质,那么,在左拉的自然主义理论中,这种二元论的痕迹就完全消除了。为了树立真实性在文学中的绝对地位,左拉排斥与否定浪漫主义的想象:"说一个小说家有想象,在今天,这一赞词几乎成了一种贬责了",他甚至对主观色彩也持否定态度,认为主观色彩"不是把场景缩小了,便是把它夸大了,使一切都浸渍在虚伪的色彩中,一切都张牙舞爪而又支离破碎"。

当然,左拉仍然主张作家的个性表现,但是,在他的自然主义理论中,个性表现远没有在他早期文艺理论中有地位,它已经成了从属于真实性的一个标准,他指出:"一个伟大的小说家就是一个有真实感的人,他能独立地表现自然。"可见,作家的个性与独创性就是真实地表现自然的独特方式,具体说来,应该是这样的:"小说家遵循着现实,向这个方向展示场景,同时赋予这场景以特殊的生命……这便是在对我们周围的真实世界作个性描绘时构成独创性的方法。"这就是左拉自然主义理论中独创性、个性从属于真实性的文学观。正是以这种真实性占主导地位的文学批评标准,左拉对巴尔扎克、司汤达、福楼拜、都德这些作家"强有力地表现了自然"给予了崇高的评价,也正因为左拉的自然主义文艺理论首先强调了真实地描写现实的原则,所以,他很自然地把这些作家都称为"自然主义作家":巴尔扎克是"自然主义小说之父",司汤达"也像巴尔扎克一样是我们的父亲",福楼拜的《包法利夫人》是"自然主义小说的典型代表",甚至他还这样扩大自然主义的队伍:"我愿意承认荷马是一位自然主义的诗人","自然主义开始于人所写的第一行字","自然主义这条脉络存在于往古的许多时代里"。因此,从这一思想脉络来看,左拉的自然主义在其基本原则上,其实就是一种现实主义。

从上述传统的现实主义文艺观出发,左拉进一步把他的文学理论推向与自然科学的结合,即"把科学的方法介绍到文学中来"。在进行这项工作的过程中,达尔文1859年出版的《物种起源》在法国的传播,特别是吕卡思医生1850年出版的《对遗传的哲理与生理考察》、克洛德·贝尔纳1865年出版的《实验医学研究导论》以及勒都诺的《情欲生理学》等论著学说,成为左拉直接的凭借与参考。在这些自然科学学说的指引与启迪下,他在以下三个方面创建了与传统现实主义文艺观显然有所不同,较之有所发展的文艺理论,即使他获得自然主义大师称号的那一部分理论观点。

首先,左拉把文学与自然科学结合的重要性强调到一个从未有过的高度,以致表现出一种要求文学从属于自然科学的倾向。他从实验医学发展的新成就出发提出这样的问题:"既然以往作为一种技艺的医学现在构成了一门科学,文学为何就不能借助实验方法也成为一门科学呢?"他对科学发展与文学发展的道路是这样认识的:"在上个世纪,由于更精确地运用实验方法,从而创立了化学与物理学……接着,又跨出了新的一步……科学证明了一切现象的生存条件对生物与非生物都是同样的,这样,生理学渐渐地同化学与物理学一样得到了确认。然而,就到此为止吗?显然不是。将来,当人们证明人体是一架机器,有朝一日可以按实验者的意愿拆卸和安装其齿轮系统时,科学便一定会转向人的感情和智力行为。那时,我们将进入迄今一直属于哲学和文学的领域……我们现在有实验化学与实验物理学,将来会有实验生理学,更晚一些时候,将有实验小说。"从这种认识中,他向文学家指出这样的方向:"生理学家和医生继续物理学家和化学家的事业,我们要继续他们的事业。"既然方向如此,在左拉看来,生理学与医学的原则也就完全适用于文学了,他在《实验小说》一文里,多次引用了克洛德·贝尔纳关于医学问题的论述,并且申言:"我的论述都原封不动地来自克洛德·贝尔纳,只不过一直把'医生'一词换成'小说家'",于是,问题就不仅是引用自然科学的原则来指导文学，而是文学在某种意义上要从属于自然科学，用左拉的话来说，即"文学由科学来确定"。在他看来，无生物与有生物的规律是共同的，"路上的石块和人的大脑都有相同的决定因素"，而人的肉体与精神的规律也是共同的："既然实验方法引导人们认识了肉体的现象，它也可以引导人们认识感情与精神现象，这不过是同一条道路上的不同阶段。"在左拉的思想中，不仅文学与生理学、医学的性质相同、规律相同，而且两者的目的同样也是一致的，但在这个问题上，他把文学对自然科学规律的服从视为实现文学崇高目的的必要条件，他认为，以主观情感与抽象理性为基础，是不可能表现"外部世界的真理的"，只有以自然科学的方法为方法的自然主义文学，才能"向未知夺取真理"，而"表达真理的作品才是伟大和道德的作品"，他指出，实验医学的任务在于找出人体器官的毛病，而自然主义文学也同样能够医治社会机体的病态，因此"自然主义小说家其实就是实验伦理学家"。

文学与自然科学的结合，具体说来，就是在文学创作中运用自然科学的实验方法，左拉不仅要求在文学创作中搬用这种方法，而且把它在文学创作中的作用提到了君临一切的地位，与此同时，他又把文学艺术本身的规律与方法的重要性降低到前所未有的限度。这是左拉自然主义文学理论的第二个重要的方面。

究竟是怎样的实验的方法？左拉从两个方面指出了实验方法的要义，其一，"实验其实不过是有针对性的观察，实验中的推理应建立在怀疑的基础上，因为实验者在自然界面前不应有任何先入之见，而要使思想保持无束缚的状态，他仅仅接受已经产生并得到证实的现象"；其二，"实验科学不必为探索事物的'所以然'而绞尽脑汁，它需要解释的是'怎么样'，仅此而已"。那么，运用了自然科学实验方法的自然主义实验小说又是怎样的？左拉作过不止一种解释，他说过："自然主义小说，是小说家借助观察而对人进行的一种真正的实验。"他还说过:"自然主义意味着回到自然;科学家们决定从物体和现象出发,以实验为工作的基础,通过分析进行工作,这时候,他们的手法便意味着自然主义。相应的,在文学方面,自然主义是回到自然和人;它是直接的观察,精确的剖析,对现实的接受和描写。"在这里,左拉所强调的就是观察与实验,而实验则又包括了精确的解剖与分析,因此,左拉又曾指出:"自然主义小说就是观察与分析的小说。"如果说,左拉关于自然主义文学、实验小说的定义与解释,除了明显地套用了贝尔纳的《实验医学研究导论》中某些论述外,并没有真正表述出文学理论上的新主张的话,那么,左拉关于自然主义文学创作过程的具体论述,倒确实提出了超出传统的现实主义创作论范围的一些主张与思想。

在左拉这里,自然科学所要求的只承认客观既成事实的实证精神、要详尽占有资料的方法和对客观事实应加以实录的严格态度,都一一得到了强调,并直接转化为指导文学创作的原则被置于文学创作活动中的首要地位,艺术的典型化已被缩小到最小的范围,艺术加工也不再在创作活动中占有重要地位,想象几乎完全被排斥("我们没有权利进行杜撰");激情与灵感也几乎被完全否定("人们十分错误地认为优秀的风格就是情绪激昂,触目惊心,几近于神经错乱的状态");才能也必须从属于自然科学的实验方法,其存在与否必须以是否忠于这种方法为转移("应该由实验来检验才华");甚至情感也被限制到最低的程度("只有在表现其决定因素尚未弄清的现象时,才表现个人情感,同时竭尽所能用观察和实验来检验这种个人情感")。这就是左拉所主张的自然主义文学创作论,这些主张不仅与传统的现实主义创作论不同,而且也在一定的意义上否定了文学艺术创作的普遍方法与规律,使文学创作完全成为纯自然科学式的机械活动。

左拉自然主义文学理论的第三个重要内容,是把医学的遗传学说引入文学,要求按照遗传学的观点去描写人。

实验的方法是否能运用在对人的研究上？左拉不赞成对巴尔扎克曾有所影响的法国19世纪生物学家居维叶在这个问题上所持的否定态度。他赞同克洛德·贝尔纳，认为实验方法同样适用于所有生物，适用于人："无疑，科学在今后将会找到人的一切精神现象与肉体现象的决定因素。"根据这种认识，他顺理成章地提出文学"应当像化学家和物理学家研究非生物及生理学家研究生物那样，去研究性格、感情、人类和社会现象"，而实验小说则是"以生理学为根据，去研究最复杂、最微妙的器官，处理的是作为个人和社会成员的人的最高级行为"，自然主义小说家的任务则是"要研究人的大脑和情感现象是健康的还是病态的"，因而这种小说家"是运用实验方法的醒世作家，通过实验指出某种社会环境中一种情欲会表现成什么样子"，以便"有朝一日，掌握了形成这种情欲的原因与过程以对它进行治疗和约束"。

那么，是依据什么科学的理论和方法来认识人和研究人呢？这是问题的核心。在这里，左拉提出了遗传学作为指导和原则。他认为，人的生理条件是人的"内部环境"，人这架机器"如何运转，如何思想，如何热爱，怎样从理智发展到激情和疯狂"，这些现象都是由"生理器官控制的"，是在"内部环境影响下发生作用的"，而"内部环境、生理条件则与遗传有关"，因此，他明确地说："我认为遗传问题对于人的精神和感情行为有巨大的影响。"应该指出，在提出人的"内部环境"的同时，左拉也提出了"外部环境"的问题。他的"外部环境"的概念主要是指"社会环境"，他对社会环境也有足够的重视："人不是孤立的，他生活在社会中，社会环境中"，"我认为社会环境同样具有至关的重要性"。因此，另一方面，他又明确地这样说："我们小说家要进行的重大研究即在于社会对个人与个人对社会的相互作用。"兼顾了以上两个方面的观点，左拉对自然主义的实验小说作出了这样的全面总结："构成实验小说的几个方面是，掌握人体现象的机理，依照生理学将给我们说明的那样，展示在遗传和周围环境影响下，人的精神行为和肉体行为的关系；然后表现生活在他所创造的社会环境中的人，他每天都在改变这种环境，他自身在其中也不断发生变化。这样，我们依靠生理学，从生理学家手里把孤立的人拿过来，继续解决这个问题，科学地解决人在社会中如何行动的问题。"在左拉看来，这就是自然主义文学的理想境界，这种理想境界具有重大的社会意义，他这样宣称："我不知道什么工作比这更高尚、更有广阔的应用天地，我为控制善与恶的主人调整生活，匡正社会，经过一段时间解决社会正义的一切问题，通过实验解决犯罪问题，从而为正义奠定坚实基础。这难道不是人类最有用、最有道德的创造者从事的工作吗？"

左拉的自然主义文学理论强调真实地描写现实，从根本上来说，是一种写实主义的文学理论，它继承了传统的现实主义文艺观的重要方面，是现实主义文艺思潮的又一继续，是这种思潮在新的历史条件下一种新的理论形态，它在过去的现实主义文艺观上添加了新的内容，即自然科学的内容。这种对传统现实主义的补充与变通，有得亦有失，有积极的意义也有消极的方面。自然主义所主张的描写客观现实上的准确性、详尽性、细致性，都是对传统的现实主义创作论的一种新的开拓与发展，有助于真实地描写现实的原则在创作中更进一步贯彻，它关于从生理的角度去观察人与描写人的主张，实际上补充了一个真实地描写人的新课题与新角度，对于进一步把人物描写得有血有肉、符合人的实际，无疑不是没有裨益的。在这些可取的原则的正确指导下，左拉就得以绘制出现实生活的宏大图景，保持了优秀的现实主义传统的基本特点而又具有新的内容，在描写现实的方法上，较之司汤达与巴尔扎克，左拉也有所发展变化。

另一方面，左拉的自然主义文艺思想无疑有着明显的缺陷。它混淆了文学艺术与自然科学的界线，错误地将它们加以等同，在强调自然科学对于文学艺术的认识价值的时候,又不适当地忽视了文学艺术本身的特点与规律;它主张绝对地搬用自然科学的方法,显然流于偏颇,从而否定了文学艺术本身的典型化方法与对于文学创作至为重要的灵感、想象、激情、才能等等创作要素。以自然主义所主张的方法去进行创作,文学描写肯定容易有烦琐、滞重、冷淡、刻板等等弊病,即使左拉的创作实践并不完全忠于他的自然主义文学创作主张,即使他本人才能卓越,并且原来还有着明显的浪漫主义倾向与诗人气质,他的作品也未能避免上述缺点。左拉在观察人、描写人的问题上过分强调生理性,也必然导致两个不良的后果,一是分散作家对于人的社会属性的关注与研究,有碍作家对人的阶级性、民族性与人性作深入的发掘;二是必然使文学作品降低为对生理性、动物性的描写,流于"去翻搅那恶臭的或跳动的血肉之躯",出现像"令人厌恶的厨房"一样的篇章,尽管左拉在描写人的生理性时事实上是有所克制的,但他这个主张确使他在自己的作品里留下了某些败笔,特别因为他所迷信的19世纪下半期的遗传学说并不科学,没有揭示遗传的真正客观规律,所以,他这种主张不仅会妨碍真实地表现人的社会性方面,而且也无助于表现人的自然性方面,其结果反而会流于某种不可知的神秘性,而他把自己的家族史小说的总体结构建立在这种不科学的遗传学学说上,当然显得勉强,不能令人信服。

第三节 左拉前期的文学创作

左拉文学生涯的前期,就是写作《卢贡-马卡尔家族》以前的那个阶段,时间基本上可以从1860年算起,到1870年为止,前后共有10年之久。

在文艺思想上,左拉前期基本上信奉现实主义,但在创作实践中,他前期的倾向却不单一,浪漫主义、现实主义、自然主义的成分全都具备。他从浪漫主义开始,并使它成为自己前期文学创作中的主要倾向,其间又并非完全远离写实,尔后,便开始了自然主义的实践。从这个时期的第一部作品《给妮侬的故事》到这个时期最后的作品《戴蕾斯·拉甘》与《玛德莱娜·费拉》,就体现了这一发展,他前期创作中的这种多成分,实际上也就是他整个文学创作的成分结构的雏形或缩影,只不过,在不同的时期,主导的成分与组合的状态有所不同而已,在中期,以现实主义、自然主义为主,同时也带有浪漫主义的痕迹,而到后期,浪漫主义的性质则又有所增长,和自然主义形成了一种奇特的结合。

1.《给妮侬的故事》及其他

中短篇小说集《给妮侬的故事》(*Contes à Ninon*,1864),是左拉最初从事文学创作活动的第一个成果,出版于 1864 年,其中大部分作品写于 1862 年至 1864 年,即他在阿歇特书店当雇员的期间,有的早在 1860 年,那时他正陷于贫困与饥饿,《多情仙女》(*La Fée amoureuse*)则更早,是他在圣路易中学当学生时写的。

《给妮侬的故事》,是一部具有鲜明的浪漫主义色彩的作品。法国浪漫主义诗人缪塞影响的痕迹在其中清晰可见,它以年轻人天真烂漫的理想与愿望、热情洋溢、富有诗意的感受、轻快机敏的风格,在左拉的作品中别具一格。

这个短篇集包括八篇作品,它们与其说是短篇小说,不如说大部分都是童话故事或随笔速写。优美的语言、丰富的想象力、深情倾诉的语调,是它们共同的特点。实际上作为序言的《给妮侬》(*A Ninon*),本身是一篇抒情散文,充满了年轻人的热情、对生活的挚爱与清新的情趣。《森普利斯》(*Simplice*)写一个年老的王子厌弃了宫廷的生活,逃到森林中去,与大自然融为一体,最后,为了追求源泉女神而死在泉边,嘴里还叼着一朵芬芳的白玫瑰。对原始的、未被世人污染的大自然的热爱、对丑恶的人世间的权势荣华、酒色享乐的否定,是童话中两种主导的思想情感,作者以诗的语言描绘与歌颂了大自然的美,从而树立了一种反世俗的美的理想与美的标准。《跳舞名册》(Le Carnet de Danse)是一篇笔致细腻的随笔,它描绘了少女内心深处青春感情的种种轻柔的涟漪,特别是它把跳舞诗化为风度翩翩、姿态变化无穷的女神,把跳舞名册拟人化为人生秘密的珍藏者、各种情感的陈述者,显示了作者的浪漫主义的象征与比喻的才能,这种才能在以后家族史小说实在的描绘中也不时有所再现。《爱我的她》(Celle qui m'aime)是一篇别致的速写,在热闹熙攘的节日市集的生动画面上,交织着青年人追求爱情的饥渴与卖笑女子的辛酸,透过这一切,流露出作者清醒的社会意识与对现实问题的关注。《多情仙女》是一支轻巧的爱的颂歌,它通过诗一般优美空灵的童话,歌唱爱情的温柔和它能够越过一切障碍、克服一切阻力的神奇力量。《血》(Le Sang)是一篇凝聚着哲理的幻想故事,4个士兵夜间在战场上各自都看见一种幻影,认识到人类互相残杀、进行战争的危害与可怕,早晨又响起集合号的时候,便脱离了军队、埋葬了武器,到农村去从事和平的劳动。作者在4个兵士所见到的幻影里,实际上浓缩了阶级社会以后的人类历史,描绘了种种互相杀戮、血流成河的情景,表现了作者广阔的历史视野与严肃的社会正义感以及对暴力、掠夺、仇杀的愤慨。《小偷与驴子》(Les Voleurs et L'Ane)是一篇轻松的爱情故事,其中不乏轻淡的讽嘲,其风格与人物都近似缪塞的某些短篇。《大西德瓦勒与小梅兑里克漫游记》(Aventures du grand Sidoine et du Petit Médéric)是一篇有意模仿拉伯雷的《巨人传》的童话,主人公西杜瓦讷是一个拉伯雷笔下庞大固埃式的巨人,力大无比,而梅兑里克则是聪明的小矮子,他们都由自己的故土所养育,小梅兑里克为了到极乐王国去追求春馨花的爱情,与大西德瓦勒一同出征,在途中,他们消灭了危害乡村的狼群,把荒山移到峡谷、改造地理环境,为民造福，当上国王以后又废除专制制度。童话表现了左拉对改造社会与改造自然的某种神奇力量的幻想，其中又有对现实社会的影射与讽刺。

在《给妮侬的故事》中，《穷人的妹妹》(Soeur-des-Pauvres)较为重要，这是一篇严肃的童话，反映了青年左拉在早年贫困生活中真实的思想状态。穷人的妹妹从小失去父母，被叔父与婶母领养，叔婶原来很富有，因挥霍浪费而变成了穷人，他们心肠不好，对可怜的孤女百般虐待，穷人的妹妹过的是穷困的生活，承担的是沉重的劳动，但她心地善良，怜悯世人的苦痛而从不以自己的不幸为意。一天，她在街上遇见一个乞丐抱着一个痛哭的小孩，就把自己唯一的一枚铜钱施舍给她，女乞丐与小孩是圣母圣子显灵，回赠给穷人的妹妹一个破旧的铜子。穷人的妹妹回家后，发觉这个铜子可以无穷无尽地生出铜钱来，第二天，她带着神奇的铜子和口袋走上街头，向残废人、老人、一切饥寒交迫的穷人以及每一个贫穷的乡村进行大量的施舍，她向前走着，身后跟随着浩荡的人群，她引领他们发出感谢圣母、圣子的呼声。回到家里，贪心的叔婶想要偷走铜子生出来的钱财，但钱财却变成了可怕的飞禽。穷人的妹妹充满慈悲心肠，对堕落的灵魂也有强烈的怜悯，她替叔婶购置土地、耕牛与农具，建造起房屋，雇请了工人，从此，叔婶成为富裕的农民。穷人的妹妹对舒适的生活感到厌烦，她仍然坚持参加劳动，她嫌自己的财富过多，认为太有钱心灵就会受到腐蚀，她削减了她的财富，并且祈望上苍收回神奇的铜子。在教堂里，圣母把她的铜子收回以后，穷人的妹妹仍过着勤劳的生活。她去世以后，当地人都生活在富足之中，因为他们都以她为榜样，从劳动中得到自己的收益。

这篇童话表现了左拉在当时生活条件下想摆脱贫穷困苦的一种天真幻想和一种对人类社会的朦胧理想，多少带有空想社会主义的色彩，尽管童话中的社会憧憬是抽象而又幼稚的，但其中对社会下层贫苦人民的同情、对群众场面的民主主义倾向的描写以及关于只有劳动才能保持心灵健康的主题思想，在当时无疑带有某种激进的性质，因此，曾被书店的刊物所拒绝。

继《给妮侬的故事》之后相继出版的，是《克洛德的忏悔》《一个女人的遗愿》与《马赛的秘密》三个长篇。

《克洛德的忏悔》（*La Confession de Claude*）出版于1865年。小说通过第一人称的自白，叙述了一个青年失足之后又振作起来的故事。主人公克洛德是一个自食其力的青年诗人，生性孤傲，不染恶习，但是，有一天夜里，他失足落入一个下流女人劳伦丝的怀抱。次日，他对自己一时的失检深感羞惭，想把劳伦丝打发走，但这个女子衣食无着，克洛德出于怜悯与人道，又把她留下。他想使劳伦丝重新做人，结果白费力气，反倒被劳伦丝引向堕落。朋友们纷纷疏远他，贫困使他潦倒，他身心日益衰颓。眼见劳伦丝又卖身给他自己的朋友，激怒之下，他的自尊心复活过来，他逃离巴黎回到自己的家乡医治心灵的创伤，最后又恢复了活力与纯朴。

自述的方式使这部小说充满了急切的感情倾诉，具有明显的浪漫主义色彩，近似缪塞的《一个世纪儿的忏悔》，其中关于贫寒知识分子生活条件的画面，则完全是写实的。而在男女关系的描写上，有时又流于毫无遮盖的自然主义，正是这一点在当时引起了批评界的非难，也被官方机构加以盘查与追究，并导致左拉在阿歇特书店的办公室被搜查。

《一个女人的遗愿》（*Le Voeu d'une morte*）于1866年在《纪事报》上连载，当时并没有获得成功，次年，由书店正式出版后，几乎很快就被人遗忘，后来，左拉自己也承认："我青年时期的这部小说是我作品中唯一内容空虚、我拒绝加以再版的。"《马赛的秘密》是1867年在南方的《普罗旺斯信使报》上连载的一部通俗小说，以马赛一桩犯罪案件为题材。左拉写作这部小说，完全是为了赚得必要的生活费，以保证能没有顾虑地去写作他自己所真正重视的作品《戴蕾斯·拉甘》。虽然《一个女人的遗愿》与《马赛的秘密》都不是左拉的重要作品，但是，它们在一定程度上反映了从《给妮侬的故事》，逐渐向《戴蕾斯·拉甘》的过渡。

这种过渡并不是绝对的，事实上，不同的创作倾向在左拉前期的文学活动中是杂然并陈，相互交织的。正是在创作上述两部长篇的同时，紧接着《给妮侬的故事》之后，左拉又继续写作了一些风格轻巧、感情色彩浓厚的短篇与故事，它们早已在1866年至1869年分别发表在刊物上，迟至1874年才收集为《给妮侬的新故事》(*Nouveaux contes a Ninon*)。在这里，既有缪塞式轻松的爱情故事《洗澡》(*Un Bain*)，浪漫童话《爱神的小蓝袍的传说》(*La Légende du Petit-Manteau bleu de L'Amour*)，也有隽永的寓言故事《猫的天堂》(*Le Paradis des Chats*)，还有一些写实的短篇小说、随笔、散文：《禁食》(*Le Jeûne*)是对酒肉神甫的漫画写生，《侯爵夫人的肩膀》(*Les Epaules de la Marquise*)尖锐地揭露了第二帝国时期"朱门酒肉臭，路有冻死骨"的社会现实，《我的邻人雅克》(*Mon voisin Jacques*)与《失业》(*Le Chômage*)，是对工人悲惨生活的真实记叙，《铁匠》(*Le Forgeron*)则是作者礼赞劳动者的诗一般的散文，所有这些都显示出风格的多样性。

2.《戴蕾斯·拉甘》

在左拉的前期文学创作中，长篇小说《戴蕾斯·拉甘》(*Thérèse Raquin*, 1867)与《玛德莱娜·费拉》是两部最为重要的作品。

1866年12月24日，《费加罗报》上刊登了左拉的一个短篇故事《爱的婚姻》，叙述一对通奸的情人，谋害了丈夫之后正式结婚，但悔恨与不安却使他们成为势不两立的仇敌，最后双双自杀，留下了他们的忏悔。次年，左拉以这个故事为骨架，大大加以扩充与增添，成为著名的小说《戴蕾斯·拉甘》。小说出版于 1867 年 12 月。

小说有 4 个主要人物：拉甘太太、儿子卡米尔、媳妇戴蕾斯和他的情夫洛朗。拉甘太太原是一个外省的杂货商人，丈夫死后靠利息维持小康生活。她的儿子卡米尔幼年大病未死，身体虚弱，发育不全。拉甘太太早年从她弟弟、一个在阿尔及利亚服役的上尉手里，收养了他的私生女戴蕾斯，她是上尉与非洲一个部族酋长的女儿结合的产物，后来，上尉战死于非洲，戴蕾斯则正式过继给拉甘太太。她从小与卡米尔青梅竹马，一起长大成人，两人的婚姻早已不在话下。结婚以后，全家迁往巴黎，在一条小巷里开起了小杂货店，卡米尔则到铁路公司里谋到一个雇员的差事。在婚后生活中，身体强健、性格粗犷、内心炽热而外表冷漠的戴蕾斯苦闷异常、度日如年。一天，卡米尔把他童年时在外省乡下的朋友洛朗带回家中做客，这个身材高大、体魄健壮的青年人引起了戴蕾斯内心的骚动，而好吃懒做、一心追求官能享乐的洛朗一到拉甘家，就存心不良、有所企图，家庭的温暖舒适、主人的热情款待、特别是朋友的妻子都是他感兴趣的。他设法成为这个家庭的常客，有计划地伺机占有戴蕾斯，终于，他得到了机会，戴蕾斯毫无反抗就委身于他。从此，两人沦于疯狂的肉欲，狡诈的洛朗为了使通奸毫无束缚，特别是为了达到永远占有戴蕾斯的目的，萌生了谋害卡米尔的恶念，并得到了戴蕾斯的默许。一天，3 人到郊外出游，洛朗预谋已定，戴蕾斯也默契配合，泛舟于塞纳河上时，把卡米尔活活淹死。虽然这个凶狠的罪行完全被掩盖过去，两人得以逍遥法外，但相互的关系却发生了惊人的变化，犯罪的行为使他们先是不敢接触，尽力回避，尔后都开始感到了心理上的不安。他们以为正式结婚后这一切都将自然消除，然而，从新婚的第一夜起，被淹死的丈夫的形象与回忆就不断困扰他们的神经，增加了他们的不安与恐惧，而他们彼此的存在，不仅不能使各自得到一点点安宁，反而使得他们陷入罪恶的回忆而不能自拔，这样，两人的共同生活也就成了共同的枷锁与苦刑,只在分开的时候才有所缓解。他们开始互相厌弃、互相憎恶、互相推卸罪责、争吵殴打,甚至产生了谋杀对方的意图。他们几乎同时动手,正在动手之前,彼此发现了对方的歹意与凶器,不禁抱头痛哭,他们再也不愿意过这种罪恶、卑劣、怯懦的生活,于是共饮了毒药,双双自杀。

这是一部以生理学分析为基础的病态心理分析小说,小说基本上有两大组成部分,第一部分是戴蕾斯与洛朗的两次犯罪,道德上的犯罪与法律上的犯罪,第二部分则是犯罪后的不安、恐惧与自食其果、自我覆灭。这两次犯罪以及由此而产生的病态心理是如何发生的?其内在的根由何在?左拉把这一切归之于生理的原因,他在小说的序言里这样说:"人们如果细心地阅读这部小说,就会看到每一章都是对某种生理的奇特病情的研究。"

戴蕾斯的母亲是未开化的非洲部族的妇女,她继承了母系的血与本能,因此,在左拉笔下,她不仅有铁一样的体质、旺盛的生机,还有"渴求旷野的空气"、"梦想过流浪生活"的放任的愿望、追求冒险与疯狂的热情以及坚忍粗野的性格,但她所处的生活环境、现实条件,却恰巧与她的这些生理因素与素质存在尖锐的矛盾。生活环境是狭小阴暗的小巷、像洞窟一样的房屋、发散霉气的店铺柜台;生活圈子除了自己年老的婆母与多病的丈夫以外,就是长年固定的三四个亲友,他们同样面目可憎,死气沉沉,庸俗无聊。在左拉的笔下,所有这些矛盾中,最为尖锐的还是她旺盛的生机、炽热的情欲与不相称的婚姻之间的矛盾,即生理的矛盾。她之所以在这个环境里待了下来,做到高度地自我克制,仅仅是因为作为家庭的一员,得到了养育之恩,但一遇到洛朗邪恶的引诱,她长期郁积的强烈情欲就像开闸后的狂潮大肆泛滥,她不仅不预感到危险而加以克制与管束,反而放纵自己这种肉欲的本能,于是,一步步走向了犯罪。

洛朗的情况比戴蕾斯更坏,他在生理上本来就是一个血气旺盛的嗜欲者，从来就喜欢游手好闲、贪图各种官能的享乐，特别是淫乐。在这方面，他是一个老手，但不宽裕的经济条件难以保证他充分满足自己这种邪恶的癖好，因此，"便宜的肉欲生活"就成了他的理想。他一见戴蕾斯就决定引诱她通奸，正是因预计到占有朋友的妻子不必付出任何代价。这对他来说，本来是一次新的逢场作戏，可行可止，但在左拉笔下，戴蕾斯肉欲的狂热却给了他前所未有的生理上的刺激，使他陷入了离不开戴蕾斯的狂热状态，以致一反他惯有的谨慎与小心，铤而走险，不惜触犯法网。

在小说里，戴蕾斯与洛朗从满足生理要求出发走向犯罪，最后，害人害己，也算得上是一种悲剧，但既不是传统文学中社会条件造成的悲剧，也不是性格缺陷形成的悲剧，而是一种生理与气质的原因导致的悲剧，即人的官能要求与动物性被放纵的悲剧，正如左拉在序言里所说，"在《戴蕾斯·拉甘》里，我是要研究人的气质，而不是人的性格，这就是全书的意义。我选择了两个人物，他们完全被自己的血肉筋骨所控制，丧失了自主的理智，在他们血肉之躯的必然性的驱使下，做出他们生涯中的每一个动作。戴蕾斯与洛朗都是人形的畜生，如此而已，我正是要在这两个动物身上，一步步地追索肉欲、本能的压力以及由于神经发作而来的脑系统紊乱所发生的不声不响的作用。两个主人公的情欲是对他们本能需要的一种满足，而他们所犯的谋杀罪则是他们通奸的结果，他们进行这种谋杀就像狼咬死羊一样，最后，我不得不称之为他们的悔恨的那种东西，其实就是生理器官的一种紊乱、即将崩溃的神经系统的一种强烈的反应"。

《戴蕾斯·拉甘》发表后，不久就遭到了指责，1868年1月23日的《费加罗报》上发表了一封署名为费拉居斯的公开信，称这部小说为"腐烂性的文学"，认为作者有"不道德的意图"。事实上，左拉在小说里主要是描写一种人性恶的危害，从事病态心理的分析，他特别集中描写了主人公犯罪后不安、恐惧、焦躁与由此而来的自我崩溃、自取灭亡。这一部分占了全书三分之二的篇幅。左拉在描写中的道德倾向也是显而易见的，拉甘太太母子虽然丑陋、平庸、灰暗，但作为受害者深得作者的同情，被描写得善良、无辜、可怜，而洛朗与戴蕾斯即使不是作为被揭露、被鞭挞的对象，也是作为病态者被描写出来的，作者把他们犯罪后那种恶浊、卑鄙、走向毁灭的生活写得既可厌又可怕，显然带有一种道德告诫的意义。问题在于，小说没有回避主人公的性的问题，正如左拉自己所说的，"分析小说家并不害怕去探索肉体需要的问题"。然而，作者的目的却是要进行一种科学的分析与研究，"我只不过是简单地在这两个活生生的肉体上进行一些剖析的工作，就像一个外科医生解剖尸体一样"，照他看来，他的科学分析方法正是一种"现代的方法，是本世纪以那样大的热情用来探究未来、广泛有效的侦察工具"，而且，作者在作品中以较快的速度转入对主人公负罪心理的分析之前，虽对戴蕾斯与洛朗的奸情有所描写，但却回避了色情的细节，所以他在回答费拉居斯的责难时敢于这样宣称："我从来没有写过会使我的妇女读者作呕和脸红的东西"，"没有一个出自我名下的句子是你不能拿去放在一个少女面前的"。

小说对现实生活与对人物内心状态的描写都是严格写实主义的，这与后来的家族史小说一脉相承，所不同的是，《戴蕾斯·拉甘》的描写带有一定程度的封闭性，对社会环境、外在生活的描写简略而不充分，对人物内心世界的描写则极为细致，在社会意义上，远远逊于家族史小说，而在心理分析上，则是家族史小说所不及的。不论怎样，这部作品已经具有了左拉日后自然主义小说若干重要的特征，在这里，作者明显地追求琐细的描写，即使是对可怕与丑恶的事物，作者的描写也不厌其详。特别值得注意的是，他第一次明确地把生理学的分析引入了文学，在这基础上铺陈出主人公的犯罪与毁灭、情欲与病态心理，不仅在他本人的文学创作中，而且在整个法国文学中都具有代表性的意义，因此，圣伯夫当时向左拉这样指出："您这部作品是出色的，认真的，从某些方面来说，它可以在当代小说的发展中开辟一个时代。"

3.《玛德莱娜·费拉》

《玛德莱娜·费拉》(*Madeleine Férat*，1868) 写于1868年，同年以《羞耻》为题在《纪事报》上连载。这是左拉前期小说中另一部重要的作品，它与《戴蕾斯·拉甘》同为左拉这一阶段自然主义的代表作，实际上已经实践了他后来在自然主义文艺理论体系中所阐述的思想与原则。

玛德莱娜·费拉6岁时，她父亲破了产，先把她放在一个寄宿学校里，后又托他的朋友，一个呢绒商照管。玛德莱娜在寄宿学校里长大，难免受到同学中轻浮习气的影响。成年后，她回到保护人家里，年老的呢绒商对她怀有不良企图，施行非礼，玛德莱娜一怒之下，离家出走，在街上偶然碰见一个陌生的青年，当天，就轻易地委身于他。这个青年叫雅克，是一个医科大学生，性格开朗，为人豪爽，但生活放荡，惯于与女性逢场作戏。玛德莱娜给他当了一年的情妇，习惯了自己那种屈辱的地位。后来，雅克被任命为军队的外科医生，要赴印度支那服役，薄情而不负责任地把玛德莱娜扔下，一走了事，使玛德莱娜陷于耻辱与失望之中。这时，她遇见了青年吉约姆，吉约姆是外省一个富有的老贵族的私生子，从小没有得到过父母的爱，被老女仆日内维叶芙带大，深受这个充满了宗教狂热和迷信的老妇的影响，感情脆弱、缺乏理智。他耻辱的出身使他在学校里备受同学的欺侮，因而又养成了软弱与孤独的性格。但他受到一个体魄健壮的大高个同学的保护，这就是雅克。由此，他把雅克视为世界上唯一最亲近与最宝贵的朋友，后来雅克到巴黎学医，在即将赴国外服役的前夕，吉约姆来到巴黎与他道别，可惜雅克已经动身。吉约姆遇见了被抛弃的玛德莱娜后，满怀柔情地爱上了她，玛德莱娜也对这个温驯的青年产生了深厚的感情。两人同居后，玛德莱娜偶然发现雅克原来是吉约姆的好友，感情上大受震动，使她深感羞惭的是，她对自己的第一个情夫仍未能忘情，直至传来雅克的死讯才使玛德莱娜感情上得到平静。她与吉约姆正式结婚，在外省度过4年愉快而幸福的日子，并有了一个女儿。突然一天，吉约姆把雅克又带回家里，原来雅克的死讯纯系误传。雅克的来到使玛德莱娜陷入极大的惊恐，她感到自己的整个生活似乎即将崩溃，她不敢见雅克，而向丈夫坦白了过去与雅克的关系，夫妻在痛苦与恐慌中，为了逃避不安，获得安宁，与来客不告而别，躲到了乡间别墅里去。从此他们再也得不到平静，玛德莱娜摆脱不了对雅克的回忆和雅克在她身上打下的烙印，吉约姆则因为发现世界上他最亲近的两个人原来是情人，也坠入了空虚失望，无处不在的嫉妒又老是咬啮他的心，甚至他在自己亲生女儿身上也发现了雅克的特点，因而痛苦不已。他们决定到巴黎去，以求平息苦恼。巴黎繁华享乐的生活既没有缓解这一对夫妇的痛苦，也没有使他们得以自我麻醉，他们只得又回到外省老家，但在离开巴黎之前，玛德莱娜不自觉地来到雅克的寓所，又不由自主地委身于她过去的情夫，事后，她羞惭异常，产生了轻生的念头。回到老家，她听说生病的女儿刚刚去世，耻辱与悔恨交加，她饮毒自尽，饮毒之前，丈夫全力制止，她只好告诉丈夫她与雅克又发生了关系，在这可怕的打击下，吉约姆放开了他死命制止的手，自己也完全精神失常了，而一直以变态与迷信的心理嫉恨着这一对夫妻之间爱情的日内维叶芙，则像命运之神一样在旁监视这悲惨的一幕。

《玛德莱娜·费拉》从多方面的意义来说，都是《戴蕾斯·拉甘》的姊妹篇，彼此异曲同工。在格局上，它的主要人物也是4个，除了夫妻与情夫的三角关系外，也有这关系外的一个敌对性的人物、监视性的角色，在《戴蕾斯·拉甘》中是拉甘太太，在这里则是老女仆；在构思上，它也是表现道德上的污点与过失所引起的心理变态，以分析与描绘这种痛苦的心理状态为作品的主要内容,并且最后也是以男女主人公的惨剧为结局;在思想内容上,它也是对人的生理性因素如何成为人的行为与心理活动的基础的一种探讨,或者也是以生理学分析为基础的对婚姻、爱情、两性关系以及与此有关的心理状态的一种研究。

《玛德莱娜·费拉》的全部形象描绘,归结起来就是灵与肉的激烈冲突。这种冲突有两个层次,一个层次是吉约姆与玛德莱娜之间的矛盾与冲突,再一个层次则是玛德莱娜自己身上两种力量的矛盾与冲突。吉约姆是一个善良、温柔、充满了道德感与宗教感的人物,是左拉心目中一种"灵"的体现,他从小就没有得到人间的温暖,因而特别重感情,特别珍视纯洁的友谊与爱,他怀着最大的柔情爱着自己的妻子,也怀着最大的赤诚爱着他的朋友雅克,正因为他自己的感情是纯洁的,加以他从小在宗教的狂热衷又培养了一种类似洁癖的道德感和某种宗教神秘主义的情操,所以,他不能忍受人与人关系中,特别是他与最亲近的人的关系中存在任何污秽的东西。而玛德莱娜固然也深深爱着自己的丈夫,但她身上毕竟存在着过去的肉欲的过失,特别还继续潜伏着对过去情夫不可抑制的情欲,这样,吉约姆与妻子之间必然出现不可调和的灵与肉的矛盾,这种矛盾尚未充分激化时,就已经把他们的家庭生活搅得一团糟,而当这个矛盾发展到顶点、即妻子又重新委身于情夫的时候,他们的家庭和他们个人都必然以毁灭而告终。

在玛德莱娜自身,灵与肉的冲突表现得更为尖锐激烈。这两种冲突的力量各自的根源何在?不论是对"灵"还是对"肉",左拉都竭力从生理条件中去加以探究。在他笔下,玛德莱娜从母系继承了软弱、敏感、温柔的性格,从父系又得到正直而严肃的特性,加上日内维叶芙所施加的宗教道德压力,就构成了她身上"灵"的一方面,这表现在她感情上真挚地爱自己的丈夫,竭力要保持家庭的纯洁与安宁,对自己肉欲的过失感到苦恼与羞耻;与此同时,父系血统又使她具有粗放的气质、血气旺盛的体格和强烈的生理要求，这就构成了她的"肉"的方面，用日内维叶芙的话来说，她身体里藏着肉欲的"魔鬼"。左拉不仅从当时一般的生理遗传学的观点来解释玛德莱娜身上的两个方面，而且在对这个人物进行分析的时候，还特别运用了吕卡思博士的浸透论的生理学观点，按照这种观点，少女一旦与第一个男人发生性关系，就被深深打上这个男子的烙印，不论到何处，体内都浸透有他的存在。在左拉笔下，玛德莱娜就是如此，她根本无法摆脱第一次与雅克肉体结合所产生的那种生理的命定性，而且她后来与吉约姆所生的女儿，竟也由于她不能摆脱雅克在自己肉体上打下的烙印，而在相貌上酷似雅克。左拉这种描写，对于他的自然主义创作方法来说，无疑是典型的一例，但也暴露出这样一个事实：以一种似是而非的自然科学理论、生理学观点为绝对指导进行文学描绘，难免会流于神秘主义。

不过，左拉在这部小说里，比在《戴蕾斯·拉甘》中，较多地增加了精神与道德的比重，玛德莱娜不像戴蕾斯那样几乎完全是生理要求的奴隶，而是一个具有理智与情操的妇女，她不像戴蕾斯那样放任自己的肉欲本能泛滥成灾，而是竭力加以控制、不断加以谴责，因而，在她身上，灵与肉总是处于一种反复较量的状态，而往往又以道德精神的力量占优势，即使肉欲也能得势于一时，但不久又遭到主人公自己的清算，其社会后果也完全不像在戴蕾斯与洛朗身上那样骇人听闻。在这些描绘中，左拉无疑比在《戴蕾斯·拉甘》中表现出了更为强烈的道德感。

这种强烈的道德感还表现在左拉对资产阶级淫乱的婚姻家庭关系的揭露上。在小说里，他特意安排了德·李厄这一对夫妇，他们的婚姻正是整个资产阶级婚姻的一个缩影：徐娘半老的李厄夫人过着放荡的生活，专门找少年男子满足自己的情欲，情夫们公开在她家出入，享乐活动甚至就在先生的眼前进行，李厄先生眼看着这一切，容忍着这一切，同时又怀着阴暗的仇恨心理准备着冷酷的报复，到了临终的时候，他立下了遗嘱，把遗产交给了妻子与其中一个凶狠的、仅仅为了贪财而卖身的情夫，规定他们必须正式结为夫妻，这样就可能把年龄相差悬殊得无异于母与子的一对男女永远拴在一起，让他们在牢固的婚姻关系中互相折磨、永远得不到解脱。在这里，左拉对资产阶级丑恶家庭关系的揭露无疑是非常深刻的，这种揭露与他对玛德莱娜与吉约姆夫妇的同情恰成对照，从这里也可以看出，左拉是要把玛德莱娜的经历写成一个真正意义上的人性悲剧，而不是写成一个上流社会的奸情故事。

左拉从1871年投入他规模巨大的《卢贡－马卡尔家族》的创作，这是他创作的中期，在这个时期，他也不时写作一些中短篇小说，这些作品大都成于19世纪80年代，个别成于19世纪70年代，其中重要的有：

《娜薏·米枯伦》(*Naïs Micoulin*, 1880)，写一个农村少女痴情地爱上了东家少爷，被玩弄后遭到抛弃，对资产者的卑劣与自私有含愠的鞭挞；《磨坊之役》(*L'Attaque du moulin*, 1880)，以普法战争为题材，描写一家平民在磨坊里的英勇抗敌，充满了高昂的爱国主义精神；《南达》(*Nantas*, 1880)，通过主人公冒名顶替、为已怀孕的贵族小姐遮丑、充当她名义上的丈夫的故事，揭露上流社会婚姻关系的肮脏；《内热翁夫人》(*Madame Neigeon*, 1884)，是一个青年人的自述，从他追求一个达官的夫人的经历中，可以看到巴黎与外省政界里政治交易与淫乱的裙带关系如何交织在一起；《夏布尔先生的贝壳》(*Les Coquillages de M. Chabre*, 1884)，以揶揄的笔调写出，充满对资产者辛辣的讽刺。上了年纪的富商苦于无嗣，指望服用贝壳肉奏效，结果是一个漂亮的青年人替他代劳，使他的妻子生出了一个男孩；《雅克·达穆尔》(*Jacques Damour*, 1884)是一个反映了重大社会历史悲剧的故事，主人公的儿子在巴黎公社时英勇牺牲，他自己也因参加过斗争而在公社失败后被流放，流放归来后，妻子已经改嫁，女儿变成了妓女，他过了一段衣食无着的流浪生活之后，只得依靠女儿过活。

左拉的这些中短篇小说，完全属于传统的现实主义的风格，描绘真实生动，叙述轻巧自如，故事引人入胜，人物形象鲜明，显示出作者圆熟的艺术技巧，足以与巴尔扎克某些中短篇小说媲美，如《磨坊之役》不论就思想内容还是就艺术水平而言，都不愧为法国文学史上的名篇。

第四节 《卢贡-马卡尔家族》的总体结构、社会历史内容与艺术特点

1.《卢贡-马卡尔家族》的产生

左拉1868年开始研究当代生理学新成就以后，就逐步形成了要写一系列互有内在联系的小说以表现"第二帝国时代一个家族之自然史与社会史"的创作计划。要把若干小说联成一个整体，在这一点上，左拉显然是要效法巴尔扎克的《人间喜剧》，不过，巴尔扎克是已经写出了若干小说以后才产生把所有小说联成一体的意图，因此，他只可能采取让一些人物在不同作品里穿插出现，即"人物再现"的办法来实现这种意图，左拉则是在着手写作之前就有整体计划，而他用来实现这一整体计划的内在联系，就是一个家族的血缘关系。和文学史上其他家族史小说作者的构思大不一样，他在实验医学的影响下设想这一血缘关系中最基本的东西是一种生理遗传的因素。

左拉家族史小说的第一部《卢贡家的发迹》，创作于1868年冬至1869年春，但早在1868年之内，他已基本上拟定了他的家族史

小说的大体规模与初步的世系表，根据左拉第一部家族史小说交稿以前向出版家拉克鲁瓦提供的规划，《卢贡－马卡尔家族》（Les Rougon-Macquart）由十部小说组成，"这些小说各自独立，形成一些各不相同的、独立完整的故事，每个故事都有自己的结局，不过，它们又被一条强有力的线索联结在一起，这强有力的线索把它们联成一个单一的巨大总体"。关于整个家族史小说的创作意图，左拉当时就已指出：小说是"建立在生理学研究和社会研究这两种研究之上"的，前一项研究是"从遗传问题里去寻求"同父的子女们身上"那些相似或相反的气质的缘由"，即"从人类最内在的基因里去研究人类"；后一项研究则是要通过这个家族分散在社会各阶层的各个成员的活动，去"描绘整整一个时代"，即第二帝国的整个时代，在这一方面，左拉宣称，"我要做巴尔扎克曾对路易－菲利普朝代所做过的那种工作"。至于计划要写的十部小说的大致内容，左拉在当时也都已经有了设想。

《卢贡－马卡尔家族》的第一部小说《卢贡家的发迹》完成后，于1870年6月开始在《世纪报》上连载，三个星期后，普法战争爆发，连载中止。左拉继续进行整个家族史小说的构思与写作，普法战争期间，他又向埃德蒙·德·龚古尔说明了他宏大的创作计划：要在一整部系列小说里，写一个家族的自然史与社会史，"陈列出这个家族不同成员的各种气质、性格、罪恶以及德行等等，表现他们受环境影响而发展，正像一个花园的各个部分互有区别，这里有阴影，那里有阳光"。他要求自己的描绘尽可能地完整、全面、无所不包，以致"在这些卷册之后，再也没有余地留给后来的作家，再也没有什么可写的了，再也没有什么可构思的了，再也没有一个人物可塑造了"。

1871年，《卢贡家的发迹》（La Fortune des Rougon）正式出版，左拉在卷首写了整个家族史小说的总序，正式公布了他写作的计划与意图："我想解释一个家族一小群人如何在社会里安身立命，这家族在发展之中产生了10个、20个成员，乍看之下，他们好像极不相似，但一经分析，却显露出他们深深地互相关联，遗传有它的规律，就像地心吸力有其规律一样"。他给自己的大型小说明确规定了"解决气质与环境的双重问题"的任务，他一方面要表现出："在生理方面，这个家族所有的成员全都是某些神经血缘的变态慢性发作的受害者，这些神经与血缘的变态，是在机体第一次被损害之后陆续发生在这个家族之中的"；另一方面，又要表现出"这些神经与血缘的变态，随着环境的不同，决定了这个家族各个不同人物身上有种种不同的情感、愿望、情欲以及一切自然的、本能的人性的表现"。作为社会史，他要求小说"成为一个已经死亡了的朝代的写照，一个充满了疯狂与耻辱的奇特时代的写照"，时间从1851年拿破仑三世发动政变起到1871年普法战争结束、第三帝国崩溃为止。

第一部家族史小说出版后，左拉按照预定的计划与家族世系的设想继续进行工作，但他据以工作的、拟定于1868年的马卡尔家族世系表，却迟至1878年才披露出来。这时，左拉已完成了七部家族小说，第八部《爱的一页》(*Une Page d'amour*，1878)也已在《公益报》上连载，为了回答某些读者对他的"缺乏组织、缺乏总体结构"的非难，他在《公益报》上将他的家族世系表第一次公之于世。这个世系表与后来1893年发表的那个画成树枝状的世系图不同，完全是一个严格意义上的表格，按五代人的辈分分为五个层次，标出上下代的血缘关系，每一层次列出每一代的成员，每个成员均附有姓名、出生年代、主要经历、遗传性、潜伏病因以及在心理上和生理上造成的后果等等说明。在这张图表里，不仅包括左拉已发表的八部作品里的人物，从《卢贡家的发迹》中的皮埃尔·卢贡到《小酒店》中的绮尔维丝，而且，还有一些将在他后来的小说里出现的家族成员，直到归结全部家族史小说的《帕斯卡医生》。

尽管总体计划与结构以及世系表早在1868年就已拟定，但在漫长的创作过程中，特别是在1878年以后，却不可避免地有了一些修改与变化。首先，家族史小说的规模扩大了，由原定的十部增为十二部、十五部，最后增为二十部，这二十部小说的计划，经过了23年的辛勤劳动，终于得以完成，它们是：《卢贡家的发迹》《贪欲的角逐》（*La Curée*，1872）、《巴黎之腹》（*Le Ventre de Paris*，1873）、《普拉桑之征服》（*La Conquête de Plassans*，1874）、《教士穆雷的过错》（*La Faute de l'abbé Mouret*，1875）、《卢贡大人》（*Son Excellence Eugène Rougon*，1876）、《小酒店》《爱的一页》《娜娜》《家常事》（*Potbouille*，1882）、《妇女乐园》（*Au Bonheur des dames*，1883）、《生之欢乐》（*La Joie de vivre*，1884）、《萌芽》《作品》（*L'Œuvre*，1886）、《土地》《梦》（*Le Rêve*，1888）、《人兽》（*La Bêtehumaine*，1890）、《金钱》《崩溃》（*La Débâcle*，1892）、《帕斯卡医生》（*Le Docteur Pascal*，1893）。

其次，家族的世系也相应有了扩大，在1878年公布的世系表的基础上，特别扩大了家族的两大成分之一马卡尔这一分支。因此，当1893年左拉完成家族史小说的最后一卷《帕斯卡医生》时，他让主人公作为卢贡－马卡尔这个家族发展过程的总结者，这个医生"20多年来一直密切注意着这个家族的每个世代，他登记什么人降生、什么人死亡，多少次婚嫁、家庭里的重要事件，按照他的遗传学的原理，对每一种情况作了简明的记载，他有那么一张发黄的纸……上面有一株用重重笔触画出的象征性的树，这树的枝干伸展开，彼此分离，在这上头横里排出五行大树叶，每一张树叶上写着一个姓名，以细小的字注明该成员的小史与遗传情况"。帕斯卡医生这一树状的世系图，印在这部作品的卷首，实际上就是左拉最后的世系图的定稿，是他已完成的二十部家族史小说中人物关系的脉络。

2.《卢贡－马卡尔家族》的人物世系

根据左拉最后定稿的卢贡－马卡尔家族世系图，可以看出，分布在二十部家族史小说中的卢贡－马卡尔家族的成员共分五代计32人。

第一代祖宗为阿黛拉依德·福格（1768~1873），人称"狄德大姨"，1786年嫁给沉静但鲁钝的园丁卢贡，1787年生一子，1788年丧夫，1789年与酗酒的精神不健全的马卡尔姘居，当年生一子，1791年又生一女，1851年精神失常，进入疯人院，一直活到105岁。

第二代3人。一、皮埃尔·卢贡（1787~1870），阿黛拉依德与园丁卢贡所生之子，继承了父母的常态，是一个正常的人，当过油商与税务特派员，1810年与一健康聪明的女子结婚，有子女5人。二、安东尼·马卡尔（1789~1873），阿黛拉依德与马卡尔所生之子，当过兵，后以编柳条筐为生，与一菜市女贩若瑟芬·加沃丹结婚，共有3个子女，在他身上，父性遗传占优势，本人是酒精中毒者，后因醉后自然死亡。三、于勒·马卡尔（1791~1840），阿黛拉依德与马卡尔所生之女，1810年与身心健康的制帽工人穆雷结婚，有3个儿女。

第三代11人。一、欧仁·卢贡（1811~？），皮埃尔·卢贡之长子，母亲性格的遗传占优势，曾任第二帝国的大臣。二、帕斯卡·卢贡（1813~1873），皮埃尔·卢贡之次子，医生，与他的侄女克洛蒂尔德·卢贡结合，有一遗腹子。三、阿里斯第德·卢贡（1815~？），皮埃尔·卢贡之幼子，后改姓萨加尔，起初是小职员，后成为巴黎的大银行家，从第一次婚姻得一子一女，后又曾奸污一女工，有一私生子。在他身上，父性遗传在性格上占优势，母性遗传在相貌上占优势，属镕接性的混血类型。四、西多妮·卢贡（1818~？），皮埃尔·卢贡之长女，曾嫁给一个律师助理为妻，丧夫后，与一不知名的男子有奸而生有一私生女，寄养于育婴堂，本人曾当过女经纪人、掮客等，后成为一个刻苦的修道者。五、玛尔特·卢贡（1820~1864），皮埃尔·卢贡之幼女，与表兄弗朗索瓦·穆雷结婚后有子女3人，由于隔代遗传，性格、面貌与第一代祖宗阿黛拉依德·福格相似，后患歇斯底里症而死。六、莉沙·马卡尔（1836~1877），安东尼·马卡尔之长女，嫁与身心健康的格尼为妻，生有一女，本人为猪肉商，菜市场里的大女店主。七、绮尔维丝·马卡尔（1828～1869），安东尼·马卡尔之幼女，先与二流子郎第耶姘居，生3子，被郎第耶抛弃后，与出身酒精中毒的家庭的工人古波结婚，生一女，本人在巴黎先当洗衣工、洗衣店主，后酗酒，潦倒而死。八、约翰·马卡尔（1831～？），安东尼·马卡尔之幼子，当过工人，务过农，后又应征入伍，结过两次婚，本人性格是父母两方面遗传的混合，没有病态。九、弗朗索瓦·穆雷（1817～1864），于勒·马卡尔之长子，与表妹玛尔特·卢贡结婚，有子女3人，由于隔代遗传，后发狂死于火灾。十、海伦·穆雷（1824～？），于勒·马卡尔之女，第一次婚姻生有女儿一人，第二次婚姻，无出，本人身心健康。十一、西韦尔·穆雷（1834～1851），于勒·马卡尔之次子，母性遗传占优势，在1851年政变中被打死。

第四代13人。一、马克西姆·卢贡（1840～1873），阿里斯第德·卢贡之长子，随父改姓萨加尔，靠家庭过活的寄生者，与一父母皆为酒精中毒的女仆姘居而有一子，本人死于机能失调症。二、克洛蒂德·卢贡（1847～？），阿里斯第德·卢贡之女，随父改姓萨加尔，母性遗传占优势，性格、相貌像自己的外祖父，与其叔帕斯卡结合而有一子。三、维克多·卢贡（1853～？），阿里斯第德·卢贡之私生子，少年流浪者。四、昂杰莉克·卢贡（1851～1869），西多妮·卢贡之私生女，因寄养在育婴堂，故另名昂杰莉克·玛丽，一结婚就死于一种不知名的怪病。五、奥克塔夫·穆雷（1840～？），弗朗索瓦·穆雷之长子，因隔代遗传，未像其父那样有精神变态，巴黎大百货商店的创始人。六、塞尔热·穆雷（1841～？），弗朗索瓦·穆雷之次子，教士，本堂神甫，由于父母两方面的病态遗传而成为一个神经不正常的神秘主义者。七、戴西雷·穆雷（1844～？），弗朗索瓦·穆雷之女，由于母亲病态遗传而成为痴呆型神经病患者。八、冉莉·格朗让（1842～1855），海伦·穆雷与前夫格朗让所生之女,由于隔两代遗传,心性相貌均与老祖宗狄德大姨相似,死于精神病。九、波莉娜·格尼(1853~？),莉沙·马卡尔之女,身心健康,未婚。十、克洛德·郎第耶(1842~1870),绮尔维丝的长子,祖先的精神病遗传在他身上转化为一种特别的艺术才能,画家,有一子,后自杀而死。十一、雅克·郎第耶(1844~1870),绮尔维丝的次子,铁路工人,酒精中毒的遗传在他身上变为嗜杀狂,死于火车事故中。十二、艾蒂安·郎第耶(1846~？),绮尔维丝的幼子,矿工,因参加工人斗争被流放,有轻微的嗜杀狂。十三、安娜·古波,即娜娜,绮尔维丝与古波所生之女,酒精中毒的遗传在她身上转变为肉欲的旺盛。

第五代4人。一、夏尔·卢贡(1857~1873),马克西姆·卢贡之子,由于超隔代遗传而与其祖狄德大姨相像,死于鼻孔血崩。二、雅克-路易·郎第耶(1860~1869),克洛德·郎第耶之子,9岁死于脑水肿病。三、路易·古波(1867~1870),又名小路易,娜娜之私生子,3岁死于天花。四、未知名的孩子,帕斯卡·卢贡的遗腹子,在家族史小说里尚未诞生。

在这五代人之中,第三与第四两代,是左拉家族史小说的主体,这两代很多成员都是不同长篇小说的主人公或重要人物,如欧仁·卢贡在《卢贡大人》中、帕斯卡·卢贡在《帕斯卡医生》中、阿里斯第德·卢贡在《金钱》中、莉沙·马卡尔在《巴黎之腹》中、绮尔维丝·马卡尔在《小酒店》中、约翰·马卡尔在《土地》与《崩溃》中、昂杰莉克·卢贡在《梦》中、奥克塔夫·穆雷在《妇女乐园》中、塞尔热·穆雷在《教士穆雷的过错》中、克洛德·郎第耶在《作品》中、雅克·郎第耶在《人兽》中、艾蒂安·郎第耶在《萌芽》中、安娜·古波在《娜娜》中。

左拉不止一次强调他的《卢贡-马卡尔家族》的自然史的一面,他在创作札记中就给自己规定了家族史小说两大要素的第一要素就是

"纯粹的人的要素",是"对于一个家族按照它的世系与命定性之科学研究",因此,他在创作家族史小说以前已拟出的家族世系表就不仅是把二十部长篇联成一体的手段,而且也是有了实质性的思想意义。

左拉企图使他的家族史小说具有自然史的性质而赋予它的第一个思想意义,就是要表现出一个家族的遗传规律。左拉对于家族遗传的知识,几乎完全来自吕卡思医生1847年出版的《自然遗传论》一书,他从这部著作中采用了一些由于先天遗传而造成的生理病例或精神病例,把它们用在自己构思的家族世系中,并且在总结性的《帕斯卡医生》里,借主人公之口说明了他从吕卡思医生的论著里所得知的"遗传学规律",这些规律不外是,祖宗的病态必然遗传到后代,遗传中的直接遗传有"镕接性的"、"散布性的"、"混合性的"、"平衡性的",遗传中还有间接遗传与反复遗传,种种不同的遗传又随环境的不同而有所不同,因此,就出现了千变万化的情况,既有后代继承了前代的特点与病态的,也有前代的特点与病态在后代的身上隐伏的,还有父亲与母亲不同的特点化合成新的特点的等等。这就是左拉企图在他的家族世系图中表现的规律。应该指出,吕卡思医生的《自然遗传论》中所总结的遗传规律,本身就带有形而上学的性质,而左拉根据它来设计自己的世系表时,又添加了臆断与臆造的成分,在这一个人身上有先天遗传,在那一个人身上先天性遗传又退隐消失,在这一个人身上先天性遗传原封不动地重复,在那一个人身上先天性遗传又化合转变为另一种病态,凡此种种,都不过是左拉本人的随意安排,缺乏真正的科学根据。而且,文学作品不是医学,不是遗传学的图解,即使卢贡家族世系图具有高度的科学性,但如果作者所致力探讨与表现的只是蔓延于一个家族的遗传的病态,那么,小说将是无法卒读的。因此,左拉首先规定自己的小说要表现自然遗传的规律,正好是他在创作意图上的一种偏颇,这种偏颇无助于他创作出具有重大意义的文学作品,事实上,他二十卷家族史小说的价值也不是来自这种创作思想,恰恰相反,这种对于医学的、遗传学理论的迷信,倒给《卢贡-马卡尔家族》带来了不可忽视的缺陷。

左拉企图使他的家族史小说具有自然史性质而赋予它的第二个意义,就是要说明"一个投身于近代社会之中的家族的野心与贪欲,它作了超人的努力,然而,由于它本身的天性与遗传的影响,终归达不到目的,刚一接近成功就又堕落下去"。或者说明:"这个家族如同一种物质自行消亡一样自行燃烧殆尽,它差不多是在一个世纪之内就把自己消耗完了,因为它实在是生活得太急速了。"毫无疑问,一个家族在社会现实中的野心与贪欲,已经不是自然史的范围,然而,当左拉企图把这种野心与贪欲以及它的破灭失败归之于家族的自然属性与天性的时候,他又回到了迷信先天遗传与自然属性的立场上。

总之,左拉以家族世系作为一种联系手段把不同的小说联成一体,这是一种开创性的总体构思,在文学史上开了家族小说的先河,但他把遗传的世系关系当作家族史小说所探讨的自然史的课题,显然有损于家族史小说的社会意义与思想价值。

3.《卢贡-马卡尔家族》的社会史内容与思想意义

左拉的创作态度是巴尔扎克式的,即要当自己时代历史的书记。他在《卢贡-马卡尔家族》中,自觉地用了这样一种办法:把卢贡-马卡尔家族的成员"分布到社会所有一切阶级里",来"写出第二帝国的全部历史",这样,他的家族史小说作为"社会史"的性质实际上就大大超过了它作为"自然史"的性质,早在家族史小说的第一部完成后,左拉自己就不无自信地宣称:"一位新的巴尔扎克刚刚出现","他与巴尔扎克同样强有力"。

显然是效法巴尔扎克把自己的小说分为当代社会生活各方面的场景的做法,左拉一开始就计划以十部小说分别描写第二帝国时代的投机事业、官场与政界、宗教生活、军界、工人、文艺界、司法界、社交界等等，只不过，最后完成的家族史小说的规模，又大大超过了原定计划，这二十部长篇小说分门别类，除个别作品（如《生之欢乐》）限于纯生理与纯心理的描写外，其他作品都描写了近代社会生活几乎所有的领域、所有的方面、所有的阶层，而且，每部小说专一地描写一个方面，就其专门化的程度，比《人间喜剧》有过之而无不及。这些小说的题材与主要的描写方面是：《卢贡家的发迹》，拿破仑三世"十二月政变"的历史；《贪欲的角逐》，地产投机买卖与巴黎的市政内幕；《巴黎之腹》，巴黎菜市场与市场里的资产者；《普拉桑之征服》，外省的政治生活；《教士穆雷的过错》，宗教生活与教会人物；《卢贡大人》，第二帝国时期的上层社会与政界；《小酒店》，巴黎手工业工人的生活与酗酒的社会问题；《爱的一页》，巴黎市民小人物的生活与家庭问题、感情纠葛；《娜娜》，巴黎上层社会的社交生活与妓女阶层；《家常事》，巴黎资产阶级的日常生活与道德状况；《妇女乐园》，巴黎的百货公司与资本主义商业；《萌芽》，矿区工人的生活与工人运动；《作品》，艺术家与艺术界；《土地》，法国农村与农民生活；《梦》，贫寒孤女的爱情追求与不幸；《人兽》，铁道部门与铁路工人；《金钱》，金融投机与交易所；《崩溃》，普法战争与第二帝国的崩溃；《帕斯卡医生》，医学界人物与生理学、遗传学的新发展。

作为"第二帝国时期的社会史"，《卢贡－马卡尔家族》几乎以编年史式的详尽程度，呈现了这个时期历史发展的轮廓，反映了这个时期一系列重大的历史事件，正如左拉在家族史小说1871年总序中所预告的，全书将写"从'政变'的阴谋窃取直到色当投降"的历史那样，他的家族史小说的第一部《卢贡家的发迹》，是以路易·波拿巴1851年12月政变为内容，通过共和派在外省的起义与被镇压的故事，表现了这一历史关键时刻两种阶级政治力量激烈的搏斗，而家族史小说末尾的第十九部作品《崩溃》，则描写了1871年的普法战争、法军投降以及巴黎公社等一系列历史事件，家族史小说的首尾两部作品正好是第二帝国的开端与终结,而 20 年的第二帝国时期的历史过程,又全部呈现在二十部家族史小说里,其间,拿破仑三世在欧洲与拉丁美洲的种种政治赌博与军事冒险,如 1863 年去墨西哥的远征、苏伊士运河工程上与英国的矛盾、干预意大利战争、与中东复杂局势的纠葛、1859 年对奥作战、1863 年的丹麦事件、1866 年插手普奥战争等,还有其他一系列重大历史事件与社会变迁,如 1864 年国际工人协会的成立及其在法国的活动、1867 年巴黎的世界博览会、19 世纪五六十年代巴黎市政的扩充与改建等,也都在《卢贡-马卡尔家族》的《卢贡大人》《萌芽》《金钱》《贪欲的角逐》《小酒店》等作品中有所反映。有些历史事件是作为小说的环境与背景,与故事的发展、人物的活动融合在一起,有些历史事件则是作品直接表现的对象与内容,本身就构成了作品中重要的形象描绘,所有这些不仅使整个《卢贡-马卡尔家族》具有一种严格的历史框架,而且使它全部的形象图景都具有高度真实的历史感。

虽然《卢贡-马卡尔家族》的故事发展与人物活动,严格局限于 1851 年至 1871 年第二帝国时期的 20 年里,但这一巨著的写作却是在 1871 年至 1893 年的第三共和国期间,因此,家族史小说中所反映的内容无疑也包括了 19 世纪最后近 30 年的社会现实,这样,《卢贡-马卡尔家族》实际上就成为从 19 世纪 50 年代初到 90 年代初的法国的"社会史",作为这样一个历史阶段的社会史,《卢贡-马卡尔家族》无疑具有丰富的内容,这种丰富性特别明显地表现在它广阔的生活场景与千殊万类的人物描写上。

为了以科学的方法写出作为社会史的家族史小说,也为了使自己的家族史小说真正达到社会史所应具有的全面完备的程度,左拉力求在家族史小说里写出自己时代社会里各个领域、各种性质、各种情势、各种色调的生活场景。在这里,19 世纪下半期法国社会生活种种情景都应有尽有:外省共和派起义军与波拿巴反动派面对面的斗争场面、巴黎的官场、政界人物的勾结与交易、王公贵族府第中的豪华与奢侈、资产阶级公寓里的糜烂与犯罪、破落贵族寒酸的生活、巴黎上流社会的疯狂与淫逸、娼妓社会的真相、巴黎贫民窟中的贫穷与悲惨、手工业工人的日常生活、流落在巴黎街头的醉汉与妓女、交易所里投机的狂热、商业区的繁华与百货公司里令人眼花缭乱的丰富、食品供应的增长与菜市场的熙攘、铁路运输的情况、工业领域里生活与劳动的景象、劳资冲突的激化、工人与资方的谈判、罢工的怒潮、农民日常生活与劳动、地主庄园里的安乐生活、法律事务所里的纠纷、银行巨头的会议、普法战争中可耻的溃败、巴黎公社革命群众愤怒的场面……所有这些，构成了一个历史时期无所不包的社会现实生活图景。和19世纪一些以描写社会现实为己任的作家作品相比，左拉的《卢贡－马卡尔家族》显然已经远远走出了贵族资产阶级府第与沙龙，展示了更为广阔的社会生活面，在社会生活场景的广阔性与丰富性上，足以与巴尔扎克的《人间喜剧》媲美。

  在生活图景的制作上，左拉的自然主义创作论特别重视实录性的细节，而且要求具有资料式的详尽、摄影式的准确与真切，为此，左拉每描写一种生活场景，不仅要阅读大量有关这种生活的书籍与资料，而且还要进行详细的实地考察。正因为左拉对所描写的现实生活作了具体的实地调查，掌握了丰富的素材，所以他在二十部家族史小说里制作的现实生活图景，得以达到高度的真实与周详的程度，准确、真切地再现了法国19世纪后半期的社会面貌，使家族史小说成为一部可信的形象的社会史，其中拥有大量真实的、具备社会科学意义的政治经济生活的细节，如第二帝国的外交政策与对外扩张的活动、银行的经营方式与投资真相、交易所的作用与业务、有关财产问题的法律条文与手续、城乡市场的物价与各阶层的生活水平、农业生产与农产品的供销状况、工业技术水平与厂矿的设备条件，等等，对于读者了解当时法国社会现实具有可贵的认识价值。

在人物形象的描写上，左拉即使是在要写一个家族的自然史时候，也特别强调社会环境、物质条件对人的影响，这样，他才可能写出社会的人、而不完全是自然的人，何况，左拉很懂得，要写出完整的社会史就必须写出各个领域、各种类型的人物，他有计划地将一个家族的成员分布到各个社会阶层，就是为了达到这个目的。这样做就使得他既能写出各个阶级、各个阶层有代表性的形象，构成自己时代的一个千殊万类、无所不包的人物画廊，又能表现出本时代人与人之间关系的状况。当然，在家族史小说里，人物远远不止卢贡－马卡尔家族的成员，这些成员分布到某一个阶层或某一个社会环境，就成为作者在其周围安排众多的形形色色人物的中心，由此，整个家族史的人物竟多达1200个。这里，有王公贵族，有资产者，有工人、农民，有小资产阶级，有新闻记者、演员、艺术家、医生、神甫，有娼妓、流氓。显然是为了达到历史科学资料式的完备，左拉对各阶级各阶层的各种类型的人物，都要求一一写到。在资产阶级中，有工业资本家、商业资本家、老式的银行大王、暴发的金融投机家、靠利息过日子的食利者等等；在商人中，有大公司的经理、大商店的店主、小杂货店的老板、小酒店的掌柜和零售小贩等等；在农民中，有农村的流氓无产者、有拥有年金的富裕农民、有自耕农、有农场的雇工、有个体户的帮工等等；在工人中，有各种个体劳动者如泥水匠、锌铁工、洗衣工、铁匠、木匠，有产业工人如机械工、洗煤工、运输工等等；在工运的队伍里，有空想社会主义者、有无政府主义者、有经济主义者、也有受科学社会主义影响的工人活动家等等；在娼妓中，有与各种大人物交往的高级暗娼、有上流社会里的交际花、有兼营的舞女、歌女以及演员、有下等的私娼等等。如此周全的人物描绘本身就构成了当代社会人物世界一幅完整的缩影。而且，左拉在描绘人物的时候，很注意表现出不同阶级阶层、不同类型的人物身上不同的社会属性、职业特点，使这些人物一一具有各自的社会真实性，同是商人,《巴黎之腹》中的女店主莉沙·马卡尔、《妇女乐园》中的大公司经理奥克塔夫·穆雷与《萌芽》中的杂货店老板梅格拉,不论在商业规模、经营方式以及与顾客的关系上,各自相距甚远;同是工人,《小酒店》里的个体劳动者古波、《萌芽》中的产业工人马赫、《人兽》中的铁路工人雅克·郎第耶,各自在劳动条件、生活水平与精神状态上,都很不一样;同是大资产者,《金钱》中的甘德曼与萨加尔,在作用、地位、活动方式以及所代表的利益上,都截然对立。所有的人物都具有独特的、具体的社会真实性,因而整个家族史小说也就能丰富地、真实地反映与表现出当代社会阶级关系的总和与时代社会的现实。《卢贡-马卡尔家族》作为"社会史",不仅以其丰富的形象描写具有风俗画卷的价值,而且,由于其作者对自己的时代社会进行了认真的研究与严肃的思考,而表现出了一个时代的历史真实的本质,在全面反映了时代社会的基础上,突出地提出了一些巨大的社会问题,具有真正历史学的意义。

首先,《卢贡-马卡尔家族》全面而深刻地表现了第二帝国反动腐朽的本质,这是它具有真正历史学意义的第一个标志。

在法国资本主义发展史上,第二帝国时期无疑占有重要的地位,左拉透过社会生活的表象,看到了社会现实的本质,以他的家族史小说揭示出这是"一个充满疯狂与耻辱的奇特的时代"。他把1851年路易·波拿巴的政变与第二帝国的建立,当作一切罪恶活动的序幕,他在《卢贡家的发迹》中,从一个地区的角度,表现了这个罪恶的时代是如何揭幕的:卑劣的政变、共和党人的起义、两种力量的激烈斗争、反动派的残酷镇压与可怕的屠杀等,他还通过小资产者在十二月政变中助纣为虐而发迹的故事,表现出在第二帝国这20年中获得财富的资产者与社会上层,原来就是在政变中起家的卑劣之徒,完全是帝国所养育培植起来的一丛毒菌(《卢贡家的发迹》)。有了这些真实的描写,法国19世纪中期这一历史事变及其社会后果,才得以在文学中得到形象的记载。

家族史小说对第二帝国的本质有深度的揭露,主要是体现在对第二帝国统治阶级的政治社会生活与道德状态的描写上。在这些小说里,有的作品直接以上层政治圈子为描写对象,尖锐地揭露了高级统治阶层的黑幕,他们以权谋私,玩弄权术,制造阴谋,互相倾轧又互相勾结(《卢贡大人》)。有的作品则表现了一般官场里的鲜廉寡耻、官官相护、狼狈为奸、弄虚作假、营私舞弊(《贪欲的角逐》)。在家族史小说的不止一部作品中,都出现了一些有代表性的权势人物,如卢贡大臣、米法伯爵、舒阿尔侯爵、德甘卜尔高等检察官、西赫议员等,这些都是朝廷的重臣、政界的要人,甚至有人还与皇帝有私交,左拉以锐利的笔锋,剥掉了他们作为国家栋梁与社会中坚的种种假象,暴露出他们威严的仪表、高贵的气派、岸然的道貌之下是丑恶肮脏、卑劣无耻、淫邪下流、腐化糜烂的本质,左拉甚至把他暴露的笔法运用到如此严酷无情的程度,使这些高等人物都露出了无异于禽兽的原形,如米法伯爵这位朝廷大臣竟然装一条狗在地上爬,让一个妓女不断吆喝鞭打(《娜娜》),高等检察官德甘卜尔和自己的情敌在两人共同占有的情妇家里,竟像两头野兽一样,"鼻子对着鼻子","把獠牙露在外面互相狂吠"(《金钱》),通过对这些人物的描绘,左拉对第二帝国高级官僚阶层的处世行径,生活方式以及精神道德的真实状况,作了淋漓尽致的揭露。他还在不止一部作品里,直接写到了第二帝国的最高统治者,如在《金钱》中,他告诉读者拿破仑三世和一个女人睡一夜就花费10万法郎,在《娜娜》中,他安排皇后出现在狂热的赛马场上,让一个妓女含沙射影地对她进行辱骂,这些背景性的细节,虽然不是严格的史实,却有力地指斥了拿破仑三世的宫廷生活,把第二帝国统治者的腐朽载入了作为社会史的家族小说里。与此同时,《卢贡-马卡尔家族》还无情地揭露了第二帝国时期上流社会普遍的腐化。如果说,在过去的写实主义文学中对资产阶级腐化生活的描写是屡见不鲜的话,那么,左拉作为一个时代的史家,在他的家族史小说里则表现出第二帝国时期资产阶级的享乐放荡,在其疯狂性、普遍性、糜烂性上都达到了过去时代所未曾有过的程度。在《家常事》里,读者可以看到,资产阶级的宅第里种种可耻的"作奸犯科行为",在这里,资产阶级的犯罪已经由有意识的谋划发展成为无意识的本能,这是资产阶级在罪恶的泥坑里更进一步堕落的结果。在更多的作品里,淫婚与家庭生活的解体,已经成了资产阶级腐化的明显标志,到处都是丈夫、妻子与情夫的3人关系,如《娜娜》中的莫法伯爵夫妇与福什里、米尼翁夫妇与银行家斯泰内、《金钱》中的桑多尔夫男爵夫妇与德甘卜尔、《萌芽》中的煤矿公司经理埃纳博夫妇与其侄内格尔,这种关系已经发展到肆无忌惮、抛弃了任何道德外衣与家族规范的地步,不仅为当事三方所容许,而且为上流社会所正式认可,并在上流社会成为一种公开的半合法的关系,这是第二帝国时期资产阶级本质特征的一种表现,并构成了这个时期社会风俗史的一个特定的内容。

最后,《卢贡-马卡尔家族》在几乎写全了第二帝国时期统治阶级的丑恶之后,又以长篇小说《崩溃》中严酷的画面,把普法战争中法军可耻的失败与第二帝国的崩溃这一历史事变形象地再现了出来,它无情地揭露了战争中拿破仑三世的愚妄与冒险、帝国政府的腐败、军队的涣散与混乱、将领的怯懦无能、地主资产阶级的卑劣与叛卖性行径,所有这些既是整个第二帝国时期的矛盾弊端与腐朽的总暴露,又是直接导致战争失败与帝国崩溃的基本原因,小说中这些形象描写的内容,显然具有历史备忘录的性质。

因为左拉是在第二共和国时期追述第二帝国时期的历史,他的家族史小说自然也要反映出第二共和国时期的社会现实,而从家族史小说所描写的开端1851年到家族史小说最后写完的1893年,整整将近半个世纪,正是法国资本主义发展的新阶段,左拉的家族史小说作为社会史的第二个重要的意义，就在于它真实地反映了这一时期的新特征，表现了这样一个历史阶段的新的社会现实。

19世纪下半期社会生活中最明显的一个事实，是资本主义生产的巨大发展，左拉注意到了这一事实，力求把它表现在自己的"社会史"里。在文学史上，从来没有一个作家像左拉这样对社会生产力表示很大的关注，并使它成为文学表现的一个重要内容，这是他首创性的贡献；在法国写实主义的作品里，也从来没有任何作品（包括《人间喜剧》这一全面真实反映了自己时代社会的杰作）像《卢贡-马卡尔家族》这样使社会生产力问题成为其形象描绘的内容之一，其中不止一部作品，从某种意义上说，本身就是以工业生产问题、农业生产问题为题材的。在这里，生产条件、生产技术、生产水平都得到了具体的表现，如《萌芽》中对于矿区生产的描写；社会生产中的重大问题、重大矛盾以及重大发展，也被引人注目地提了出来，如《土地》中工业、外贸与农业危机的矛盾、小农经济与资本主义农场的对立、新技术的推广与习惯势力的冲突等等。这些作品在表现了新的生产水平、巨大的生产规模、不断发展的生产技术以及空前未有的社会物质力量的时候，又表现了这种蓬勃发展着的资本主义生产所具有的更大规模压迫人、榨取人、吞食人的性质，而所有这些描绘又是与故事的进展、人物的命运水乳交融地结合在一起，成为作品形象内容的有机组成部分。

19世纪下半期法国资本主义发展中的一个新的特点是生产的集中与大资本组织的出现，《卢贡-马卡尔家族》对这种重大的社会经济生活进行了直接描写和全面反映，家族史小说中的长篇《巴黎之腹》与《妇女乐园》，就是以这种经济现象为题材的，其描写的专门化与集中的程度，清楚地说明了作者是自觉地要表现出这一经济生活进程的全部复杂内容与各个方面。在左拉的笔下，这种大资本组织出现的过程，也就是吞并与大鱼吃小鱼的过程，在《萌芽》中，左拉有意识地安排了大矿业主如何利用罢工与生产危机吃掉小矿主的细节，而在《妇女乐园》里，则把这种过程表现得更具体，在这里，垄断性的大商业公司的兴起与发展，正是建立在一批专业化的小商店的倒闭与破产的基础上的，左拉描写了代表着小资本与老式宗法制商业的个体小店主、个体户对大商业资本徒劳无益的抗争，最后，他们都不以人的意志为转移而成为了牺牲品。左拉以一个"社会史家"的冷静态度，在写出了这种由于资本主义的必然规律而发生的资本集中过程中的种种悲剧的同时，又以丰富充实的形象描绘表现出了大资本与垄断性大企业新的特点与经营方式以及它所拥有的雄厚的物质力量。《妇女乐园》中穆雷的大百货公司与《巴黎之腹》中的巴黎大菜场，就是家族史小说中大资本、大企业的代表与象征。在这里，商业经营的规模空前巨大，过去商业的单一经营变成了今日多项的综合性的经营，商品从来没有这样丰富过，简直使人头晕眼花，商品吞吐量与流通的速度更是令人惊奇，企业的资金来源已经不再是小量金币的积攒，而是银行大量的投资，企业的产品也不再来自小手工业的作坊，而是来自进行大规模生产的工厂，而这里的企业主，他们身上既有资产者的掠夺性与冷酷性，也有事业家的实干精神与革新精神，他们要扩充自己的财富固然仍要通过剥削与欺骗的手段，同时又必须凭借高度的效率，出色的经营方式与先进的发明创造。

　　19世纪下半期法国资本主义发展中的另一个重要的新特征，是资本的新活动方式与银行的新作用，而这也正是左拉在《卢贡－马卡尔家族》中专门有所描写的经济现象。从家族史小说最出色的长篇之一《金钱》中，读者可以看到股份银行、股份公司的出现，这种资本完全不像过去的大资本那样是通过积累与扩充而形成的，而是通过社会集资的方式，在其构成与成分上，它也具有过去大资本家所不具备的特点，并且，它一旦形成出现，也就与传统的老式资本处于一种对立与抗争的状态，虽然左拉的家族史小说对这两种资本的矛盾斗争并没有作出正确的说明,但它的确成功地表现出了这两种资本惊心动魄的冲突,更为有意义的是,左拉以他对新型金融家萨加尔与世界银行的形象描写,使读者看到这样一个完整的经济过程:银行已由普通的中介人变成举足轻重的操纵者。他们在相当的程度上支配着资本家和小业主的货币资本以及本国的和外国的生产资料和原料来源。与此同时,他还把当时资本输出与它在开发性事业上的巨大规模、金融资本的业务与活动规律、金融寡头对金融市场的垄断以及交易所里的投机等等这些重大而典型的经济现象,都形象地一一表现在家族史小说里。

对于19世纪后期严重的贫富悬殊、下层人民生活极为悲惨的社会问题,《卢贡-马卡尔家族》也有比较充分的反映。自从资本主义秩序在法国建立后,贫富对立与社会下层的苦难一直存在,以往的作家对此也作过一些描写,但由于左拉本人对这个问题比以往作家有更多的关注,对表现这一现实有更多的自觉意识,这一严重的社会问题在《卢贡-马卡尔家族》中也就比在任何其他杰出的文学作品中有着更普遍、更详尽、更尖锐的形象表现。虽然《卢贡-马卡尔家族》众多小说的题材各个不同,但其中很多部都描写了生活悲惨的下层人民的形象:被榨干了的伯鲁伯伯,无人照应的拉丽和她的弟妹,处于半饥饿状态的马赫一家,流落街头的绮尔维丝,在"食物塞满了喉咙的巴黎"饥肠辘辘的福洛朗,被抛弃在贫民窟、过着畜生般生活的维克多等等。这些人物的经历与故事,全面地揭示了下层人民所承担的沉重剥削与压榨,以及他们衣食无着、饥寒交迫甚至流离失所的悲惨生活。特别是《金钱》《小酒店》中对于贫民窟的描写,《萌芽》中对于矿工村的描写,更是令人触目惊心,其骇人听闻的程度,是在法国同时期任何其他文学作品中所难以见到的,给当时社会现实的阴暗面留下了真实的写照与史料。

总之,左拉的《卢贡-马卡尔家族》形象地、真实地表现了法国19世纪下半期社会发展、经济生活中一系列重大的现象,反映出那个特定历史阶段带根本性的社会特征，它如此全面、如此具体，规模如此巨大，不仅在当时文学中是第一次，而且在迄今为止的20世纪文学中，仍然是绝无仅有的，这就足以证明《卢贡－马卡尔家族》所具有的社会史的巨大价值。

《卢贡－马卡尔家族》作为"社会史"的第三个重要意义，在于它真实地、形象地反映了从19世纪下半期起在法国社会现实中愈来愈引人注目的无产阶级对资产阶级的反抗和他们求解放的斗争。家族史小说中的《萌芽》就是这样一部表现了这一历史课题的杰作。由于巴黎公社的失败，法国社会主义力量受到严重的挫折。因此无产阶级的生活状况、思想情感、愿望意志以及求解放的努力与斗争，在公社文学后，未能由无产阶级自己的作家来加以描写，文学中这个重大历史任务落在了以完成"社会史"为己任的左拉的身上。尽管左拉本人并不是一个社会主义者，尽管他本人的经历与无产阶级斗争完全无缘，但他进步的社会思想、他对劳动人民的同情、他主持正义的政治立场、他调查研究的科学态度以及他的写实主义精神与方法，却使他得以真实地表现出与现代生产力直接关联的真正无产阶级的历史命运、苦难生活、无法忍受的劳动条件与生活条件以及由此而产生的寻求出路、谋求解放的愿望与意志，表现出了无产阶级在反抗资产阶级的历史过程里所必然经历的由自发到自觉的漫长而曲折的道路以及工人运动中形形色色思潮的影响和作用。特别可贵的是，他把工人运动接受科学社会主义的影响这一历史转变载入了他的家族史小说，表现了早期工人运动与马克思主义的初步结合，描写出无产阶级反抗斗争的艰难与悲壮，并且力求把这种描写保持在一种史诗的高度上，左拉家族史小说中这一重要的形象内容也是法国19世纪70年代以后的文学中所绝无仅有的，可以说，这是无产阶级的斗争在当时法国文学中唯一的反映，在这个意义上，左拉的小说具有极为宝贵的历史文献价值。

除了丰富的历史内容外,《卢贡-马卡尔家族》还具有历史学的强烈倾向,它以鲜明的形象暴露第二帝国时期的黑暗与罪恶,批判了统治阶级、资产阶级上流社会的卑鄙与腐朽,提出了现实生活中的重大社会问题,表现了作者进步的思想立场与社会正义感,《卢贡-马卡尔家族》这种思想意义是它的又一可贵价值。

4.《卢贡-马卡尔家族》的艺术特色

《卢贡-马卡尔家族》是法国文学史上经受了时间的考验、并将继续经受住考验的杰作,除充实的社会历史内容外,艺术上的成就是它能经受考验的另一个重要原因。高度写实的技巧、某种程度的浪漫主义的色彩和象征主义的渲染、匀称严整的结构,这三方面因素的结合,构成了《卢贡-马卡尔家族》独特的艺术魅力。

在《卢贡-马卡尔家族》中,左拉继承了19世纪现实主义文学的写实艺术,尽管他事先有系统的创作意图与设想,但他要求自己"既不要以哲学家、也不要以道德家的态度去进行写作",而要将自己的"哲理倾向"形诸图景。在制作图景与描绘形象上,左拉显然是按现实主义原则行事,他成功地做到了忠于现实生活的本来面貌,使自己笔下的画面生动、真切;在表现生活事件、安排故事情节上,他又显示了高度逻辑性与精确性的才能,使生活的进程与变化在家族史小说里显得合情合理,自然而然。正如他自己所要求的:"最重要的是要有合乎逻辑的推理……只要事实一旦提出之后,就要在整个作品里用数字的方式去加以演绎。"

由于左拉是带着明确的、系统的自然主义创作思想进行写作的,自然主义创作论关于描写应具有文献性与科学性的要求,也就必然使左拉给写实的艺术带来新的东西,在这方面,他毫无疑义地使法国现实主义文学传统有所发展变化。这种变化,首先表现在对生活场景有更广泛更齐全的描绘,从整个社会现实生活来说,左拉描写出了不少为过去的文学描绘所忽略或遗忘的生活场景，如像矿坑里矿工们躺在泥水中进行采掘的劳动情景（《萌芽》）、农民家里酿酒时节劳动与嬉闹的场面（《土地》）；从每一个具体的生活场景而言，左拉的描写总是细致而详尽的，不遗漏其中任何一个局部与细节，如在《金钱》中写贫民窟，在《娜娜》中写万象剧场，在《土地》中写博斯平原上的四时气候等等。

其次，这种变化表现在对生活事件的发展、时序的过程有着更具体、更细致的描写，如他在《金钱》中写金融投机活动时，不像巴尔扎克在《纽沁根银行》中那样满足于概述与分析，而是通过人物的具体活动、交易所内外的种种情景，把金融投机活动的过程与业务细节都如实地再现了出来，又如在《崩溃》中写法军进军的行程与时间、在《娜娜》中写米法伯爵从夜里在街头流浪到第二天早晨在自家门口遇见妻子也刚从情夫家里回来的整整十几个小时的时序，都是以高度的细致与准确描写出来的。

再次，这种变化还表现在作品中对客观现实的描绘更带有实录性、摄影性与科学性，与生活的本来面目更贴切、更相近。要是描写一个地方，左拉总要注意地理与方位的准确；要是描写一个事物，则又很注意事物严格的度量以及它的质地，如在《小酒店》中写顾奢的劳动情景时，他甚至没有忽略铁锤的重量与铆钉的长度，在《萌芽》中写贫困的马赫家食物短缺的情况时他也写出了面包的具体分量；要是描写一个人物，他除了写人物作为社会人的思想情感外，还着力于表现人物作为自然人而具有的生理上的要求与冲动，如他在不止一部小说里，都写出了男女关系、特别是资产阶级堕落的男女关系中的肉欲成分与生理原因，在《娜娜》中，米法夫妇的堕落既是资产阶级婚姻不合理、资产阶级社会淫靡风气影响的结果，也是天主教婚姻中夫妇私生活不协调、性欲畸形发展所致；左拉在描写中，还善于捕捉事物的色彩、音响与气味，以具有通感效果的语言艺术诉诸读者的视觉、听觉、嗅觉与触觉,《妇女乐园》中对百货公司繁华景象的描写,《金钱》中对交易所里喧嚣声的描写,《巴黎之腹》中对熏肉店的描写,《娜娜》中对人体肌肤的描写等,都是有名的段落。

正因为《卢贡-马卡尔家族》中对客观现实的描绘不论在时间上,还是在空间上都比过去的现实主义描写更为细致,而且更致力于表现现实生活的物的丰富性,所以,它在法国现实主义艺术的历史上,无疑标志着一个新的阶段。当然,由于左拉的自然主义创作理论存在一定的偏颇,《卢贡-马卡尔家族》中的描绘有时也就不免过于烦琐、拖沓、滞重,在对人的生理性的描写中,往往也有使人反胃的败笔,但总的来说,它的写实主义艺术是成功的,引人入胜的,其中不乏一些确有表现力的出色的散文艺术篇章。

左拉早期的浪漫主义倾向,在《卢贡-马卡尔家族》中也留下了明显的痕迹,他在以科学的、实验的眼光观察现实、搜集材料、形成印象的时候,往往同时生发出某种浪漫主义感受,而当他以写实的语言把这一现实描绘出来的同时,又把这种浪漫主义的感受化为一种浪漫主义的形象。在《小酒店》里,他把小酒店里的蒸馏器描写成一种邪恶的化身,以突出表现酒精的危害:

> 那蒸馏器有许多形状古怪的容器和弯曲的管子,它保持着一种沉默的状态,没有一道轻烟出来,人家只听见地下有一种轻微的鼾声……那蒸馏器继续工作着,也不吐一些火焰,也不放一些铜光,只让它的酒精流下来,像一道缓缓的流泉,逐渐溢出了酒店,侵到外面的大马路,淹没了广大的巴黎。
>
> 那蒸馏器正在运动……这是制造人间地狱的一种可怕的东西,那机器的影子映在后方的墙上,像许多有尾巴的妖精,它们张开了大嘴,似乎要吞灭整个人类。

在《娜娜》中，他这样描写娼妓的毒害：

她像太阳那样闪光的苍蝇，从粪坑里飞了出来，去吮吸路旁遗弃的腐尸的毒血，然后，嗡嗡着，舞弄着，像一颗宝石似的闪烁着，从王公大人的殿阁窗口飞进去，只要随便在里边男人们身上偶然一落，就会把他们毒死。

他这样描写娼妓的挥霍与她如何令男人们倾家荡产：

她的家变成了一座灼热的熔炉，她那无止境的欲望就是炉中的火焰，只要从她嘴唇里轻轻呼出一点气息，就能把金子化成细灰，顿时随风吹散。

娜娜每次一口吞一亩地产。树木的绿荫、谷子熟黄的广阔田野，九月里闪着金黄色的葡萄园，盖没牛膝的深草地，都像投入无底洞一般，从娜娜的手里消耗掉。……凡是她的小脚踏过的地方，那片土地便立刻烧毁。

在《萌芽》中，他把消耗着矿工们的血汗的矿井描写成吃人的野兽：

这个矿井好似一个饕餮的野兽，蹲在那里等着吃人。

沃勒矿井，像一头凶猛的怪兽，蹲在它的洞里，缩成一团，一口口地喘着粗气，仿佛它肚子里的人肉不好消化似的。

矿井一直这样用它那饕餮的大嘴吞着人们；吞食的人数多少随罐笼站的深浅而定，但它毫不停歇，总是那样饥饿，胃口可实在不小，好像能把全国的人都消化一样。

在《妇女乐园》中，他把那家庞大的百货公司描写成一个巨人：

他对他曾经在那里微贱地出生下来而最近又被他吞噬了的这一个市区，感到羞耻与厌恶，便把背转过去，让那些泥污的狭小的街道留在后面，对着新的巴黎阳光灿烂的热闹熙攘的大路，露出他那暴发户的大脸。

这类充满浪漫遐想、具有象征意味的描写，在家族史小说里比比皆是：一个姑娘呼吸了"一口茉莉花的香气"，自己也变成了"活的温馨的花束"(《巴黎之腹》)；一个火车头在作者笔下成了一个长着金属肌肉的女人，她的蒸汽泄尽了，"就像一个50岁的老女人，一股冷气毁了她的胸口"(《人兽》)；一对情人拥抱在一起时，热带树"漫长的手臂在一阵爱的昏睡中也纠在一起"，土地也发出了"情欲的呻吟"(《贪欲的角逐》)；充满了矛盾与斗争的巴黎，则"像一大捆木柴和一座干枯的古树林燃烧了起来，烈焰迸着火星光耀夺目地冲向天空"(《崩溃》)等等。所有这些描写把现实对象加以"诗化"，或赋予它一种灵性，一种生命，或赋予它一种象征，不仅使得现实对象的本质特征更突出地被表现了出来，而且也给左拉那种写实的、滞重的风格带来一种生气。

博大的气势与激昂的热情是左拉家族史小说中构成浪漫主义成分的又一种因素，左拉在自己最初的写作计划里这样强调："要有热情。"他还提出这样的要求："要有一种威严的气派。像一条怒号奔腾的江河，宽广开阔，浩浩荡荡地前进。"他在家族史小说里达到了自己的这两个要求。他的文字绝不是冷漠的，而是饱含感情，或褒或贬，或扬或惩，主观色彩是很鲜明的，而且，正因为他具有主持社会正义的热情，又力图把这种热情注入笔端，所以他的家族史小说中有不少感情强烈、色彩浓重、线条夸张的画面，如娜娜那种令人难以置信的奢侈、米法伯爵那种罕见的堕落、萨加尔与德甘卜尔两人像野兽一样的争斗，都是从暴露统治阶级的激情出发而用夸张的笔法写出来的。至于左拉家族史小说中浩荡的气势，既是他对现实生活宏伟的描绘、小说巨大的篇幅和贯穿其中的社会激情必然形之于外的一种风格，又是他博大的思想、广阔的视野和某种浪漫主义理想所带来的一种艺术效果，这种博大的视野与理想，往往表现在长篇小说的结尾。在《土地》的最后，他让见识了博斯平原上一系列人间惨剧的约翰，从辽阔的田野上获得对生活、对生命、对繁殖的信心以及对法兰西大地的热爱。在《金钱》的最后，他又让亲眼看见过社会的阴暗与卑污的嘉乐林夫人发出了"生活尽管有它可怕的地方，可是它仍然强有力，因为它带着永恒的希望"的感慨，并且对人类的伟大进程与光明前途表示了信心："生命永无止境地领导着人类去追求那遥远的、不可知的目的"，"未来的进展必定还要迅速。难道这不是人类的觉醒么？这不是人类更其扩大、更其幸福的表现么？"在《萌芽》的结尾，他以诗一般的语言，歌颂了无产阶级的觉醒，预示着他们求解放的斗争的光明前途："现在，四月的太阳已经高高悬在空中，普照着养育万物的大地，生命进出母胎，嫩芽抽出绿叶，萌发的青草把原野顶得直颤动，种子在到处涨大、发芽，为寻找光与热而拱开辽阔的大地，草木精液的流动发出窃窃的私语，萌芽的声音宛如啧啧的接吻……人们一天一天壮大，黑色的复仇大军正在田野里慢慢地生长，要使未来的世纪获得丰收。这支队伍的萌芽就要冲破大地，活跃于世界之上了。"在《崩溃》的结尾，他又让主人公面对着民族的屈辱与内战的流血，在废墟之上看到"四处布满火焰的巴黎城上，曙光已经升起"，从而坚定了重建伟大法国的信念。这些光明的结尾的思想意境与艺术格调无疑都是辽阔而高远的，正是它们带给家族史小说以宏大的气势和浪漫主义的理想光彩。

此外，《卢贡－马卡尔家族》中也有一些动人的抒情的章节，如《卢贡家的发迹》中对西韦尔与米埃特这一对情人隔着一道墙、只能在水影中交流恋情的描写,就是充满了美感与诗意之一例。这种优美动人的描写,无疑也给家族史小说带来一定的浪漫情致。

在结构方面,家族史小说作品的每一章或每一卷,往往都以严谨的形式集中地表现某一方面的生活内容,或某一个事件的过程,或某一个生活场景,各章各卷的篇幅整齐而匀称,彼此之间联系紧凑、焊接细密、比例得当、前后呼应、互相对照,由逐步铺张、层层深入到形成高潮、进入尾声,既井然有序、稳健沉着,又波澜壮阔、雄浑有力。家族史小说在结构上的这种严谨、整齐、匀称、壮观的特点,是带有某种古典风格的。

第五节 《卢贡-马卡尔家族》的主要作品

1.《小酒店》

左拉从1871年发表《卢贡家的发迹》,到1876年发表《卢贡大人》,虽已完成了六部互有联系的家族史小说,但还没有取得特别令人瞩目的成就。1877年,他的第七部家族史小说《小酒店》问世,改变了这种情况,这是左拉家族史巨著《卢贡-马卡尔家族》中第一部产生了重大反响的作品,它提出了尖锐的社会问题,并且在思想性与艺术性两方面,都表现了左拉的自然主义的重要特征,最先为自然主义文学在法国文学史中开拓了地位,显示出左拉作为自然主义文学大师的杰出才能。

《小酒店》(*L'Assommoir*,1877)以19世纪50年代末至70年代初路易·波拿巴统治时期巴黎郊区工人生活为题材,在这部小说以前,法国文学史上虽不止一部作品曾对工人的生活有所描写,但都不构成作品的主要内容,《小酒店》第一次以整个的篇幅,通过一个劳动妇女的悲惨命运，细致地再现了巴黎郊区工人恶劣的生活环境与生存状况，表现了他们的沦落与不幸。

小说的女主人公绮尔维丝，出身于劳动者的家庭，在贫困、劳累、被虐待和缺乏教育的生活中长大，10岁就开始当洗衣妇，14岁与同乡青年郎第耶结识同居，生了两个孩子。他们来到巴黎后，性情浮浪、好逸恶劳的郎第耶又与别的女人鬼混，竟将绮尔维丝与两个孩子抛弃不顾，绮尔维丝在极端困难的处境中挣扎奋斗，出卖劳力，独力担负起养育孩子的重担。在这过程中，她得到青年锌工古波的帮助与追求。他们结婚以后，两人努力做工，勤俭持家，生活得很幸福，家境也日益宽裕，绮尔维丝积攒了相当一笔资金，准备开一家洗衣店。然而飞来横祸，古波在屋顶上做工时摔了下来，伤势严重，虽然他在绮尔维丝无微不至的照料下恢复了健康，但他们的积蓄已消耗一空，更可怕的是，在养伤的日子里，古波沾染上了嗜酒的恶习。绮尔维丝在铁工顾奢的帮助下，终于开起了一家洗衣店，古波一家的日子也富了起来，同时，古波的嗜酒却进一步发展为酗酒，并且他还养成了游手好闲的恶习。邪气十足的郎第耶这时又出现在绮尔维丝的面前，他先是用手腕笼络了古波，使古波引狼入室把他当作朋友，他逐渐成为古波家的食客，怂恿古波酗酒，勾引绮尔维丝，又重新占有了旧日的情妇，并成为店铺里实际的主人。在郎第耶的腐蚀下，绮尔维丝日益贪吃、惰怠，沉醉在酒与肉欲之中。她的店铺在丈夫与情夫这两个寄生者的消耗下，不久就倒闭了，她与古波所生的女儿娜娜也出走成为娼妓，她自己每况愈下，变本加厉地酗酒，很快就穷困潦倒不堪，沦落到上街卖淫的地步。小说的最后，古波因为酒精中毒疯狂而死，绮尔维丝饥寒交迫，死在楼梯底下的一个小窟窿里，郎第耶则还在继续白吃别的女人。

绮尔维丝在左拉笔下，是一个感人的劳动妇女的形象。她从小受苦，养成了吃苦耐劳的习惯，她勤劳，节俭，自食其力。郎第耶抛弃了她与孩子后,她居然以自己的劳动使家庭脱离了绝望的困境。她身上具有劳动人民的优良品质,有主意、勤俭、能干,刚强而又充满柔情与贤德,善良并富有同情心,待人宽厚、仗义,她在顺境中很乐于周济不幸的邻居,主动让失业的老工人来她的店铺里取暖、吃饭,即使是在穷困的时候,她还把自己难得的面包分给孤苦伶仃、沦为乞丐的伯鲁伯伯,还去照顾被虐待的小女孩拉丽和她可怜的弟妹。对于生活,她本来具有严肃认真的态度和正当的理想,有荣誉感与责任心,厌恶怠惰的习气和肮脏的生活,"痛恨烧酒",甚至滴酒不沾,她的生活要求很简朴,只求"能够安然地工作","常有面包吃","有一个干净的地方睡觉","抚养我的孩子们,叫他们将来好好地做人",最后"劳累了一辈子之后,我愿意在我自己家里的床上死去"。然而,这样一个劳动妇女最后在各个方面都沦为自己的对立面:贪吃、酗酒、懒惰、肮脏、自暴自弃,为了得到几个铜子去喝酒,可以不顾脸面,为了有一口东西充饥,她可以到陷阱去拾取残羹剩饭。如果说,在小说的前半部,绮尔维丝是一个积极进取、具有鲁滨逊式的实干精神、充满了活力与光亮的形象,那么,到了小说的后半部,她几乎成了一头在肮脏的泥沼中打滚受罪的动物。左拉在着力描绘她的精神状态与人格发生可怕的变化的同时,又让读者看到这个妇女健康、漂亮、光艳动人的形体如何变得肥胖臃肿、丑陋难看,最后只是"一堆肮脏的东西",而左拉所有这些描写的目的,显然又在于提出这样一个问题:为什么一个可敬可爱的劳动妇女竟发生了如此的变化?

  同样,左拉还通过古波这个形象提出了类似的问题:古波原来是一个"快活而和蔼"的青年,"为人忠厚",作风正派,相貌漂亮,精神振作。他与绮尔维丝结婚后,勤奋节俭,既是一个肯干的工人,又是一个可敬的丈夫,但他最后的精神状态与形体变得比绮尔维丝更为丑恶可怕,他在医院里发狂而死的情景,被左拉描写到了使人从生理上感到恶心的程度。

在《小酒店》中,男女主人公命运变化的最明显的原因是酗酒,从左拉的创作意图来说,他是要通过男女主人公的变化指出酗酒的危害:"当心!您看酒精把人弄到怎样的地步。"作者在不厌其详地描写古波临死前生理反应的细节时,通过医生之口这样明白地点出他的主题。如果说,左拉是通过古波夫妇的经历来说明酗酒如何使人颓废沦落、道德人格丧失殆尽的话,那么,他在俾夏尔这个酗酒工人的身上,则企图表现酗酒是如何使人性天良灭绝,使人变成凶狠残暴的野兽。俾夏尔由于长期慢性酒精中毒而成为一个虐待狂,他先是虐待长期为家务操劳、在贫困生活中奄奄一息的妻子,把她踢伤致死。尔后,又虐待他自己8岁的女儿拉丽,这个可怜的女孩,在自己的母亲去世后,竟承担了整个家庭的重担,照顾和抚育自己的弟妹,然而,"这个畜生般的父亲"每天都要毒打她,用最刻毒的办法折磨她。

左拉在《小酒店》中所描写的这些情景,足以惊世骇俗,历来招致了不少责难与批评,被认为是"不道德"、"丑化工人"的描写。但是,左拉正是以这些道德的堕落、形体的变态、精神的疯狂,来构成骇人听闻的可怕场景,以此来达到他关于酗酒有害的告诫,如果说,他所描写的这些场景在细节上过于使人恶心、过于残酷,"在小说的形式上有点叫人害怕",那也是因为他力图追求一种强烈的告诫效果,使人对酗酒深恶痛绝。应该说,在《小酒店》中的非道德化的形象描写中,蕴藏着作家严肃的真诚的道德感,正如左拉自己所指出的:"这是一幅可怕的图画,它本身就包含着道德意义。"

而且,在《小酒店》里,左拉显然不是要对工人的道德状况提出指责,他的注意力放在透过道德的状况去寻找社会生活中"可怕的创伤",他以社会学家的热情,力图探讨与挖掘这种骇人听闻的后果的根源。他在小说中所描写的工人,不是当时法国的产业工人,而是巴黎城郊的个体手工业者,他所描写的酗酒问题,则是工人区实际存在的情况。据历史资料记载,当时巴黎每一条工人聚居的小街上,都有不少劣等烧酒的零售商贩,醉汉到处可见,左拉曾亲自到这些区域和医院里进行调查,深切感受到酗酒这一社会问题的严重,因此,他避免从嗜酒欲来写酗酒的恶习,避免从人性本身来写人性的堕落,他力图写出恶劣环境对人的腐蚀,写出某种环境的命定性。在《小酒店》中,他再现了巴黎下层人民聚居区里可怕的景象,他笔下的卖鱼巷、金滴路,无疑是法国文学中被描写得很成功的典型环境之一:在这里,白天不时有醉汉倒在街上,夜晚,总可以听见醉汉的呻吟和哽咽,绮尔维丝一走进铁工厂,头一个碰见的就是酒气熏天的工人。小酒店远不止一两家,柜台前与门口总是闹哄哄地挤着喝酒的人,在居民的日常生活里,酒总扮演着重要的角色,酒给他们带来工余的休息、节日的愉快、逃避现实的沉醉,酒也给他们带来呕吐、泥泞、肮脏的生活、生理上的痛苦和一个又一个的家庭惨剧。在小说里,左拉显示出高度的描写才能,他通过无数细节,从各个角度表现出酒在卖鱼巷、金滴路无处不在,居于中心地位的是他多次加以详尽描写的哥伦布伯伯的酒店,它像一个命定的阴影始终笼罩着这个区的男女居民的生活,特别是对那酒店里盛酒的蒸馏机,左拉以富有象征意味的笔法,把它描写成一种邪恶的泉源,它源源不断输出着败坏人们生活的烧酒。这种败坏力量在左拉的小说中几乎是命定的、不可抗拒的。绮尔维丝与古波第一次商量他们的婚姻是在这家酒店,那时,他们对这里的酒味与气氛还很不习惯,而对着哥伦布伯伯的蒸馏机,绮尔维丝甚至感到不寒而栗,然而,在环境的污染下,他们后来都走出了堕落的第一步,古波沾上酒瘾,就是在这个蒸馏机之前,绮尔维丝第一次酗酒,也是在这家店里,他们愈陷愈深,愈走愈远。左拉就这样以前后对照的手法,描写出主人公在同一地点前后截然相反的心理与精神状态,把恶劣环境的腐蚀力量表现得很深刻。更有象征意义的是,左拉不止一次把小酒店与附近充满血腥气味的屠宰场联系起来加以描写,而他给这部小说作为题名的"L'ASSOMMOIR"一词,就有"宰牛时用以击毙牛的大锤"之意,他还在小说的第二章,通过概述绮尔维丝的心理活动这样点题:"她的理想是在一个善良的社会里生活,因为她说不良的社会好像一柄屠牛的锤,会打碎我们的头颅,会把一个女人变得毫无价值。"显然,在左拉看来,这种恶劣的环境对人群的败坏无异于对他们的集体屠宰。他以自己的小说提出了这个尖锐的社会问题,表露出他严重的关注与忧虑,因此,透过小说的形象描写,读者可以感受到作家那种严肃高尚的社会良知。

如果左拉在《小酒店》中仅仅提出了一个严重的社会问题,那么,他的小说的社会意义还是有限的,他显然并不满足于这一点,他还力图说明这个社会问题的根由。他把巴黎郊区工人沦落的状态与工人艰苦的劳动、贫困的生活、苦闷的情绪联系了起来,在这里,工人的酗酒与沉沦,并不是由于品质败坏、道德堕落,而是他们不幸生活的一种产物。在小说里,左拉有意识地对工人悲惨的生活进行了描写:到处可见被生活重担压迫的工人的疲惫的形象,在街上也可以听到工人哼唱的悲哀的小调,绮尔维丝后来所居住的那一幢楼房里,一片饥饿的情景,"三四家人好像都约定了每天不吃面包似的","沿着廊子,尽是死气沉沉,而且,四壁空着发出声响,恰似辘辘的饥肠",俾夏尔家一贫如洗,生活艰难,孩子们瘦弱不堪,伯鲁伯伯因为"拿不动工具便被人抛弃",过着饥寒交迫的生活。古波一家落魄后挨饿受冻的生活,也是贫苦工人生活的缩影。虽然工人们在有工作做的时候,还能维持生活,还能吃上面包,然而,正如绮尔维丝所说的:"这是很贵的面包,因为是要用骸骨换来的。"既然劳动如此沉重、生活如此阴暗,工人只有到小酒店里去消除疲劳、追求短暂的愉快与麻醉,这就是左拉力图在《小酒店》中揭示的因果关系。他把这种因果关系表现在人物的变化中,不论古波还是绮尔维丝,他们染上酗酒的恶习,首先都是由于生活的艰难要寻求麻醉,而后才是环境的潜移默化。左拉把人物的变化放在社会现实的条件下加以描写,既合理地说明了人物性格变化的原因，令人信服地揭示了人物命运的悲剧意义，又表现出当时巴黎现实生活的阴暗，用绮尔维丝的话来说，那就是"多么可厌，多么肮脏"。这对于资本主义社会，无疑是一种有力的揭露，这种揭露使得《小酒店》具有了深刻的社会意义，堪称暴露19世纪资本主义痼疾的一部杰作，而由于这种揭露是通过下层人民受害后骇人听闻的沦落情景而达到的，又特别具有震撼人心的力量。只有对《小酒店》中"一个工人家庭不幸的衰败情况"与造成它的社会现实根由有切实的理解，才可以避免对这部小说作道德化的谴责。

事实上，《小酒店》的矛头所指是清楚的，它并不是指向沦落的工人，而是指向造成这种沦落的制度与政府。小说以路易·波拿巴统治时期为背景，作者在小说里显然把这段历史作为黑暗污秽的时期来加以表现，他在不止一处都有意写出下层人民对路易·波拿巴的愤慨与不满，他还揭露波拿巴当上皇帝以后第三帝国时期统治阶级的穷奢极侈，他通过人物之口提出这样的问题："为什么国家不救济那些残废工人？"至于小说中着重描写的酒精的严重后果，他也明确地指出："它是一种毒物……啊，政府为什么不禁止人家制造这种毒物呢？"

不应该否认，左拉在从社会制度的根源与社会环境的影响去描写工人的酗酒、古波夫妇沦落的悲剧的同时，又企图从遗传学、从生理的原因去表现这一悲剧的必然性，他在小说中屡次指出古波出生于一个酗酒的工人家庭，他的父亲是一个酒精中毒者，因劳动时喝醉了酒从屋顶上跌下来摔死，遗传下来的嗜酒欲终于又在古波身上占了上风。绮尔维丝的父亲马卡尔是卢贡－马卡尔家族的第二代，也是酒精中毒者，绮尔维丝的母亲也有酗酒的恶习，有一次因为喝酒险些丧了性命，而且，她还有"与男人们一粘着就离不开"的特点，绮尔维丝又是在父母酒醉之中受胎的，父母的性情都遗传给了她，甚至她的跛足也和母亲一模一样。左拉通过这种遗传的关系，把《小酒店》中的人物与其他小说中的人物联结了起来，构成一个卢贡－马卡尔家族的整体，同时也企图以此说明古波夫妇悲剧命运的生理根源，突出地反映出他的自然主义的构思。不过，在《小酒店》里，遗传因素仅仅只是一个根源而已，而且，也并没有被作者表现为主要的根源，不论是在古波还是在绮尔维丝身上，遗传的因素实际上长期都没有起作用，只是在主人公的社会地位、处境、关系发生变化的时候，才产生了影响，它在悲剧的形成中还只是一种次要的根由，而它作为一种次要的根由，显然还是有助于现实地表现人物形象、有助于多方面地展现人物的复杂性。

同样，因为左拉的着眼点主要不在遗传的因素，而在社会环境的因素，所以，他在小说里也就主要致力于刻画描写人物的社会心理状态，并不是主要致力于描写人物的生理性或主要从生理学的观点去观察和描写人。在这里，绮尔维丝在性生活上的分裂、她的女儿娜娜的淫邪堕落，都是恶劣环境的产物，而且，左拉写得很有节制，并无生理的色情的描写，只是左拉的自然主义实录式的写作方法，使他对一些没有深度的生活现象往往作过于烦琐的、堆砌性的描写。例如，两次详尽地描写古波夫妇请亲戚朋友吃饭的过程、饭菜的品种、席间的吃喝与笑谑，颇为冗长累赘；又如，多次重复写古波酗酒的细节，对古波酒精中毒大发作、全身痉挛、发狂而死的过程，更是描写得不厌其详，令人反胃。而由于他反复不断地对卖鱼巷、金滴路那个肮脏的、充满泥泞与酒气的环境，对居民中那种猥琐、卑微平庸的气氛、那种淫靡放纵的风气不断加以渲染，他所绘制的巴黎城郊工人区的图景，未免过于阴暗、丑陋，尽管他本来是要描写社会的创伤，他所要描写的对象也的确不是当时先进的产业工人，而只是一些个体劳动者。

值得注意的是，左拉在这个灰黑的背景上，安置了一个光亮的工人形象，那就是铁匠顾奢，他洁身自好，出污泥而不染，在那个恶劣的环境中，始终抗拒着恶习。他的生活与周围的环境也恰成鲜明的对照，他勤劳节俭，与母亲相依为命，把家庭生活安排得井井有条，舒适富裕。左拉显然是把这个人物当作抗拒恶习而得以生活幸福的榜样,来补充他在小说中提出的告诫;但他的描写实际上又超出了这个意图。他赋予这个人物以慷慨、无私、重情义、爱劳动的优秀品质,正是在这个热心肠人的帮助下,古波夫妇才开起了洗衣店,也是他的义气,使得绮尔维丝终于没有在街头成为娼妓。而且,左拉还以浪漫主义的色彩来描绘这个形象,表现出他在爱情和劳动两方面的某种理想化的诗意的东西,他对绮尔维丝的感情真挚而纯洁,充满自我克制与自我牺牲的精神,还带有一点伤感的意味,使人想起浪漫主义小说中理想化的青年恋人形象,甚至对这个人物的容貌与身躯,左拉也不可能把它们描写得更美了,他在工厂里当着绮尔维丝劳动的那一场面,是作者以浪漫主义激情描绘出来的,正在劳动的顾奢的形象,充满了一种刚健雄壮的美与动人的诗意,无疑体现了作者本人对人类的劳动、对劳动者的一种礼赞。

不过,也应该看到,顾奢这个形象也反映了左拉对于工人的了解还不深刻,他主要只是从人物那种浪漫主义情调去表现人物的正面性质,而未能从社会阶级的思想感情与心理状态的方面去进行深入的挖掘。《小酒店》写于巴黎公社革命7年之后,上述情况说明了社会主义思潮与革命还在左拉《小酒店》的创作视野之外,只是在后来,当他接受了社会主义思潮的影响并接触到真正的产业工人之后,他对工人的描写才在《萌芽》中达到了新的高度。

2.《娜娜》

《娜娜》(Nana,1880)是左拉家族史小说的第九部,早在写作《小酒店》的时候,左拉就已经有写《娜娜》的意图,这种意图甚至对《小酒店》的写作也有所冲击。1878年8月,他在给福楼拜的信里,宣告"我刚完成了《娜娜》的提纲",此后,他又进一步搜集了素材与资料。小说尚未最后完成,即开始在《伏尔泰报》上分期刊载，由于题材的特殊，并涉及当时上流社会的丑闻，小说一开始发表，就在巴黎引起了很大的轰动，同时也遭到了不少嘲骂。1880年年初出版后，大为畅销，发行量达5万多册，并且连续再版了10次。

娜娜是《小酒店》男女主人公古波与绮尔维丝的女儿，从15岁起，就浪迹街头，沦为下等妓女。小说开始的时候，她被低级剧院的经理博尔德纳夫捧上万象剧场的舞台，主演一出庸俗下流的歌剧《金发的爱神》，尽管她毫无艺术才能，演唱极为笨拙，但她的裸体色情表演却赢得了狂风暴雨般的掌声，使得观众神迷心醉，轰动了整个巴黎，上流社会的淫徒色鬼纷纷麇集在她门下，竞相争宠。她与这些绅士们周旋的同时，仍到妓院中去卖淫，不久，她得到了银行家斯泰内的供养，俨然像个贵妇住在斯泰内专为她购置的郊外别墅里，而在这别墅的卧室里，她又开始接待未成年的资产阶级小少爷乔治·于贡与朝廷大臣米法伯爵。斯泰内陷于经济困境后，娜娜抛弃了他，转向了米法伯爵，但米法伯爵并没有给她多少经济上的实惠，加之她又爱上了丑角演员方堂，因此，对米法的纠缠不休极为厌烦。狂怒之中，娜娜向他揭发了他家庭里的丑事——他夫人与新闻记者福什里的奸情，一脚把他踢开。

娜娜对方堂的爱情专注而狂热，她拒绝了其他男人的追求，正式与方堂结了婚，过正常的家庭生活。婚后，她受尽了方堂的盘剥、虐待与殴打，迫于经济困难，她再度沦为私娼，生活相当悲惨。万象剧场排演《小公爵夫人》时，她又被邀扮演其中的荡妇，她却渴望演正经的女人，她通过与米法伯爵恢复关系，怂恿他买下公爵夫人的角色由她扮演。从此，娜娜在米法伯爵的供养下，过着像王妃一样阔绰奢华的生活，但她并不忠于米法，对巴黎那些有钱男人，她一概来者不拒。钱财像流水涌进她家，又被她像流水一样花费掉。她达到了虚荣的顶点，简直"成了巴黎的王后"。她的色情与淫乱使上流社会那些绅士迷醉不能自拔，她的家成了一个深渊，"一切男人，连同他尘世间的所有物,他们的财产和他们的自己的姓名,都一齐被这深渊吞下,连一撮尘土都不给留下",不少男人为她倾家荡产,身败名裂。一天,娜娜突然失踪,传闻她到了非洲与俄国,又得到了当地王公贵族的宠爱,她从俄国带回大量的钱财,但她一回到巴黎,就从她儿子那里染上了天花,不久就烂死在旅馆里,这时,正是普法战争的前夕。

这部长篇具有尖锐的揭露性,是暴露文学的一个成功的典型。作者力图通过娜娜的沉浮兴衰,表现第二帝国时期那种令人难以置信的糜烂,暴露娼妓社会所赖以存在的资产阶级上流社会的淫乱与腐朽。

正如《卢贡-马卡尔家族》其他的一些作品那样,《娜娜》同样具有风俗画的性质,左拉在这部作品里,着意以各种生活场景,构成第二帝国社会生活的一个特定方面的风俗画,即资产阶级社会享乐腐化风气的风俗画:剧院里老鸨反复穿梭,演出与拉皮条同时进行;大街小巷、饭店酒馆色鬼淫娃不断出没;巴黎布洛涅森林成了人肉市场;荡妇的寓所,饮宴通宵达旦;郊外大道上,娼妓与绅士成群结队,喧闹一团;权贵人物的府第里,舞会上奏着下流的乐曲;赛马场上竟出现了对妓女顶礼膜拜的场面……这是第二帝国时期一片耽于肉欲与淫乐的疯狂景象,左拉在描写的时候,既带有自觉地进行暴露的意图,又贯注了自己无情的讽嘲,因而使得他笔下的这些图景,成为了辛辣的讽刺画。

对万象剧场的描写,就是这种讽刺图景中出色的一例。左拉在某种程度上,把这个剧场表现为巴黎下流堕落生活的一个缩影。这个低级下流、充满乌烟瘴气的所在,竟充斥了巴黎政界、文艺界、经济界的要人和上等妇女,"这是一个奇特的混杂的世界,其中包括沾染了种种恶习的俊杰之才",他们都被一种隐秘的低级的对淫乐的兴趣,推动着来到这里,以观赏戏剧为名,寻找色情的刺激。左拉第一次在法国文学中揭示了资产阶级的淫靡之风如何渗透到公共文化生活中,使文化娱乐糜烂变质成为色欲的工具。娜娜主演的《金发的爱神》虽以希腊神话为题材，但除了胡闹就是裸体表演，是"对整个宗教、整个诗歌世界的嘲弄"，"亵渎神圣的狂热"与胡编乱造的淫秽剧情，使得"史诗的传说被践踏，古代的形象被摧残"，观众却"都泰然地认为这是高雅的娱乐"，并在娜娜的色情表演前狂热到极点。如果说，舞台上演出的是庸俗下流的节目，台下搬演的则是丑恶的巴黎的真实戏剧，舞台上的女演员在台下就成了妓女，女歌手就是有钱人公开的姘头与外室，观众三三两两，处处可见丈夫、妻子与情夫的三角关系：王公权贵不惜丢失体面，出入后台，跟着裸体女演员打转，在这里，不是公开的卖淫，就是隐秘的通奸，这个剧院厚颜无耻的经理直言不讳地承认："就把我的剧场叫做我的妓院好了。"

在《娜娜》中，左拉着意暴露的并不是一般社会风气的腐败，而是资产阶级上流社会的糜烂，在这里，人物的身份各有不同，从资产阶级的浪荡子到宫廷中的权贵，性格互有差异，有的道貌岸然，有的厚颜无耻，但所有这些人物都有一个共同点，即疯狂地追求色欲，生活糜烂透顶。左拉一一勾画出他们丑恶的脸谱，给他们安排下种种不光彩的下场：乔治·于贡是一个尚未成年的资产阶级少爷，被娜娜在《金发的爱神》中的表演煽起欲火之后，日夜受到煎熬，他不务正业，狂热地耽于淫欲，直到丧失自我控制的能力，为娜娜自杀而死；他的哥哥菲利普·于贡，受母命来管教乔治，企图把乔治从娜娜身边拉开，但自己一见娜娜，就与这个尤物勾搭上了，为了她不惜贪污公款，最后案情败露，被捕入狱；旺德夫尔伯爵更是疯狂纵情声色的典型，他出身名门，拥有大量产业，在穷奢极欲的享乐中，挥金如土，为了赛马，他在养马上耗费的钱财多得令人难以置信，他在皇家俱乐部所赌输的款项，数目也大得"令人咋舌"，他每年要更换一个情妇，每个情妇都要花掉他一大片地产，他逐渐耗尽了他的巨额财产，而"他的脑子也早已被赌嫖耗干"，开始有点神经错乱，他为了娜娜挥霍掉剩余的一笔钱之后，不得不在赛马中作弊，因而身败名裂，最后放火把自己烧死;拉·法罗阿兹也是这类人的一个典型,他"醉心虚荣","早就渴望去受娜娜毁掉的光荣",于是,把他所继承的全部遗产都抛掷在娜娜这个无底洞里,最后他被债务压碎,不得不从巴黎消失;资产者色鬼斯泰内作为银行家是狡猾精明、神通广大的,他善于刺探经济情报,在交易所里投机倒把、兴风作浪,他还在阿尔萨斯开设炼铁厂,在他残酷的剥削下,工人"夜以继日地紧张劳动,听见自己的骨头嘎嘎地折碎",他的银行更是一个贪婪的怪物,"所有男人们的积蓄,投机家的金镑,穷人们的小钱",全都被它吞食,但他一到娼妓荡妇面前,就成了痴呆傻瓜,任凭她们欺骗盘剥,因此,他的下场同样不妙,以彻底破产而告终。这些资产阶级男人,在文学人物画廊中,都属于《贝姨》中于洛男爵的系列,他们都是色情偏执狂,被情欲所控制、被荡妇所左右而陷入绝境,走向毁灭。

如果说,左拉在一些资产阶级色鬼身上突出了那种不顾一切后果的疯狂的话,那么,他在另一些资产阶级人物身上,则突出了那种在淫逸生活中形成的卑劣。这种人物把对肉欲的追求与自己的现实利害结合起来,以冷静的资产阶级利己主义引导着淫行,并使之为自己的利益服务。达盖内与福什里就是这种人物的代表。达盖内原来也是一个资产阶级浪荡子,娜娜的旧情人,"曾经为了追求女人花费过30万法郎",后来不得不到交易所混日子,为了摆脱"连一个小钱也没处去借"的困境,他企图向拥有大量财产的阔小姐求婚,虽然米法伯爵的这个女儿貌丑不堪。当他一时达不到目的时,就在枕边向娜娜提出了要求,与她达成了一笔肮脏的交易,娜娜对被她玩弄于掌上的米法伯爵施加了影响,促成了这桩婚事,而在婚礼的那一天,达盖内果然把新婚的妻子抛在一边,先投入娜娜的怀抱表示"酬谢"。福什里是一个以新闻记者为职业的文痞,颇有一点舞文弄墨的本领,但全身都是邪气,正如小说中一个人物所说的:"他也是一个肮脏的绅士之一,弄上一个女人压一个女人,借着这个往上爬",一开始,他就以淫邪的眼光，窥测米法伯爵夫妇之间的隐私，一旦发现隙缝，稍有机会，即乘虚而入，他几乎是带着通奸的预谋介入了米法伯爵的家庭，成为伯爵夫人的情夫，使得这位夫人为了逢迎他而极尽奢华之能事，甚至变卖掉自己继承的遗产以维持两人的享乐生活。对于娜娜，福什里既刁钻，又贪色，他以讽刺的笔调在剧评中嘲笑娜娜的演技，然而对娜娜的色相又作肉麻的恭维；他还在报纸上发表过一篇刻薄的文章，含沙射影嘲骂娜娜，然而，这不妨碍他不久以后成为娜娜卧室里的客人。最后，他对米法伯爵夫人感到厌倦，便将她抛弃，转而介入米尼翁的家庭，成为歌女罗丝的情夫，并且"像个家主似的"住在这对夫妇的家里。达盖内与福什里这两个人物，是放荡无行、卑劣无耻的资产阶级青年拆白党的典型，在文学史上，是莫泊桑笔下的杜洛华的兄长，他们共同开辟了19世纪文学中"漂亮朋友"这一著名的人物系列。

左拉在《娜娜》中暴露之无情、讽刺之辛辣，莫过于对第二帝国时期的两个资产阶级权贵人物舒阿尔侯爵与米法伯爵，舒阿尔侯爵是政府的顾问，米法伯爵则是皇后的侍臣，他的妻子伯爵夫人就是侯爵的女儿。当他们一家出现在万象剧场的时候，似乎不愧是名门世家的显贵，国家社稷之栋梁，面对着娜娜的表演，表情严肃，道貌岸然，然而，第二天，却正是这两位国家的要员，不惜屈尊，双双来到这个娼妓的家里，这个场景，无疑是左拉小说中最富有讽刺才情的描绘，这一对翁婿明明是显贵的大人物，却谦称"本区慈善会的会员"，明明是为了淫邪的目的来结识一个下流的娼妓，却自称是为了"三千以上的贫民"前来向"一位大艺术家"募捐，特别具有讽刺意味的是，这两个拥有巨额财产的慈善家，居然从娜娜手里募走了50法郎，而这笔钱正是她刚到街上卖了一次淫所得。

随着情节的发展，左拉把这两个人物的面目与性格更加充分地暴露了出来。舒阿尔侯爵是一个年过花甲的老色鬼，其下流的程度几乎像低等动物，由于长期的荒淫生活，他早已衰老不堪，但他仍然出入下流场所，他追逐娜娜一时没有得手，就不惜用巨款把一个妓女的小女儿买来当作玩物。他的女婿与娜娜的关系在社会上张扬开后，他竟然以"怕米法伯爵的行为玷污他的名声"为借口而与之公开断绝来往，并且以卫道者的姿态愤怒地声称："统治阶级不该这样屈就现代的堕落作风，对下层阶级作可耻的让步，而叫自己的阶级解体"，但不久，米法伯爵却撞见他在床上像一堆残骨摊在娜娜的怀里。这是一个令人恶心的场面，其丑恶的程度令人触目惊心，左拉如此无情地展示出来，正表现了他对第二帝国时期腐朽的统治阶级的厌恶。

同样，左拉对米法伯爵也有类似的厌恶，只不过在描绘这个人物的时候，带有更大的鄙视。这个拿破仑三世朝廷的大臣，迷恋上娜娜后，疯狂地在淫欲的泥坑里沉沦，他把家庭抛在一边，给福什里以可乘之机。他得知自己的妻子与福什里有奸情后，由于怯懦不敢捉奸，他在福什里门外游荡，守望了半夜的那一章，是左拉笔下很富有揶揄情趣的篇章，充满了辛辣的讽刺。在娜娜成为他的外室以后，他不仅消耗了大量财产保证娜娜奢侈挥霍的生活，而且在娜娜的操纵下，把自己的女儿嫁给了娜娜的姘头达盖内，在娜娜肮脏的交易里成了一个可悲的角色。更为悲惨的是，他为了不失去娜娜，还听从她的要求，在掌握了确凿证据的情况下，反倒认可自己的妻子与福什里的关系，在大庭广众之下与福什里握手言和，把自己大臣的尊严、世家的光荣、丈夫的体面全都扔在娜娜的脚下，成为社会上的笑料。小说中有一个场面是带有某种象征意味的，米法在娜娜面前装畜生，让娜娜把自己当马骑，当狗打，还按娜娜的命令在自己的徽号与勋章上践踏。这个场景集中地表现第二帝国的栋梁堕落到了何等地步，正如小说中一个妓女所说："许多伟丽的上流人物，比平常人放纵得更显出猪形"，或者就像方堂所说的："上等人都是禽兽"。更有意义的是，左拉在赛马的那一章中，安排了皇后、米法伯爵以及苏格兰王子出现在看台上的细节，并且让娜娜针对这些至尊至贵的人物，含沙射影地骂了一通："一看他们的私生活……楼下肮脏，楼上也肮脏，没有一处不肮脏"，直接揭露了第二帝国的最高层。

如果说，左拉对米法伯爵的描写仅限于漫画式的暴露，那显然是不够的。通过这个人物，左拉提出了一个有普遍社会意义的现实问题，即天主教国家中资产阶级家庭解体的问题。恩格斯曾经指出："法国小说是天主教婚姻的镜子。"① 而在反映了资产阶级社会中天主教婚姻不合理的小说中，《娜娜》无疑是描绘得较为充分的一部代表作，它通过米法伯爵家庭的变化，不仅表现了天主教婚姻的弊端，而且表现了这种道貌岸然的婚姻必然会糜烂到什么程度。在小说里，左拉特意描绘了米法家的两个场面，即第三章米法家的沙龙聚会与倒数第三章米法家的舞会，两者遥遥相应，形成强烈的对照，正标志着米法家惊人的变化。米法伯爵的父亲是位将军，曾被拿破仑一世封为伯爵，拿破仑三世政变后，他家又开始得宠。米法从小深受天主教教育的熏陶，他每天都要进忏悔室，还要定期斋戒，结婚后，天主教禁欲主义也统治了他们的夫妻生活，他家的每个地方都无不打上禁欲主义的烙印，房子"那么阴沉，又那么像修道院"，客厅里充满一种带宗教气息的冰冷的尊严，陈设刻板，气氛拘谨，来到这里的客人，是上流社会里道貌岸然的人士，谈话严肃而沉闷，而且还有一个专门维护米法家宗教感情与纯洁性的精神导师，某个教堂的教会委员始终在座。在天主教婚姻的关系中，米法夫妇外表上过着禁欲主义的生活，内心却都埋藏着炽热的欲火，在《金发的爱神》的淫靡之风吹拂下，这个天主教的道德家庭就迅速风化了，其结果就是天主教婚姻经常有的那种情况："丈夫得到了绿帽子。"米法夫妇天主教婚姻的瓦解与糜烂，由于米法本人的堕落而愈演愈烈，不可收拾，表现在倒数第三章中，米法的家整个变了样，那是因为伯爵夫人为了逢迎自己的情

---

① 恩格斯：《家庭、私有制和国家的起源》，《马克思恩格斯选集》第四卷，第67页。

夫、追求淫逸享乐的生活方式,竟把原来充满肃穆的宗教气氛的家,改建得像"一个艳丽俗气的市集",这里的舞会上播放着《金发的爱神》中轻浮而下流的曲调,把原来世家的尊严吹得一干二净,而正是在这个场合,米法伯爵在不贞的妻子的面前,与她的情夫握手言欢。后来的事情比这更糟,伯爵夫人被福什里抛弃后,又疯狂地追求别的情夫,甚至与下等人私奔,在外边经历了种种放荡的生活后才回到家里。这就是左拉对天主教婚姻糜烂的无情暴露。

《娜娜》是法国文学中最详尽地描写娼妓生活的作品,在这里,出现有形形色色的娼妓,从高级的交际花、被供养的外室、歌女、演员,直到低级的私娼,小说通过表现她们的兴与衰、放荡与希求、奢侈与穷困、得意与辛酸,全面反映了娼妓的生活习俗、社会关系、经济状况、心理状态,对娼妓社会这一资本主义制度下的脓疮,提供了一份形象的材料,有助于读者认识与了解资本主义社会与资产阶级的腐朽。在所有的娼妓人物中,女主人公娜娜当然居于中心的地位,左拉不仅描写她的生活与经历,而且注意刻画她的心理,不仅表现她性格与行为中娼妓职业所必然带来的那些庸俗、轻浮、放荡、无耻、奢侈、挥霍等等缺陷,而且展示了她作为出自社会下层的女子所具有的某些可取的特点,而左拉之所以这样做,又是为了对比地揭示那些上流社会的衣冠禽兽在某些方面还不如这个下流的荡妇。在左拉的笔下,虽然娜娜身上很少有纯正的感情,但她对自己的儿子小路易却保持着深挚的母爱;虽然她沉溺在享乐的脂粉生活里,但却向往乡间纯朴而健康的生活;她与那些追求放浪形骸、乐此不疲的资产阶级绅士也有所不同,还讲究一点体面,对这些绅士把她的宴会糟蹋得不成体统而感到愤怒;她在被人玩弄同时又玩弄人的生活中,有时也发出"我要人们的尊重"的痛苦的喊声;她并不甘心在舞台上老扮演放荡的女人,而渴望扮演正经高贵的妇女;在实际生活里,她看透了上流社会中那些绅士与太太表面上一本正经、骨子里糜烂透顶,自认为不像他们那样虚伪而甚至有一种优越感与挑战的态度,她直率地宣称:"你们这些猪,我比你们干净得多";与资产阶级的鬼蜮心肠相比,娜娜毕竟"还是一个天性善良的娼妇",她希望人与人"永远和睦",不要算计与谋害,她心肠很软,"连一个苍蝇也不肯打死",她也很容易动同情心,即使是对她所厌烦的人物如米法伯爵;她在与方堂的共同生活中,表现了从良向上的意志,也表现出慷慨与自我牺牲的品德,但是禽兽一般的方堂与肮脏的生活,却又逼她回到老路,经过这样的反复,她以变本加厉的玩世不恭来对付那些玩弄她的资产阶级绅士时,她作为妓女的腐蚀性与祸害性就更加触目惊心了,面对着这些男人的破产、入狱与自杀,娜娜不得不为自己辩护,她倒的确道出了事情的根本原因:"这是不公平的,社会全盘都是不公平的,男人们要女人们做这个做那个,可是,做了就全来骂女人……如果我不是为他们,如果不是他们硬要我那么干,我早就到一个修道院里去向慈悲的上帝做祷告去啦,我一直是信教的。"左拉对娜娜的这些描写,既使得这个人物形象具有真实的性格与一定的心理深度,又揭示了万恶之源并不在于某个带有破坏性的妓女,而是资产阶级社会所需要的娼妓制度。

在《娜娜》中,左拉自然主义的描写有时不免流于烦琐,如娜娜如何梳妆、娜娜家宴的席次等等,但毕竟还是展现出了一个个真切的生活场景,其中对万象剧院前台后台的细致描写,可说是19世纪下半期法国剧场设备、条件、气氛、情景的一份详尽的文学资料,其他如对米法家舞会的描写也相当出色,各种人物在其中穿梭出现,他们的性格继续在这里深化,情节也在这里进一步开展。由于左拉在《娜娜》中是以批判的态度处理丑恶的社会生活题材,他的自然主义描绘在进行暴露的时候,往往达到极为强烈的效果,他笔下的资产阶级人物的丑态有时近乎低级动物,最突出的一例就是米法撞见他的岳父在娜娜房间里的场景。对于小说中人物的肉欲与淫乱,左拉的描写有一定的节制，他避免对性生活作具体的描写，但是，他从自然主义的观点出发，强调娜娜由于祖辈酒精中毒的遗传，在生理上与神经上形成了一种性欲本能特别强旺的变态，因而在描写中，过多地渲染了娜娜的"色欲的光波"、"肉之魔力"、"性欲的火焰"，对娜娜的淫乱生活也有一些不必要的描写，如她与萨丹的同性恋等，这些形成了小说的缺陷。

3.《萌芽》

《萌芽》（Cerminal，1885）是《卢贡－马卡尔家族》中的第十三部长篇，它以矿工生活，特别是以社会主义思潮影响下的矿工斗争为题材，是法国19世纪文学中最出色、最重要的一部描写社会主义工人运动的杰作。

第二帝国时代后期，在法国此起彼伏的工人罢工，特别是奥班与拉里卡玛里地区的矿工罢工，引起了左拉的关切与注意。1871年巴黎公社之后，他就打算在他的家族史小说系列中，写一部"特别具有政治意义的工人小说"，即表现工人阶级社会政治斗争的小说。他后来这样回顾说："由于在《小酒店》中未能表现工人的社会政治的作用，我决定在另一部小说里加以表现，此后，当我了解到波澜壮阔的社会主义运动在整个欧洲发生了如此巨大的作用时，我的这个计划就明确了下来。"

为了写作这样一部小说，左拉进行了充分的准备，他阅读了大量有关矿工的生活与劳动的著作，同时又钻研了当时资产阶级学者所写的关于社会主义的论著。1884年2月20日至4月18日，法国北部昂赞采煤区爆发了56天的大罢工，左拉在罢工爆发后的第3天及时赶到现场进行采访与调查，足迹遍布全矿区，他住在矿工的小屋里，就近了解他们的生活，并参加工人的一切集会，密切注意所有大小事件，他还深入矿井亲身体验井下的劳动条件。经过10多天的采访，他回到巴黎，又听取了法国社会主义运动的领导者盖德与龙格在工人党会议上的讲话，研究了1864年9月28日成立的国际工人联合会的纲领，由此，正如他在3月16日的一封信里所写的那样："我已经拥有写一部社会主义小说的一切必要的资料。"

《萌芽》开始写作于1884年4月2日，次年1月23日全部完稿，从1884年11月26日起开始在《吉尔·布拉斯报》上连载，1885年3月出版单行本。

这部长篇小说不仅是法国文学史上，而且也是世界文学史上第一次详尽地从正面描写罢工事件始末的作品。主人公艾蒂安·郎第耶是《小酒店》中男女主人公绮尔维丝与郎第耶的次子，他长大成人后，在里尔的铁路工厂里当机器匠，因为打了工头几个耳光，被赶出了里尔，哪儿也不收留他。流浪了8天之后，他来到了蒙苏煤矿，恰巧有一推车女工死于心脏病，他被收留顶缺。在劳动与生活中，他得到老矿工马赫一家的友善照顾，并与马赫的大女儿卡特琳结成了亲切的友谊。他逐渐习惯了矿井下艰苦的劳动，熟练地掌握了劳动的技能，加以他作风正派，有文化，很快就赢得了矿工们的信任。

矿工们因沉重的劳动与残酷的剥削而不堪其苦，愤怒的情绪日益增长。与此同时，艾蒂安与国际工人协会的活动家普鲁沙建立了通信联系，在他的影响下，开始研读各种社会主义的书刊，产生和形成了革命的反抗思想。在艾蒂安的发动与组织下，蒙苏煤矿的工人建立起互助基金会，为罢工斗争做了经济准备，并做出了罢工的决定。煤矿坑道倒塌、工人惨遭伤亡的事件成为导火线，于是，罢工终于爆发。

罢工爆发后，煤矿经理埃纳博在两次谈判中都拒绝了劳方提出的增加工资的要求，更加激怒了工人，罢工规模更加扩大，蒙苏有一万矿工参加。艾蒂安为了使罢工取得国际工人协会的支持，想推动蒙苏的矿工集体参加"国际"，为此，他邀请普鲁沙来到蒙苏发表演说，对工人进行说服与开导，蒙苏的矿工都成为"国际"的成员后，罢工得到了"国际"的经济支援,但是,4000法郎的援款不足以解决由于罢工而引起的矿工村的饥饿状况,劳资双方的对峙,更使矿工们到了财尽粮绝的困境,而且,在资本家的挑拨分化下,一部分工人在邻近设备较好的让-巴特矿井复工,蒙苏愤怒的罢工队伍来到这里惩罚、凌辱了那些复工者,席卷了周围所有的矿区,捣毁了设备,砸烂了机器,包围了经理的公馆,造成了暴力事件,最后被宪兵驱散。资方顽固地毫不让步,企图以饥饿拖垮罢工斗争,矿工家庭纷纷断炊,没有充饥的面包,也没有取火的煤屑,但他们团结一致,并未屈服。煤矿公司又从比利时招雇了新的工人,由军警保护,强行恢复生产。罢工群众前往制止,与军警面对面发生了武力冲突,遭到血腥的镇压。罢工失败后,矿工们迫于暴力与饥饿,只好回到矿井干活,艾蒂安在地洞里躲避了一阵以后,也不得不跟随着卡特琳下矿井。无政府主义者苏瓦林出于一种疯狂的破坏欲,故意损坏了矿井坑道的防水设置,导致水淹坑道,十几个矿工都惨死井下。艾蒂安在井下被困10来天后,才被人从地下抢救了出来,这时,22岁的他已经满头白发,卡特琳则早已死在他的怀里。艾蒂安恢复健康后,被公司解雇,在革命宣传中已获得成功的普鲁沙来信叫他到巴黎去,于是,他告别了积蓄着深刻阶级矛盾的蒙苏与压抑着复仇怒火的矿工们,走向新的目的地。

　　小说的前三部偏重于展示矿工的生活,其巨大的篇幅,本身就构成了一部小说的规模。开篇,在烟雾弥漫,寒冷黑暗的蒙苏矿区的背景上,遍体"伤痕"的工人形象使人触目惊心,这些可怕的"伤痕"都是长期非人的劳动所造成的。而后,作者又通过艾蒂安在矿井下劳动的情节,进一步详尽地描写了矿井下"一幅地狱的景象",在这里,到处都是水坑、泥浆,还有随时可能发生爆炸的瓦斯,高温使人浸透在黑色的汗水里,喘不过气来,狭窄低矮的坑道使人不得不匍匐在地"全靠腕力向前爬行",工人在这种坑道里进行挖掘,就像是夹在两页书里的一只虫子,"有彻底被压扁的危险"。每天劳动如此艰苦，工人却挣不到足够的面包，过着贫困的生活，左拉以自然主义所惯有的细致，表现了工人日常的贫困生活的各个方面，同时又有意识地以煤矿经理埃纳博家中的奢华生活、煤矿股东格雷古瓦夫妇悠闲富裕的日子加以对照，明确地把两个阶级不同生活之间的内在联系表现了出来：马赫一家三代人在106年之中被矿层吸干了血汗的过程，正是煤矿公司发家致富、日益兴隆的历史，仅格雷古瓦原有的一万法郎的股票，经过一个世纪就变成100万法郎，利润增大100倍，以至这一对夫妇用不着干任何事就可以指望子子孙孙靠这仍将继续增值的股票过富贵日子。左拉怀着社会正义感形象地把矿井描写为食人肉的怪兽，又把格雷古瓦这类资本家比喻为靠工人的血肉"喂饱养肥的一尊神像"，就使得他的文学描绘达到了政治经济学的深度，清楚地揭示出了资本主义生产的实质和资本主义制度下工人苦难生活的真正根源，当他完成了这样的描绘时，也就对小说后半部的罢工斗争的原因做出了最令人信服的形象说明。

　　罢工斗争在小说里占大部分篇幅，是小说最主要的内容，由此可见小说家那种力图通过表现自己时代两大阶级的矛盾与对抗、表现社会现实生活中重大题材以写出19世纪下半期新的历史发展内容的自觉意识。由于左拉所面对的是法国工人群众的斗争此起彼伏、欧洲的无产阶级社会主义运动方兴未艾的社会现实，他这种自觉的努力就使得他有可能在文学中表现出工人阶级如何由一个自在阶级变化发展为一个自为的阶级。在《萌芽》中，他把这一漫长、艰难、只有通过痛苦的经验才能完成的历史过程，浓缩在马赫一家的故事里。早在18世纪初，这一家的祖先纪尧姆·马赫在15岁上就为煤矿公司发现了丰富的煤层，他一直干到60岁死去，第二代，纪尧姆的3个儿子都先后在矿井里丧命，到万桑·马赫、也就是小说中的长命老这第三代又是同样的命运，他的3个哥哥又死于井下，他自己也被从井底下拖出来过3次，每次都遍体鳞伤，只留下一条命，而当他到60岁退休的时候,他的儿子杜桑·马赫、他的孙子扎查里和尚未成年的孙女卡特琳又都在矿里拼命卖力了。面对着自己家族悲惨的历史和日益兴隆的煤矿公司,他还陷于一种命运的茫然感与迷信的恐惧之中,只觉得有一尊他从未见过的神,他们工人家庭的血肉就是喂养这一尊不可知的神的。但是,到了杜桑·马赫这一代,觉醒的过程开始了,命运感逐渐让位给清晰的社会意识,无所作为的驯服逐渐变成了愤怒的抗争。

在法国文学中,高大的工人英雄形象为数甚少,而杜桑无疑是最突出的一个。他原来只是一个普通的矿工,承担着沉重的生活负担,在家里,他是一个好丈夫、好父亲,从不酗酒,在劳动中,他是一个好工人,经验丰富,沉着老练,能吃大苦耐大劳,并且乐于助人,像他的祖先一样,他身上也还残留着某些驯服顺从的东西,当年轻人辱骂工头时,他就小心地提出告诫,当工人指责公司时,他还要息事宁人地为公司说几句话。然而,残酷的压榨逼得这样一个老实工人也愈来愈不能忍受,公司借口要增设坑木来降低每车煤的工价一事,使他愤怒地提前半小时下班,这是他造反行动的萌芽。随着事件的发展,他"愈来愈气得握起了拳头",不过,由愤慨到造反,还有相当一段历程,他还要经过反复地锤炼才能变得坚强、成熟。走过了上当、受骗、犹疑、动摇、恐惧、无能为力的曲折道路,历尽了磨难后,马赫终于成为一个坚强的斗士,在罢工群众与政府军面对面对峙的时候,他竟然敢于"解开上衣,扒开衬衫,露出满是煤痕的胸膛,对着刺刀冲过去",显示出一种"令人惊心动魄的无畏气概",最后壮烈牺牲在士兵的枪口前。左拉把这个人物放在尖锐的矛盾冲突中,反复地、辩证地写出他精神上的进展,让他在不断克服自身的弱点时展现出一层高于一层的精神境界,最后成为一个高大的英雄形象。他身上所体现的由不觉悟到觉悟、由不敢斗争、不会斗争到敢于斗争的过程,在一定意义上概括了整个无产阶级在革命中成长壮大的规律,带有某种典型性,因而,这个工人形象在法国文学史上具有重要的社会意义。

《萌芽》之反映了无产阶级由自在到自为的历史过程，最主要的还是正面地表现了科学社会主义与工人运动的结合。不可否认，马克思、恩格斯所领导的"国际工人联合会"的革命活动，由于有了《萌芽》才在文学中得到了表现。小说通过第一国际的活动家普鲁沙这个人物形象的出现与作用，反映了国际工人协会争取工人群众的努力与成效。蒙苏的矿工原来并不信任"国际"，普鲁沙向工人宣传了"国际"的宗旨就是"解放劳动者"，宣传了"全世界工人都为寻求正义而团结起来，共同去扫除腐朽的资产阶级，最后建立起自由的社会，不劳动者不得食"这些革命思想，阐明了工人的国际组织对于工人斗争的意义，他的宣传立刻得到工人群众的热烈欢迎与响应，争取到了蒙苏的一万名矿工。左拉的这一描写虽然由于他个人对无产阶级社会主义运动所知甚少而不免流于表面肤浅，但毕竟是认真严肃的，在小说里，虽然"国际"对罢工工人的实际支援相当有限，但普鲁沙所宣传的第一国际的革命思想，却在蒙苏工人群众的心里播下了火种，增加了他们罢工斗争的坚决性，使罢工斗争达到了一个新的水平，因而，关于第一国际的片段描写显然提高了整部小说的思想基调，增加了小说的社会政治意义。

如果说，左拉对第一国际的片段描写还不充分的话，那么，他通过艾蒂安这个人物就更具体更充分地表现了社会主义思潮与工人运动的结合。艾蒂安是一个工人，但更多的是一个工人活动家的形象，作为工人，他在劳动中肯干而又能干，在生活作风上，老实正派，他还具有一般工人所不具备的条件，即有一定的文化水平，这就使他在工人群众中成了一个有影响、有威信的人物，加之他早在里尔就认识社会主义者普鲁沙，从他那里接受了社会主义思想的影响，在这位革命家的指导下，他开始从事工人运动，走上一条从工人中来，又不同于一般工人的特殊的道路，成为工运的领袖。重要的还不是人物的身份，而是人物所体现的思想内容，对于一个处于共产主义的幽灵早已在欧洲徘徊的历史条件下的工人活动家的形象,左拉这样一个资产阶级作家能赋予他怎样的思想内容、使他达到一个什么样的高度?

左拉笔下的艾蒂安,其思想的最初出发点是"天生的反抗精神",他经历过"无知幻想的阶段",胡乱地读过无政府主义的书刊以及空想社会主义产生以来的各种社会主义的论著,蒲鲁东、拉萨尔,等等。开始他是工人中的一个探索者、一个寻找道路的人,尔后,马克思主义终于在他思想中"占有了主要的地位",他认识到"资本是剥削的结果,劳动者有权利和义务收回这笔被掠去的财富",眼前"有权有势的富人们买工人、卖工人、吸他们的血、吃他们的肉",这样的社会必须彻底改变,为此,"只有消灭国家"、"由人民掌握政权"、然后"开始各项改革","一切生产工具都归集体所有","人人都是劳动者","凭工计劳,按劳付酬"等等。当他达到了这样的认识,他就在工人群众中成为一个传播真正社会福音的"使徒",他热情的宣传与持续的工作,导致蒙苏的矿工集体加入"国际",并使得罢工的群众队伍对"应该由我们来掌握政权和财富"的口号报以热烈的欢呼。

为了与艾蒂安的思想路线对比,左拉同时还安排了另外两个人物。一个是万利酒馆的老板拉赛纳,原来也是一个老挖煤工,在3年前一次罢工中被公司开除后,开设了一个小酒馆,他能说会道,成了不满的工人们的领袖,但是,他是一个改良主义者,只主张改善工人的经济状况,反对矿工参加国际工人协会,也不主张对资本家进行激烈的坚决的斗争,而主张劳资调和,"实行分工制,使工人成为有关者,成为家庭中的一员"。另一个人物是无政府主义者苏瓦林,他狂热地信奉巴枯宁主义,主张"毁灭一切,不要国家,不要政府,不要财产,不要上帝,也不要信仰",要把人类社会"引向混沌的原始公社,一切从头开始",而达到这个目的的手段则是"用火,用毒药,用刀子"。他对苦难的矿工并没有热切的同情,且以超脱的态度对待他们的罢工斗争,明知破坏矿井下坑道的防水设备会导致矿工们死亡,却仍然带着一种疯狂的破坏欲这样做了。左拉通过这两个人物,反映了19世纪下半期社会主义运动中存在着截然不同的思潮与派别这种复杂状况,也衬托出艾蒂安思想路线的正确。艾蒂安抵制了拉赛纳的主张,坚持引导矿工参加"国际",结果,拉赛纳成了"一个被推倒的偶像",遭到了工人群众的唾弃,至于苏瓦林的无政府主义,在艾蒂安看来,是一种"毁灭世界的狠毒的梦想",对此,他保持了清醒的头脑,最后,苏瓦林也像一个幽灵似的离开了蒙苏。通过这3个人物的对照以及他们不同作用的描写,左拉表现了矿工们的觉醒与斗争始终是在正确的思想路线的背景上发展的,使他的小说在表现无产阶级革命运动上接近了当时的先进思想水平。

同样,在对罢工斗争的具体描写上,左拉也显示了他思想的进步倾向。他以赞赏的笔调描写了工人群众在罢工中的觉悟与团结一致,他还表现出工人群众在罢工中的一种革命的认识、一种对社会正义的期望:"既然有人许诺他们正义的时代就要来到,他们就准备为争取普遍幸福而忍受磨难",因此,虽然"形势一天比一天严重,但他们仍然充满了希望,即使大地在他们脚下裂开,也会出现奇迹使他们得救,这种信念代替了面包,使人感到温暖"。特别是左拉细致地描写了工人群众由说理斗争逐渐发展为暴力斗争的过程。他们原来提出的要求很有限,完全合理,对这有限的要求,资方不仅加以拒绝,而且以饥饿政策与卑劣手段来破坏罢工,把矿工置于绝境,这才把驯良的工人激怒了,左拉不像某些带有严重阶级偏见的资产阶级作家那样,把革命群众描写成天生的疯狂的破坏者,而是把罢工群众最后的暴怒描写成世世代代受压榨的处境与眼前无法忍受的苦难绝境的产物,对工人的暴力行动抱有明显的同情。在结局上,左拉还赋予罢工事件一种悲惨的色彩,就罢工事件本身来说,它完全具有正义的性质,其中贯穿着工人群众反抗剥削的浩然正气,以它在蒙苏这一局部范围来说，它也具有暴风骤雨般的威力，然而，它却以失败而告终。在左拉的描绘中，罢工失败并不是由于罢工群众的错误和他们的软弱，而是因为蒙苏这个局部地区毕竟是处于全国反动资产阶级秩序的包围之中，与蒙苏矿工对峙的，远远不是埃纳博等几个资本家，而是整个庞大的、仍然相当牢固的国家机器，正是由于力量对比的悬殊，使得这场罢工最后演成悲剧。左拉的描写显然是符合19世纪七八十年代资本主义秩序仍然稳定这一社会历史的现实。虽然左拉忠于历史的实际，让他小说中的罢工归于失败，但他却把它视为矿工对自己队伍与力量的一次检阅，认为它"以正义的呼声唤醒了全法国的工人"，因而"只不过是对于即将崩溃的社会的一次小小的冲击"，并且，在小说的最后，通过艾蒂安的沉思，表示了这样的信念："革命即将到来，这是一次真正的革命，劳动者的革命，它的火焰将把本世纪最后几年映得通红"，因而以高昂的基调，阐明了小说标题"萌芽"的含义。

《萌芽》尽管描写了罢工斗争与"国际"和科学社会主义思潮的关系，对未来做了乐观的展示，但在思想内容上仍存在明显的局限性。它对无产阶级与资产阶级的关系表达了一种达尔文主义的理解，在艾蒂安的思想里，无产阶级在未来将获得胜利，只是因为强大的有生命力的阶级要吞食衰弱的垂死的阶级。正因为作者没有从历史社会发展的规律去理解无产阶级革命的前景，所以他对受剥削受压迫的工人群众如何才能摆脱苦难状态的出路，也就缺乏认识。在无产阶级求解放的道路问题上，小说既表达了某种乐观，也表露了一种茫然的情绪，这种情绪可见于结尾部分艾蒂安的沉思，这个人物对工人的暴力斗争又产生了与他的达尔文主义相左的怀疑，至于有效的斗争道路是什么，他只能"模糊地进行猜想"，在这里，左拉让他的人物提出了可能的设想："等法律允许的时候，建立起工会，然后去对付面前仅有的几个不劳而食的人，到那时就可以取得政权，当家做主了。"这种和平改良的工团主义的设想实际上就是左拉本人所提出的方案。在这里，建立无产阶级的政党与进行革命的政治斗争，都在左拉的视野之外，既表现了他作为工人群众的诚挚同情者的天真，又表现了他作为资产阶级作家的局限。正因为左拉的思想没有也不可能达到无产阶级革命的高度，所以，他在描写群众罢工斗争的时候，就不可能绘制出一幅有组织、有领导、有效率的斗争画面，他笔下的罢工队伍仅仅被愤怒所控制、所指引，他们从一个矿区自发地涌到另一个矿区，像一股破坏一切、毁灭一切的熔岩之流，带有明显的盲目性。在对罢工领导人艾蒂安的描写上，左拉为了不使这个人物只成为一种意识形态的化身，便以自然主义的手法描写他在矿井下第一次在卡特琳身旁劳动时那种未免来得太快的性冲动，还以非英雄化的手法描写了他在筹建起基金会后"俨然成了一个头目"，既有"讲究打扮和享受的本能抬头"，又有"虚荣心"和"不断滋长的野心"使他"讲话也打起官腔来"，这种出自作者某种主观概念的描写显然无助于深化这个人物的性格，倒反映出作家本人对塑造新型工人活动家高大而真实的形象，缺乏足够的生活基础。在对资产阶级人物的描写上，左拉避免把工人的全部苦难仅仅归咎于某一两个资产阶级人物的恶德，而企图归之于阶级社会与制度的原因，但当他由这种意图出发时，却又走向了另一个方向：不止一次有意地表现资产阶级人物身上一反常态的美德。他描写罢工失败后，资产者格雷古瓦一家"为了不念旧恶与表示和解的愿望"，如何对马赫家进行慈善布施，恰与小说前半部这家人对工人的刻薄悭吝完全相反，他还描写了煤矿经理的侄子、工程师内格尔为了救井下的矿工如何奋不顾身，艾蒂安被救出后，两人又如何拥抱大哭，这又一反内格尔这个资产阶级少爷一贯对工人的刁钻与凶狠，与此同时，左拉又违反生活的基本真实，安排了生性善良老实而又全身偏瘫的老工人长命老扼死了无辜的资产阶级少女赛西尔的情节，所有这些描写集中地反映了左拉思想的局限性。

作为一部写重大的社会斗争与工人运动的小说，《萌芽》在艺术上达到了很高的成就。在结构上,它先以博大的视野,全面铺陈,向读者展示了历史与现状、生活与劳动、上层与下层的广阔画面,尔后,进入罢工事件的根源与起因,描写它的发端、发展、高潮与结局,全书的描述充满了一种动感,像一条宽阔的江河,浩荡而流。小说关于工人群众集会、罢工、示威的大量篇章,无疑是文学史上对巨大的群众斗争场面进行描写的典范,它们以充分的表现力呈现出这些场面中惊心动魄的情景、白热化的气氛以及整个事件发展中那种磅礴的气势。作者的描写是辩证的,那些群情激愤的场面起源于那一个个悲惨的生活画面,一个个悲惨生活的画面又发展为罢工斗争的怒潮,而在群众斗争此起彼伏、激越奔腾的过程中,生活的画面又不断展现,人物的性格又不断深化,生活的内容又不断开拓,面与点、静与动,两者相辅相成,互相渗透、穿插,构成了一部内容深广、气势宏大的群众斗争的史诗。在对现实生活的描绘上,左拉以力求巨细无遗的自然主义的方法,全面地、详尽地表现了19世纪下半期矿业的生产结构、技术条件、机械设施、劳动组织、工资状况以及矿工群众在衣食住行各方面的条件、生活习俗等等,使《萌芽》成为那个时代矿区生活与劳动的百科全书。但与此同时,这种自然主义的方法,也使洗澡与小便等细节竟然也进入了文学描写之中,至于对矿工男女们放荡生活、对艾蒂安身上的嗜杀狂的描写,更是自然主义的败笔。

4.《土地》

当左拉完成了他的《卢贡－马卡尔家族》中大部分作品的时候,为了在他这一家族史巨著中补充对法国农村生活的描写,他于1886年2月开始写作长篇小说《土地》(*La Terre*,1887),作品于次年问世,成为左拉的家族史小说中的第十五部。

法国文学史上,曾经有过不少描写贵族家庭、资产阶级家庭悲剧的作品,但写农民家庭悲剧的作品却极为少见,《土地》的中心内容是博斯平原上一个农家围绕土地与财产的纷争，其别开生面的题材，自当格外令人瞩目。

路易·富安的历代祖先都是农奴，经过几个世纪的操劳与积攒，到资产阶级革命的时候，这一家拥有了21阿尔邦的土地，路易·富安的父亲约瑟夫·卡西米尔把这些土地分给了他的两个儿子路易·富安、米席·富安与两个女儿玛丽亚娜·富安、乐莉·富安。现在，路易·富安也老了，眼看自己无力再耕种土地，只好把自己的田产又分给3个儿女：长子雅森德、次子布托与女儿芬妮，而从他们那里领取定额的年金过活。虽然这一切都通过法律手续明确了下来，但路易·富安分掉自己的田产，就意味着将丧失一切。首先是他那无赖汉长子、绰号为"耶稣基督"的雅森德把自己分得的土地，一块块典当出去换酒喝，拒不向父亲交付年金，而且，反倒用种种卑劣的手段去骗取他的生活费，次子布托以"耶稣基督"不付年金为借口，也不再尽自己的义务。富安老爹不得已，放弃了自己的房屋，寄居在女儿芬妮与女婿德洛姆家，不久，又因受不了这对夫妇的刻薄与嫌弃，便搬到耶稣基督的破屋里，当他发觉耶稣基督与其女耗子精一直觊觎着他私藏的储蓄与证券并多次进行盗窃后，他又怀着怕被谋财害命的恐惧，投奔次子布托，然而，他在布托这里，先是彻底失去了他全部的积蓄，然后，又遭到布托夫妇极为冷酷无情的对待，过着猪狗一般的悲惨生活，有时还被赶出家门，流浪在原野上，忍饥受冻。

与路易·富安的悲剧平行发展的，是他的侄女弗朗索娃的悲剧。弗朗索娃与其姐丽兹，父母早丧，二人相依为命，共同耕种父亲遗留下来的田产。丽兹与布托结婚后，姐妹仍未分家，布托一直想通过占有弗朗索娃而永远霸占她的一份产业，未成年的弗朗索娃对布托进行了坚决的抗拒，由此，丽兹一家不断发生争吵与殴斗。弗朗索娃成年后，与从外乡来到本地当长工的约翰·马卡尔相好，分走了自己的土地与家产，建立起自己的家庭，并不久将要有自己和约翰的孩子。布托夫妇则一直盼望这个少妇和她将出生的继承人死亡,以便得到她那份产业。有一次,弗朗索娃在田里劳动的时候,她在丽兹与布托联合使用暴力的情况下,终于被布托奸污,又在与丽兹斗殴时被摔在大镰刀上致死,腹中还有待产的婴儿。弗朗索娃死后,布托夫妇发现富安老爹当时目睹了弗朗索娃被害的真相,为了灭口,他们把自己的父亲闷死在床上,又纵火灭迹。小说的最后,布托夫妇逍遥法外,约翰·马卡尔则被迫离开博斯,准备参军,奔赴即将爆发的普法战争的前线。

　　从小说的故事内容不难看出,左拉的全部笔触都落在农村生活上,显然,他力图提供一份关于法国19世纪下半叶农民生活状况与道德面貌的全面写真录。在小说里,他以文献资料式的详尽,描写了农民们衣、食、住、行的条件,在他的笔下,从农民平日劳动时所着的简陋的衣裙,到节日穿戴的廉价衣料做成的"礼服",以每日三餐粗糙的食物,到喜庆节日的狂饮,都有真实如画的再现。左拉在描写中,注意到了农民中不同阶层在生活条件上的差异,他让读者看到贫苦农民像狗洞一样的栖身之所和他们半饥饿的状态,以及富裕农民整齐洁净的家舍和家中充足的饮食。他还把小说的情节安排在不同的季节,在以优美的文笔描绘出博斯平原上阴晴雨雪、朝暮景色的同时,又生动地呈现出农民播种、刈草、收割、打场、耕地等一幅幅动人的情景。他对农民生活的描写是抒情的,带有某种诗意,小说的开端与结尾所描写的播种图,几乎可与雨果的名诗《播种者》媲美,而他在描写劳动的细节时,又以资料家的眼光,不遗漏农民所使用的工具的质地与式样以及他们劳动的方式方法。对于农民不同的生活方面,左拉表现出风俗学家的浓厚兴趣,详尽地描写了他们在财产经济问题上如何签订条件、履行手续以及农村财产关系的种种表现形式,他们在乡村教堂里如何喧闹地过着徒具形式的宗教生活,他们在政治上如何对待选举、如何在农村公共事务上由于利益的矛盾而进行那种粗野得像口角一样的"辩论",他们在市集上如何讨价还价、彼此进行小小的欺骗等等。左拉在风俗学式的考察中,善于摄取一个个不流于一般化、具有独特性的生活场面,以生动的描写给小说增添了有声有色的精彩篇章,农民在冰雹袭击下的惊恐与诅咒,他们在耕作时的打闹,在草场上劳动的艰苦和他们解闷的笑谑,酿酒时节的欢乐与滑稽的场面,婚礼上的热闹,晚饭后在牛栏里夜聚时的传闻、消息与闲聊,小酒店里乱哄哄的高谈阔论,生老病死的悲惨情景以及农民妇女分娩时的痛苦,所有这些都以斑驳杂然的色彩呈现在小说里。

农民阶级的生活是法国文学中较少被作家表现的一个题材,虽然梅里美在《雅克团》中、巴尔扎克在《农民》中,也描写过农民,但是,农民生活与劳动的全面状况远远没有得到充分细致的展现,至于乔治·桑田园小说中的农民,则完全是作者理想化的形象。左拉为写《土地》,坐着驿车到博斯平原的农村中作了一个星期的考察,广泛收集创作素材,这次旅行再加上他在梅塘乡间的生活经验,使他具有了丰富的感性知识,他以自然主义的方法,详尽地表现了农民生活的真实,给法国文学献出了一部有文献资料价值的、独具一格的作品。

如果说,左拉的《土地》在真实再现法国19世纪下半叶农民生活状况上所达到的成就是毋庸置疑的话,那么,他在真实表现农民的道德面貌方面所做到的一切,在法国文学史上至少也是特别引人注意的,他在这部小说里,通过不同的人物形象,着力表现农民作为小私有者的愚昧、落后、贪婪、自私、冷酷以至残忍,其严酷真实的程度,甚至达到了惊世骇俗的效果。

富安老爹是一个正常的农民,不论他的长处还是他的弱点,都是农民所具有的正常的、自然的特性。他勤劳本分,一辈子种地务农,从未有过非分之举与非分之想,对人也不失淳朴与善良。他像大多数农民一样,在家庭里作为一家之长,多少有些专制独断,对亲属与对自己,有时免不了有些悭吝。富安老爹最大的特点是对土地的渴望与热爱，他不仅把土地作为自己谋生的基本条件与老年生活的保证而特别加以珍视，因而具有一种排斥一切其他要求的控制欲、占有欲，而且，长期的劳动生活又使他在这种珍视的基础上，形成了一种土地拜物教的感情，一种宁可牺牲自己的利益而无限加以疼爱的感情，他一生都以"那么大的兴奋与激情，拼命耕作"，一生都尽量减少自己的费用与消耗，以"最悭吝的节俭"一块一块积攒自己的土地，于是，他原来旺盛的生命力与健壮的身体完全消耗光了，而今，他年老体衰，不能再耕种劳作，他把土地当作心爱的女人，不愿意看着它被荒芜而"受委屈"、"受苦"，因此，他不顾法律公证人的劝告与他的长姊玛丽亚娜的反对，决定把田产分给自己的儿女。他这种为土地着想的拜物教的感情，在农村环境里，显然不及他长姊那种现实利害的打算对自己有利，他分掉了自己的土地，实际上就是丧失了他在生活中的最根本的基石，于是，他每况愈下，后来，在忘恩负义的儿女的冷酷对待下，落得流浪博斯平原。富安在凄风苦雨中来回流浪、无家可归的那一章，显然是借鉴了莎士比亚的《李尔王》中老国王流浪在荒原上的那个场景，左拉通过这一章加强富安命运的悲剧性质，揭示了农村私有关系制约下农民家庭的悲剧以及人情的冷酷。

与富安相对的一个形象是他的姐姐、绰号叫"老大"的玛丽亚娜。他们在两个意义上是相对的，一是富安对自己的家庭子辈还有某种长者的温情，虽然他也很自私自利，但"老大"却冷酷到了违反人性的地步，她唯一的女儿遗留下一男一女即帕梅尔与希拉利昂姐弟，他们生活无着，仅仅靠在农村里出卖廉价的劳动力为生，而且，希拉利昂还是一个白痴，全部的生活重担都压在帕梅尔的肩上，眼见他们在自己跟前过着悲惨的猪狗般的生活，"老大"毫无怜悯之心，虽然她自己有土地和财产，单身过着富裕的生活，但对这两个比乞丐还不如的姐弟从不给予最轻微的施舍。她与富安的第二个不同，在于她对土地有一种永不放弃的占有欲，不像富安那样有一种多少带点浪漫色彩的土地拜物教——与其永远占有它，不如为它着想而使它得到充分的利用，她极力反对富安把土地分给儿女，早就预言了富安分掉土地就会遭到厄运，她根据长期的经验，深知失去了土地就会失去一切，因此，她强悍地、顽强地像一头凶狠的鹫鹰一样，把持着自己的土地所有权，守卫着自己的每一点财产，包括每一杯可口的美酒。在生活上，她待人刻薄，悭吝到了极点，好占别人的小便宜，包括在人家的庆宴中多吃几口。她不仅顽强保护自己哪怕是最小的利益，而且还喜欢在人与人的关系中展开攻势，"唯恐天下不乱"，她眼见布托夫妇与弗朗索娃在财产问题上有矛盾，就进行干预，促成了弗朗索娃与约翰的婚姻，但这并非出于成全他人的美意，而完全是为了要与布托捣乱，捅破他积攒财产的美梦。这样一个顽固、强悍的女性，就像一棵根深蒂固、生命力特别旺盛的大树，老而不衰，她舒适自得的晚境正好与富安的悲惨下场形成对照。左拉以浪漫的、夸张的笔调，把她写成博斯平原上的一个强者，烘托出了造成富安那种悲剧下场的野蛮残酷的风俗民情。

在这种野蛮残酷的风俗中，布托是一个特别突出的代表。如同他父亲一样，对土地的沉醉迷恋、对土地的占有欲几乎居于他生活的中心，一切都从属于这一要求。他与丽兹早有私情并已有了孩子，但他并不打算对此负责，只是当他看到丽兹所继承的土地财物对他有利时，才决定与她结婚。他身上虽然有流氓的气息，但他耕作起自己的土地、进行各种农业劳动时，又完全是一个勤奋的农民，其热情与劲头都不减当年的父亲。另一方面，他又具有与其姑母"老大"相类似的特点，在攫取土地和为自己谋利上，他强悍、凶狠、狡黠、厚颜无耻、冷酷甚至残忍。当他父亲把土地分给儿女们的时候，一接触到儿女应承担的义务，他马上就表现得特别忘恩负义，而且心计颇深，善于谋算，他那些刻薄的反讽，流露出了他那种极端的自私自利与冷酷。他在分地与抓阄中，比同样自私自利的兄弟姐妹更为刁钻，甚至有些无赖。他对土地与财富的贪婪是无限的，父亲的土地被分成几份，使他感到揪心的痛苦与愤怒，他一心想要独占。对他父亲，他不仅不尽原来议定的义务，而且为了获得父亲的私蓄，施用了各种手段，巧取豪夺。对弗朗索娃他早就不怀好意，既有占有弗朗索娃的欲望，也怀有霸占她财产的野心，比较起来，后者更为强烈，眼见弗朗索娃与约翰结婚，他感到的痛苦还不及他因失去了她那一份财产而感到的痛苦那么强烈、持久。除了他的欲望，他身上显然还带有野性和无所顾忌的无耻，为了实现他的欲望，他什么事都干得出来，什么手段都可以使用，他的手段当然远没有文明化的资产阶级那样隐蔽、阴毒，但有时也带有一种精细的狡黠，他在市场上的讨价还价，显然还带有一种原始诈骗的性质，他所使用的手段的主要特点是粗暴与凶狠，正是这种特点，使得他的住房弥漫着一种恐怖气氛，先是对弗朗索娃的逼迫，后是对他父亲富安的残害，最后，终于在他的家里发生了最伤天害理、令人发指的罪行。这是一个理查三世式的人物，左拉既从人性的意义上写出贪婪是如何使他成为一个犯罪的人，又充分地表现出这种贪欲在一个农村小私有者身上的表现形式，表现出他那种有别于封建阶级人物的骄横、资产阶级人物的险毒而是由于粗暴的本能的犯罪过程。布托这个人物在《土地》中的出现，使得法国19世纪文学中恶的人物系列中又增加了一个另一种类型的标本。

除了以上几个主要人物外，其他的农民形象也具有鲜明的性格特点。富安的长子雅森德，他曾经参加过1848年革命，后来又在第二帝国时期参加殖民军在非洲打过仗，对当地人民进行过劫掠，虽然1848年革命在他脑子里留下了一些模糊的资产阶级共和主义的概念和口号，但在殖民军中的经历却在他身上打下更为深刻的兵痞的烙印，他在乡下游手好闲，不务正业，这是一个农民二流子的形象，左拉在描写他那种兵痞特性和在酒与泥泞里打滚的生活时，又表现出他"心地并不坏"和"具有江湖人的直爽心肠"，并且通过他一些粗俗下流、滑稽逗乐的故事，给小说带来一点戏谑的成分，一种拉伯雷式的色彩。富安的女婿德洛姆是一个正常的农民，他自私，对土地也很贪婪，但勤劳务农，特别善于经营与耕作，从个人利益出发用正规的手段与聪明的办法去赢得自己的利益，他是农村中循规蹈矩、精明能干的富裕农民的形象。丽兹姐妹是颇有代表性的一对农村妇女，她们从小相亲相爱，形影不离，但最后却成为死敌。左拉从两个方面去写这种关系的发展变化：一方面是由于本能，丽兹与布托结婚后，发现了丈夫对小姨子有所企图，从嫉妒的本能出发，便把妹妹视为眼中钉，而弗朗索娃则由于本能地被布托所吸引也对姐姐心怀嫉妒，倒反故意拒绝布托以扰乱整个家庭的气氛。左拉就这样以自然主义方法，从生理的角度描写了3人关系的复杂状态，并把它引向弗朗索娃的悲剧结局；另一方面，左拉又把对财产的占有欲描写为腐蚀与毒化姐妹关系的又一根由，弗朗索娃从小对自己的权益与财产具有牢固的占有欲，虽然她当时还是个善良的小姑娘，但一直顽固地要实现她的所有权，等着成年后与布托夫妇分家。丽兹则因为眼见妹妹分走了一份财产而更增加了对她的憎恨。然而，弗朗索娃明知自己会死在姐姐手里，却又顽固地从家族所有权的感情出发，不仅没有揭发使她致死的布托夫妇，而且拒绝把财产留给自己的丈夫、外乡人约翰，宁可让它落在姐姐与姐夫手里。

在个体农民形象的周围，左拉还描写了当时农村环境中其他阶层的人物。有开了几十年妓院发了财、靠年金过着阔绰生活的乡居资产者查理夫妇；有农业资本家乌尔德金，他的情妇是当地人的"公共财产"，他最后不得好死；有庸庸碌碌的乡村神甫高达；有整天醉醺醺的敲钟人培贵，一个极端波拿巴主义者，第二帝国在农村中的一块小小的基石；还有虐待学生的小学教员、世故的法律公证人和贪杯的土地丈量员，游手好闲的小杂货店老板与小酒店老板以及他们的俗不可耐、不务正业但却善于钻营的儿子。《土地》中的主要农民形象和他们周围这些形形色色的人物，构成了第一帝国时期猥琐、卑微、灰暗、阴沉的农村众生相，一幅比《奥尔良的葬礼》规模更大，也更为严酷的图景，正与作者笔下辽阔、富饶、悠远、色彩鲜明、富有诗意的博斯平原的大自然景色形成对照。

《土地》中的图景，必然引起某种震惊。它发表后，5个青年作家，即渡尔梅丹、罗斯尼、德卡夫、马格里特与基希，于1887年8月18日在《费加罗报》上发表宣言，认为他们过去所崇敬的老师背叛了自己的原则，写出了丑恶的作品，他们指责这部小说"对农民生活的描写太不切实，笔墨颇为淫秽"，"从维护风化的观点，实有反对之必要"，并宣称从此要抛弃对左拉的自然主义的信仰。有的作家批评这部小说"贬低了人类，侮辱了美与爱的一切形象，否定了良好的与善的一切"。《土地》之遭到攻击，根本原因在于，左拉不是从道德化的"维护风化"的规范去表现第二帝国时期农村阴暗的现实，也不是按人们所希望与所愿意的那样去描写农民，而是以自然主义的方法致力于表现严酷的真实，他的描写虽然令人惊骇，但绝不是臆造与歪曲，小说中最令人发指的罪行、布托夫妇杀害父亲的情节，是左拉以1886年11月在阿西斯·德·布洛瓦起诉的一桩案件为蓝本写出来的，这个案件的罪犯托马斯夫妇把他们的母亲烧死在自己家里的壁炉中。因此，当这部作品严酷的真实性愈来愈被人们认识了的时候，对它的指责也就成了一种陈迹。

从创作意图来说，左拉没有从理想化与道德化的要求去表现农民，他正是要通过对第二帝国时期农村生活的真实描写，提出农民的状况与法国农业的前途这一巨大的社会问题。为了写作《土地》，他阅读了当时一些有关农业与农村人口的专著，并且在钻研中还"总是碰到社会主义这个问题"，由此，他又主动要求与法国社会主义运动的领导人盖德会晤。1886年春，他与盖德晤谈了两次，倾听了盖德对于法国农民问题与农业问题的观点。

马克思对第二帝国时期的农民,做过这样的论述:"波拿巴王朝所代表的不是革命的农民,而是保守的农民,不是力求摆脱由小块土地所决定的社会生存条件的农民,而是想巩固这些条件和这种小块土地的农民;不是力求联合城市并以自己的力量去推翻旧制度的农村居民,而是愚蠢地抱残守缺并期待帝国的幽灵来拯救他们和他们的小块土地,并赐给他们以特权地位的农村居民。"[1]如果说,在封建社会中,个体农民是作为封建阶级压榨剥削的对象,作为物质财富的创造者因而是一个革命的阶级的话,如果说,在19世纪上半叶,"农民阶级是对刚被推翻的土地贵族的普遍抗议,小块土地的界线成为资产阶级抵抗其旧日统治者的一切攻击的自然堡垒"[2],因而这个阶级具有明显的进步性的话,那么到了19世纪下半叶资本主义生产大幅度发展的历史条件下,小块土地所有制就愈来愈与大规模的社会生产以及日益迫切的技术改良格格不入,愈来愈成为保守的因素。左拉所描写的就是这一历史阶段里保守的小土地所有制和农村小私有者。在他的理解中,一方面是顽固的对小块土地所有权的执着、狂热的对财产的占有欲与贪婪,使得他们成了"放在田野上的狼群","发狂的昆虫",使得他们之间充满了小气的计较、冷酷的关系、激烈的争夺,而他们自己又在这残酷的关系中遭受着痛苦,另一方面,小私有制所决定的生产力与生活水平的低下,又使得这些乡下居民的身上保持着粗野与低级的本能,在这种理解下,他以毫不遮掩的自然主义的方法,赤裸裸地描写了他们的贪婪与犯罪、情欲与乱伦。

左拉从盖德那里接受了这样的观点:小土地所有制墨守成规,经营落后,土地分散,不利于机器耕作,使得农民成了土地的奴隶,而装备很差的农民又惧怕外国农产品的竞争。他在《土地》中也着重地表现了小农经济在19世纪下半叶历史条件下的落后性,在这方

---

[1] 马克思:《路易·波拿巴的雾月十八日》,《马克思恩格斯选集》第一卷,第694页。
[2] 同上,第696页。

面，值得注意的是乌尔德金这个人物的经历。乌尔德金作为农业资本家，当然有其剥削阶级的本质，他对手下的雇工实行专制独断的统治，用工资作为手段驱使他们从事艰苦的劳动，他还操纵地方的政治和村里的公共事务，为自己的私利服务，但是，在农业技术上，他为了加强竞争的地位，倒具有一种改革的精神，他以很大的热情投入这种改革，使他经营的农场颇有成效。左拉通过他被情妇欺骗后由于妒火中烧而在农场里巡走的情节，表现了农场的规模、生产方式、机械化程度、劳动条件、房舍设备、劳动力的数目和他们劳动量的大小、农畜产品的种类、供销情况与市场价格等等，揭示了资本主义大生产较之落后的原始的小土地耕作的优越性。然而，在左拉的笔下，这个农场和它先进的技术像一个微不足道的小岛一样，被包围在落后的小生产的海洋中，乌尔德金所使用的机器和技术遭到了周围农民的敌视与嘲笑，被骂为"魔鬼的发明"。左拉在小说的第二部第五章中，集中提出了小土地所有制给法国农业发展所造成的危机，他通过小说人物的议论指出，由于广大的小地产因循守旧的耕作，"博斯，法国古代的粮仓，现在已经逐渐枯竭……已不能再养活一个愚蠢的民族"，而且，个体农民把一个个铜子积蓄起来，并不投资于土地，进行技术改革，而去"购买西班牙、葡萄牙甚至墨西哥的金融证券"，如此恶性循环，法国农业眼见面临巨大的危机，再也无法抵御美国小麦的倾销。左拉在小说中通过形象的描写，对当时流行的小地产优越论进行了批判，对波拿巴王朝所代表的保守的小土地所有者的落后面与阴暗面进行了无情揭露，有助于人们认识真实的情况，这是小说《土地》所具有的不可否认的价值。

左拉在揭露保守的个体农民落后面的同时，对他们也表现出同情。他描写从封建时代的农奴演变而来的个体劳动的小私有者在资本主义关系中命运并未得到改善，他通过第一部第五章，反映了法国农民在封建社会中悲惨的历史命运与艰难的求生挣扎之后，又在第四部

第三章中，通过布托纳税的情节，表现了农民在资本主义社会中所受到的压榨，加在他们头上的地税、人头税、动产税、门窗税等等，项目之繁多，几乎不减当年封建时代，而且"每年都不断提高"，就此，左拉描写了农民对"自己头上有种种行政司法机构，有资产阶级的懒鬼们在压迫"而感到的愤怒情绪，描写了他们渴望取消赋税、兵役的强烈愿望，对第二帝国政府所散发的美化农民现状、把乡村描绘成人间乐园的波拿巴主义的宣传品，进行了辛辣的讽刺。可惜的是，左拉在他的小说里，并不把表现农民与资本主义制度的矛盾当作自己主要的任务，就像他在《萌芽》中把工人与资本主义制度的矛盾当作主要内容那样，因而，他的小说也就没有写出法国现实生活中实际存在的贫苦农民对资本主义制度的反抗与斗争，这使小说《土地》未能具有它本来可能具有的社会进步意义。

法国农民与法国农村的前景如何？左拉在《土地》中也企图有所涉及，关于这个问题，他曾经从盖德那里吸取了这样的观点：只有采用高度机械化与化学肥料作为基础的优良耕作方法，才能改变农业经济的落后与贫困，而这只有在小农生产方式消灭和土地国有化之后才有可能，将来，政权还要转移到工人阶级的手里以消灭资本主义的劳役与资产阶级的政府。盖德的上述观点在《土地》中有明显的反映，左拉在小说里安排了"大炮"这样一个人物，他是"巴黎郊区的工人"，"曾经参加过社会党所有的集会"，他从一个村庄到一个村庄宣传一项"伟大事业"，那就是"巴黎的同志们将夺取政权"，"把全部金钱与劳动工具还给全体人民，组织一个新社会"，"在乡下，将没收土地"，由国家农场"进行大规模的耕种，使用大量的资金、机械以及种种其他先进设备"，而个体小农，"你们在旁边看见国家农场的丰收，无须别人请求，你们将自动献出你们的田亩"。《土地》中这一重要的章节，说明了左拉在某种程度上接受了社会主义思潮的影响，然而，他让这些思想观点由"大炮"这个人物来宣讲，而这个人物又被他描写成"大路上的流浪汉"、"乡村里的恐怖对象"、"靠偷窃和强迫施舍过活的流氓",这又反映了他实际上没有在生活中看到实现社会主义前途的阶级力量。

与此相关的一个人物是工人出身的约翰·马卡尔。左拉把他写成《土地》中的一个正面形象,虽然他也有个人的欲望与对财产的希求,但他勤劳、正直、本分、善良,对土地既有一种超乎功利的、近似对大自然的审美感的热爱,又有一种像哲人一样意境高远的崇拜,但是,左拉又把他写成一个与社会主义思潮毫无关系,并且在博斯平原上无所作为的人,他在小说里,似乎只是一个乡村中的匆匆过客,他未能如他原来所希望的那样在这里扎下根,而是在那冷酷的环境与关系里,成为一个失败者,最后,被迫离开了这片乡土。左拉对约翰的处理,从另一个方面反映了他思想的局限性与某种悲观主义的情绪,尽管他在小说的最后,通过约翰的思想,对大地,对人类劳动的永恒性,作了颇有诗意的歌颂。

在艺术风格上,《土地》是一部具有多种因素的复合式的作品,其中对博斯平原上大自然景色的诗情画意的描写,带有左拉早期作品中浪漫主义的风格,对农村生活的现实主义的描绘,其真实性则严酷得使人震惊,而左拉的自然主义方法,在这部作品里又表现得特别突出,他经常是不厌其详地、不加任何遮盖地去写一些下流的对话、动物性的情欲、丑恶的场面与血淋淋的犯罪,使人读来颇感恶心,这无疑有损《土地》的艺术价值,也使得《土地》往往很容易成为一部有争议的作品。

5.《金钱》

《金钱》(*L'Argent*,1891)是《卢贡-马卡尔家族》中的第十九部长篇小说,它以其题材的重大与艺术描绘的成功,在左拉的全部创作中占有重要的地位。

《金钱》与家族史小说的第二部《贪欲的角逐》有着承继关系，两部作品的主人公都是同一个人物，或者说，两部作品分别表现了同一个主人公不同的生活阶段。

　　在《贪欲的角逐》里，欧仁·卢贡的弟弟阿里斯第德·卢贡，在拿破仑三世发动政变的第二天来到巴黎，口袋空空，欲火炎炎，一心要挣得百万财富，征服整个巴黎。作为一个冒险家，他是拿破仑三世帝国制度的必然产物，在这个带有暴发性与冒险性的帝国时代，他如鱼得水。尽管他曾经在老拉丁区黑暗的街道上过着贫困的日子，但在自己哥哥的帮助下逐渐发迹。他哥哥欧仁·卢贡当时已经是有声望的律师，不久就当上了大臣，利用职权把他引进了官场，不过，他为了能放胆进行冒险与投机，不妨碍欧仁，就改姓为萨加尔。他先在官场里大肆活动，尔后，又以卑劣的手段，通过婚姻捞了一大笔财产，他利用这笔财产大做房地产的投机买卖，施展了各种伎俩，包括与官吏勾结、伪造文件等，于是，他很快成了挥金如土的暴发户。然而，在投机活动中，他终于还是摔了跤、破了产，好不容易才免于吃官司。

　　《金钱》的故事开始于1864年，这时，萨加尔还没有从失意潦倒中站起来，在巴黎很受冷落。他当然不安于眼前的逆境，决心再到金融界冒险大干一番，梦想建立一项巨大惊人的事业，征服整个巴黎。正好他认识一个很有才能的工程师哈麦冷与其妹嘉乐林夫人，这一对兄妹曾在中东各国居住多年，哈麦冷设计过一系列开发计划：建立联合轮船公司经营整个地中海地区的航运业，开采巴勒斯坦境内的迦密山银矿，修筑一套贯穿中亚细亚地区的完整的铁路网。萨加尔受到这一系列开发计划的吸引与鼓舞，由此产生了一个大胆的设想：组织一家股份公司，广泛地吸引游资，以巨额资金来从事这些开发事业。他迅速地行动了起来，与议员雨赫串通，打着卢贡大臣的招牌，联合了一些有号召力的投机家，组成了一个庞大的"世界银行"，性质为股份公司，萨加尔任经理，大权独揽，成为银行的主宰。

世界银行的各项业务进行得颇为顺利,获利不少,萨加尔趁势进行疯狂的冒险和胆大包天的投机,他创办世界银行时,股份根本就没有全部得到合法的认购,存在大量假户头与虚股,而每次增资,股款也从来未缴纳,在股份上,他大肆进行买空卖空的不合法的勾当,最后,当世界银行的股票疯狂地上涨时,萨加尔已经因为大量做空头而库存空虚,现金枯竭。一直与他在进行较量、拥有10亿财产的银行大王甘德曼,却仍有十分雄厚的实力。这时,萨加尔的情妇、热衷于交易所投机活动的桑多尔夫男爵夫人,因对萨加尔不满,另投新的靠山,向甘德曼出卖了世界银行的内情,于是,甘德曼在交易所市场上对世界银行进行决定性的打击,萨加尔的几个主要合作者闻风倒戈,致使他一败涂地,世界银行遭到彻底的破产,股票跌到了每股30法郎,最后成为一股一个苏的废纸,萨加尔与哈麦冷被逮捕法办。

《金钱》作为一部世界名著的意义在于,它以生动丰富的形象表现了现代资本主义初期一系列重大的社会现象:金融市场的新问题、资本的作用、社会性的投机心理以及围绕这些所发生的人间悲剧与喜剧。

股份公司的出现,是法国19世纪后半期经济生活中的新现象。早在这个世纪的上半期,哲学家、经济学家圣西门(1760～1828)就提出了"小资金组合"的思想,随着资本主义生产的发展、铁路的修筑、城市的建设、大企业的发展,都要求资本的巨额集中,个人所掌握的独家资本已经不能满足新的社会生产的需要,在这种条件下,"小资金组合"的主张开始以股份公司的形式实现,第二帝国时期,贝莱尔、米莱斯等人就是这种资本的代表,他们集中了大量小资产者的小股资金,加速了第二帝国某些工商业的发展,《金钱》所描写的正是这种新的经济现象。在小说里,萨加尔是一个贝莱尔、米莱斯式的人物,他简直是以一种迷醉的心情来歌颂这种资本的集中:"财团,未来的前途仿佛正是在这一点上,财团是商业组合中一种强有力的形式……一种不可抗拒的有生气的繁荣事业,是的,未来是属于一种大资本的。"在他看来,"巨大的金钱洪流,这就是伟大事业的生命",他明确地指出:"没有股份公司,就没有铁路,也没有足以使世界近代化的大企业。"他组织与创办世界银行,就是为了要实现哈麦冷那一系列宏大的开发计划。在小说里,世界银行也的确进行了"完全不同于民族大迁移和十字军东征的远征",它经营整个地中海航运的联合轮船公司成功了,它使迦密山区"荒野的地带有了人烟",在那里,"带花园的石造房子也建筑起来了",有了"一个城市的雏形",此外,横贯中东的大铁路也在开始修筑……因此,在左拉的这个长篇里,就出现了不同于传统的对金钱与对资产者的描写,在这里,世界银行的资本结构、规模以及它所从事的开发性的事业,已经不同于巴尔扎克笔下的纽沁根银行,萨加尔这个资产者的气魄、魄力与他通过开发性事业追求利润的特点,也不同于巴尔扎克作品里著名的银行家纽沁根男爵,如果说,巴尔扎克是从传统的道德的立场来谴责金钱对人心的腐蚀与毒害的话,那么,左拉在《金钱》里则是从社会学的观点来表现金钱资本在社会生活中的作用为其出发点。

这仅仅只是出发点。从这里出发,左拉进一步表现了资本主义条件下金钱资本在社会生活中的一种特殊活动形式与作用,即金钱资本一旦形成,就必然转入金融投机。这不仅是由于资产者对更多的金钱的贪欲,而且也由于金融投机比开发事业更易于大量获利。这种进行金融投机活动与狂想的交易所,是左拉在《金钱》中描写的重点。在文学史上,过去不可能出现一部作品,而后来也确未曾出现一部作品像《金钱》这样对巴黎交易所中的投机活动进行了如此详尽的真实的描写。作者在小说的各有关章节,多次从不同的角度描绘出这个可怕场所的全面情景,使读者如身临其境。作者把读者引入这个文明社会的"地狱"后,又通过故事的进展让读者经历了从早晨开盘到傍晚收盘一天之中白热化的投机战的整个过程,在股票价格上涨下落的起伏中,见识到现代生活丛林法则的酷烈,他还通过人物的活动,让读者看到交易所的投机业务是如何具体进行的，赌徒们是如何窥伺方向、见风使舵，如何向经纪人下委托书，交易所如何登记注册、进行"买方转账"或"卖方转账"以及"有限交易"直至最后"结账"等等，所有这些无疑构成了近代文学史中对交易所的绝无仅有的百科全书式的描绘。正像在《小酒店》里把哥伦布酒店里的蒸馏机描绘成一种毒害的源泉一样，左拉在《金钱》里把交易所描绘成一个邪恶、灾难的象征，力图表现出它全部的荒诞性与毒害性，在这里，股票并不代表实际的价值，卖出或认购既不需要现金，也不需要实际的股票。然而，金钱的巨流却在一片买卖声中流进流出，对此，作者带有讽刺意味地指出："这种金融活动的情形，是没有几个法国人的头脑能够了解其神秘性的。在这种野蛮的叫声与举动中，产生突如其来的破产或突如其来的发财，这真是人们无法说明的一件事。"

然而，这种荒诞的经济生活对于第二帝国的上层阶级却是一种阶级的必需。在小说里，左拉描写了一系列狂热地投身于这种疯狂的买空卖空的赌博活动的上层社会体面人物，表现了第二帝国时期统治阶级中流行的投机冒险的风气，揭示了这个阶级与这种荒诞的金融活动的必然联系。投机生意的能手议员雨赫是卢贡大臣政治上的帮手，又是和卢贡大臣闹别扭的萨加尔在经济投机活动中的伙伴，他左右逢源，从中渔利，尽管交易所里的风险很大，但因为他狡猾成性、善于随机应变，所以从不受害，萨加尔遭到彻底破产时，他作为一个亲密伙伴居然未受分毫损害。德格勒蒙是第二帝国时期富豪的代表，他"过着皇太子般的生活"，他的府第"颇有皇家气派"，来巴黎旅行的外国王公贵族没有不来参观的，他的生活穷奢极侈到了极点，而所有这一切都是靠投机活动维持的，他是萨加尔主要的依靠对象，但正是他在关键时刻倒戈使得萨加尔一败涂地。博安侯爵是第二帝国的"贵族之花"，他的名望就是他的资本，许多新成立的公司要找金字招牌时，就争着抢他，他以投机业为生，但只要一赌输，他就耍无赖,拒绝偿付差额金。桑多尔夫男爵夫人是第二帝国上流社会中很有身份的妇女,奥地利公使馆顾问的夫人,竟也是一个疯狂的赌迷,经常出入交易所,为了得到她的奢侈生活所需要的金钱,她成为高等检察官德甘卜尔的外室,而为了在投机事业中找到靠山,她又当了萨加尔的情妇,当萨加尔不可靠时,她又企图以出卖自己的色相,改投甘德曼的门庭,结果受到了这个犹太银行家的愚弄与奚落。塞第尔是"对于正当的利润感到乏味"而热衷于投机事业的资产者的一个代表,他的丝生意原来是巴黎最著名、最稳固的商号,30年来赚了几百万,然而,自从尝到了"在交易所中只要一小时、一个简单的动作就可以在口袋里装进100万"的滋味后,他就成了交易所里一个狂热的赌徒。当然,对于"正当利润"感到乏味而要以速效的办法建立起自己庞大的黄金王国的,莫过于萨加尔,他先是不满足于世界银行的实业和开发,而热衷于把世界银行驶往交易所投机的道路,他毫不掩饰地承认:"赌博就是我梦想的这部大机器的灵魂、锅炉和火焰。"他的如意算盘是要使世界银行的股票"在交易市场上成为名贵的证券,可以任意提高它的价钱",以便把巴黎整个金融市场都降伏在自己的脚下。为了使世界银行的股票价格不断地上升,并始终维持在一个令人惊奇的高度上,他疯狂地进行了规模巨大的投机活动。

在这些上层社会的大人物、第二帝国的社会中坚的周围,左拉还安排了一大批依附于上层社会的卑劣的小赌棍。萨巴达尼在欧洲各国的交易所鬼混,每在一处混不下去时,就换一个地方,专替别人充当假账户,在非法的投机活动中扮演更为不光彩的角色,还以迷惑妇女为业,实际上是一个男妓,他是萨加尔得心应手的工具,随着萨加尔的成功而曾飞黄腾达。让图鲁原来是一个教员,历史很不干净,早就投身于交易所,当了10年下贱的"跑街",他的收入全都用于他某种肮脏的癖好,他充当了萨加尔的走卒,为他舞文弄墨,亦曾风光了一阵。沙夫上尉是一个退休人员,每天都到交易所去进行"现买现卖"

的价值少得可怜的赌博，总能赚得一二十个法郎，他以所赚的这点钱专买糖果糕点去引诱本区的少女。左拉给这些形形色色的投机家与赌棍的活动赋予十分具体而明确的时代真实感，表现出这些活动正是在拿破仑三世在欧洲和拉丁美洲的政治赌博与冒险的背景上进行的，他把1867年在巴黎举行的世界博览会描写为整个法国"赌的狂热"与奢侈所达到的"神仙般荣华的顶点"，而这个著名的博览会正是拿破仑三世帝国政府用来炫耀帝国的"伟大"与"繁荣"的；他还把萨加尔等一伙在交易所第一次大投机的胜利描写为1866年法国插手普奥战争的直接后果，巴黎彩旗飘扬、庆祝拿破仑三世"已成为欧洲主宰"之日，正是萨加尔投机获胜、在香榭丽舍大道上踌躇满志之时，虽然左拉并没有更具体地表现拿破仑三世的政府就是金融贵族集团的工具，但却形象地表现出第二帝国就是投机家、冒险家的乐园，又从一个新的方面有力地揭示了第二帝国的本质。至于对萨加尔赤身露体把前来捉奸的高等检察官轰走和对萨加尔占有了皇帝花费10万法郎才与她睡了一夜的热梦夫人的描述，则更是大胆而尖锐地揭露了帝国的丑恶与金融投机家的不可一世。

如果左拉限于以上的描写，他的《金钱》只会是对第二帝国金融贵族集团的一种讽刺，但他并不满足于此，而是进一步在小说里描写了投机赌博这种上层金融贵族的癖好如何传染到整个社会，使赌的狂热席卷整个巴黎，造成病态的社会现象，从而使《金钱》具有了更深刻的意义。左拉在小说里指出："金钱的疯狂流通，一切阔绰的巨大费用，都卷入了发狂病似的投机事业。每个人都想在投机中享有自己的一份，每个人都想把自己的财产拿到赌台上去冒一下险，想使财产一本万利，想和许多人一样，一夜之间发起横财而获得物质上的享用。"他为了形象地表现这一悲剧性的社会主题，刻画了一系列其他阶级与阶层里受到这种毒害的人物。贵族遗孀波魏里野伯爵夫人，为了在公开场合勉强支撑已经破落的贵族之家的体面，和自己的女儿暗地里过着清贫寒酸的日子，死守着一点田产，艰难地为女儿保存下一份嫁妆，她受到投机发财的引诱，把田产与女儿的嫁妆全部变为股票，最后，她的全部财产在投机失败中一下子化为乌有。生活富裕的中产者莫让特夫妇，本可以舒舒适适安度晚年，但由于"生活在充满了赌博的坏空气中"，沾上了赌交易所的恶习，宁可用大量的钱财去进行赌博，也不给自己贫困的女儿与女婿哪怕是小量的救济，到头来在投机中破产，生活无着。德若瓦是一个贫穷的工人，他含辛茹苦把女儿娜达丽抚养成人，但要把女儿嫁出去，必须有6000法郎的嫁妆费，他梦想靠投机把自己储蓄的4000法郎变成6000法郎，投机家是他眼里的神明，他总想从他们的神色和言谈中窥测到发横财的秘密，结果成了投机家的炮灰，破了产又丢了女儿。显然是为了表现交易所投机这种病态社会现象的危害，起到警世的效果，左拉无情地给这些投机家的追随者安排了极为悲惨的结局，渲染了他们最后破产落魄时的痛苦，他以形象的描绘构成这样可怕的图景：交易所就像战场，金融贵族率领各自的队伍，进行白热化的投机战，每当结算的时候，战场上总是尸横遍地，惨不忍睹，还伴有幸存者自杀的手枪声与寡妇孩子的痛哭声……不仅如此，左拉还用毕式与梅山这两个形象加深那阴森森的凄厉色彩，他们专门用极低贱的价格收罗贬值的股票和各种借据期票，然后追捕着倒了霉的对象，进行敲诈勒索，直到把对象最后一滴血吸干，他们就像战场上的兀鹰与乌鸦，专以伤残者与尸体为食。

  《金钱》中的形象描绘，无疑表现了复杂的主题思想。应该看到，左拉对金钱并非完全没有发出传统的谴责，他通过嘉乐林夫人的感慨，指出过金钱"叫人堕落"，"使人的灵魂毫无情感"，是"最大的罪人"，"一切人类残酷和肮脏的行为，都是金钱导演出来的"，但与此同时，他又通过哈麦冷的规划与世界银行的开发事业，肯定了金钱资本的作用。在这个问题上，左拉同样又通过嘉乐林夫人陈述了他自己的思想："本来是一个毒害者，毁灭者的金钱，现在变成了社会发展的肥料，伟大工程的基础"，"在这堆肥料中，才可以生长出明天的人类社会"，并且，他还把金钱所造成的罪恶与肮脏，视为一种正常的合理的现象，他以这位女主人公的口吻这样结束了全书："对于金钱所造成的肮脏与罪过的惩戒，为什么要叫金钱来承担呢？那制造生命的爱情，不是也一样不纯洁吗？"这样，左拉对于金钱的认识就陷于矛盾，这种认识上的矛盾必然导致小说形象描绘的模棱两可。显然，《金钱》绝不是金钱的批判者，左拉在小说里要批判的并不是金钱，而是投机活动，他以几乎整部作品的形象力量来进行这种批判，这构成了《金钱》在思想上的积极意义，但是，左拉在作品里也曾让萨加尔歌颂投机活动是"生命的一种引诱力"，"叫人生活的一种永恒的欲望"，甚至又让嘉乐林夫人把投机活动也归之于"在血和泥的打滚中得来"的"人类的每一步前进"，这也流露了左拉又一方面的模糊认识。左拉生活与创作在第二帝国时期，他眼见当时金融大资本与投机活动的发展以及资本主义经济的繁荣，在发展着的资本主义生产与社会问题面前，他难免不产生晕眩与迷惘，因此，《金钱》所表露的作者的思想显然打上了第二帝国时期社会现实的烙印。当然，尽管《金钱》在主题思想上存在着缺陷与不足，但它客观上出色地反映与表现了大金融资本的出现和它的意志、本质、活动规律以及社会后果，则是肯定无疑的。

在人物塑造上，主人公萨加尔无疑是一个成功的典型。他是19世纪文学中一个前所未有的新的资产者的形象，代表了19世纪下半期发展起来的大金融资本，他的经济思想与拜物教与过去的大不一样，具备崭新的形态，他鄙视那种积攒金币、保存不动产的陈旧的财富方式，而信奉货币周转，他追求的是像巨流一样的金钱资本不断的流通，在流通中创建开山辟海的巨型事业，对国外进行十字军东征式的征服，为自己树立拿破仑式的权势，并获得王公般奢侈的物质享受。从资产者的贪欲来说，他显然比法国文学中任何一个资产者都来得大，与此相应，他也具有更大的魄力与气派，在活动能力上，"他的手段是那么巧妙，那么厉害"，他导演董事会的那种精细足以与葛朗台做葡萄生意的狡黠媲美，而他善于利用现代经济学的知识与复杂的银行业务的能力，却又是葛朗台式的资产者，甚至是纽沁根式的资产者所不可能具备的。从各方面的意义来说，他的性格都不是单一的，而是复合的，充满矛盾的。作为资本主义社会中的竞争者，他在大鱼吃小鱼的巴黎金融市场上，像一条大鲨鱼一样凶狠有力，他要抓住那些小投机家，"剪掉他们的毛"的心理活动是无情而厉害的，但另一方面，他又热衷于慈善事业，在习艺所里被收养的儿童的眼里，他是一个慈祥的长者，他常从自己的口袋里掏出5法郎一张的钞票，送给被他拯救了的那些孩子们的家庭，他甚至有过一股热情，从心里产生过一首浪漫的"宏伟的牧歌"，"要以无止境的施舍来散发金钱，以此来把法国淹没在幸福之中"。作为投机家，他是心肠冷酷的海盗式的人物，他的哲学就是"如果不把过路人的脚压碎，我们是不可能震动世界的"，他为了征集追随者，不惜用鬼话去欺骗像德若瓦、波魏里野夫人这类可怜的小资产者，驱使他们走向毁灭的结局，充当自己投机战的炮灰，但另一方面，他又深深为这些可怜的追随者对自己的信赖而感动，还在他们的厄运之前大动同情恻隐之心。作为一个剥削者，他"曾经侵占过人家许多财产"，他奉行这样的信条："天才的主意，就是在别人没有钱的口袋里挤出钱来。"但同时，他又有使那些不富裕的人跟随自己发财的愿望。和那些躺在证券股票上的怠惰的寄生虫不同，他显然是一个勤奋的实干家，他并不是从一开始就只在交易所里进行赌博的，而是全身心地致力于世界银行的实业，过着简朴而紧张的生活：佣人还没有生起火炉之前，他就来到办公室，他的工作范围很广泛，甚至写报告这样具体的工作也自己动手，在紧张的工作中，他只要有一分钟空闲，就到各科去作一次迅速的视察，他既不上俱乐部和戏院，也不过花天酒地的生活。作为一个随着第二帝国发迹的资产者，萨加尔有流氓的一面，他的儿子马克辛姆尖锐地指出，"他根本没有道德这两个字的观念"，他的一生都掺和着肮脏的污泥，他强奸过一个未成年的少女，并像流氓一样抛弃了她，败坏了她的一生；他为了金钱与一个他所诱奸的女孩子结了婚，同样又是为了金钱而容忍自己富有的妻子和他自己的儿子恋爱；他在桑多尔夫男爵夫人的卧室里被捉住时，不但没有低头，反而气焰嚣张，露出野兽的本性、无赖的面孔。然而，这样一个流氓却同时又具有一些吸引人的特点：他有创建某种事业的巨大的热情、活跃的想象力、实干的精神和高度的效率，而且，还有"鼓舞人的力量"，当他面对困难时，他又表现出勇敢的性格与坚强的毅力，在交易所投机战的紧急时刻，眼见自己有覆灭的危险，却能沉着镇定，神色自若，使旁观者不由得发出这样的赞美："这个家伙，多么美！"他破产入狱，在狱中仍不断制订巨大的计划，要在东方建立大规模的铁路网，出狱以后，他又到荷兰去从事一项新的巨大事业：把许多池沼吸干，利用复杂的运河系统，把一片海变为一个小小的王国。对于这个人物，左拉在作品里曾经这样指出："他的灵魂要分析起来真是复杂而混乱"，要写出一个灵魂复杂的现代金融贵族，这也正是左拉在《金钱》中所追求的一个目的，他的形象描绘成功地达到了目的，使法国文学中出现了一个既具有鲜明的19世纪下半期的时代特征与深刻的社会内容、又具有其个性特征的有血有肉的金融资产者的典型，这是左拉在《金钱》中所取得的重要艺术成就。

　　从各种意义上都与萨加尔相对的人物是甘德曼，他是巴黎的银行大王，交易所与上流社会的主宰，他不像萨加尔那样是集资的股份公司的首脑，而是巨额的个人资本的拥有者，他私人的代表与所设的机构遍布世界各国与国内各省，但他并不用巨额的资金去从事巨大的开发事业，他只是一个单纯的金钱商人，他不冒险，甚至从不赌交易所，仅仅是为了树立他在金融界的绝对权威，他才不得不控制交易所，任意操纵证券的涨落。他也不像萨加尔那样，是一个具有强烈的七情六欲的人，他已经衰老到杜绝一切世俗享受的程度，甚至什么食物都不吃，而靠喝牛奶为生。他与萨加尔的股票战是惊心动魄的，即使萨加尔有冒险的敢拼的精神，最后也在他雄厚的经济实力面前碰得头破血流。作为一个艺术形象，甘德曼这个人物在小说里与其说是有血有肉的，不如说是某一种财富方式的象征，某一种经济势力的拟人化，实际上，左拉正是把他作为法国当时经济生活中老式金融家罗特希尔德一类人的代表加以描写的，作品中萨加尔与甘德曼的对立和斗争，也正是当时现实生活中两种资本的斗争的真实写照。在描写中，左拉显然倾向于那种与开发性实业相联系的萨加尔式的资本，而不赞赏甘德曼那种保守停滞的金融资本，他把萨加尔对甘德曼的失败描写成具有几分悲剧色彩的事件，也流露出对萨加尔式的资本的某种同情。

　　小说中的另一个人物嘉乐林夫人，是作者心目中的一个正面形象，她性格温柔善良，富有同情心，在逆境中她始终保持顽强的毅力和乐观的精神，在顺境中，她又能保持清醒的头脑和正常的理智，是萨加尔冒险狂热的反对者，左拉把她作为自己某些观点的表述者，在她身上贯注了他自己在人与人关系上的人道主义理想和在经济问题上反对交易所投机的思想，也正因为如此，这个人物不免多少流于概念化。

　　《金钱》中最概念化的人物是西基斯蒙。左拉把他写成马克思的学生，对《资本论》深有研究的社会主义理论家。他害着肺病，寄居在他的哥哥吸血鬼毕式的家里，整天关在房里，埋头写大量的笔记和进行复杂的计算以规划将来社会主义、共产主义社会的蓝图与方案，或者向他所能碰见的人狂热地宣讲他的社会主义的理想。左拉力图把马克思主义者、社会主义理论写进自己反映现代社会经济生活的作品，说明他对马克思主义在现代历史进程中的重要地位有相当的认识，然而，就他的经历与知识、世界观的性质与对科学社会主义的认识来说，他并不具备正确地描写马克思主义者的主观条件，他只可能根据他对当时社会主义者的不准确也不正确的概念，去构思西基斯蒙的形象，把一些空想社会主义的概念与主张作为马克思主义的理论放在这个人物的嘴里，他愈是描写得细致具体，就愈是使他笔下的马克思主义者成为"一种云雾迷漫的幻想的产物"[①]。

在艺术上，《金钱》是一部把枯燥的经济题材处理得令人感到趣味盎然的杰作。在这里，左拉总是紧密地把人物的活动与经济事务结合在一起进行描绘，经济事务在人物的活动中展开，而不同阶层的人物的活动，也就呈现出现代社会复杂的经济生活的面貌，人物性格则在经济事务中不断展现、深化，具有了现代经济生活的内容，从而成为文学史中不多见的金融界人物的艺术形象。

第六节　左拉后期的文学创作

1893年，左拉写完《卢贡-马卡尔家族》的第二十部，也是最后一部长篇《帕斯卡医生》，几乎立即就开始了另一个系列的作品《三名城》的写作。《三名城》的三部作品《卢尔德》《罗马》与《巴黎》，于1894年至1898年陆续写成；从1899年开始，他再接再厉，又从事第三个系列的作品《四福音》的创作。《四福音》的四部小说《繁殖》《劳动》《真理》与《正义》，完成了三部，最后一部《正义》(*La Justice*)还没有写完作者就不幸逝世。以上是左拉后期的全部创作活动。

较之中期的《卢贡-马卡尔家族》，左拉后期的文学作品有了很大的变化。在家族史小说中，他要求自己成为第二帝国时期的历史学家，而在后期小说中，则企图成为社会福音的使徒。在这里，他主要

[①] 拉法格：《左拉的〈金钱〉》，《拉法格文学论文选》，第184页，人民文学出版社，1962年。

致力于宣扬某种社会理想或表现某种抽象空泛的理念。这种成分其实在家族史小说的《萌芽》《土地》《金钱》《崩溃》等作品的结尾里已经具有了，只不过，他在后期的小说里把这种原有的"基因"大大加以扩充，并提升到作品的主导地位。由此，后期的作品也就带有一定的主观说教的性质。另一方面，在对局部的现实生活的具体描绘上，左拉又保持了原来自然主义那种力求繁详、完备的写实风格，使这些描绘达到了栩栩如生的效果。总之，高远的理想、空灵的意念、抽象的说教与具体而滞重的写实描绘的结合，构成了左拉后期文学创作的特点。

《三名城》（Les Trois Villes）三部曲的第一部《卢尔德》（Lourdes）发表于1894年。

卢尔德是上比利牛斯山区的一个小城，1850年，城郊一个12岁的牧羊女贝尔娜岱特·苏比阿斯因备受贫病的折磨，时常在泉边祈祷，由梦想而产生幻觉，自称看见了圣母玛利亚多次向她显灵，消息传开，此泉成为善男信女前来参拜的圣地，教会见有利可图，派人霸占了此地，在泉边修建浴池，继续制造迷信传奇，招摇撞骗，把卢尔德变成了一个朝圣的城市。左拉以此作为小说的故事背景，通过青年神甫皮埃尔·佛洛芒精神上的苦闷与向往，提出了追求一种新信仰的问题。

皮埃尔·佛洛芒的父亲是一个著名的化学家，早已死于一次实验事故，他的哥哥纪尧姆继承了父业，思想激进。皮埃尔与具有虔诚的宗教感情的母亲生活在一起，母亲认为自己丈夫的死是由于不相信宗教而遭到了上帝的惩罚，皮埃尔尊重母亲的意愿，选择了神甫的职业，他献身宗教还另有一个原因：从少年时期起，他就爱上一个女孩玛丽，后来玛丽因受伤而瘫痪在床，不可能结婚成家，皮埃尔当神甫也是为了忠实于她。实际上，皮埃尔生活在信仰危机之中，他继承了父亲的精神，喜爱科学，崇尚理智的分析，不相信宗教的传说与显灵,但他却陪伴玛丽前往卢尔德朝圣,以期出现奇迹,玛丽得以恢复健康,他准备一旦出现这种奇迹,就坚定对宗教的信仰。来到卢尔德后,玛丽在成千上万善男信女祈祷朝拜的狂热中,竟然恢复了健康。然而,皮埃尔并没有因此对神灵建立起信仰。他看得很清楚,玛丽的瘫痪病症的消失,完全是在狂热的环境中精神上的极度兴奋使得神经又恢复了生理功能,而他一直恪守神职人员之道,仅仅是出于一种职责感,他感到忧伤的是,玛丽恢复了青春,他却不仅不能得到她,反而将会失去她,玛丽看出了他的心情,向他保证自己永远也不嫁他人。

《卢尔德》是"三名城"三部曲中写得最好的一部,其中对主人公爱情心理与思想矛盾的刻画相当深入细致,对浩大群众场面的描写甚为出色。更为重要的是,作品通过对千万不幸的人来到卢尔德祈求神灵消灾降福的描写,展示出一个苦难的人世,并且在此基础上表现出这样一个有积极意义的主题:旧的宗教信仰和神灵迷信丝毫不能缓解人世的痛苦,只是对千万不幸者的麻醉与欺骗,很多病人在卢尔德圣泉的浴池中浸过而加速了死亡,贫穷的女工向圣母哭诉"为什么欺骗我",在宗教迷信的愚弄下,世间的痛苦反而有增无减。在作品里,左拉以人道主义的精神清楚地指出了苦难的社会急需解救,它需要新的信仰与新的道路,然而,新的信仰与新的道路究竟是什么,他却没有指出。

三部曲的第二部作品《罗马》(*Rome*)发表于1896年。

小说的主人公皮埃尔从卢尔德回到巴黎后,投身于救济穷人的慈善活动,更进一步深入接触了悲惨的社会下层,他想要推动教会与受苦的民众结合,缓解社会下层的苦难,给社会带来幸福与安宁,为此,他开始宣传他的新宗教,在自己的论著《新罗马》一书中阐述了自己的主张,但该书很快就被教会查禁。他来到罗马亲自向教皇雷翁十三世陈情,因为据说,这位教皇以其思想开明著称。在罗马,他迟迟未能达到使自己论著得到解禁的目的,却被教廷加以监视,在整整

3个月里,他亲眼看到了信徒朝见教皇时盲目崇拜的狂热、教会搜刮民财的无耻手段、教会上层争权夺利的阴险与残酷以及罗马圣城庄严辉煌外表下,劳动人民生活的悲惨与不幸,而教皇在接见中,不仅对他陈言人民的苦难无动于衷,反而训斥他离经叛道,责令他忏悔并亲手把自己的论著烧毁,皮埃尔对教皇与教廷不再存在任何幻想了,他抱着教会的统治必将垮台的信念,从罗马回到了巴黎。

三部曲的第三部作品《巴黎》(*Paris*)发表于1897年。

小说主人公皮埃尔回到巴黎后,继续为民行善,他又接触到劳动人民饥寒交迫的生活,与此同时,也见证了上流社会的奢侈与腐朽,他完全失去了对上帝的信仰。在一次失业工人对权贵之家进行爆破的事件中,他偶然遇到了自己思想激进的哥哥纪尧姆,虽然纪尧姆长皮埃尔20岁,但由于相同的对社会现实不满的思想倾向,兄弟感情愈加亲密。皮埃尔到纪尧姆家一道生活,与受纪尧姆保护的少女玛莉产生了感情,并抛弃了教士的黑袍。纪尧姆出于一种高尚的精神,把自己所爱的、并准备娶之为妻的玛莉嫁给了年轻的弟弟,而皮埃尔又在纪尧姆进行冒险的反抗斗争时拼死救了他的性命。皮埃尔与玛莉结婚后,有了一个孩子,新的一代又在巴黎成长起来,皮埃尔把自己的希望与理想寄托在自己后代的身上。

三部曲的后两部写得不如前一部好,人物缺乏心理深度与立体感,颇流于概念化,作品的构思也有出于抽象理念之痕,而主题思想在某种意义上也只是前一部的重复,没有继续深化与开拓,仍然限于指出社会现实的不合理与旧的宗教信仰的价值的丧失,主人公的追求几乎没有多少进展,最后只能寄渺茫的希望于将来。

这种情况到左拉的下一个系列作品《四福音》中有了变化。《四福音》(*Les Quatre Évangiles*)是左拉1898年后为德雷福斯案件进行斗争的晚年时期的作品,这一时期,左拉更多地是一个社会的斗士,他不仅专注地关心社会正义的伸张,而且以大无畏的精神投身于其中,这无疑使他更力图用自己的创作来提出解救社会现实的方案。在《四福音》里,左拉主观上认为找到了悲惨世界的出路与途径,顾名思义,"四福音":繁殖、劳动、真理、正义,就是他所提出的解救现代社会的四个方案,是他所要向现代社会指点的出路。应该承认,左拉对四大福音的确充满了一种可贵的激情与向往,他在创作《四福音》期间,当他流亡在伦敦的时候,又一次研读傅立叶的学说,并深受其影响,这使他的作品又带上那种天真的空想社会主义理想的色彩。然而,也正因为左拉所接受的不是科学社会主义的影响,而是空想社会主义的影响,所以他在把他的社会福音的思想具体化、明确化的时候,实际上并没有接近真正能够改变资本主义社会现实的科学途径,而是陷入了历史唯心主义与乌托邦。

《四福音》的第一部作品《繁殖》(*Fécondité*, 1899)写于左拉1898年流亡伦敦期间,发表于1899年,以歌颂家庭与人类繁殖为内容;第二部《劳动》(*Travail*, 1901),表现了空想社会主义的理想,发表于1901年;第三部《真理》(*Vérité*, 1903),以德雷福斯案件为蓝本,歌颂真理的胜利,发表于作者逝世后的1903年。在这已完成的三部作品中,《劳动》是较为重要的一部,它不论在思想上还是在艺术上,都是左拉后期作品的代表。

《劳动》提出了现代社会中存在着的最重大的社会课题,即资本主义制度的根本矛盾与解决这个矛盾的途径问题,它提出问题与解决问题的方式,都具有时代社会的代表性,它的重要意义不限于左拉创作的范围,不论在法国文学史还是在世界文学史上,它都要算一部批判意识较明确,形态最完备,描写最充分的空想社会主义的小说。

小说以19世纪下半期一个重工业地区亚比末钢铁基地为背景,既进行了对资本主义社会现实的真切描绘,又展示了对理想社会的空想以及小说主人公那种非凡的现代传奇。青年工程师侣克应朋友之邀，来到波克莱城附近的亚比末做客，刚一到来，眼见这个地区工人非人的生活与尖锐的社会矛盾，他就立下了改造社会的决心。他怀着空想社会主义的热情，在拥有大资产的挚友曹尔丹兄妹提供了物质设施与资金的条件下，建立起类似傅立叶的"法朗吉"的理想的社会组织——一个新型的工厂。这个被包围在资本主义关系海洋中的"圣地"，自然会遇到种种困难与敌意的破坏，然而，全靠这块"圣地"上人们的团结友爱与齐心合力，新型的社会组织存在下来了，并不断发展壮大，由一个工厂扩大为一个巨大的城市，实现了平等、博爱的理想，消灭了贫困与不公，侣克在完成了自己毕生的业绩后，满意地离开了人世。

在小说里，左拉的描写一开始就集中在无产阶级悲惨生活的画面上，第一卷的整整前两章，可以说是整个作品的"地狱篇"，在这里，主人公侣克在亚比末这个资本主义工业化的"地狱"里漫步，他每到一处，就见到一种骇人听闻的贫困与悲惨，这实际上是左拉在一一展示资本主义工业区这人间地狱中种种可怕的情景，在这些篇章里，左拉那种力求真实入微的自然主义描写，发挥了详尽实录的效能，以一个个生动、真实、完整、细致的生活场景，给后世留下了一份关于19世纪下半叶无产阶级的劳动与生活的确实可靠的历史文献。

在《劳动》里，左拉并不停留在形象描绘本身，他的描绘带有明确的思想性与目的性，如果说，过去他在有些作品里往往限于将生活现象尽可能齐全地罗列在一起而不试图通过形象描绘来表述自己的思想意图的话，那么，他这种旁观的自然主义的方法到了《劳动》里就明显有了某种变化，在这里，他往往是要通过一定的描绘来表述一定的思想，或者也可以说，他总是怀着一定的思想目的来进行描绘的。他的"地狱篇"中的全部描写，基本上就是为了集中揭示雇佣劳动制的矛盾与不合理。雇佣劳动制，这是社会主义思想体系中一个常用来揭示资本主义生产的术语，难能可贵的是，左拉在他作品的多处都明确地使用了这个概念，更难能可贵的是，他总是力图以形象的力量来揭示雇佣劳动制的罪恶。他写侣克回忆在巴黎工人区所见到的贫困与苦难，是为了指出雇佣劳动制是"腐蚀当代社会的丑恶"，他描写工人家庭的主妇用可怜的工资去购买食物又遭中间剥削的情景，那是为了表现工人群众"在愈是陈旧、牙齿反而愈加锋利"，嘎吱作响的社会机器的齿轮下，无时不被剥削、被吞食、被碾碎，他描写工人下工以后就酗酒的恶习，那是为了指出"在雇佣劳动制中毫无愉快、毫无乐趣，人们只能到小酒店来消遣"的社会原因，他描述工人妇女的沦落，那是为了说明这样的现实："劳动失去了光荣，大多数人只为少数人的自私享受而劳作，劳动已被厌恶与诅咒，可怕的贫困由此而来，而盗窃与卖淫就是其卑劣的结果。"不仅大段的描写具有明确的目的性，即使是对一个个生活细节、一个个微不足道的人物，左拉也绝不放过，似乎他安排每一个人物粉墨登场，他描绘每一个场景，都是为了要表现某一个思想。这使得《劳动》对资本主义雇佣劳动制的揭露与批判达到了十分明确与尖锐的程度，因而成为一部批判性很强的书，甚至可说，它在某种意义上带有政论的色彩，显示了左拉的思想高度与进步性，然而也正因为它表现作家的思想过于直露，过于繁详，其中的形象描写不是像实际生活那样自然而然展开，而是根据表现思想观念的需要而设置，所以整个作品又不免带有明显的说教性质。

左拉在《劳动》里，主要的目的并不是揭露资本主义现实，甚至也不是表述他对资本主义现实的批判性的认识，对他来说，对现实社会的描写与批判只不过是个起点，他从这里出发，致力于表现他的乌托邦以及他所认定的实现这一理想社会的理想道路与途径，这一内容在小说里居于主要地位，占整部作品的大部分篇幅。

左拉的乌托邦理想完全是傅立叶式的。在文学史上，他无疑是第一个对傅立叶式的空想社会主义理想进行了详尽描写的作家，《劳动》中侣克所建立的新型工厂与新的城市,基本上是傅立叶主义的"法朗吉"的艺术图解。在侣克创办的新型工厂里,没有劳资矛盾,没有剥削,生产蒸蒸日上,收入日益增多,不再有专制统治,一切都由管理委员会进行治理,其创始者侣克不过是管理委员会的一个成员而已。在侣克后来所扩建的新型城市中,更是一幅人间天堂的美景,到处都是欢乐生活,科学技术高度发展、电气的运用非常广泛,劳动成为一项真正的光荣、自由而愉快的事业,每人每天只需工作4小时,还可以自由地选择工种,各尽所能,而城市则从各方面保证了每个人的物质需要。社会物质生活资料已极大丰富,几乎到了取之不尽的地步。左拉笔下的这种幸福理想的社会,与充满剥削、劳役、痛苦、不幸的资本主义社会形成了截然相反的对照,它虽然是十足的空想,但却具有鲜明的社会主义的性质,还包含有某种共产主义的因素,在一些方面,显然超越了傅立叶主义理想的水平,而且,左拉是怀着一种巨大的激情来进行这种描写的,他的描写不厌其详,力图表现这一理想社会蓝图中的每一个细节,他往往沉醉在这种高远的、空想的描写中,表现出一种进步的向往与天真的憧憬。

左拉在《劳动》中的描写之所以是十足的空想,并不是因为他理想的社会与人类社会发展规律是背道而驰的。应该说,他的理想完全符合人类历史发展的方向。问题在于,左拉所描写的实现理想社会的途径完全是脱离社会历史条件与客观现实生活的。在小说里,他根据傅立叶主义那种靠"资本、劳动和智慧的合作"来建立"法朗吉"的方案,虚构了侣克、曹尔丹与摩尔芬3种力量结合建立新型工厂的情节。侣克代表思想、主义、智慧,曹尔丹代表资本与物质基础,而摩尔芬则代表劳动,在这个格局里,摩尔芬是一个忠于职守、服从调派、把个人的生活压到最低限度、完全为劳动而献身的合作者、一个从属的角色,侣克才是灵魂与组织者,是事业的主角,曹尔丹则是关键。这完全符合傅立叶主义的配方。傅立叶在19世纪上半期的现实生活中，一直期待着善心的资本家向他提供资金，赞助他建立起理想的"法朗吉"，他期待了一辈子，最后以失望而告终，左拉却行使了艺术家虚构的权利，把傅立叶在现实生活中根本无法实现的东西在艺术中加以实现。他让侣克一再碰到仁慈慷慨的富翁，先是亚比末钢铁厂巨大财富的拥有者舒莎妮，而后又有拥有百万家财的曹尔丹兄妹，他们无不乐善好施。于是，侣克就具有了物质基础，得以在人类历史上创建起第一个傅立叶主义的"法朗吉"，一个并不存在于人类现实生活中、只存在于人类的小说里的"法朗吉"，而左拉也就相当轻而易举地解决了人类社会改革的这一巨大的课题，只不过是在观念中，在想象中解决了而已。显然，不论是侣克这个致力于缔造新的理想社会的资产阶级知识分子、还是赞助这种事业的富翁舒莎妮与曹尔丹兄妹，都是作家脱离了生活的真实而虚构出来的人物，他们作为带有救世主性质的形象，作为博爱象征的形象，根本不具有现实的根源，是左拉的一种善良愿望的产物，也是左拉的抽象人道主义、阶级调和思想的产物。在小说里，实际上对建立新型工厂、新的城市起决定性作用的，最终是曹尔丹捐出的50万法郎，侣克讲得很明白："没有钱，我什么都不能着手，为了创立我所梦想的工厂，以便我在那里改组劳动，使它成为未来城市的基础，我还需要50万法郎。"这样一来，侣克与曹尔丹就又都把救世主的位置给了金牛，这种空想，对于在小说中力图批判雇佣劳动制、力图揭露金钱的罪恶作用的左拉来说，多少具有讽刺的意味。

在《劳动》中，左拉的历史唯心主义幻想不仅表现在寄托希望于资产者与金钱，而且还表现在把抽象的爱当作推动社会前进的决定性的力量，他通过侣克的传奇大大宣扬了这种作为社会发展力的爱。侣克建立起"法朗吉"式的新型工厂后，遇到很大的困难，除了资产阶级的破坏外，还有来自社会各阶层的阻力：有旧习惯势力的反对，有工人群众家属的抵触与抱怨，还有流氓无产者的捣乱与敌视。这些因素汇集在一起，几乎使侣克的事业完全流产。对于这些困难，左拉笔下的主人公既不可能从社会阶级的原因去认识，更不可能从改造社会的高度去加以解决，他把这一切困难的根本原因归之于人们"没有爱的感情"，"不懂得爱"，因此，他致力于博爱的事业，努力宣传博爱，促使人们懂得博爱。他这样做后竟然使新型工厂得以转危为安，而且不断兴旺扩大。在小说中，侣克如何从事博爱的事业，显然是描写得最不具体、最抽象、最薄弱的一部分。然而，在这笼统而模糊的描写之后，左拉却让侣克的博爱精神创造出人间的奇迹：新型工厂度过危机；附近其他工厂眼见新型工厂的兴旺，也纷纷要求参加；那些小商人也自愿放弃过去的生活方式，投入新兴的事业；农民们也实现了联合，与新型工厂建立了崭新的合作关系；甚至过去曾经反对、破坏过侣克的事业的资产阶级报纸、资产阶级反对派、形形色色的资产者、当权者，也都毫无反抗，接受了这种博爱精神与平等事业的征服，几乎全都顺应潮流而汇入新型工厂与新城市，并且在这里都找到了自己的位置，获得了自己的生活出路。于是，左拉笔下的博爱精神就具有了一种神奇的魔力，它无坚不摧，成为解决资本主义社会中尖锐的阶级矛盾、消除一切困难和建设新社会的万灵的手段。这种描写显然与阶级社会的现实相距极远，而且，在《劳动》里，唯一对新兴事业极端仇视、冥顽不化的死敌，倒是代表着好逸恶劳、自私自利，怀着卑劣仇恨的流氓无产者赖贵，左拉以此来突出仇恨与博爱的对立，把仇恨视为新兴事业的最大的破坏力量，这种哲理的概括更是明显地暴露出左拉思想中历史唯心主义的成分。

虽然《劳动》中对新社会事业图景的描写体现了作者进步的理想与美好的憧憬，构成了19世纪空想社会主义文学中一份宝贵的思想材料，但这种描写毕竟是不真实的，苍白的，如果左拉在整个作品的篇幅里，都陷于空想与抽象的爱的呓语，那么，他的小说肯定会使人无法卒读，不过，左拉还相当善于安排，他努力在空想社会主义"法朗吉"的框架中，搬演现实生活的事件。如果说，左拉在描写正面理想、提出社会改革方案时是苍白无力的话，那么，一旦他回到真实的描写，对现实生活进行批判与揭露时，他就又恢复了生气与活力，为自己的时代社会留下了有认识价值的画面：

如淑茜的遭遇。淑茜是一个不幸的无产阶级妇女的形象，背负着沉重的社会苦难与习惯的重担，被压在社会的最底层，在"法朗吉"建立以前，她是资本主义雇佣劳动制的受害者，作为女工，她不仅要忍受可怕的劳役，还常遭到失业与饥饿的威胁，因此，在与男性的关系中，她又处于被损害、被欺凌、被任意处置的可悲地位，在侣克的"法朗吉"建立以后，她从劳役、失业、贫困、饥寒中解放出来，但却没有从旧社会因袭的男性专制的家庭桎梏中解放出来，她仍然不得不忍受她的男人流氓无产者赖贵的淫威，因此，她与侣克的私情获得了周围人们的谅解，她前期悲惨的遭遇以及她成为侣克的情妇以后尴尬的处境，都是左拉怀着巨大的同情写出来的，而且写得真实动人，虽然她与侣克的关系被左拉赋予了合理的性质，但客观上却反映了资本主义社会中无数无产阶级妇女被资产阶级男子占有的这种现实，可以说，她的全部遭遇都具有无产阶级妇女在阶级社会中不幸命运的某种典型性，至于她后期的幸福生活，那就是左拉凭空赐给她的了。

再如，资产者的疯狂。在小说里，有两个资产者的形象无疑比较鲜明突出，即亚比末钢铁厂的实际统治者戴勒富与他的妻子樊南妲。左拉把戴勒富表现成惰怠、寄生、腐朽的资产阶级中少有的一个精明强干、意志坚强、手段凌厉的人物，他专心致力于财富的积累，而丝毫没有注意他的妻子长期以来就是自己东家的情妇，他作为资产阶级的一员，对于整个资产阶级的腐朽与糜烂是无能为力的，他所攫取与积累的大量财富，都消失在东家与樊南妲的奢侈淫乐的无底洞里，当他看到了他的失败，特别是知道了自己妻子的奸情的时候，他那强悍的个性，狂妄的自尊心，就必然使他在狂怒中与樊南妲同归于尽。樊南妲则是资产阶级中一个邪恶、淫荡、狠毒的典型，她不仅以物质的享乐、肉欲的满足为追求的目的，而且以捉弄人、报复人为乐趣。在对这两个人物的描写中，左拉运用了写实主义的方法使他们成为具有一定社会意义的真实形象，对于他们那种强烈的个性，他又用了浪漫主义的色泽加以突出，而在写樊南妲的情欲和她与赖贵的关系时，他又用了惯用的自然主义手法。

《劳动》在左拉后期的创作中之所以成为一部代表性的作品，主要是因为在思想内容上，它比较集中反映了左拉后期作品中所具有的对理想社会、美好未来的热烈向往，这种向往既体现出他思想进步的程度，也暴露了他的社会历史观中那些空想的、抽象的成分，其次，以形象表现而言，它又比较典型地体现了空想的图景与写实的描绘两者奇特的结合，并具有后期作品中各种创作手法杂然并陈的特点。不论是《劳动》还是左拉后期的其他作品，显然都不是文学史上的杰作，艺术上不具有特别的魅力，但它们作为某种文学现象，特别是空想社会主义思潮与文学创作紧密结合的产物，却是另具特征，值得予以重视的。

第五章 都德

第一节 都德的生平

阿尔封斯·都德（Alphonse Daudet，1840~1897）生于法国南部普罗旺斯省斯尼姆城一个丝绸批发商的家庭，由于父亲破产，家境困顿，15岁时就被迫辍学谋生，在一所中学里当辅导教员，备受学生的戏弄与同事的轻视，早尝了世道的辛酸，但由此也获得了日后写作其名著《小东西》的经历与感受。

都德很早就开始写作，17岁时，他挟着处女作诗集《女恋人》来到巴黎碰运气，得到他哥哥历史学家艾尔莱斯特·都德的提携与帮助，开始走上文学创作的道路。1858年，他的《女恋人》(Les amoureuses) 得以出版，1860年，他当上莫尔里公爵的秘书，一面过着清贫的文人生活，一面也常涉足上流社会、交际场所。他尝试写过诗歌、戏剧与短篇小说，都没有得到成功，但他在交际场所的经历却为他以后写作《萨福》等著名小说准备了生活基础。其间，他还曾不止一次到普罗旺斯与阿尔及利亚作短期旅行，从中又获得了以后创作《磨坊文札》与《达拉斯贡的达达兰》的素材与灵感，这个时期可以说是他正式步入文学创作的准备阶段。

经过将近10年的努力，他发表于1866年的短篇集《磨坊文札》终于受到了读者的欢迎，1868年问世的长篇小说《小东西》更使都德获得了广泛的文学声誉。1870年，普法战争爆发，都德应征入伍。在战争生活中，他燃起了爱国主义热情并获得了文学创作的新灵感与新题材，由此，他在战后写出了不少爱国主义的名篇，这些著名的短篇大都收集在1873年出版的《月曜日故事集》里。

都德在文学创作上主要致力于长篇小说，到19世纪七八十年代，他已获得相当出色的成绩，继《小东西》之后，1872年他发表了《达拉斯贡的达达兰》，1874年，又有另一名作《小弗莱蒙与大黎斯内》问世，而后，几乎每年出版一个长篇，计有《雅克》（*Jacque*，1876）、《富豪》（*Le Nabab*，1877）、《国王蒙尘》（*Les Rois en exil*，1879）、《努马·卢梅斯当》（*Numa Roumestam*，1880）、《福音传教士》（*L'Evangéliste*，1883）、《萨福》（1884）、《达达兰在阿尔卑斯山》（*Tartarin sur les Alpes*，1885）、《不朽者》（*L'Immortel*，1888）、《达拉斯贡海港》（*Port-Tarascon*，1890），共十二部之多。在短篇方面，除了《磨坊文札》与《月曜日故事集》以外，1879年和1896年还分别出版了《短篇小说选》（*Contes choisis*）与《冬天的故事》（*Contes d'hiver*）两个集子。在19世纪七八十年代，都德还从事戏剧创作，其作品有四种：《阿莱城的姑娘》（*L'Arlésienne*，1872）、《生存斗争》（*La Lutte Pour la vie*，1889）、《障碍》（*L'Obstacle*，1891）与《说谎的女人》（*La Menteuse*，1893），其中《阿莱城的姑娘》后来由法国著名作曲家比才谱曲改编为歌剧，得以广泛流传。此外，都德还著有散文回忆录两种：《一个作家的回忆》（*Les Souvenirs d'un homme de lettres*）与《巴黎三十年》（*Trente ans de Paris*，1888）。

都德是法国19世纪下半期强大的自然主义文学流派的参与者，早在1875年，当这个流派形成的时候，他是与左拉意气相投的文友，是最早的五人"聚餐会"的成员之一。后期，他在文坛上具有相当大的影响，在他周围聚集了一些年轻作家与文学青年。1897年12月16日，他在自己的故乡病逝。

第二节 都德的短篇小说

都德是法国文学史上在短篇小说创作方面取得了较高成就的作家之一,相对而言,他短篇小说的数量并不大,四个短篇集总共不到一百篇,远不能与莫泊桑相比。在他四个结集中,较为重要的是《磨坊文札》(*Lettres de mon moulin*,1869)与《月曜日故事集》(*Contes du lundi*,1873),为读者所传诵的名作,几乎都收在这两个集子里,为数不过十余篇,但它们以风格、情韵与艺术性取胜,足以奠定都德在法国短篇小说创作中的显著地位。

都德的短篇小说中最值得重视的是一组以普法战争为题材的作品,这些短篇广泛流传,脍炙人口,早已成为世界短篇小说文库中的瑰宝。《最后的一课》(*La Dernière classe*)堪称世界文学史上短篇小说中思想性与艺术性完美结合的典范,它在不到 3000 字的篇幅里,以法国在普法战争中失败后,将东部的阿尔萨斯与洛林两省割让给普鲁士的历史事件为背景,表现了阿尔萨斯省人民沦为异族奴隶的悲剧。作者利用短篇小说的特点,以小中见大的艺术方法,在尽可能精炼的艺术形式里容纳了具有重大历史意义的社会题材。他选择了在普鲁士人规定阿尔萨斯省学校里不许再教法文的命令下,一个小学校里学生们上最后一堂法文课的场景,把这一堂课提升到向祖国告别的仪式的高度,使普法战争悲剧性的结果通过这一堂课表现得非常鲜明突出。作者采取的角度也十分别出心裁,最后一课庄严而令人心碎的情景是通过一个顽童的感受写出来的,他懵懂无知的状态在最后一课中所受到的极大震动,他带有稚气的叙述中所流露出来的丧失祖国的沉重与悲痛,都具有一种感人至深的力量,也加强了作品对异族侵略者的控诉。本篇中的人物形象不止一个,都是以高度传神的白描手法勾画出来的,着墨不多,但给人印象十分深刻,他们在上最后一课时的心理感受,集中地表现了阿尔萨斯人民深厚的爱国主义感情。

《柏林之围》(*Le Siège de Berlin*)是与《最后的一课》齐名的佳作，同样也以感人的故事、新颖的构思反映了普法战争中法兰西民族的悲剧。儒弗上校原是拿破仑帝国时期的军人，充满了法兰西荣誉感与爱国观念，普法战争一失利，他就中风瘫痪，巴黎被围的困难时期，他在病床上一直生活在法军节节胜利、直捣柏林的幻想中，他的胜利幻想与眼前战败的悲惨现实形成强烈的对照，既表现了这个重病老人天真而热烈的爱国情感，也烘托出巴黎被围的悲剧气氛。在严酷的现实之前，他的幻想必然彻底破灭，而他幻想破灭，终于发现了可怕的现实之日，也就是他生命终止之时，这一不幸的结局使小说具有一种催人泪下的悲剧力量。《当间谍的小孩》(*L'Enfant espion*)通过普鲁士人引诱利用无知的小孩出卖消息与情报以致使法军大败的故事，表现了多方面的思想内容，既揭露了敌军卑鄙、狡诈与残暴的面目，又写出法军士兵淳朴的人情，既鞭挞了贪图私利的通敌者，又批判了失足者行为的危害，对不同对象区别对待的态度与对他们作不同描写的艺术效果，反映了作者鲜明的爱憎与通情达理的分寸感，而把无知的误入歧途的小孩斯泰纳的悔恨之情，与义勇军全军覆没联系起来加以描写，则表现了作者明确的道德告诫的意图。值得注意的是，与其说作者在小说里是着力描写斯泰纳误入歧途的经过，不如说是着力塑造他的父亲斯泰纳老爹这个人物，这是一个具有高度的爱国热情与强烈责任感的法兰西公民的形象，也是一个慈祥的父亲的形象，还是一个恩怨分明的硬汉的形象，他为了报仇雪耻，对强大的敌军进行了决死的战斗。在作者笔下，这一对父子悲剧故事的感人程度亦不下于儒弗上校。与斯泰纳老爹相似的是另一个短篇《旗手》(*Le Porte-drapeau*)中的主人公何尔留斯，他同样也是一个文化不高、地位低下的"粗人"，在军队里待了整整20年，也不过得到了一个下级军官的职位，但他在战争失败，全军向普鲁士人缴旗投降的时候，却凭自己的爱国主义勇气与民族荣誉感，敢于面对战胜者进行杀身成仁的反抗。

都德所有这些以普法战争为题材的短篇共有的一个特点是巨大的悲怆性,在这些短篇里,都德都致力于表现各种人物身上的悲剧性:小学生失去学祖国语言的权利、老军人梦想昔日的民族荣誉而不可得,老父亲报仇雪耻失败,老旗手进行绝望斗争,这些人物悲剧性的感情与行为决定于法兰西民族的悲剧,是这一大悲剧的组成部分,从这个意义上来说,都德这一组短篇小说不仅蕴含着他自己深沉的爱国主义热情,而且构成了对普法战争这一民族灾难的悲剧意义的深刻发掘,他所达到的这一意境与高度,是法国文学史上其他任何一个作家都未曾达到的。与此同时,都德又怀着愤慨之情在《一局台球》(*La Partie de billard*) 中揭露了军队上层的腐败、妄自尊大与对战争失败应负的不可饶恕的罪责,士兵们已集合起来在战壕里待命,但司令部里台球游戏玩得正起劲,即使敌军已开始了攻击,元帅与将校们仍无动于衷,不下任何命令,致使全军坐以待毙,一盘台球打完,全军也遭到了覆没之灾。在另一个别具一格的短篇《保卫达拉斯贡》(*La Défense de Tarascon*)里,他对达拉斯贡人那种华而不实的爱国主义热情与虚张声势的英雄主义,进行了略带温情的绝妙讽刺,其中对南方人性格的观察与感受将引出他以后关于达拉斯贡性格的小说创作。

都德短篇小说的另一重要内容,是对他故乡普罗旺斯地区生活的描写,普罗旺斯题材在他短篇中占有的比重是显而易见的,著名文集《磨坊文札》中的短篇便是他的怀乡之作。正如莫泊桑在法国文学中以描写诺曼底景物著称一样,都德则以对南方风情出色的描写而闻名。对于都德来说,普罗旺斯的一切都具有迷人的魅力,恰如他题为《县长下乡》(*Le Sous-préfet aux Champs*) 的短篇所描写的,南国乡野的景色是那么迷人,以至一个忙于事务的俗吏也情不自禁醉倒在山林。都德满怀亲切眷恋的柔情,用简约的笔触与清丽的色调描绘出一幅幅优美动人的普罗旺斯画面:南方烈日下幽静的山林、铺满了葡萄与橄榄的原野、吕贝龙山上迷人的星空、遍布了小山冈的风磨、节日里麦场上的烟火、妇女身上的金十字架与花边衣裙、路上清脆的骡铃铛声，还有都德那著名的像一只大蝴蝶停在绿油油的小山上的磨房……所有这些极富南方色彩的画面，在法国文学的地方风光画廊里，以其淡雅的风格与深长的韵味而永具艺术生命力。

在其南方描绘中，都德更主要地致力于对普罗旺斯性格的发掘与刻画。他欣赏普罗旺斯人身上重感情而不重功利的性格，在他笔下出现了不止一个感情炽烈、任凭感情行事不计后果的人物。在《阿莱城的姑娘》里，主人公儒昂，一个身体健壮、性格开朗的普罗旺斯青年农民，爱上邻近阿莱城一个俏丽的姑娘，他的爱情是那么热烈执着，以至声称如果不娶到她，自己就活不下去，父母只得答应他的婚事，但婚前不久，有人向他家告发了那个姑娘原是个朝三暮四、水性杨花的人，儒昂从此绝口不提到她，心里的爱情却仍然炽烈，并为爱情上的创伤感到极大的痛苦，他抑郁寡欢，形单影只，为了不使父母难过，他强作欢颜，终于在过了圣罗阿节狂欢之夜后跳楼自尽。在《鲍盖尔的邮车》(*La Diligence de Beaucaire*)里，那个在邮车上被人嘲笑的磨刀匠，看起来是一个软弱的孱头，实际上是一个极重感情的人物，他不幸娶了一个漂亮而放荡的女人为妻，这个女人几乎每过半年就要与情人私奔一次，不久又回到他身边请求原谅与宽恕，如此反复，习以为常，磨刀匠为宠爱自己的妻子而长期忍辱负重，终于，他持久的爱被折磨成强烈的恨，这种恨最终引导他干出一幕震撼人心的惨剧。虽然这类普罗旺斯人在精神上显得有些软弱，但其感情强烈的程度却与司汤达笔下的意大利性格、梅里美作品中的西班牙性格有某些相似之处，正是这种感情至上的性格投合了都德本人感情浓厚、气质热烈的倾向，成为他乐于描写的对象。

都德在发掘普罗旺斯性格的时候，以深深的感情注视着普罗旺斯性格中的淳厚、朴实与天真，并以短篇小说中堪称最佳的艺术形式加以表现，他的《繁星》(*Les Étoiles*)就是展示这种优美人性的杰作。这个短篇通过一个普罗旺斯牧童的自白,讲述了一个动人的爱情故事:牧童爱慕着田庄主人的女儿斯苔法奈特,但他只能怀着这没有希望的恋情孤独地待在放牧的高山上,使人喜出望外的是,由于偶然的原因,斯苔法奈特来到高山上为他送粮食,并且因为天雨与山洪暴发而不得不在高山牧场上过夜,牧童怀着纯洁的柔情,坐怀不乱,与自己心目中的仙女一起度过了一个富有诗意的夜晚,迎来了曙光与黎明。小说像一首动人的牧歌,表现了优美大自然中的田园生活与爱情,特别是表现了普罗旺斯牧童那真挚的感情与纯净的情操,这种情操给短篇带来了清新的气息,使它在世界短篇小说的行列中以其高尚的格调而出类拔萃。另一个短篇《柯尼依老板的秘密》(*Lse Secret de Maître Cornille*),也是都德表现普罗旺斯朴实乡风的名篇。小说中的这个乡村磨坊业非常发达,山冈上布满了风磨,大路上驴子成群结队送来周围农村的麦子,磨坊主以紫葡萄酒款待来磨面粉的农民,完全是一派和平幸福的景象,充满了一种古老宁静的气氛,巴黎人在大路上开起了蒸汽磨面厂后,风磨坊就一家家被挤垮,纷纷倒闭,唯独柯尼依老板磨坊的风磨仍然继续旋转,坚持与蒸汽磨面厂进行抗争。然而,柯尼依老板的秘密终于被人发现,原来他的磨坊里一片凄凉,风翼不停,磨盘却是空转,可怜的柯尼依为了保持磨坊业的荣誉,煞费苦心地制造了他的磨坊仍然兴旺的假象,企图维持人们在精神上对机器面粉厂的抵制。周围的农民有感于柯尼依的苦衷,为了照顾他的感情,又纷纷把麦子送到他的磨坊里来,柯尼依死后,普罗旺斯乡下这最后一家磨坊的风翼也就停止了转动。这个短篇表现了普罗旺斯农村人与人关系中前资本主义性的淳朴与和谐,也反映了资本主义关系侵入普罗旺斯地区时,传统的精神与习俗中所产生的一种无能为力的敌对状态,从这里,既可以看到普罗旺斯过去的人情习俗,也可以看到社会转折时期普罗旺斯性格的反应,整篇小说以缅怀的、哀而不伤的笔调写成,是一篇对普罗旺斯旧日淳朴风习的轻淡的挽歌。虽然普罗旺斯古朴的人情属于过去的时代，但都德却赋予它某种诗意，把它与巴黎文明对立起来，流露了他对资本主义关系的不满。同样，短篇小说《此房出售》(*Maison à Vendre*)描写一个老人十分眷恋自己在乡间的老屋，但他的儿女们为了金钱强迫他出售，迁到巴黎小店铺里去住，在这个故事中，作者显然对资本主义金钱观念有所批评。

都德在短篇小说创作中，还从自己作为一个作家的职业、经验与感受中汲取灵感，写出了一批以作家文人生活为题材的小说。《塞甘先生的山羊》(*La Chèvre de M.Seguin*)是一篇结合着诗情画意的描绘、机智绝妙的反讽与深刻隽永的意味的故事，塞甘先生多次豢养山羊，它们不甘于栏圈里安逸的生活而向往高山上的野趣、自由与新鲜空气，一个个脱逃上山，但每一个最终都成为野狼的食物。作者以貌似玩世不恭的态度与巧妙的反讽语调，用塞甘先生的山羊作为前车之鉴，指出诗人若单凭对阿波罗的忠诚，献身于美的追求与诗韵，而不着眼于现实利益，把才能奉献给资本主义商业文化，就会落得衣衫褴褛、饥肠辘辘的境地，实际上是以沉痛的情怀深深揭示了资本主义社会中文人的悲惨处境。另外两个短篇《毕克休的文件包》(*Le Portefeuille de Bixiou*)与《他的最后一本书》(*Le Dernière livre*)则是文人悲惨处境的现实描绘。在前一个短篇中，毕西沃这位曾蜚声巴黎的大漫画家，双目失明后，生活无着，女儿被送进了孤儿院，自己只求在外省、甚至偏僻山区经营小烟摊糊口，为了获得批准，长期奔走于衙门，始终达不到目的，最后落得向人乞食。在后一个短篇里，一个作家在伏案写作时猝然离开了人世，他不幸未能看到自己心血凝聚的最后一部著作的出版，死后还要遭受卑鄙小人的掠夺。

都德的短篇小说中还有另一引人注意的题材，即对宗教的讽刺。他的《三部大弥撒》(*Les Trois messes basses*)以幽默的笔调细致地描写了圣诞节之夜一个乡间教堂里做弥撒的场面，神甫与贵族乡绅的善男信女们，为了赶快享用圣诞晚宴上的佳肴，急不可待草草了事做完了三部大弥撒，庄严的宗教仪式、神圣的经书、虔诚的祷文与这些人物急切的贪馋丑态形成滑稽可笑的对照，表现出作者绝妙的讽刺才情。短篇《雅尔雅侬来到天主的家里》(Jarjaille chez le bon Dieu)更是诙谐之至，一个不信宗教、亵渎神圣的搬运夫死后来到天堂门口，被耶稣的大弟子、天堂的守门人圣彼得拒之门外，他略施小计居然混入了天堂。小说里对圣者、对天堂的漫画式的描绘妙趣横生，搬运夫雅尔雅侬那种不信神的精神与粗俗但充满活力的神态跃然纸上，带着浓厚的民间气息，特别是他自己因想看热闹的斗牛又被圣者轻而易举骗出了天堂的情节，典型地表现了普罗旺斯性格的特色，是作者的绝妙之笔。

在艺术上，都德的短篇小说别具一格，他的风格淡雅柔和，带有浓郁的感情色彩与幽默的情趣，并充满了清新的诗意。

都德在自己的短篇小说中，较少地着力于表现生活的纵的发展与起伏，而经常注意描写若干生活横断面的场景，如《一局台球》《此房出售》《毕克休的文件包》《他的最后一本书》《保卫达拉斯贡》《阿尔萨斯，阿尔萨斯》等短篇中，构成小说主体部分的，都是被集中加以描写的生活画面，而且画面的线条简明，色彩清淡，结构灵活自由，这就使得作品具有一种散文化的特色，其中有的短篇往往更接近散文随笔。虽然他有一部分作品可称得上典型的"小说"、"故事"，但故事性并不强，情节大都平淡无奇，绝少戏剧性的效果，完全是属于平凡的生活现象，如《最后的一课》中的上课、《柏林之围》中儒弗上校的生病等等，但是，由于这些情节是从日常生活中提炼出来的，并被作者深深地发掘出其中细蕴的含义，因而又具有较高的典型性与动人的情趣。

都德的短篇之不以故事情节而以韵味取胜，首先在于他是一个富有诗人气质的小说家，而不是一个以叙述见长的"讲故事的人"，在他身上最强有力的禀赋并不是观察与想象，而是感受。他敏锐而细致，即使对普通的日常生活也有自己微妙的感受，16岁初到巴黎时的印象可以引发出他写人生的灵感（《到达》，*L'Arrivée*），第一次穿礼服参加社交的经历可以被他回顾得颇有情趣（《第一件礼服》，*Premier habit*），在一片南国景色前他会产生如痴如醉的欣喜，由此写出一篇动人的故事（《县长下乡》），即使是自己回到故乡安顿下来的生活细节，他也从中体会出某种意味而铺陈为一个短篇（《安顿》，*Installation*）。正因为他所写出来的都是他亲身感受的，是从他那感情丰富的心灵里渗透出来的，所以他的每一个篇章字里行间都饱含他的感情，这一股股感情、一段段心绪、一种种情愫就成为贯穿于他作品中的气势，将散文化的部件与成分凝结为一个有机的整体，而且也使得作品具有一种诉之于心的力量，使读者感到格外亲切自然，这构成了都德短篇小说的一种重要的魅力。

与文学史上那些或热情奔放、或激昂慷慨、或忧愁悒郁的作家不同，都德在自己短篇中的浓郁感情的形态是柔和温存。他以亲切的眼光去看待现实与人生，因此，他所观察到的、他所表现出来的，就是温存与柔和的图景，在他的艺术视野里，较少尖锐激烈的生活与斗争，即使是涉及重大的冲突与矛盾，也往往是用温婉的方式去把握，如儒弗上校痛失祖国荣誉的悲剧是从小孙女照顾病人的角度表现出来的，法国割让阿尔萨斯省的巨大悲剧仅通过一堂课体现出来。都德以柔和温情的眼光去看待人物，因而，他的人物身上几乎都沐浴着他的温情，即使是对他有所贬责的人物，他也带有几分通情达理的宽厚，他的鞭挞是轻微的，他的讽刺也不辛辣，尽管他感情热烈，但他对人生中世俗的规范与是非标准有时又多少有点超然，因而，他的嘲讽中往往带有几分幽默与温和。毫无疑问，美与善的事物与他柔软的心灵是相投的，他敏锐细致的感情善于从其中汲取美与善的精髓，这样，他的作品中又往往具有含英集萃的诗意，如《繁星》就是这样一篇杰作。

都德短篇小说的风格是他热烈的气质、温和的人生态度、敏锐的感受方式与自己特定的艺术方法所综合决定的产物,他这种散文化但充满了感情与诗意的小说风格,在文学发展过程中具有某种示范意义,它与莫泊桑式的短篇小说相对,提供了另一种小说类型的样本。

第三节 都德的长篇小说

都德是一个风格独特的作家,他的十二部长篇小说是他风格的全面展现。他风格的不同方面在不同的作品中各有侧重,侧重表现人生温情的是《小东西》,代表他幽默风格的是《达拉斯贡的达达兰》,《小弗莱蒙与大黎斯内》体现了都德社会写实的水平,而《萨福》则是心理分析的力作。这四部作品可算是他长篇小说的代表作。

1.《小东西》

《小东西》(*Le Petit chose*,1866)是都德在结婚前写出的第一部长篇小说,小说出版于他婚后的1866年,与他的大儿子莱翁·都德(Léon Daudet)同一年问世。

小说共分两部,第一部记叙了小东西在外省的经历,第二部描写他在巴黎的遭遇。

小东西名达尼埃尔·爱赛特,父亲原来在法国南部朗格多克城开一家大绸厂,因为合伙人的欺骗、火灾、女工罢工与1848年革命的打击而破产,破产后全家移居里昂,在这里开了一个小铺子为生,达尼埃尔从小亲身经历了家庭一步步衰落的过程。他进了中学,因为个子矮小、穿着寒碜,被人讥称为"小东西",从此就无法摆脱这个绰号。不久,他家又遭受新的打击,他那当神甫的大哥因病去世,父亲又债务缠身,全家不得不骨肉分离,各自设法谋生,父亲到葡萄酒公司去当旅行推销员,母亲寄居在南方的舅舅家,哥哥雅克留在里昂当铺里当伙计,小东西则到山区一个小城的学校里去当学监。16岁的小东西在学校里就职后，工作尽心尽力，课余刻苦用功，还开始写诗，但在这个闭塞阴暗的学校里，他却备尝各种辛酸，同事们轻视他，训育主任维奥先生敌视他，学生们也瞧不起他，不服管教，他甚至还因为处罚了一个富家子弟而当众遭到校长与学生家长的羞辱，更悲惨的是，他的同事剑术教师罗朗勾引区长的女佣人，利用他的文笔替自己写情书，事败后，小东西竟被出卖而蒙上不白之冤，并被学校开除。小东西感到已陷入绝境，决心自杀，在生死关头被一个好心的教师日尔玛纳神甫救了下来，他得到这位教师的慷慨帮助，还清了债务，得到了旅费，离开小城去投奔他那已在巴黎工作的哥哥雅克。

小说的第二部：小东西穿着一双单薄的胶鞋，带着简单的行李与一些诗稿抵达巴黎，得到雅克无微不至的照顾，雅克给一个侯爵当秘书，两兄弟住在一个小阁楼上，生活清苦，但过得很愉快。他们与母亲的奶兄皮埃罗特一家保持着良好的友谊，不久，小东西与皮埃罗特的独生女卡密尔产生了爱情，他的诗集《田园的喜剧》也自费出版。正当前景充满一片光明的时候，不幸的厄运开始降临，先是雅克随主人到了外省，小东西失去了照顾，他的诗集又根本没有销路；接着是同楼一个艳丽的女人伊尔玛·波雷尔对小东西进行引诱，使他背叛了卡密尔的爱情。不久，他与这个女人正式同居，过着肮脏屈辱的生活，并随着她参加了一个流动小剧团，在巴黎郊区的一些小镇上演出，在舞台上，他扮演各种丑角，在生活里，他也是一个可怜的角色，负债累累，沦落潦倒，但又摆脱不了这个坏女人的蛊惑控制。雅克回到巴黎发现弟弟失踪后，多方寻找，终于把小东西从伊尔玛手里夺出带回巴黎，但不久，雅克就因积劳成疾，不幸去世。小东西深受刺激，得了重病，几乎丧生，幸亏有皮埃罗特一家的精心照料才得以痊愈，卡密尔也宽恕了他，两人即将完婚，他作为皮埃罗特的继承人，将要经营老丈人的瓷器铺。

这是一部半自传性的小说，第一部有很大一部分实为作者本人对早年生活的回忆,从小东西出生的年月、在工厂里度过的童年、父亲的破产、家庭的迁居、大哥的去世、家人的离散到小东西上学校谋生的经历,实际上都是作者本人的身世。小说的第二部则自述成分极少,正如都德所说:"第二部除去我不是穿皮鞋而是穿蓝袜子和胶鞋到巴黎以外,没有一点是真实的"(《〈小东西〉的故事》),此外,只有小东西得到雅克精心照顾的情节,与都德本人到巴黎后得到哥哥艾尔莱斯特·都德帮助的情形相仿。由此,小说的两个部分在风格上就存在着细微的差异,第一部情节与戏剧成分很少,散文化的倾向十分明显,类似杂忆与琐记;第二部的情节性较强,故事的变化发展带有一定的戏剧性。尽管有细微的区别,但由于以同一个形象为中心,并有统一的主题(追求家庭与人生温情),两部分仍构成了一个和谐的整体。

在小说里,社会与家庭是两个对立的范畴,家庭之外的现实世界是一个带有寒意、充满暗礁、逼视与压迫着人的世界,家庭之外社会上人与人的关系是冷酷的、充满了恶意与欺诈的关系。在小东西的回忆中,他入世之初的那个中学,简直像是巴士底狱,沉重的大门、阴暗的门廊、漆黑的过道,还有令人窒息的气氛:校长"两只冷冰冰的眼睛"、像狱吏一样巡查与监视着全校每个角落的训育主任、严厉的校规、掌握着全校总务的坏老婆子等等,特别是从小东西所遭遇的几个事件,更可见世情的险恶、人心的奸诈。布卦朗事件是人间不平的缩影,小东西据理处罚了在课堂上捣乱的贵族子弟布卦朗,但最后事情的真相却完全被歪曲,是非完全被颠倒,小东西成了虐待学生的偏执狂,被人训斥、受人嘲笑,在这个事件中,贵族子弟及其家长骄横霸道的嘴脸、校长趋炎附势的面目与旁观者恶意的幸灾乐祸都暴露无遗。情书事件是人心奸诈的集中表现,小东西一直把剑术教师罗朗视为自己的好友,不惜用自己可怜的薪水请他与一班同伙上小酒店,还义务地替罗朗写情书。但罗朗不仅借教剑术为名骗小东西的钱,而且在情书事件上出卖了他，使他身陷绝境，事后还与自己一班下流朋友把他当作傻瓜加以嘲笑与侮辱。除此以外，还有维奥先生的恶意与嫉妒、教师们的轻视等等，所有这些构成了冷酷的人生，小东西一入世就深感它无情的挤压。外省小城的人生是如此可怕，巴黎的人生更是充满了危险的陷阱。伊尔玛·波雷尔这个外表风雅、骨子里庸俗浅薄、放荡无耻的艳妇，是一种邪恶的象征，是巴黎生活的典型产物，她身边的一群文人雅士，散发出一股霉味，与她为伴的白布谷也是一个下贱的形象，所有这些又构成了一种腐败的社会现实，污染了小东西的朴实纯真。

与这个外在的冷酷丑恶的世界相对的，是小东西的充满了爱与温情的家庭关系。这部小说中的家庭关系与巴尔扎克、福楼拜作品中的资产者、小资产者的家庭关系完全不同，没有欺骗、没有利害冲突、没有勾心斗角、没有见不得人的隐私，而是互相关心，互相体贴，充满了温情，并且都以重整家业为共同的奋斗目标而在精神上团结一致。爱赛特妈妈是慈爱的母亲，她长期寄人篱下，默默地尝着家庭破产后的苦果。爱赛特先生由于破产的不幸而性情暴躁，爱发火，但是心里也充满了爱，为了家庭的生计，他不辞劳累，辛苦奔波。雅克更是一个为爱家庭而作出自我牺牲的殉道者，他在经济上既要接济父母又要养活弟弟，他不得不拼命工作，最后死于劳累。小东西对雅克那种无微不至的照顾与他近乎母爱的兄长之情的回忆，构成了小说中最感人的篇章。除了家庭关系外，也发散出人间温暖气息的是与家族相关的半家族关系，因为皮埃罗特的母亲是爱赛特妈妈的奶母，所以，在巴黎的皮埃罗特一家与雅克和小东西就形成了一种近乎家族的关系，即半家族关系。当小东西在人生的海洋上面临灭顶之灾时，能救助他的，除了雅克哥哥外，就是皮埃罗特一家，在这种半家族的关系中，同样也充满了脉脉温情。

小说中的小东西是一个有趣而又动人的形象，他充满了孩子气，一旦得到学监的位子,就装出大人的气派,"手插在口袋里,头抬得高高的","吹着口哨,使劲把痰吐得老远","像大人物一样大摇大摆走路","对着太太们的脸直瞧",实际上幼稚可笑。他善良而富有同情心,在学校里,对那些低年级小学生很宽和,从来不处罚他们,在他看来,"处罚有什么用呢?难道你要去处罚天上的小鸟儿吗?"他与那个可怜的贫苦儿童蹦蹦的故事真挚感人,显示出他那可以理解的些许的虚荣心远远没有使他天性中的人道与慈爱泯灭。他在人心不古的社会里的确天真而又幼稚,总习惯于按照自己纯净的心去度量别人,因而总有些轻信,并因此而受骗上当。他的感情无疑是丰富而热烈的,小小年纪即使在阴暗的学校里,一见到黑眼睛的姑娘就动了初恋之情,由于自己生了一场病得到"黑眼睛"的护理,竟然就"感谢自己的病,感谢世界上所有的疾病"了。和他的感情比较起来,他的意志显得不够坚强,正是这种感情与意志的不平衡,使他沉醉在伊尔玛的身边不能自拔。这是一个由温情、人道、善良、天真等成分构成的软性人物,柔弱有余而坚挺不足,远远不能承受严酷现实的压力,在那种社会现实中,似乎只能受伤与呻吟,而难以超越与战胜。作者正是以这样一个令人同情的形象衬托出世道的丑恶与无情,由此,作品也就具有了揭露社会人生的意义。作者在这个人物身上特别着力加以表现的,是他对恶劣世道的惊恐与他对家庭温馨的眷恋,这种把外部的社会现实视为充满惊涛骇浪,不时使人有灭顶之灾的大海,而把不复存在的家庭视为理想的安全港湾的感受,对于他这样一个未成年就为生活所迫、不得不过早步入艰难人世的少年来说当然是很自然的,无疑也反映了社会某一特定阶层的心理,是破产的小资产者在现实面前恐惧与缅怀交织的精神状态,在这个意义上,它也体现了出身于破产家庭的都德本人的精神状态。

小说的自述性质,给它带来了浓郁的感情色彩,这是小说最突出的特色。作者以亲切的感情描写了他家庭的成员,柔和的温情与深切的了解使得作者对这些人物的性格描写得十分出色,即使这些人物身上一些可笑的特点,在作者笔下也带有几分情趣,如爱赛特先生的暴躁,雅克的爱哭。对于小东西本人,作者的描写远非同情而已,而是充满了怜爱,在他回忆的语调里,加进了淡淡的但正好能打动人心的感伤,有时又迸发出感情激动的火花。作者对人与物的描写都是简约而清淡的,而且都通过了一个少年人温存眼光的过滤,带上他看世界的主观色调,在追述中,作者往往是着重写小东西对事物的印象与感受,而不是着重写事物本身,所有这些都便于读者深入接近小东西的内心感情,这正是小说能给人深深感染的所在。

2.《达拉斯贡的达达兰》

在都德的文学创作中,《达拉斯贡的达达兰》(*Tartarin de Tarascon*,1827)并不是一部孤立的作品,它与1885年的《达达兰在阿尔卑斯山》、1890年的《达拉斯贡海港》都以达达兰为主人公,实际上组成了达达兰的长篇三部曲。《达拉斯贡的达达兰》最先完成了对达达兰这个著名人物的塑造,在风格上也最集中地体现了这个三部曲的特点,后两部在一定意义上只是故事情节的延伸,因而,三部曲的第一部总是作为一部独立的作品更受读者的欢迎,流传得也更为广泛。

整部小说以滑稽幽默的风格写成,充满了漫画式的描绘,记述了达拉斯贡城的"英雄"达达兰的"英雄业绩"。

达达兰是达拉斯贡城一个40多岁、肥肥胖胖的有钱人,在家过着舒适闲散的日子,饱读了传奇小说与冒险故事,一心想要有一番轰轰烈烈的经历。为了装出英雄的气派,他家里挂着各种武器,包括"上了膛"的枪,"涂了毒药"的箭。他时刻等待着自己的生活中出现严重的危急事件,以便有机会一显身手。晚上,他上俱乐部时,总想象会在街道的拐角处、黑暗处遇上美洲的印第安人、非洲的野蛮人的进攻,或者是马来亚海盗、意大利土匪的袭击。为此,他身上总藏有好几件武器，时刻做好了准备，然而在这个热热闹闹的城里，他却总无缘遇上。他期望到遥远的异国旅行，曾经准备去中国上海，但因过惯了安逸的生活，想到旅途劳累，便始终没有动身。幸亏达拉斯贡城里来了一个马戏班，他在马戏班的狮子笼前昂首阔步，总算显示了一次英雄本色。他在达拉斯贡城是赫赫有名的狩猎大王，为了保持他的声望与威信，他终于不得不下决心动身到非洲去打狮子。

在达达兰的想象里，非洲就是阿尔及利亚，住在非洲的居民就叫土耳其人，因此，他身穿土耳其服装，全身披挂，携带着各种器械辎重，直奔阿尔及利亚。到了阿尔及尔城码头，他把一拥而上的搬运工人当作海盗，手执兵器冲了上去，险些造成流血事件。进城后，他感到奇怪，这里竟没有土耳其人，只有他这一个！夜晚，他出城狩猎，埋伏在旷野里，学山羊的咩叫以引来巨兽，果然来了一头，他一枪击中，第二天清早，才发现自己只不过是埋伏在城边的一块菜地里，被他击毙的原来只是一头小毛驴，结果为了这头只值10法郎的小驴，他赔给驴主人200法郎才算了事。这时他才弄清楚，狮子早就在阿尔及尔绝迹，只有往南很远很远也许还有。于是，他又准备南下，但他又糊里糊涂落入一对男女骗子的圈套，在这个女骗子的温柔乡里一待就是两个月，被骗去了不少钱财，只是得悉家乡的人都在关心他的下落后，他才想起自己尚未完成的英雄使命。

在冒充亲王的男骗子陪同下，他动身南下，经过一个月的长途跋涉，他们来到阿尔及利亚南部的草原。夜晚，达达兰埋伏在一座古墓边，这次他可真遇上了一只狮子，两枪把它击毙后，才发现原来是修道院已经养驯了的一只瞎眼狮。为此他吃了官司，花了一大笔钱才结束这件讼案，加之"亲王"在他狩猎时已经把他的钱财卷走了不少，他好不狼狈地回到了阿尔及尔城，幸好有一条本国船把他带回了法国。当他抵达达拉斯贡车站时，城里市民以盛大的仪式欢迎他，把他看做是猎狮的英雄，高呼万岁。

这部小说显然直接受到西班牙文豪塞万提斯著名小说《堂·吉诃德》的影响,达达兰沉醉于传奇小说、想当英雄、到非洲去显身手、向想象中的野人与海盗冲杀,与堂·吉诃德被武侠小说所迷、立志游侠四方、在行侠过程中闹出不少笑话包括与风车作战等等,都十分相像,即使是在一些细节的描写上,达达兰与堂·吉诃德也颇为近似,如出发时他也是全副武装,西班牙骑士有一匹瘦马,达达兰则有一匹瘦骆驼。在小说里,作者显然要效法塞万提斯写出一个堂·吉诃德式的人物,他在第一部第六节里这样宣称:"达达兰有堂·吉诃德的心灵,有和他同样侠义的勇猛,同样英勇的理想,对传奇、伟大有同样的热爱"。与此同时,他还指出,达达兰身上不仅有堂·吉诃德的性格,还有桑科·潘扎的成分,胆小谨慎,追求安逸,贪图口腹之乐。都德具体描写了这两种成分在达达兰身上戏剧性的矛盾冲突,讽刺地揭示了达达兰身上英雄主义的真相与实质。在都德的笔下,达达兰身上的堂·吉诃德实际上徒具形式而无真正的内容,他既没有堂·吉诃德那样要实现社会正义的理想,也没有堂·吉诃德那样渊博的学识,他的精神世界远不能与仗义行侠的西班牙骑士相比,社会现实在他视野之外,他的思想感情从来都未曾为人间的不平不义所触动,他完全是精神天地狭小、虚荣心强烈的资产者庸人,冒充英雄、虚张声势是他最显著的特点。为了显得不同凡响,他的花园里不种一棵本地的树、一朵法国的花,种的全是非洲的植物,但他的椰子树顶多不过像胡萝卜那样高,非洲的巨树到了他这里也只是栽在花盆里的枝条而已,他在一个妇女的独唱中仅仅怪叫了三声作为伴唱,他却认为自己参加了"双人大合唱";在马戏班的狮子笼前走了一圈,他居然就得意地自言自语:"这才叫打猎!"实际上他与英雄主义完全绝缘,一想到要动身远征,他就怕伤风感冒,就念念不忘他的"羊毛背心"、"暖和的护膝套裤"、"带耳帽的头巾",舍不得离开他的绒被;他的知识贫乏得可怜,对达拉斯贡以外的世界一无所知,甚至在他头脑里非洲、美洲与亚洲的地理界线也不清楚，正是由于无知，再加上笨拙，他在狩猎的长征中闹出不少笑话。这就是都德笔下一个既有借鉴又有创造性的漫画艺术形象，他在堂·吉诃德式的框架里，填进了他对资产者庸人的讽刺与嘲笑。

都德这部小说的成功，不仅在于他以幽默的笔调出色地勾画出达达兰这一著名的人物形象，而且在于表现出了这个人物鲜明的性格正是一定生活环境的结果，表现出这种虚假的英雄主义正是达拉斯贡这样一个闭塞小城的产物，也是南方人性格的一种典型的表现。虚假的英雄主义首先就是达拉斯贡的城风，如这里的人们都有打猎的嗜好与习惯，每逢星期天，城里的人都威武地结队出城打猎，然而，整个地区并无鸟兽可猎，所谓的狩猎只不过是猎人把自己的鸭舌帽扔起来朝上放枪而已，达达兰得到狩猎大王的名声就是因为他打鸭舌帽"天下无敌"。同样，达达兰对外部世界的无知也正是达拉斯贡城知识水平的体现，因为，"对达拉斯贡这个地方来说，阿尔及利亚、非洲、希腊、波斯、土耳其、美索不达米亚这些地方，似乎是模糊的一大片，在这地区的人统统叫做土耳其人"。此外，达达兰性格中某些保守怠惰的成分也是达拉斯贡城风习的一种反映，如在这个城里，每家都唱一个固定的歌，世代相传，从来就没有想到要交换唱唱。至于达达兰最后成为达拉斯贡城的英雄，原因还在于此城的市民有南方人浮夸虚幻的天性，宁可看海市蜃楼的幻影而不正视事实的真相。都德在短篇小说《保卫达拉斯贡》中曾经写过南方人这种浮夸的性格，到这部长篇里，他又作了进一步出色的描绘，正因为他写出了达达兰的性格与环境的关系，他的人物也就具有了现实的典型性，并体现出他对资产阶级社会风习的批判。

《达拉斯贡的达达兰》是一部对异国情调有所追求的作品，作者十分明显地要通过达达兰的长征来描写阿尔及利亚的风貌，他让读者随着小说主人公漫游了这个国家的城市与乡村，见识到这里的市集、街道、赌场、墓地、原野,这些都是都德以他在阿尔及利亚短期旅行的见闻写成的,虽然是浮光掠影,但也清楚地反映了这个国家的现实状况。在小说里,法国殖民统治下的阿尔及利亚是一个贫穷落后的地区,市集上充满了衣衫褴褛的人群,到处都是蝎子、乌鸦与苍蝇,城市里风气腐败,骗子横行,乡村中一片荒凉,饿殍遍地,蝗虫肆虐,"连窗户上的帘子都吃光了"。作者在描写了农村中的萧条与饥饿后这样讽刺说:"那些殖民地的法国人还在咖啡馆里喝苦艾酒,大谈其改革的计划哩。"在揭示殖民当局官府的腐败时,他又这样愤慨地指出:"那些衙门里的门官、法律代言人、事务代理人,这一堆在盖着印的文件上跳动的蝗虫,他们吃起殖民地上的人来,连靴筒都要吃,吃得他们七零八落,像一棵玉蜀黍一样只剩下一片一片叶子才算完事。"像这样尖锐的充满义愤的社会批判,在都德的文学创作中是不多见的。

3.《小弗莱蒙与大黎斯内》

《小弗莱蒙与大黎斯内》(*Fromont jeune et Risler aîné*,1874)写于1873年,出版于1874年,两年后,又改编成戏剧在伏城戏院上演。

这是都德小说创作中故事性较强的一部作品,就其情节的变化有致与场面的富于戏剧性而言,与巴尔扎克的长篇小说《贝姨》颇为相似,较之都德过去一贯的风格,无疑是一次发展与变化。

小说的主要内容,是叙述一个美貌但品格卑劣的女人如何给男性造成痛苦不幸,甚至带来毁灭的故事。女主人公西多妮·舍勒出身于寒酸的小市民家庭,从小爱好虚荣,羡慕金钱与地位。她同楼里的邻居、年轻的工程师弗朗茨·黎斯内爱上了她,她从功利出发,很快就答应了弗朗茨的求婚,但不久,一个偶然的机会,她应邀到巴黎著名的彩纸厂老板弗莱蒙家做客,与这家的侄少爷乔治·弗莱蒙一拍即合,发生了暧昧的关系。怀着嫁给乔治、高攀弗莱蒙家的打算,她毫不犹豫地抛弃了弗朗茨,弗朗茨绝望之下,离开巴黎,到苏伊士河上去任职。不久，乔治的叔父老弗莱蒙突然去世，乔治继承了叔父的家业，成为彩纸厂的主人，并根据叔父的遗愿，娶其女克莱尔为妻，西多妮在这一打击下，当机立断，又公开宣布自己真正爱的是弗朗茨的哥哥大黎斯内，因为她这时获悉，黎斯内已被提升为乔治的合股人，当上了彩纸厂的老板之一。尽管年龄相差较大，她很快就与大黎斯内结了婚，但在婚礼上，她又开始与乔治勾搭。大黎斯内为人忠厚老实，为自己的合伙人小弗莱蒙勤奋经营彩纸厂，而自己的妻子西多妮则与小弗莱蒙开始了长期的通奸，他们腐化享乐的生活把原来兴旺的彩纸厂的收入消耗得日渐枯竭，而大黎斯内一直被蒙在鼓里。厂里主管财务的老西吉斯孟是黎斯内兄弟的老朋友，忧心忡忡，他把情况通知了在远方的弗朗茨，要求他回巴黎帮哥哥认清局势、伸张正义。弗朗茨回到巴黎后，正要对西多妮大兴问罪之师，却被这个女人的美色与花言巧语所蛊惑，西多妮进一步加以引诱，使弗朗茨受骗上当写了一封约西多妮私奔出走的情书，西多妮把这情书作为把柄掌握在手，对弗朗茨进行威胁，逼使他羞怒交加匆匆离开了巴黎。西多妮既无后顾之忧，更加放浪形骸，又堕落成为一个下流歌手的情妇，在她的挥霍下，彩纸厂的经济状况每况愈下，即将全面破产。终于，大黎斯内知道了事情的真相，他一怒之下，把妻子从小弗莱蒙那里得到的珠宝财物全都剥夺过来，用以抵押工厂的债务，使得彩纸厂转危为安，西多妮从此出逃，流落到巴黎不干净的处所。善良的大黎斯内把西多妮给彩纸厂造成的损失视为自己的过失，为了加以弥补，他主动从一个合伙人降为一个职员，忍辱负重，拼命工作。他发明创造的新式印刷机又使得彩纸厂恢复了活力与繁荣，他感到松了一口气，他对西多妮还存有一线希望，准备重新安排自己的生活。但是，有一天，他经过一家低级咖啡馆，发现在台上表演下流情歌的歌女正是他的妻子，他再一次感到极度的羞辱。特别悲惨的是，他打开西多妮寄给他的一封信，里面竟是他自己的弟弟弗朗茨过去约西多妮私奔的情书，原来西多妮蛇蝎心肠，故意用此法来向黎斯内兄弟进行报复。大黎斯内没有想到自己钟爱的弟弟也曾欺骗他，在这一新的精神打击下，他果然痛不欲生，当夜就自尽身亡，中了西多妮的毒计。

小说中的中心人物是西多妮，这是一个与巴尔扎克《贝姨》中的玛奈弗属于同一类型的女人形象，在法国文学史上构成一个特定的人物系列，最早可上溯到18世纪的曼侬·莱斯戈。如同这一人物系列的其他形象一样，西多妮也贪图物质享受，渴求虚荣，轻佻放荡，纵情声色，在她身上，根本无诚实、良心与真实感情可言，她为人处世充满了为达到个人功利与享乐目的所施展的种种心计与手段。她十分自觉地利用自己的美貌、聪明、乖巧、伶俐等等条件作为武器，在人生的角斗场上游刃有余。最初，她引乔治堕入情网后，又假称自己只能爱合法的丈夫以拒绝乔治，实际上是要逼乔治向她正式求婚；她抛弃弗朗茨时，用的是最冠冕堂皇的借口：要成全那个痴心爱着弗朗茨的女工德希芮的爱情，为此，她得到了"天使"的美称；她未能阻止乔治的婚姻，但在受到打击的时刻却不动声色，迅速决断，又挥戈他指，一把又擒住了大黎斯内这个有钱的老实人，犹如指挥若定、奇兵制胜的将军；她对付弗朗茨的问罪之师更是胸有成竹，轻而易举，一席话、一番表演就扭转了局面。尽管她所应付的这些对象都是具有天性弱点的格里厄骑士式的男性，但她的这些行动毕竟不失为戏剧性的胜利。都德把这一切描写得有声有色，使他的这个人物形象在真实生动上足以与巴尔扎克笔下的同类人物媲美。

都德这部小说的成功还在于，他不仅仅把西多妮的性格当作人性恶的结果，而且把它表现为巴黎生活典型的产物。他仔细描写了从童年时起社会现实对她的影响：在庸俗的小市民气氛中学会"做各种媚态"，在彩纸厂巨大的厂房前燃起占有财富的欲望，从经营"闪光的冒牌货"的假珍珠店里"学习了人生的第一课"，在剧院与暴发户的乡间别墅里产生了羡慕享乐生活的狂热等等，小说形象地表现出正是在人欲横流的巴黎社会中,在自私自利、浅薄庸俗、卑劣低贱的小市民生活环境下,西多妮养成了仰慕虚荣的心理、渴求财富与地位的野心、乖巧狡黠的心计、轻佻浮艳的性格、弄虚作假的习惯,所有这些一旦与财富、地位结合起来,就肆无忌惮地恶性发展,使她最后成为一个堕落腐化、淫荡邪恶、具有极大腐蚀性与破坏性的尤物。小说的最后,老西吉斯孟面对着大黎斯内的死亡,狂怒地骂了一声"淫妇,无赖",对此,作者这样指出:"不清楚他骂的是那个女人抑或是巴黎这个城市",有意将这个女人与腐化的巴黎混同起来,明显地带有对现实社会的愤慨与针砭。

这个长篇是都德创作中以社会写实见长的一部作品,作者的社会写实意图不仅表现在西多妮这个人物的塑造上,还表现在对其他人物的着力刻画与对巴黎生活面广泛的描写上。在小说中,加狄诺阿这个人物的安排是为了描绘资产阶级富豪的生活,这个过去的牛贩子富极无聊,不是在自己豪华的别墅里消磨时日,就是在巴黎雇人窥探别人生活中的隐私。他把一座优美古雅的别墅摆设得俗不可耐,露出他那缺乏文化、趣味粗俗的暴发户的老底;他对自己的家人一毛不拔,甚至在外孙女克莱尔的家庭面临破产的时刻也拒绝借钱接济,更暴露了资产者吝啬与冷酷的面目。小弗莱蒙则是资产阶级中一只漂亮的软体动物,他优雅而没有意志力,抗拒不了情欲的诱惑;他潇洒而无能,既没有开拓事业的雄心,也没有管理自己工厂的能力,似乎生来只是为了享受与玩女人,虽然在家庭中、在与人的交往中,他有时并不乏温情,但为了自己腐化的生活,他又可以进行卑劣的欺骗与背叛。他是个十足的资产阶级寄生虫的形象。

相比之下,作者描写得更为着力也更为细致的,是小市民阶层的人物。西多妮的父亲费尔狄南·舍勒,是一个平庸无能而又懒散惰怠的失意小商人,一直做着发财的美梦,不断设想出种种庞大的计划,但从来不准备付诸实行;他也做过买卖,但眼高手低,经营得十分可笑,把妻子带来的嫁妆赔得一干二净;他本来只能应付小本经营,但他架子十足,连经纪人、捐客、跑腿、站柜台这些职业他都不屑于去做;他成天游手好闲,但又不甘寂寞,总要异想天开用愚蠢可笑的怪癖来填补他生活中的空虚,例如,一天外出闲逛两次,借口关心市里大道修建工程的进度,而到野外去玩简单的游戏,则说是为了像大作家卢梭那样"热爱自然";他虽然不自食其力,靠大黎斯内的供养过活,但他怨天尤人,牢骚满腹。他是巴黎社会中令人厌恶的小市民废物的形象。另一个小市民德罗贝尔先生,是个失业的演员,他才能不高,却自视为了不起的天才,他原来在外省的剧团里扮演过几个角色,不甘默默无闻,来到巴黎准备大显身手,但一等多年,没有一家大剧院的经理来发现他这个"天才",而他又不屑于到二三流剧院里去充当不起眼的角色。像舍勒先生一样,他也长期过着游手好闲的生活,而且一直硬撑出一副大艺术家的派头,每天除了穿戴讲究逛大街外,还要上剧院看戏,看戏归来还要像在职的演员艺术家一样享用夜宵,而他的家庭生活与他自己这些奢侈的嗜好,全都靠他可怜的妻子与女儿当女工来维持。他一直心安理得地过着这种寄生虫似的生活,自以为是一个悲剧性的天才人物。他的妻子德罗贝尔太太与他的女儿德希芮姑娘是两个可怜的小市民,她们盲目崇拜德罗贝尔先生的"天才",含辛茹苦,省吃俭用,维持着整个家庭的生计与德罗贝尔的排场。特别是德希芮姑娘的命运更是悲惨,她性格温柔善良,深深地无言地爱着弗朗茨,对她来说,这种感情是她那阴暗的、没有欢乐的女工生活中的唯一一线阳光,但她的爱人一再被西多妮夺走,在沉重的打击下,她不得不走上自杀的绝路,而偏偏自杀不成,反倒遭到一番羞辱,最后,她在绝望中痛苦地死去。德希芮的不幸与苦难描写得真实、凄惨,构成了小说中最为动人的章节。此外,属于巴黎市民群的人物还有拼命苦干以求奋斗成功的黎斯内兄弟与自食其力、过着正直生活的小职员西克斯孟兄妹等等。都德力图通过对所有这些人物和他们生活的描写，展示出巴黎小市民阶层这一个特定的世界，而他对这个阶层生活的真实描写，也正是这个长篇在社会写实上的一个重要特色。

《小弗莱蒙与大黎斯内》是一幅广阔的巴黎风俗画，它真实地描绘了巴黎生活的种种景象：小市民聚居的楼房、资产者奢侈的府第、贫穷的工人区、木工工人的家庭作坊、富豪的乡间别墅、嘈杂的塞纳河码头、混乱的火车站、肮脏的警察局、机器声轰鸣的工厂、繁华的闹市、高级的剧院与下等的咖啡馆等等。作者的笔触清新醒目、色彩丰富而又浓淡咸宜，显示了高度写实的功力，而在小说的第四卷中，他又以浪漫主义的象征手法，将社会现实关系与社会现实的事物加以怪诞化，描写了蓝色的矮人在巴黎屋顶的海洋上发出逼债的警告，呼啸而过，使得巴黎千家万户都不得安宁。都德在小说中以多样化手法、象征与写实相结合的描绘，达到了很强的艺术效果，使他笔下呈现出的种种不同的巴黎图景，构成了一个有机的统一的形象，一个在资本统治下、在逼债与破产的威胁下喘息着的巴黎的形象。

在长篇小说里，都德出于他天生的温情主义倾向，又企图追求《柯尼依老板的秘密》中那种和谐温情的人与人的关系和《小东西》中那种亲和的半家族式的关系，从而设计了大黎斯内与弗莱蒙一家的交往史。先是他得到老弗莱蒙的赏识与照顾，接着又是小弗莱蒙的格外器重，由此，他才从一个雇员擢升为一个合伙人。他虽然长期被小弗莱蒙所欺骗，但他却引咎自责，把振兴彩纸厂的重担承担了起来，至于他与小弗莱蒙夫人的关系，则是天使与天使般的纯洁关系。都德的所有这些描写显然不是根据像丛林战一样野蛮残酷的巴黎社会的本来面貌，而是出于自己的主观愿望，带有明显的不现实的理想主义的性质。

4.《萨福》

《萨福》(*Sapho*，1884) 是一部爱情题材的长篇小说，1884年发表后受到很大的欢迎，几千册一抢而空，改编成剧本搬上舞台后，也场场满座。

若望·戈散是一个从南方外省来到巴黎攻读外交的青年人，21岁，风华正茂，在一次文人艺术家聚集的化装舞会上，偶遇一美貌女子，对他表示了毫不掩饰的热情，并且在当晚就委身于他，成了他的情妇。她名叫芳莉·勒格兰，若望沉醉在她浓郁的情爱里，不久，却发现她原来是被一男人供养的外室，但为了他而断绝了与那个供养者的关系。虽然若望眼见自己掉进了不洁的生活中，决心结束与芳莉的交往，但在芳莉紧紧的追求与无微不至的体贴照顾下，终于与她正式同居。在同居生活中，若望逐渐了解到芳莉过去的历史：她是一个退伍骑兵与一个旅馆女仆的私生女，母亲在生她的时候就去世了，父亲是个酒鬼，以赶马车为生，芳莉从小随父亲过着流浪的生活。她成长为少女后，也就是20年前，被雕塑家加伍达看中，给他当模特儿兼情妇，加伍达一尊希腊才女萨福的石雕即是以芳莉为模特儿塑成的，由此，她在文人艺术家的圈子里得到了萨福的绰号。芳莉与加伍达同居了4年后，又被诗人拉古勒里诱走，同居了3年，而后，又当上了小说家戴儒瓦的情妇。小说家死后，她跟上另一个男人，这个男人要结婚成家，把她抛弃了，她又遇上镌版工弗拉芒。弗拉芒疯狂地爱她，为了不失去她，不惜印制假钞票保证她的花销，事败后被判处10年苦役。此后，芳莉仍在时髦社会圈子里混，一个月或一个星期就换一个情人，她遇上若望·戈散的时候，已经37岁了，她专注而痴情地爱着这个青年人。尽管若望知道了她像阴沟一样的过去，对与她的同居生活不时感到厌恶，而且他的亲人们也都反对他与芳莉的关系，但芳莉对他的一片忠心与情爱、给他提供的细腻的照顾与肉体的享乐，使他无力自拔。终于，他找到了一个帮助自己解脱的力量，他遇上了一个贤淑纯洁的少女，爱上了她并在家庭的支持下很快与她订下了婚约。他毅然决然地与芳莉道别，不久就要举行婚礼，为了彻底决裂，他最后一次前去与芳莉会面，却又情不自禁再度投入她的怀抱。他由此深感自己实在离不开芳莉，在这种精神状态下，他毁了婚约，接受了一个驻南美的外交职务，决心带芳莉同往赴任。但他在码头上等待芳莉一道出发的时候，芳莉却未如约赶来，只给了他一封诀别的信，因为她认识到，自己年龄已大，容颜渐老，而若望还很年轻，他们的关系不会有好结果，她将与释放出狱的弗拉芒共度余年。

这是一本存在矛盾的书，其中对"正派生活"的理想与对放任享乐生活的眷恋形成了明显的矛盾。若望·戈散是这种矛盾的深刻感受者，他一方面陷在芳莉的温柔乡中沉醉不已，另一方面又经常羞于承认与她的同居关系，把她视为他所鄙视的娼妓社会中的一员，对过去的生活在她身上造成的一些放浪形骸的习气颇为反感，对她那些娼妓社会或半娼妓社会中的朋友更是厌恶。他确有正式结婚、成家立业的计划，但他绝不能想象如自己的邻居赫兑玛那样正式娶一个妓女为妻，他结婚的对象绝不是芳莉，而只能是与他门当户对的有产者小姐，而对他一直在享受着的芳莉，他总想利用被派往国外任职的机会自然而然把她抛开，以结束自己荒唐的生活并满足亲人对自己的期望。他这种生活在放纵腐化之中而又向往"正派生活"的精神状态，正是有产者子弟那种享乐主义与利己主义相结合、两者并行不悖的典型心理，即使最后他决心与芳莉同往国外的决心甚大，但如果成行，他又将如芳莉告别信所预见的那样，会为自己的再度失足而长久追悔，并会因自己的"自我牺牲"而对情妇憎恨不已。这就是小说所展示的若望·戈散这个资产者良家子弟既嗜好肉欲又企望回头的灵魂。

若望·戈散身上的矛盾，在某种意义上，也是作者本人所感受到的矛盾，只不过他有更为明确的道德倾向，他在戈散放任艳情生活的对面，设置了家人亲切的关心与爱护、少女纯洁的爱情与神圣的婚约以及社会的舆论等等，就是要对本阶级的子弟提出某种规劝。特别是他安排了芳莉本人在最后的信里现身说法，谢绝同往美洲，指出两人的关系不能按若望一时的冲动再继续下去，更是明显的告诫。都德在小说的扉页上写下这样的题词："给我的儿子们，当他们到了20岁的时候。"就是写这部小说时怀着告诫目的的明证。

作者的道德目的并没有使这部小说成为刻板说教的作品，关键在于他自己对芳莉这个人物存在感情上的矛盾。他并不是把芳莉表现成一个邪恶的祸水般的女人，而是写成一个复杂的、然而值得同情的女性形象。芳莉出身于卑贱肮脏的环境，这并不是她本人的罪过，正是她的不幸。入世后，她从一个男人手里转到另一个男人手里，实际上是被资产阶级男性当作玩物，在这种关系中，她经常是受害者，如她与拉古勒里同居期间，"简直就是生活在地狱里"，受尽了虐待与打骂，最后破裂之际，即使她在寒夜之中在门外等候了5个小时，仍得不到对方的谅解，被赶走了事。在芳莉身上，本来一直存在着两种持续不灭的感情，一是她总想过正常的夫妇生活，这说明她并不是生性浪荡的下流女人，只是因为她总达不到自己的目的，不是被人抛弃就是遇上不可逾越的障碍，以致她沦入虽非娼妓但不断给人当外室与姘头的可悲境地。她身上另一种持续的感情则是炽热的爱情，由于这种感情，正如一个书中人物评论她时所说的："她像火一样，将燃烧到只剩下灰烬"（第十一章），她对她所爱的男性经常表现出一种忘我的牺牲精神，只是在她感情被磨损完、被燃烧尽后，她才绝望地离去，如对诗人拉古勒里，她像一条忠实的狗一样紧随不舍，直到受尽了侮辱与折磨；对可怜的情人镌版工弗拉芒，她在他入狱后一直对他保持着感人的义气，在困难的条件下为他承担起并非她自己所生的小孩的责任；对若望•戈散，她更是一片痴情。在若望生恶病的时候，她不怕传染，悉心照顾，直到他痊愈；为了他，她告别了由别人供养的舒适生活，跟着他去过清苦的日子，甚至还改变自己一贯的寄生生活，外出做工，自食其力；为了帮助若望解决叔父因赌博输掉8000法郎所遇到的巨大经济困难，她忍辱牺牲色相去弄到一大笔款子；若望为结婚要离开她,她为此痛不欲生,几乎自杀身亡。当她从若望的嫉妒中发现他对自己仍有感情时,竟不顾他打了自己一巴掌而高兴得狂叫起来;最后,她眼见可以跟若望到国外去过舒适的生活却又拒绝了他,一方面是因为她曾被若望抛弃过两三次,热情几乎被消磨殆尽,另一方面也是因为她不愿成为若望的累赘。此外,在一般人与人关系中,芳莉也表现出侠义的性格与慈善的心肠,如她不要若望的叔父还她一笔巨款,她对可怜的守林人父女充满了同情与体贴等等。总之,在都德笔下,芳莉是一个重感情、重义气、不图个人功利、性格善良的女性形象,尽管过去卑贱的生活在她身上留下了一些污垢。与她相比较,那些一直向往正派生活的有产者男性倒显得冷酷而自私,正是在这一点上,芳莉带有一定程度的令人同情的哀婉色彩,作者温情的描写使她成为一个感人的艺术形象,这是小说在艺术上的一个重要成就。

小说有一个副标题:"巴黎风习",作者在小说里企图提供巴黎生活的风俗画,事实上,他的描写是带有封闭性的,主要集中在若望与芳莉两人的经历、关系、纠葛以及心理状态上,并没有触及广阔的巴黎现实画面。不过,他通过男女主人公的故事,以速写的线条勾画了一些巴黎人的形象以及他们生活的某些方面,反映了巴黎某种特定的风习。雕刻家加伍达的人生目的似乎只在于追求爱情的享乐,他只知道悲叹与惋惜自己的青春已逝,羡慕年轻人所享受的青春欢乐,而任他的艺术才能日益萎缩;诗人拉古勒里是一个玩弄与虐待女性的无赖,"横暴凶狠,像疯子一样",把女性玩弄够以后就毫不留情地一脚踢开,还以此为题材写出刻薄刁钻的诗篇来为自己扬名;音乐家德·波特原是法兰西文化界的骄傲,他有自己美满的家庭,但他趣味下流,宁可与一个粗鄙下贱、容颜已衰的老妓女长期姘居,而把贤淑美貌的妻子抛弃在一边,他的艺术创作也早已因淫邪的生活而完全荒废;德谢莱特是一个富有的工程师,文艺家们的好友,他在异国任职,每年要回巴黎度假,大肆挥霍,纵情声色,他把男女关系视为儿戏与享乐，换情妇就像换衣服一样随便，结果引出了痴情女子的人命，自己也因而身亡；赫兑玛夫妇过的倒是自给自足、自得其乐的本分生活，但他们生活的主要内容不过是肉欲享乐。都德笔下的这些人物基本上都属于文化艺术界，他所描写的这些人物的生活则主要属于两性关系与婚姻生理学的范畴，他表现出了这个特定的社会圈子中一个特定的生活面，从而反映出巴黎那种放纵的风习，并表示了自己贬责的思想倾向。

这部长篇的一个特点是以心理描写为其基本内容。小说中的故事情节往往表现得甚为简约，而人物的心理状态却描写得很充分很细致，特别是若望·戈散的心理更是得到深入的刻画。作者对人性有精细的洞察与透彻的理解，他力图表现出基于血肉之躯的心理活动的真实状态。若望在念一些名流过去写给芳莉的情书时既感嫉妒又感得意，芳莉被若望打了一个耳光时竟然高兴得狂叫以及若望决心与芳莉彻底决裂但又情不自禁投入她的怀抱，这些描写都是对复杂人性的真切微妙的揭示。作者的心理描写既不是静止的也不是封闭的，他总是让人物的心境与思绪在日常生活的进程中不断地变化，让日常生活细节成为人物思绪起伏变化的诱因与契机，若望·戈散的决心、犹疑、矛盾、反复、沉沦都是随着不同的生活环境与情势而不断发展变化的。在这种心理描写中，作者总是避免陷于对人物的心理作抽象的分析，而把它与周围的场景结合起来，虽然他对客观现实场景的描述一般都是白描式的，但为了表现人物的心境，他有时也不回避使用较为繁复的线条与丰富的色彩，收到情景交融的效果，如若望·戈散在树林里下决心宣布决裂的一节描写就是如此。所有这些都显示出都德在心理描写上的出色才能，他生动细腻的心理描写已使《萨福》在法国心理分析小说中占有一个重要的地位。

以上四部长篇各具鲜明的特色，代表了都德风格的不同方面，而其他的长篇基本上都没有超出这四部小说所代表的风格特点。《雅克》以一个出身贫苦的男孩在社会中的经历与奋斗为题材，是与《小东西》同类型的作品。《富豪》《努马·卢梅斯当》与《不朽者》则像《小弗莱蒙与大黎斯内》，都以描写现实社会为内容。《富豪》写一个暴发户在巴黎遭到破产、最后身亡的故事，反映了第二帝国时期商业资产阶级与投机家的活动；《努马·卢梅斯当》写一个钻营的政客如何爬上内阁部长的宝座，反映了资产阶级政界的生活；《不朽者》的主人公是一个平庸的学究，经过多年的奋斗，终于进入了法兰西学院，成为"不朽者"，但最后其论著被发现是伪科学，小说对资产阶级学术界的揭露是无情的。由于都德有写实的自觉意识，他的多种长篇小说作为一个整体，真实地再现了巴黎生活与习俗的各个方面，在这一点上，他与同时代自然主义文学潮流的方向是一致的。在对现实生活场景的描写上，他有时也表现出求繁求全的琐细倾向，如《达拉斯贡的达达兰》中对马赛码头的描写、《小弗莱蒙与大黎斯内》中对工厂区、对警察局的描写等等，这无疑带有自然主义的印记。但他的描写并不经常是繁复琐细的，而较多地是以精炼的勾画给人以突出鲜明的印象，并且还不时多样化地运用象征的、拟人化的手法，特别还经常让自己浓郁的感情自然地倾泻而出，因而在艺术描写上显得比较灵活多样，也具有更多的生气与感情色彩，这是他与左拉有所不同的写实特色。

第六章　莫泊桑

莫泊桑是 19 世纪后期自然主义文学潮流中仅次于左拉的大作家，他继承了法国现实主义文学的传统，又接受了左拉的影响，带有明显的自然主义倾向。他在相当短促的一生里，取得了令人瞩目的文学成就。既是一系列著名长篇小说的作者，更是短篇小说创作的巨匠，他数量巨大的短篇小说所达到的艺术水平，不仅在法国文学中，而且在世界文坛上，无疑都是卓越超群的，具有某种典范的意义，故法朗士曾称他为"短篇小说之王"。

第一节　莫泊桑的生平

莫泊桑（Guy de Maupassant，1850~1893）1850 年 8 月 5 日出生于诺曼底省，名为贵族后裔，实际上其祖父只是复辟时期的一个税务官，父亲则是一个游手好闲、没有固定职业的浪荡子。莫泊桑在诺曼底的乡间与城镇度过了他的童年，1859 年至 1860 年随父母到巴黎小住，就读于拿破仑中学，后因父亲无行、双亲离异，随母返回诺曼底。故乡的生活与优美的大自然给莫泊桑的影响很深，成为他日后文学创作的一个重要源泉。

莫泊桑的母亲洛尔·勒·普阿特文是一个具有深厚文学修养的妇女，莫泊桑从小就深受她的熏陶。洛尔的哥哥、作家阿尔弗莱德在青年时期，曾是福楼拜以及帕纳斯派诗人路易·布耶的同窗好友，莫泊桑在鲁昂城高乃依中学念书时就结识了舅舅的这两位老友。这时，他早已是一个喜爱文学并已开始习作诗歌的青年，他从这两位前辈那里听到了"简明的教诲"，获得"对于技巧的深刻认识"与"不断尝试的力量"，可惜的是，路易·布耶于1869年就去世了。同年，莫泊桑来到巴黎大学改修法律，不久普法战争爆发，莫泊桑被征入伍，在军队里担任过文书与通讯工作。在这场灾难中，他目睹耳闻了法军可耻的溃败、当权者与有产者的卑劣以及普通人民的爱国主义热情与英勇抗敌的事例，感触很深，日后成为他文学创作的又一个重要源泉。

战后退伍，由于家庭经济拮据，莫泊桑于1872年3月开始在海军部任小职员，7年之后，又转入公共教育部，直到1881年完全退职。在小职员空虚无聊的生活中，莫泊桑不幸染上了恶习，私生活放荡，这种下了他过早身亡的祸根。但另一方面，他勤奋写作，拜福楼拜为师，在他的具体指导下刻苦磨砺，长期不怠。在此期间，他于1876年又结识了阿莱克斯、瑟阿尔、厄尼克、于斯曼等青年作家，他们都奉左拉为偶像，经常在巴黎郊区左拉的梅塘别墅聚会，号称"梅塘集团"。1880年，"梅塘集团"六作家以普法战争为题材的合集《梅塘之夜》（*Les Soirées de Médam*）问世，其中以莫泊桑的《羊脂球》最为出色，这个中篇的辉煌成功，使莫泊桑一夜之间蜚声巴黎文坛。

《羊脂球》写于1879年，是莫泊桑经过长期写作锻炼之后达到完全成熟的标志，紧接着这个中篇，是如喷泉一样涌出的一大批中短篇小说。从1880年到1891年因病辍笔，10年期间，他共创作与发表了三百余篇中短篇小说，几乎每年都有数量可观的精彩之作问世，特别是在前三四年，佳品更是以极大的密集度出现，1881年有：《一家人》《在一个春天的晚上》《泰利埃公馆》；1882年有：《菲菲小姐》《一个儿子》《修软垫椅的女人》《皮埃罗》《一个诺曼底人》《月光》《遗嘱》；1883年有：《骑马》《在海上》《两个朋友》《珠宝》《米隆老爹》《我的叔叔于勒》《勋章到手了》《绳子》；1884年有：《伞》《项链》《幸福》《遗产》《衣橱》等等。1885年后莫泊桑短篇小说创作中名篇的数量有所下降，但仍不乏出色之作。如：《珍珠小姐》（1886）、《流浪汉》（1887）、《港口》（1889）、《橄榄园》（1890）等。

早在以短篇小说成名之前，莫泊桑就开始了长篇小说的创作，他的第一个长篇《一生》经过几年的耕耘，于1881年完成，1883年问世。自此，他逐渐由短篇转向长篇，在几年之内相继发表与出版了几部著名的作品，1885年：《漂亮朋友》；1886年：《温泉》；1888年：《皮埃尔与让》；1889年：《如死一般强》；1890年：《我们的心》。

莫泊桑早就有神经痛的征兆，他长期与病魔斗争，坚持写作。巨大的劳动强度与未曾收敛的放荡生活，使他逐渐病入膏肓，到1891年，他已不再能进行写作，在遭受疾病残酷的折磨之后，终于在1893年7月6日去世，享年仅43岁。

第二节 莫泊桑的短篇小说

莫泊桑是法国文学史上短篇小说创作数量最大，成就最高的作家，三百余篇短篇小说的巨大创作量在19世纪文学中是绝无仅有的；他的短篇所描绘的生活面极为广泛，实际上构成了19世纪下半期法国社会一幅全面的风俗画；更重要的是，他把现实主义短篇小说的艺术提高到了一个前所未有的水平，他在文学史上的重要地位主要就是由他短篇小说的成就所奠定的。

1. 莫泊桑短篇小说的社会生活内容

莫泊桑短篇小说的题材是丰富多彩的，在他的作品里，形形色色的社会生活，如战争的溃败、上流社会的喜庆游乐、资产者沙龙里的聚会、官僚机构里的例行公事、小资产阶级家庭的日常生活、外省小镇上的情景、农民的劳动与生活、宗教仪式与典礼、酒馆妓院里的喧闹等等，都有形象的描绘；社会各阶级各阶层的人物，从上层的贵族、官僚、企业家到中间阶层的公务员、自由职业者、小业主到下层的工人、农民、流浪汉乃至乞丐、妓女，都得到了鲜明的勾画；法国广阔天地里，从巴黎闹市到外省城镇以及偏远乡村、蛮荒山野的风貌人情，也都有生动的写照。在广阔的艺术视野与广阔的取材面上，莫泊桑的短篇显然超过了过去的梅里美与同时代的都德，而在他广泛的描写中，又有着三个突出的重点，即普法战争、巴黎的小公务员生活与诺曼底地区乡镇的风光与轶事。

由于莫泊桑亲身参加过普法战争，他在当代作家中就成为这一历史事件最有资格的描述者，他在战争中的所见所闻是那样丰富，而他的体验感受又是那么深切，因此，他在整个创作历程中，始终执着于普法战争的题材，写出了一批以战争为内容的短篇，毫无疑问，他是对这场战争描绘得最多的法国作家，可以说，这一历史事件由于有了莫泊桑才在法国文学中得到了充分的反映。

莫泊桑关于普法战争的著名短篇有：《羊脂球》《菲菲小姐》《女疯子》《两个朋友》《瓦尔特·施那夫斯奇遇记》《米隆老爹》《一场决斗》《索瓦热老婆婆》《俘虏》等。

《羊脂球》（*Boule de suif*，1880）以真实事件为素材，写一辆被准许离开敌占区的马车中途被一普鲁士军官扣留，放行的代价是要车上的乘客之一、妓女羊脂球向军官献身，羊脂球出于民族感情，坚决拒绝，但与她同车的那些体面的有身份的同胞，大商人、大企业主、贵族以及民主党人，却出于私利对羊脂球施加压力，逼她为放行作出自我牺牲，最后，羊脂球被迫让步，马车得以通行，羊脂球却为同车的"高贵同胞们"所鄙夷。在小说里，不论是作为背景的法军的失败与混乱、游击队与国民自卫军的无能与怯懦、敌人的侵占给城市带来的屈辱、低沉、阴冷的气氛，还是作为主要内容的故事情节以及作为刻画重点的各阶层代表人物在民族危难时期的立场态度与精神状态，都呈现得生动而鲜明，构成了战争时期一幅相当完整的真实社会图景。《菲菲小姐》（*Mademoiselle Fifi*，1882）既是普鲁士人蹂躏法兰西的一幅缩影，也是法国人抗暴斗争的记录。一个丰藏古董与艺术品的古堡，被一批进驻的普鲁士军官任意糟蹋破坏得面目全非，令人心碎，然而，在这里却出现了一个惊心动魄而又大快人心的场面：一批被胁迫前来卖身的法国妓女中的一人，听到普鲁士军官对法兰西的辱骂，狂怒之下将他刺死，而后她受到人民严密的保护，得以逃脱占领军的搜捕。《女疯子》（*La Folle*，1882）揭露了普鲁士侵略军骇人听闻的残暴行为。一个神志不清的女疯子竟无缘无故被扔到寒冷的荒林里喂狼。《两个朋友》（*Deux amis*，1883）是巴黎被围时期的一出感人的悲剧，两个普通的市民想重温和平时期垂钓的乐趣而来到郊外，不幸被普鲁士人抓住，他们不为威逼利诱所动，坚决拒绝了敌人要他们出卖通行口令的要求，以身殉国。小说反映了民族危难时首都的艰苦生活，表现了普通人民的精神状态与在关键时刻的坚贞。《瓦尔特·施那夫斯奇遇记》（*L'Aventure de Walter Schnaffs*，1883）是严酷战争生活中一支诙谐的插曲，从另一个角度反映了战争中不可忽视的一种现实，即侵略军中普通士兵的厌战。小说漫画式地描写了主人公对战争的憎恶与恐惧、对和平生活的怀恋。他煞费苦心求得安全被俘，当他达到目的时，竟快活得狂舞起来。《一场决斗》（*Un Duel*，1883）写法国被占领时期一个生性温和的商人，不愿忍受侵略军军官的侮辱而与之决斗，在决斗中将他杀死，反映了被摔倒在地的法兰西那种无处不在的民族情绪与蕴藏在法国城市居民中那种以韧性、和平、合法的方式表现出来的坚强抵抗。《米隆老爹》（*Le Père Milon*，1883）、《索瓦热老婆婆》《俘虏》则都是法国农民英勇抗敌斗争的实录。米隆老爹是一个其貌不扬、名声也并不好的富裕农民，他的父亲早在拿破仑时期死于对普鲁士人的战斗,而他的小儿子又死于普法战争。他对敌人的仇恨积累已久,无比强烈,他复仇的方式阴冷而凶狠,表面上对敌军驯服而殷勤,暗地里每夜都进行暗杀活动,一人共杀敌16名,最后拒绝敌人的怜悯,英勇就义。小说提供了一个与普鲁士有世仇的法国农民的典型,他身上的复仇情绪具有深远的历史根由与民族根由。《索瓦热老婆婆》(*La Mère Sauvage*,1884)的女主人公与米隆老爹一样,也是通过自己切身的痛苦来识别民族敌人的法国农民形象,当4个和气的普鲁士士兵进驻她家时,她并没有把他们当作自己的敌人,但一旦她得知自己应征入伍的儿子在前线被打死以后,她就不动声色地进行了可怕的复仇,把4个普鲁士人活活烧死。《俘虏》(*Les Prisonniers*,1884)是民族大灾难中一个小小的捷报,一个农村妇女沉着冷静、机智勇敢,略施小计就将6个普鲁士士兵变成了俘虏,反映了法国农村居民敢于斗争、善于斗争的品质。

在法国文学中,莫泊桑是公务员、小职员这一小资产者阶层最出色的表现者,甚至可以说他是这个阶层在文学上的代表。他自己长期是这个阶层的一员,熟悉这个阶层的一切,他以一系列短篇对它的生活状况、生存条件、思想感情、精神状态作了多方面的描写,这方面出色的短篇有:《一个巴黎市民的星期天》《一家人》《骑马》《珠宝》《我的叔叔于勒》《勋章到手了》《保护人》《伞》《项链》《遗产》《散步》等。

《一个巴黎市民的星期天》(*Les Dimanches d'un bourgeois de Paris*)反映了公务员生活的辛劳,主人公是海军部一个主任科员,数十年的伏案工作使他身患高血压病,以至于每个星期天不得不在城内外想方设法散心消遣。《一家人》(*En Famille*,1881)揭示了长期卑微的生活如何造成了公务员家庭中那种狭隘的胸怀、俗不可耐的习气、对上司的恐惧心理、对蝇头小利的计较,所有这一切,通过家中老母休克后被误认为死亡的喜剧故事表现得淋漓尽致，在漫画式的描写之后有着作者的怜悯。《骑马》(*A cheval*，1883）与《项链》(*La Parure*，1884）是内容相似的两个姊妹篇，前者写海军部一个出身没落贵族家庭的小公务员，只能靠微薄的薪金过艰难的日子，却总是硬要支撑门面，一次，全家出外郊游，他为了充阔气而租了一匹马当坐骑，拙劣的骑术使他撞伤了一个贫穷的老妇，为此，他将永无止境地背负赡养受伤者的重担；后者写一个公务员的妻子，为了盛装打扮出席部长的晚会，借来一串项链，会后，项链丢失，只得借贷赔偿，夫妇俩过了10年辛劳节俭的生活，最终才还清债务，结果却得知，项链其实是假的。两个短篇同样把小公务员捉襟见肘的经济状况与他们可笑的追求虚荣的心理刻画得入木三分。《我的叔叔于勒》(*Mon Oncle Jules*，1883）又一次展示了公务员寒酸的家庭生活细节，并通过他们本来期待有钱的叔叔归来，但一旦发现这个叔叔落魄流浪时就当面不认、避之若瘟疫的情节，表现了人情浅薄的世风与小市民可鄙的势利眼。《珠宝》《勋章到手了》与《遗产》，虽然故事不同，却同样表现了小资产者为了追名逐利而不顾羞耻、不惜牺牲自尊与体面，在《珠宝》(*Les Bijoux*，1883）里，小官员朗丹发现妻子长期与人私通而从情夫那里得到了一堆珠宝，现实的利益驱使他不顾嘲笑靠变卖妻子的遗物致富，并洋洋自得；《勋章到手了》(*Décoré*，1883）的主人公萨克尔芒是一个爱慕虚荣的勋章迷，为了受勋，他奔走钻营，巴结一个议员，议员在给他戴上绿帽子后替他弄到了一枚勋章，即使奸情就在他眼前，但一听到受勋的消息，他竟高兴得哭了起来；《遗产》(*L'Héritage*，1884）在全面细致地描写了公务员的公事房生活、社交生活与家庭生活的基础上，叙述了一个继承遗产的丑闻：主人公勒萨勃尔苦于无嗣，没法继承姑母的一大笔遗产，为此，他与妻子以及乃翁全家默契配合，把一个年轻强壮的同事引来家中为他代劳，最后，孩子出生，全家也成了富翁。小说将小官吏家庭中那种猥琐、粗鄙、贪财、无耻的内情揭露得淋漓尽致。《保护人》(Le Protecteur, 1884)是另一种无耻嘴脸的勾画,主人公给达官贵人当了走狗、混得一官半职之后,得意非凡,到处炫耀,即使对陌生的路人也不放过,小人得志的丑态暴露无遗。《散步》(Promenade, 1884)从另一个角度反映了小职员生活极为悲惨的性质,主人公在阴暗潮湿的办公室"牢房"里度过了40年,除了单调、机械、贫乏的生活外,什么都没有见过,什么都没有经历过,到头来只有空虚与孤独,最后在一次散步中凄惨地结束了自己的生命。

在生活的描绘面上,莫泊桑对法国文学作出了开拓性的贡献,他在一定程度上改变了过去某些作家主要以巴黎生活为描写对象的倾向,而更多地把诺曼底地区城镇乡村五光十色的生活带进了法国文学,由于有了莫泊桑,法国北部这个滨海地区的自然风光、人情世态、风俗习惯,都得到了十分精彩的描绘。莫泊桑关于诺曼底题材的短篇为数甚多,重要的有《一个女雇工的故事》《泰利埃公馆》《瞎子》《真实的故事》《皮埃罗》《一个诺曼底人》《在乡下》《一次政变》《绳子》《老人》《洗礼》《穷鬼》《小酒桶》《归来》《图瓦》等等。

《一个女雇工的故事》(Histoire d'une fille de ferme, 1881)写一农庄女雇工失身于人而有孕,她极为艰辛地暗中抚养着自己的孩子。农庄主人看中她迫她成婚后,她却无生育,为此遭到丈夫的虐待与折磨,当她忍无可忍声言自己早有孩子的时候,丈夫竟转怒为喜,并收养了她过去的私生子。短篇生动地反映了农庄中女工地位的卑下与生活的悲惨以及农村环境中那种渴求子嗣的心理。《泰利埃公馆》(La Maison Tellier, 1881)虽然是写小城里妓院生活的作品,但通过一队妓女到农村中参加领圣体仪式的经历,以相当主要的篇幅提供了一幅精细的诺曼底乡间生活画卷:田野的自然风光、农民节庆时的服饰装扮与家中的饮宴、农村小教童的宗教典礼、村里的宗教游行行列、乡下人纯朴的宗教感情以及他们对世情的近乎迟钝与无知的天真等等。《真实的故事》(*Histoire vraie*，1885)较之《一个女雇工的故事》更为悲惨：女佣人被地主少爷玩弄够了以后，又被他转手给了一个无赖，最后，死于可怕的折磨。小说反映了诺曼底农村中地主乡绅为所欲为的现实与他们粗鄙冷酷的面目。《皮埃罗》(*Pierrot*，1882)是诺曼底乡绅的又一纪事，一个地主太太怕丢了园子里的几颗洋葱，养了一条小狗看守，却舍不得把狗喂饱，为了免交为数少得可怜的狗税，她又残酷地把狗扔进深坑，让它活活饿死。围绕着小狗身上几个法郎几个苏的算盘，短篇绝妙地勾画出这个地主太太悭吝、粗暴、自私、庸俗的嘴脸。《一个诺曼底人》(*Un Normand*，1882)则是诺曼底乡村人物生动的素描，通过有趣的叙述，在优美的田园风光中呈现出一个充满诺曼底气味的乡村人物形象：聪明能干、幽默风趣、好酒贪杯、玩世不恭，为谋生赚钱，善于玩弄欺骗手法等等。既有浓厚的乡土气息，又带有原始资本主义的狡诈。《老人》(*Le Vieux*，1884)与《图瓦》(*Toine*，1855)也是诺曼底性格的写照，前者写一对农民夫妇为了节约时间、不误农活，不等他们垂危的父亲咽气就提前发丧；后者的主人公是一个乐观开朗、诙谐幽默的诺曼底的酿酒者，中风瘫痪后还利用自己的体温孵小鸡，都表现出诺曼底地区低水平的生产力条件下人们对细小的现实利益的执着。《绳子》(*La Ficelle*，1883)是诺曼底式的执着于细小利益的悲剧：奥什科纳老爹好贪小便宜，在市集上把一小段细绳当有用的东西收捡起来，仇人造谣说他捡了一个钱包，即使他到处澄清，人们都不相信他，他因受到委屈深感悲愤，为此悒悒而死。《小酒桶》(*Le Petit Fût*，1884)则是为了谋取现实利益而不择手段的故事：店老板希科一直觊觎着玛卢瓦尔老婆婆的一块土地，想把它吞并过来，但狡猾的老婆婆并不好对付，他只能设法养成老婆婆对酒的嗜好并不断不计代价地送酒给她，让她死于嗜酒，土地也就自然落到自己的手里。在这里，诺曼底式的争夺财产的酷烈斗争采取了合法的资本主义的隐蔽的形式。《一次政变》(*Un Coup d'Etat*, 1882)表现了另一个领域里的争夺：色当战败之后，拿破仑三世的帝制被第三共和国取代，这在诺曼底地区的小镇上引起了正统派与共和派的斗争。短篇以绝妙的讽刺笔法描述了两派争权的闹剧，把典型的诺曼底小镇上那种褊狭庸俗的环境中为了丑恶的私利、以浅薄露骨的方式、假借堂皇的政治口号所进行的粗野的争夺表现得十分出色。《在乡下》《归来》《瞎子》与《穷鬼》，则都是诺曼底地区贫苦劳动人民生活的真实写照。《在乡下》(*Aux Champs*, 1882)与《归来》(*Le Retour*, 1884)反映了农村中与滨海地区劳动人民的贫困。在前一个短篇中，父母为了得到一笔钱把儿子卖给了富人，特别具有悲剧意味的是，没有被出卖的农民子弟反而羡慕这种被出卖的命运。在后一个短篇中，穷苦的水手海上遇难，多年流落他乡，回到家乡时，无依无靠的妻子早已他嫁。《瞎子》(*L'Aveugle*, 1882)、《流浪汉》(*Le Vagabond*, 1887)与《穷鬼》(*Le Gueux*, 1884)的故事更为悲惨。农村中一个可怜的瞎子衣食无着，受尽了世人恶意的捉弄与殴打后，活活冻死在冰天雪地里；一个失业工人虽有一技之长，但到处找不到工作，结果被迫盗窃和犯罪；另一个残废的穷汉，过的是可怜的乞丐的生活，仅仅因为打死了一只鸡，就被毒打一顿，关进监牢死于非命。

除以上三个主要的社会生活面以外，莫泊桑的短篇还有一些其他的题材，比较集中地描写了一些其他方面的社会现实，提出了一些其他方面的社会问题。反映妓女悲惨生活的有《衣橱》(*L'Armoire*, 1884)与《港口》(*Le Port*, 1889)等。在前一个短篇里，有个妓女每当接客，就把自己可怜的儿子藏在衣橱里。在后一篇小说中，一个家庭因流行病而家破人亡，女儿沦落为妓，没想到有一次接待的嫖客，竟是自己流落他乡多年的哥哥。反映上层社会人士由于荒唐放荡、不负责任的行为而在后代身上造成恶果的有《一个儿子》(*Un Fils*, 1882)与《橄榄园》(*Le Champ d'oliviers*, 1890)等。前者写一个法兰西学院院士在外省旅店里发现一个又脏又傻、没有出息的下人，原来就是他自己过去奸污了一个使女的产物。后者写一个主教年轻时与一个淫邪的女人生下的孩子，由于缺乏良好的家庭环境，堕落成为流氓罪犯。反映上流社会冷酷的家庭关系的有《旅途上》与《遗嘱》等，在《遗嘱》(*Le Testament*，1882) 中，丈夫娶妻子是因为看中她的财产，婚后加以百般虐待，妻子则另有所欢，临死还立下遗嘱把财产传给私生子以进行最后一次报复。在《旅途上》(*En Voyage*，1883) 中，一个生病的贵妇人被丈夫打发到国外治病，实际上是遭到抛弃。此外，还有揭露唯利是图的病态社会现象的《怪胎之母》(*La Mère aux Monstres*，1883)，歌颂劳动人民善良忠诚的品质的《西蒙的爸爸》(*Le Papa de Simon*，1881) 与《修软垫椅的女人》(*La Rempailleuse*，1882) 等等，所有这些，都说明了莫泊桑短篇小说题材的丰富与社会视野的广阔。

2. 莫泊桑短篇小说的思想性

莫泊桑在自己的短篇里，总是满足于叙述故事，呈现图景，刻画性格，而很少对生活进行深入的思考，很少通过形象描绘去探讨一些社会、政治、历史、哲学的课题，追求作品丰富的思想性。而且，他也并不是一个以思想见长的作家。在现实生活里，他是一个思想境界并不高的公务员，对现实生活的认识并不深刻丰富，因此，他的短篇缺乏隽永的哲理或深刻的含义，他在其中所要表现的思想往往是较浅显的。

莫泊桑在短篇小说中，很少接触历史的、政治的问题，但他作为普法战争的参加者，却对这场民族灾难有严正的思考。他在短篇小说中所表现出来的爱国主义思想与带有民主主义色彩的和平主义思想，可算是他作品中最严肃、最认真的思想，是他创作中所发散出来的一束最炽热的精神火花。

莫泊桑的爱国主义思想，首先集中体现在他对侵略者强烈的憎恨上。他以普法战争为题材的多篇小说中都渗透着这种憎恨，表露着他对侵略军残暴本质的认识，在《女疯子》里，他指出普鲁士军官"是真正的兵痞，又残酷，又粗暴"，迫害病人的罪行简直令人发指；在《一场决斗》里，他揭露那个无故挑衅的普鲁士军官"在村子里杀过12个法国人"，甚至以此而自夸；在《菲菲小姐》里，他通过古堡中一片残破的景象，揭示了那个占领军青年军官内心深处的破坏狂与虐待狂，使人看到占领者的地位可以令人身上的兽性发展到什么地步；在《两个朋友》里，他着力表现普鲁士军官枪杀两个平民时的"安详"与"平静"，正是要揭露敌人某种文质彬彬外衣下的残暴。

与对侵略者的憎恨联系在一起的，是莫泊桑强烈的反战思想。在不止一个短篇里，莫泊桑都明确地指出战争的愚蠢与危害，他这样概括战祸给法国带来的灾难："炮弹摧毁法国人的房屋，粉碎法国人的生活，毁灭法国人的生命，埋葬数不清的梦想，数不清的欢乐的期待与幸福的希望，在这里和许多别的地方的妻子、女儿和母亲的心里造成永远无法医治的创伤。"（《两个朋友》）另一方面，在他看来，战争也并非不会给德国人民带来痛苦，在他笔下，索瓦热老婆婆的复仇必然会给被烧死的4个普鲁士士兵在本国的母亲带来不幸。他通过人物之口，指责战争是"自相残杀"，"比畜生还不如"，并且通过写战争中被残害者的命运，这样表示："我祝愿我们的子孙永远不要再见到战争。"（《女疯子》）

战争是如何爆发的？战争的本质如何？这是问题的关键，正是在这个问题上，莫泊桑表明了他可贵的民主主义的认识。普法战争本来是拿破仑三世与普鲁士争夺欧洲霸权而发动的，莫泊桑清醒地看到了这场战争本来只是两个国家统治集团的事，它后来的发展才把法兰西民族卷了进去，在其中受害最深的就是法国人民。他在自己的短篇中，以明确的语言表述了他的认识："卑贱的人贫困，任何新的负担都压在他们身上,所以他们付的代价最高,他们人数多,所以成批的被屠杀,成了真正的炮灰,总之,他们最弱小,最缺乏抵抗力,所以他们遭受战争带来的苦难最深重。他们不能理解那种战争的狂热,那种容易激发的荣誉观念以及那些在6个月里把一胜一负的两个国家都同样耗干了的所谓政治手段。"(《索瓦热老婆婆》)正因为普通人民在战争中遭受了巨大的苦难,他们才在民族危亡关头满怀义愤地坚毅地投入了维护民族的利益与尊严、抗击侵略者占领者的英勇斗争,在斗争中奋不顾身,甚至牺牲自己的生命。莫泊桑对此深有所感,因此,他有意识地要表现出普通人民才是真正抗敌的力量,才是真正体现了法兰西尊严的象征。在他的短篇里,那些令人难以忘怀的抗敌英雄与有爱国主义精神的人物,莫不都是下层的民众:乡下的庄稼人、老太太、劳动妇女、巴黎小市民乃至鲁昂的妓女。值得注意的是,莫泊桑对那些被迫卖命的普通普鲁士士兵,也怀有一定的同情,他在不止一篇小说里描写了他们的和气与善良。他通过人物之口指出,这些士兵"把老婆孩子丢在家乡,战争对他们来说,并不是一件有趣的事","将来跟咱们一样,他们也会穷得走投无路",并且达到这样明确的结论:"穷苦人之间应该互相帮助,要打仗的是那些大人物。"(《羊脂球》)

莫泊桑在歌颂与赞美下层民众爱国主义的精神与行动的同时,无情地撕下有产者、上流人的"爱国"的外衣,暴露出他们卑劣无耻的原形。在《羊脂球》中,他有意地安排葡萄酒巨商鸟先生夫妇、棉纺业大老板卡雷-拉马东先生夫妇、姓氏高贵的贵族甘贝尔·德·布雷维尔伯爵夫妇以及两个修女,让他们代表上流社会与正派的有身份的人士,处处把他们和一个被视为下贱人的妓女加以对照。以羊脂球的慷慨大方与侠义心肠对照出他们的小气猥琐与忘恩负义;以羊脂球自然纯正的感情对照出他们满口仁义道德之下的肮脏、下流无耻的心理;特别以羊脂球在普鲁士军官无理要求面前的义愤、自尊与坚决,对照出他们爱国主义的言词姿态之下的投降主义与卑躬屈膝。正是通过这样的描写，莫泊桑明确揭示出在国家民族被奴役被侮辱的时刻社会上层与社会下层两种截然不同的精神状态与情操，使他的作品在这一点上达到了民主主义思想的高度。此外，莫泊桑还以下层人民在抗敌斗争中真正的英雄主义行为与那些由城市有产者掌握控制的国民自卫军的抗战业绩加以对比。在他笔下，这些国民自卫军无不胆小如鼠、怯懦无能，但却善于虚张声势、谎报军功，甚至还浑水摸鱼，牟取私利。

莫泊桑短篇小说在思想性上另一值得肯定的价值，是对资产阶级上流社会的批判与讽刺。他揭露得较多的是资产者的道德沦丧、生活放荡。在他笔下，嫖客的队伍是由船主、商人、法官这些体面人物组成的，他们个个丑态百出，而社会上的一些私生子，包括娼妓的私生子以及来历不明的穷汉、无赖，很多都是"我们所有这些所谓的上流人愉快的聚餐、狂欢的夜晚、饱暖的肉体驱使我们去寻花问柳的那些时刻的产物"（《一个儿子》）。他小说中的一个人物，地位尊贵的上议员与法兰西学院院士，就公然把上等人的放荡无行、任意糟蹋妇女视为自然的事，厚颜无耻地承认"在18岁到40岁这段时期，如把那些短暂的遇合，一小时的接触计算在内，我们完全可以说，我们和两三百个女人有过亲密关系"（同上），并且公然宣称，损人缺德、不负责任、"抛弃孩子不管"，"正是我们优越的地方"。莫泊桑还善于戳穿资产者道貌岸然的面目，揭示出其内心的肮脏，即使对上流社会的女人也不容情。他指出，"上流社会的妇女披在身上的那层薄薄的廉耻心，只能掩盖外表，她们遭到猥亵下流的意外事故，却也止不住心花怒放，骨子里竟觉得异常散心解闷，简直可以说是如鱼得水"（《羊脂球》）。此外，莫泊桑的短篇还比较多地揭示了资产阶级家庭中的冷酷，这种冷酷有时是表现为漠然与隔阂的关系，有些家庭成员"甚至对亲人来说，也像外人一样，一直是陌生的，他们的死也不会在家里留下任何空白，造成任何损失"（《在一个春天的晚上》，*Par un soir de printemps*，1881）。有时这种冷酷则演化为深刻的仇恨与尖锐的矛盾,《遗嘱》中的故事就是典型的一例。

莫泊桑短篇小说思想性的另一颇具特色的内容,是对小人物、公务员、雇员的人道主义的同情,由于莫泊桑本人就是公务员行列中的一员,他对小公务员虽不乏讽刺与嘲笑,但基本上抱怜悯的态度。在他看来,这些公务员实际上过着一种监牢的生活,他们每天早晨上班"走的是相同的路,在相同的时刻,相同的地点看见相同的赶着去办公的人,每天晚上,循着相同的路线回家,又遇着那些他亲眼看着苍老下去的相同的脸"(《一家人》)。在他笔下,他们的工作内容机械刻板,长期不间断的伏案苦役使他们的身体有时还不免畸形,不是"一只肩膀略微显得有点高",就是手的关节有点变样,或者落下了慢性病。更深刻的是,莫泊桑看到了这种基本生存条件给他们的生活与精神造成的异化并以形象的描绘加以表现。他们有的人一辈子都被这种单调刻板的生活销蚀,一生之中"没有重大事件,没有感情波动,也没有希望",丧失了生活的意义与人的自然本能,最后,漫长的人生竟是如此的贫乏:"什么也没有留下,甚至连个回忆、连个不幸的回忆也没有留下"(《散步》);有的人被封闭在自己狭小的环境里,对广大丰富的外部世界一无所知。即使生活在巴黎,但"他对巴黎并不比一个每天由狗领到同一屋檐下讨饭的瞎子了解得更多"(《一家人》);有的人长期在上司的淫威下养成了上司长官拜物教,以致"他的那种见了人就局促不安的样子、低声下气的态度与神经质的口吃,就是这种经常不断的恐惧心理造成的"(同上);有的甘愿受统治阶级、国家机器的价值标准的奴役,为了追求官方赐给的荣誉,得到某种勋章,甚至可以牺牲自己妻子的肉体(《勋章到手了》)。莫泊桑从人的正常生活的观念出发,写出了行政牢房在人身上造成的扭曲与异化并寄予同情,使他的短篇具有了人道主义色彩。

整个说来,莫泊桑短篇小说的思想内容并不深刻,意境并不深远,在战争问题上,在社会现实问题上,他的思想并没有超过一个对普法战争有正常认识的爱国者的水平,一个具有常情常理的公务员的水平。当然,他对社会现实问题的思想又不可能是单纯的,这也反映在他的短篇中。一方面,他对劳动人民有着同情,另一方面,他又不止一次描写下层人物中的人性恶,如欺侮西蒙的一群乡下小孩(《西蒙的爸爸》)、虐待瞎子与流浪汉的乡下人(《瞎子》《流浪汉》)等;他一方面对纯洁忠贞的爱情作过赞颂如《幸福》(*Le Bonheur*,1884)、《月光》(*Clair de Lune*,1882),另一方面他又乐于描写肉欲淫乱的故事,如《保尔的女人》(*La Femme de Paul*,1881)、《一次郊游》(*Une Partie de Campagne*,1881);一方面他对资产阶级共和派、民主党有过辛辣的讽刺,如《一次政变》《羊脂球》,另一方面他又不止一次在字里行间对社会主义者、巴黎公社加以丑化,如《一家人》《遗产》;一方面他在小说里表现了清晰的思想,另一方面,他有的小说又有神秘主义情绪与精神变态的迹象,如《他是谁》(*Lui*?,1883)、《水上》(*Sur l'eau*,1881)。他短篇中所有这些消极因素,反映了莫泊桑本人的另一个方面。即他作为一个世俗的、染有放荡的恶习、精神不甚健康的公务员的那个方面,此外,有些短篇,因为莫泊桑在其中只满足于讲故事,又不免有客观主义的倾向。

3. 莫泊桑短篇小说的艺术成就

逼真、自然,是莫泊桑在短篇小说创作中追求的首要目标,也是他现实主义小说艺术的重要标志,较之 19 世纪前期巴尔扎克、司汤达与梅里美,莫泊桑的短篇已经完全摆脱浪漫主义色彩,更抛弃了传奇小说的一切手法。在选材上,莫泊桑的短篇大都以日常生活的故事或图景为内容,平淡准确得像实际生活一样,没有人工的编排与臆造的戏剧性,不以惊心动魄的开端或令人拍案叫绝的收尾取胜,而是以一种真实自然的叙述艺术与描写艺术吸引人。在描述中,莫泊桑甚至不用情节作为短篇的支架与线路,更力戒曲折离奇的效果,他总以十分纤细、十分隐蔽、几乎看不见的线索将一些可信的小事巧妙地串连起来，聪明而不着痕迹地利用最恰当的结构，把主要者突出出来并导向结局，以他的名篇《一家人》而言，几乎没有什么特别的故事可言，所写的只是一个公务员家庭里从头一天晚上到第二天晚上所发生的事，唯一可称为情节的仅仅是老太太的休克，但所有日常生活的细节，如公务员夫妇晚餐前的谈话、老太太的休克对晚餐的影响、公务员为了散心而作的散步、夫妇在座钟与五斗柜上的如意算盘以及老太太复苏过来后的尴尬等等，却绝妙地表现了公务员家庭生活的情景与他们的精神状态，读者在这里看到的不是一个故事，而是一种生活现实，而且所有这些细节写得生动真切，富有情趣，具有可读性的艺术魅力。其他如《在一个春天的晚上》《泰利埃公馆》《水上》等，都属于这一类型，莫泊桑所有这些作品实际上已形成了情节淡化与生活图景自然化的倾向，现代小说艺术的一个特点在他这里已露端倪。

在对人物的描绘上，莫泊桑不追求色彩浓重的形象、表情夸张的面目、惊天动地的生平与难以置信的遭遇，而致力于描写"处于常态的感情、灵魂和理智的发展"（《论小说》，*Le Roman*，1888），表现人物内心的真实与本性的自然。他的途径一般不是由他自己来作详尽的心理分析，也不是钻进人物的内心进行心理描述，而是通过人物在日常生活中的自然状态与在一定情势下必然有的最合情理的行动、举止、反应、表情，来揭示出其内在心理与性格的真实。他描写人物性格极为出色的一系列名篇如《一个诺曼底人》《皮埃罗》《羊脂球》等，无不具有这种特点。特别是《诺曼底人》，如果说，在其他一些短篇里都是围绕一定的故事情节来展示人物性格的话，那么在这个短篇中几乎无情节可言，只是通过一些日常的交谈、表情、举止，就把一个地方色彩浓厚的乡下人的真实形象与性格活生生地展现了出来。在莫泊桑的短篇里，也曾出现过一些不平凡的、有英雄行为的人物，如米隆老爹、索瓦热老婆婆、莫里索先生与索瓦热先生、农妇贝蒂娜等,另外,还有一些具有高尚品格的人物,如《西蒙的爸爸》中的铁匠菲列普、《幸福》中为了爱情抛弃荣华富贵的苏姗娜等。在这些正面人物的描绘上,莫泊桑从不给他们加上神圣的光圈,从不赋予他们格外堂皇的形貌,而力图把他们描绘得像普通人一样平凡自然,有时还让他们在形貌上比一般人更不起眼,甚至更丑陋,有时又并不回避指出这些人物身上的可笑之处与缺点过错。因此,呈现在读者面前的这些人物既像普通的人,又是并不多见、难能可贵的普通人;既像平凡的人,又是有着非凡特点的平凡人。莫泊桑短篇小说在人物描写上的现实主义艺术,总的说来,就是人物形象的自然化与英雄人物的平凡化。这两个特点使他不是与过去的小说艺术,而是与他之后的现代小说的写实艺术联系了起来。

莫泊桑力求逼真自然的写实方法是与他的现实主义典型化的艺术思想不可分的。他严格地把"逼真"与"真实"区分了开来,他摒弃照相式的真实,而致力于"把比现实本身更完全、更动人、更确切的图景表现出来"。他善于在那些粗糙、混杂、零散、琐碎的日常生活现象中进行选择,舍去所有对他的主题无用的东西,采用其中最具特征性的细节,以"突出表现那些被迟钝的观察者所忽视的,然而对作品有重要意义和整体价值的一切"(《论小说》)。在这方面,莫泊桑与自然主义的实录性的写作方法有所不同,从而避免了这种方法所必然带来的烦琐、拖沓的文风。事实上,在他的短篇中,典型化的场面、图景与细节几乎处处可见,如在《两个朋友》中,莫泊桑所要表现的是巴黎被围并处于饥饿状态、战争的破坏与敌人的残暴以及普通巴黎市民的爱国主义精神等一系列重大的历史内容,如此丰富的一切,仅仅用了四个中心画面即两朋友在巴黎饥饿街头的相遇、战前垂钓之乐的回顾、战火下冒险的追求以及被俘后的就义,就完整而鲜明地传达给了读者,四个中心画面高度集中,蕴含着丰富的涵义,显然是作者剪裁加工、进行了提炼与典型化的结果。再如,在《菲菲小姐》中,墙上的一幅名贵的油画,其中妇女画像傲慢地翘着两撇被人用木炭涂上的胡子这个细节,不仅把"菲菲小姐"这个普鲁士军官恣意作恶的坏蛋性格表现得很充分,而且本身就是被占领军任意糟蹋的法兰西的一个缩影,具有高度的典型性。

莫泊桑艺术描写的逼真自然与他作品中形象的鲜明,首先来自他观察的广泛、深刻与独具见地。他在长期的习艺过程里,从老师福楼拜那里接受了这样的教导:"对你所要表现的东西,要长时间聚精会神地观察它,以便能发现别人没有见过和没有写过的特点,任何事物里,都有未曾被发现的东西,为了要描写一堆篝火和平原上的一株树木,我们要面对着这堆火与这株树,一直到我们发现了它们和其他的树、其他的火不大相同的特点的时候。(《论小说》)"莫泊桑把这称为"作家获得独创性的方法"。正因为莫泊桑所认定的独创性,"是思维、观察、理解和判断的一种独特的方式",并且他在福楼拜的指导下长期进行了这种锻炼与实践,培养了他以"一种为自己所特有而又是从他深刻慎重的观察中综合得出来的方式来观察宇宙万物、事件和人"的才能。所以,在他的短篇中,不论现实题材、形象图景、生活场面还是人物性格,都莫不别开生面,丰富多彩,各具特色,绝不雷同,更不落于俗套或陷于程式化。总之,如他自己所追求的那样,是"充满个性的人世假象"。同是以普法战争为题材,莫泊桑作为《梅塘之夜》的作者之一,他的《羊脂球》取材就比其他作家的作品有更多的独创性;在他自己的短篇里,同是对普鲁士人的描写,每一个都写得各具特点,既有侵略者粗暴的共性,又有各自独特的个性表现。同样,他笔下虽有一群爱慕虚荣的小公务员形象,但各自的情态嘴脸无一雷同。

在表现形式上,莫泊桑是炉火纯青的技艺的掌握者,他不拘成法,不恪守某种既定的规则,而是自由自在地运用各种方式与手法。在描述对象上,有时是一个完整的故事,有时是事件的某个片断,有时是某个图景，有时是一段心理活动与精神状态，既有故事性强的，也有情节淡化的甚至根本没有情节的，既有人物众多的，也有人物单一的，甚至还有根本没有人物的；在描述的时序上，有顺叙，有倒叙，有插叙，有目前与过去两重时间的交叉；在描述的角度上，有客观描述的，也有主观描述的，有时描述者与事件保持了时空的距离，有时描述者则又是事件的参加者，有时描述者有明确的身份，有时则又身份不明。在莫泊桑的短篇里，描述方法的多样化与富于变化，无疑是他以前的短篇小说作家所未具备的，他大大丰富了短篇小说的描述方式，提高了叙述艺术的水平，为后来的短篇小说创作开辟了更为广阔的道路。

如果说莫泊桑在技法上是不拘成法、绝对自由的话，那么，他在短篇小说创作的艺术规律面前，却是一个忠实的服从者，他深知短篇小说创作最基本的要求，是在短小的篇幅中表现尽可能丰富的生活内容，为此，他服从艺术规律而力求他的短篇以小见大，以一当十。要达到这个艺术境界，除了题材、图景与人物的典型化外，最重要的就是艺术上的锤炼，这正是莫泊桑长期在福楼拜指导下刻苦学习的一个重要内容，福楼拜曾向他提出过这样严格的要求："只用一句话就让我知道马车站有一匹马和它前前后后50来匹是不一样的。"莫泊桑终于掌握了这种高超的技艺，使他的短篇成为以小见大、言简意赅、高度精练的艺术典范。在他的小说里，以短小的篇幅、少量的文字、完整准确鲜明地表现一种现实、一个事件、一种性格、一种状态的范例，屡见不鲜，不胜枚举。如，他这样极其简练地说明一个得不到爱与温暖的妇女在家庭中的地位：

"莉松姨"这三个字说出来，在别人心里简直可以说不会引起任何想法，就跟说咖啡壶或糖罐完全一样。那条母狗卢特也肯定比她具有明显得多的个性，人们不断爱抚它。(《在一个春天的

晚上》)

他仅仅通过一件衣服就写出了一个公务员家庭的寒酸状况:

我的父亲高高挺着藏在礼服里的肚子,这件礼服,家里人在当天早上仔细地擦掉了所有的污迹,此刻在他四周散布着出门日子里必有的汽油味;我一闻到这般气味,就知道星期日到了。(《我的叔叔于勒》)

他如此形象而简洁地表现出两个渔人突然发现普鲁士军队时的惊慌:

两根钓鱼竿从他们手里落下去,随着河水漂走了。(《两个朋友》)

他只以一句话就写出愁风苦雨中人物沉郁的心情:

那时正下着雨,下的是那种不但能打湿衣服而且也能打湿心灵的毛毛雨。(《衣橱》)

他抓住一个细节,就表现出一种浅薄轻浮、喜爱炫耀的性格:

为了使袖口上那珠光闪闪的大纽扣能好好地露出来,他不时地指手画脚。(《遗产》)

莫泊桑的简练并不等于粗略,善于以白描的笔法进行勾画是他的特长,而以丰富鲜明的色彩进行细致的描绘,亦是他才能之所在,当他需要的时候,他往往绘制出精细入微的图景。为了揭露那些有身份的上等人的馋嘴、自私与厚颜,他把羊脂球那一篮引起他们心动的食物描写得似乎能闻其香、能见其色、能觉其味;为了给普鲁士人留下一幅讽刺性的画像,他如此细致地描写了军官嘴上两撇典型的普鲁士式的胡子,甚至让读者看到了"胡子尖上只剩了一根金黄色的细丝"。

莫泊桑是法国文学史中的语言大师之一,他摒弃华丽的辞藻,使用最规范的语言,追求"一个字适得其所的力量",他的文学语言清晰、简洁、准确、生动,像一池透明的清水。他的语言不仅与他精练的叙述方式、简明的白描手法相得益彰,巧合天成,而且,在写景状物、绘声绘色上也具有很强的表现力。正是以这种优美的语言,莫泊桑对诺曼底的山川平野、小镇状貌、田舍风光、渔家景象、巴黎街景以及丰富多彩的自然景色,进行了卓越的描绘,留下了一幅幅构图清爽、色彩鲜明的画面,具有高度的艺术水平,如《月光》中对月色的描写,即为脍炙人口之一例。

总之,莫泊桑的短篇小说创作体现了一整套完整的现实主义小说艺术,这既是对以往现实主义文学传统的继承,也是对它的补充与丰富。应该指出,莫泊桑虽然基本上恪守写真实的原则,但也不放弃对非现实主义的艺术效果的追求,他有时在细节上加以浪漫主义的夸张,如在《珠宝》中,主人公丧妻后竟然那么失望,以致"不到一个月的工夫头发全都变白了";他有时着力渲染神秘主义的气氛,如《水上》中对人物在夜间无名恐怖心理的描写;他有时更追求怪诞的效果,如《他是谁》中的种种不可理解的细节。当然,莫泊桑的短篇小说较之传统的现实主义,还有一种更为引人注意的新成分,即自然主义的成分。尽管莫泊桑否认自己是自然主义作家,但由于他处于自然主义文学思潮兴盛的时代,出入自然主义文学的圈子,深受这种思潮的熏陶,他的写实艺术自然就带上了自然主义的特点,这种特点表现在他的短篇中，主要是他对人的生理本能、对人的"肉体"与"肉欲"的观察与表现。在《一次郊游》与《保尔的女人》里，推动人物行动的实际上是对肉欲的或隐秘或露骨的追求，作者把人物的行动与故事情节都建立在这种性的生理本能的基础上；同样，在《一个女雇工的故事》中，不仅人物盲目的性本能是具体情节发生发展的原委与契机，而且构成整篇小说的基本矛盾，决定人物的情绪、感情以及人物之间关系变化的，是人对生育后代的本能渴求，女雇工与农庄主人的矛盾由此而来，矛盾的解决也系决于此。把生理的动因写得如此明显突出，这是自然主义给文学带来的一个变化，也正因为莫泊桑对"肉"有了某种关注并企图把它带进文学，所以，在他的风景描写中甚至出现这样的文句："世界上有许多美丽的角落，给我们的眼睛带来一种肉感美，使你不由得要用肉体的爱去爱它们。"(《索瓦热老婆婆》)莫泊桑短篇小说中的自然主义特点，在他的长篇小说里有更多的表现。

第三节　莫泊桑的长篇小说

莫泊桑的长篇小说共有六部，即《一生》《漂亮朋友》《温泉》《皮埃尔与让》《如死一般强》《我们的心》，其中以《一生》与《漂亮朋友》尤为出色。

1.《一生》

《一生》(*Une Vie*，1883)是一部妇女题材的小说，写一个贵族妇女不断幻灭、不断失意的一生。

女主人公约娜出生于一个家产丰厚的贵族之家，父亲勒培奇·德沃男爵心地善良，思想开明，母亲多愁善感，老实敦厚，整个家庭无忧无虑，充满温情。约娜从小养成了天真无邪、纯洁浪漫、温柔敏感的性格,而长期修道院的生活与教育,又给她灌输了循规蹈矩、尊重道德的观念。17岁时,她离开修道院回到家里,抱着对美好人生的幻想、对理想爱情的渴望,满怀热情准备走向生活。不久,她的家庭结识了在乡下的邻居德·拉马尔子爵,拉马尔子爵年轻漂亮,约娜很快就与他由热恋而结婚。婚后,子爵几乎立刻就抛弃了文质彬彬的外衣,暴露出贪财小气、粗暴自私的真面目,更使约娜失望与受伤害的是,他们夫妇关系中除粗暴的情欲外,并无深挚的爱与柔情。蜜月旅行刚结束,子爵实际上就抛弃了约娜而与她的使女萝莎丽私通,并有了一私生子。约娜无意中撞见了丈夫的奸情,精神上受到沉重的打击,大病一场,几乎丧生。为了替女婿遮丑,德沃男爵赏给萝莎丽一处田庄,把她和她的私生子一起打发给一个庄稼汉。约娜对丈夫彻底失望后,也生下了一个儿子,从此她把全部的生活乐趣与希望都寄托在儿子身上。丈夫积习难改,故态复萌,又与邻近的福尔维勒伯爵夫人通奸,这已不再引起约娜的痛苦,只令她厌恶轻蔑。但福尔维勒伯爵发现了奸情后,进行了可怕的报复,使自己的妻子与子爵双双死于非命。从此,约娜专心抚养儿子。儿子成人后,先染上赌博的恶习,后来又进一步堕落,与私娼鬼混,离家出走,从此不归,在外负债累累,几乎把家产全部挥霍净尽。约娜年老体衰,幸而萝莎丽又回来照顾她。她从儿子那里得到了一个他与私娼生下的小女孩,从这婴孩身上,她似乎又得到了一点生命的温暖。

在小说里,作者不仅把约娜的经历与故事置于中心地位,表现了约娜从一个天真的无忧无虑的少女变成一个心灰意懒、充满忧虑的老妇的一生,而且始终从约娜的感受与观察来进行描述,细腻地刻画了她在人生历程各个阶段的内心状态,使小说成为继《包法利夫人》之后以婚姻家庭问题为题材的妇女心理描写的力作。在这部小说的创作上,莫泊桑显然受了福楼拜《包法利夫人》的启发与影响,约娜与包法利夫人的悲剧都产生于幻想与现实的矛盾。所不同的是,包法利夫人幻想的是非分的爱情与心醉神迷的享受；而约娜所渴望的则只是温柔的爱情和以深挚的爱为基础的家庭婚姻生活，是任何一个纯真的少女与贤妻良母的正当理想。莫泊桑力求把约娜的向往表现得正常合理，但又让她怀着这种正常的理想在生活中不断碰壁。在他笔下，约娜就像一朵纯洁柔弱的花朵，在卑污的泥坑里被损害被糟蹋，他让约娜面对这种人生与这种命运不止一次发出这样的感叹与质疑："所有倒霉的事都落在我身上，我这一生都受着命运的打击"，"为什么连平静生活中最普通的幸福都得不到呢？"这种质疑显然是针对现实生活的。正常而严肃、自然而合理的情操在生活中得不到应有的地位，反而被如此无情地嘲弄打击，正反映了人欲横流的现实已经污浊到什么程度。作者力图使小说启示这一点，这是他的小说具有社会意义与思想价值的所在。对于约娜的命运，莫泊桑倾注了深厚的同情，他满怀着感情来写约娜充满诗意与生机的少女生活、她遭到打击时所感受到的刺痛与悲苦、她连连失意后凄凉悲伤的感情，使整部小说具有哀婉动人的力量，而莫泊桑之所以对这样一个女主人公有如此深挚的感情，则由于自己的母亲在婚姻的不幸上与约娜相似。他在少年时期也曾分担过他母亲被欺骗被损害的痛苦，这种切身的感受，使《一生》具有一种与作者息息相关的感伤情调，成为莫泊桑的感情最认真严肃的作品，丝毫没有他的其他长篇小说中对不合理的事物从旁观赏、玩世不恭的态度。

在《一生》中，与约娜相对的人物是德·拉马尔子爵。他最初是以风度翩翩、文质彬彬、温文尔雅的形象出现的，为了表示自己的殷勤与温情，他甚至不惜重金建造了一艘游艇，赠送给约娜。但莫泊桑把他身上这些贵族气派与风度只作为漂亮的外衣与追逐妇女的手段来加以描写，很快就无情地揭露这外衣下丑恶的本质。他在新婚中的种种表现说明他结婚只是以获得对方的家产与肉体为目的。他对萝莎丽始乱终弃的行径，更暴露了他淫邪、卑鄙、自私、冷酷的嘴脸，他与伯爵夫人的奸情表现了他狡诈虚伪的性格，显然，莫泊桑企图把这个人物描写成诺曼底乡间道德败坏、人品卑鄙的贵族的典型。莫泊桑把他的故事安排在封建贵族重新得势的复辟时期，在小说里还有意描写了其他几个贵族：世家出身的勃利瑟维勒子爵夫妇死气沉沉，他们整个的生活与存在都发散出一种霉味；古特列侯爵夫妇是诺曼底贵族阶级的首脑，他们只会装腔作势，摆出一副居高临下的臭架子。在对这些贵族人物的描写上，莫泊桑表现了一种社会批判意识。

不过，莫泊桑在《一生》中的社会批判意识与社会视野毕竟有限，他所叙述的故事与他所描写的生活空间带有一定的封闭性，基本上是封闭在女主人公所生活的白杨山庄或山庄附近的范围里。她到科西嘉蜜月旅行与到巴黎寻找自己的儿子都是插曲性的，除了她到达科西嘉时遇到一个崇拜拿破仑的船长外，几乎没有其他的社会政治细节。这样，在小说里，与约娜正常的生活理想相对立的现实，就不可能是社会性的、阶级性的，造成约娜的悲剧的，并不是社会阶级的原因，而只是道德性的，更确切地说，是个人品质性的原因，即因为她遇上了一个道德败坏、品质卑劣的丈夫。如果她所遇上的是贵族阶级中像她自己的父亲那样的人物，她的命运就可能是另一个样子，或者，如果她的儿子能像某些贵族子弟那样，不浪荡到极端的地步，她的命运也可能有所不同。在作者的笔下，使得约娜一再失望幻灭、晚年境况凄清的，就是这一对父子。

莫泊桑在作品中所表现的思想还有更深一层的含义，他笔下这一对父子情况尽管不同，但都有一个共同点，即他们都是肉欲的奴隶，他们对淫乱浪荡生活的迷醉是造成约娜一连串不幸的根由。因此，在小说里，与约娜的严肃生活理想相敌对的，实际上不是别的，而是人的本能的肉欲。在这里，作者安排了一对带哲理性的矛盾，即严肃的理想主义与粗俗的肉欲主义、官能主义的矛盾。对于这一对矛盾，莫泊桑力图进行一些探讨，表示自己的立场与态度，然而，由于他本人在这方面的弱点与思想局限性，他必然陷入不可自拔的矛盾与混乱。他一方面以无情的暴露的笔法，写出子爵追求肉欲的丑态，站在约娜的立场上，对他禽兽般的行径表示愤慨、予以谴责；另一方面，他又把淫欲的过失表现为人皆有之、不足为奇。即使约娜的父母这对生活幸福、白头偕老的夫妇，过去彼此也有过对对方不忠的私情。他一方面让约娜代表着纯洁、柔情、道德、规范，而对乡间普遍存在的淫风、男女之间婚外的丑闻、"污秽的兽性"感到厌恶乃至愤恨；另一方面，他又把人类的性行为与大自然里其他类别的两性结合加以等同，并通过人物之口宣传"生殖是大自然的法则"，为乡下人两性关系的混乱开脱，还有意安排了一个不近人情的神甫，把他那种禁欲主义的狂热描写到令人反感的地步，实际上对他进行了批判。莫泊桑在《一生》中提出了"情"与"欲"、"灵"与"肉"、社会道德与自然本能的矛盾问题，但他未能作出明确的回答，他的态度与立场是游移不定、含糊不清的，这也必然带来小说在主题思想上的含混。既然他并没有解决上述两个对立面的矛盾，而且，既然他的女主人公尽管不幸，但正如萝莎丽所指出的：她并没有为面包而辛劳，并不像穷人那样难以生活下去，因此，他在小说的最后也就这样模棱两可地作出结论："人生从来不像意想中那么好，也不像意想中那么坏。"

《一生》中的"情"与"欲"、"灵"与"肉"这一对矛盾的构想本身与自然主义从生理角度对人的观察有关，而要在这种基本构思下写出一对夫妇的矛盾与命运，作者就不可避免地要把婚姻生理学带进文学的描写，这决定了《一生》具有明显的自然主义的特点。自然主义从生理学角度所进行的描写并不等于黄色描写，在小说里，作者并未陷入色情的细节描写与渲染，但人的生理变化与春情、性冷淡与性觉醒、夫妻之间性生活的协调与不协调、感官与本能、怀孕与生育乃至动物的交配，都在作者的观察与表现的范围之内，并占有相当重要的篇幅，这些婚姻生理学的内容，使《一生》堪称自然主义文学的一部代表作。

《一生》是莫泊桑从事长篇小说创作的第一次尝试,却显示了作者圆熟的艺术技巧。约娜漫长的一生是通过几个主要的生活事件表现出来的,全貌中突出了重点,在结构上甚为得体。在人物塑造上,莫泊桑对约娜的欢乐与伤痛,对她的精神状态、感情起伏、心绪变化的描写深刻而细腻,并带有自己的感情色彩,显示出刻画妇女心理的高超功力。特别能给人艺术享受的是作者对自然景色的描写,当然,他对某一方面的景色总是力图写得周全而详尽,这又多少带有自然主义描绘的特点,如海上之景,一天之内的各种变化几乎都被写全,而作为约娜心绪寄寓所在的白杨山庄,其朝夕之景、四时之貌、欣欣向荣与萧索凄清之气更是被他写尽。

2.《漂亮朋友》

《漂亮朋友》(Bel-Ami,1885)是莫泊桑长篇小说创作的最高成就,写于1884年下半年,1885年4月开始在《吉尔·布拉斯报》上连载,同年5月以单行本出版,小说问世后,受到读者热烈欢迎,短短几个月间再版了30多次。

小说写的是一个卑鄙无耻的青年向上爬、冒险发迹的故事。主人公杜洛华出身于诺曼底的农民家庭,父亲在乡下开一个简陋的小酒店。他从小学业不佳,高中会考亦未通过,但生性精明机灵,在非洲殖民军里当过两年轻骑兵上士,抢劫烧杀,无法无天。回到巴黎后,面对繁华的都市生活,他野心勃勃,欲火如焚,然而境况不佳,只在铁路局里混上了一个小差事,每月入不敷出,过着寒酸的日子。一次他偶然遇见了他过去在骑兵团的伙伴、现任《法兰西生活报》政治新闻栏主编福雷斯蒂埃,在老朋友的帮助下,他被引进了上流社会的圈子,因为漂亮潇洒,又善于巧鼓簧舌,马上就得到这个圈子里夫人们的青睐。福雷斯蒂埃的妻子玛德莱娜捉刀代笔,替他写文章,使得毫无文才的他居然混进报社当上了新闻记者。

尽管在这个职位上立定了脚跟,但他所追求的名誉地位、金钱美女仍很遥远,为了靠上流社会的女人飞黄腾达,他先向德·马雷尔夫人下手,很快就成为她的情夫,马雷尔夫人生性放荡,能给他提供特别的享乐与金钱,但对他的前程却帮不上忙。于是,他同时向才貌双全、精于新闻之道的福雷斯蒂埃夫人与报馆总经理瓦尔特的夫人献殷勤,后者立刻使他被任命为社会新闻栏的主编,成为《法兰西生活报》中的重要人物。不久,福雷斯蒂埃病逝,杜洛华娶了他的寡妻玛德莱娜,在她的怂恿下,他玩弄花招,给自己的姓名加上贵族的标记,还利用妻子与政界要人特别是众议员拉洛舍的关系猎取信息,夫妻合作,炮制文章,影响舆论,制造倒阁风潮,为瓦尔特、拉洛舍政治集团卖力效劳。转眼间,杜洛华成为颇有势力的人物,同时对瓦尔特夫人的进攻终于得手,使她在感情上与肉体上都离不开他。倒阁取得胜利后,拉洛舍当上外交部长,瓦尔特、拉洛舍集团又制造政治阴谋,操纵债券价格,从中攫取几千万法郎的暴利,杜洛华也得到了荣誉勋位骑士勋章。但他对自己成了集团的工具而得益不多深感愤怒,他打定主意要报复。一方面,他抛弃瓦尔特夫人,开始引诱她的小女儿苏姗,企图从苏姗身上得到一大笔财产;另一方面,他不动声色地侦察自己的妻子与拉洛舍的奸情,将他们当场抓住,既达到了离婚的目的,又打倒了这个外交部长。紧接着,他拐走了苏姗,迫使瓦尔特同意把女儿嫁给他。最后,他与苏姗在巴黎举行了隆重盛大的婚礼,他成为《法兰西生活报》的总编辑,谁都预料将来他一定能当上众议员和部长。

在《漂亮朋友》里,莫泊桑继承了巴尔扎克的传统,致力于写有活力的外省青年在巴黎的冒险与发迹,开掘一个在19世纪资本主义自由竞争的条件下带有普遍意义的主题,即在人欲横流的现实中,青年人如何变成不择手段、卑鄙无耻的野心家。莫泊桑的杜洛华与巴尔扎克的拉斯蒂涅可谓同胞兄弟，他们都年轻漂亮、聪明机灵，都是以猎取与控制上流社会中有钱有势的妇女为主要手段而飞黄腾达、青云直上的，如果两个人物有什么不同的话，那就是杜洛华比拉斯蒂涅更加厚颜无耻、奸诈狠毒。这不是一种人性差别，而是现实生活已有所变化的结果，与资本主义社会的腐朽性在19世纪下半期的更进一步发展有关。拉斯蒂涅出场的时候，他身上还有某种纯朴的感情、正当的上进心与年轻人的义愤与眼泪。而杜洛华出场的时候，他身上已经没有多少严肃的感情与善良的人性，而是散发出一种流氓习气，因为他的性格的基本色彩已经在非洲殖民军这个染缸里染就。莫泊桑并不把杜洛华表现为自己能异想天开地发明与策划坏主意的恶的天才，而努力把他表现为恶的社会环境塑造成型的恶果，而且把他的冒险发迹与19世纪下半期法国的帝国主义殖民活动紧紧联系起来，写出他不仅胆大妄为、冷酷残忍的流氓性格是在非洲殖民军里培养形成的，而且他在上流社会里第一次引起注意，也是由于他关于非洲的一番话投合了上流社会人士的殖民主义狂热，他第一次在《法兰西生活报》上名声大噪，又是由于他发表了《非洲从军记》，给殖民军军旅生活涂抹了一层厚厚的浪漫主义色彩，至于他大造倒阁舆论、推翻内阁，更是以非洲殖民政策为题舞文弄墨而得逞的。法国当时殖民主义的时势必然要造成它所需要的当代英雄，杜洛华于是应运而生，这种时代社会的新内容，造成了杜洛华与拉斯蒂涅之间的区别。

　　正像拉斯蒂涅有伏脱冷作为恶的精神向导一样，杜洛华也是在巴黎这所"丛林战"的学校里不断接受各种既定的"教育"而成长为一个成功的野心家的。他从福雷斯蒂埃那里接受了"这里一切都靠胆量"的巴黎冒险哲学，"遇到困难就要点花招、碰到障碍就绕道而行"的巴黎混世行骗哲学，以及"要想以最快速度飞黄腾达，还得通过女人"的成功诀窍。而且，他还有先例与榜样可循，完全走福雷斯蒂埃的道路，靠自己的妻子代笔而在新闻界取得成功。在女人问题上,他既是上流社会的征服者,也是上流社会所需要的"男侍",是那些期待着私情的贵妇们的需要,正如小说所描写的,即使没有杜洛华,不论德·马雷尔夫人还是福雷斯蒂埃夫人都会另有一番奸情。莫泊桑就这样表现出正是巴黎上流社会的现实本身决定了杜洛华奋斗的途径与方式。

小说的戏剧性建立在描绘杜洛华以其精明狡黠的个性在巴黎这个"丛林"里如何战胜一个又一个对手、克服一个又一个障碍上。在这里,特别重要的是,杜洛华在现实生活的教训下,学会并掌握了巴黎丛林哲学中最核心的精髓:"手段要狠,心要冷。"他看得很清楚,"在人类的道貌岸然之下,不过是永恒而丑恶的男盗女娼",他周围那些衣冠楚楚的先生们都是"一群酒色之徒"、"一伙强盗"、"一帮伪君子",面对着他们巧取豪夺的现实,特别是面对自己有时被侮辱被利用的处境,他经常愤世嫉俗,怒火中烧。因此,只要是他自己的利益需要,他就以更为凌厉的骗子强盗手段去对付他周围这些绅士、太太。在他的婚姻中,他有受损害的一面,他的妻子过去有情夫,现在又另有情夫,这些他都一目了然,但他不动声色,一旦她从过去的情夫那里得到巨额遗产,他就厚颜无耻地夺取一半。在与瓦尔特、拉洛舍一伙的关系中,他本来是一个供驱使供利用的小卒,但他却以迅雷不及掩耳之势,突然袭击,一举把拉洛舍彻底打倒,把瓦尔特逼得屈从他的意志。总之,正因为他把巴黎丛林哲学运用得最有声有色,正因为他不择任何手段、不讲任何信义,彻底抛弃了良心、同情、怜悯以及廉耻与荣誉的观念,所以他成为巴黎这个人们互相吞食的丛林战场上的胜利者,奏出了以恶攻恶、最恶者得逞的凯歌。莫泊桑通过他的人物的经历、故事,深刻地揭示了19世纪下半期法国资本主义社会现实中带有本质意义的生活规律。

由于莫泊桑力求把他的主人公描写为现实生活的产物而不是某种抽象人性的代表,杜洛华也就具有了现实生活的生动性,并没有流于脸谱化。在他身上,既有丰富的社会内容,也有生动的个性表现。作为一个人物形象,他身上不仅有流氓的成分,也还具有一些常人的自然感情,如他对父母的关心、他要成家立业时的那种规矩劲、他对死亡的恐惧、他在决斗面前的胆怯与退缩、他被妻子戴上绿帽子之后的烦恼与愤怒等等,总之,这是一个具有社会典型意义的活生生的人物形象,是莫泊桑以传统的现实主义方法进行塑造所取得的高度艺术成就。不可否认,在莫泊桑对杜洛华的描写中,也有传统现实主义的形象塑造所不具有或不明显具有的新成分,即对人物的自然生理本能的描写。在莫泊桑的笔下,杜洛华不仅是冷静地以猎取妇女为手段的野心家,而且是一个肉欲旺盛、精力充沛的淫棍,他一出场就带有肉欲化身的特点,他有不断需要满足的饮食之欲与性欲,尤以后者更为炽烈。在他身上,甚为发达的感觉是他对异性的感觉,他所热衷的兴趣是对异性的兴趣,他在漂亮的异性面前潜在的意向往往是肉体占有的意向。莫泊桑力图以这种描绘使杜洛华成为一个血肉之躯,实际上,他还赋予了这个人物一些他本人的特点,如他自己的相貌、他的两撇胡子等等。如果说莫泊桑对杜洛华作为冒险家、野心家的某些手段策略是有所揭露与批判的话,那么,他对杜洛华作为人的自然属性的一面,却是相当宽容,甚至有时还以赞赏的态度去描写他在妇女面前所取得的好感、欢心与胜利。莫泊桑对人物描写的这个角度,无疑具有明显的自然主义性质。

《漂亮朋友》另一个重要的意义在于,它是19世纪下半期法国文学中一部具有尖锐的社会揭露性的作品,特别是它对法国当时的政治与报纸新闻的揭露尤为泼辣。

小说直接触及了资产阶级的上层政治,无情地暴露了显赫的政治人物的丑恶嘴脸。小说中的高级政治人物拉洛舍在政界被公认为"最有能力的议员",并且在新内阁中占重要地位,但实际上不过是一个"多面派的政客"。他既没有真诚的政治信仰,也没有真知灼见；既没有胆略，也没有才能，只是靠自己的钱，在"选举这个大骗局"中，捞到议员的资格。进入政界后，他凭"生性狡猾"、"善于钻营"、善于伪装、"在各个极端的党派间搞折中"而逐渐得志。他之所以能够在巴黎青云直上，则是因为他成为瓦尔特集团的重要成员，既是《法兰西生活报》的股东之一，又是与瓦尔特同做金融生意的伙伴，莫泊桑在小说里把他称为"渣滓"、"粪堆里丛生的毒菌"。瓦尔特是小说中政界的另一个要人，他是国会议员，颇有政治地位，又是金融巨子，有雄厚的经济实力，还直接掌控着舆论工具，其权势炙手可热，实际上是资产阶级国家政局与政策的操纵者。莫泊桑以讽刺的笔法勾画出他可憎的面目："生性多疑而放肆"、吝啬而贪婪，是一个狠毒的高利贷者，在政治上老奸巨猾，"什么人都欺骗"，什么人都利用。即使杜洛华占有了他的妻子，拐走了他的女儿，他却从政治利害与需要出发，招他为婿，因为，他作为政治操纵者，正需要杜洛华这种卑鄙的同伙。莫泊桑不止于揭露这些资产阶级政界要人的嘴脸，他的深刻可贵处还在于尖锐地揭示了资产阶级政治的实质，政界与政府的内幕以及政府政策的真相。他通过杜洛华一针见血地指出，资产阶级的选举是一个"大骗局"，谁有钱就可以当选，他通过新内阁上台的前前后后，揭示出资产阶级政治斗争的内幕，与倒阁风潮背后的阴谋，特别是他在小说里集中描写了摩洛哥事件，把它作为资产阶级政治的一幅缩影：瓦尔特、拉洛舍一伙先是利用政府将要出兵一事对内阁进行攻击，一旦内阁倒台，拉洛舍等人组阁，又继承了前届政府的殖民主义政策，因为瓦尔特"藏身幕后暗中操纵了摩洛哥的一大笔铜矿买卖，虽然拉洛舍一伙早已决定要占领摩洛哥，但却大放不干涉的烟幕，使摩洛哥的债券价格跌到最低点以便大量收购，然后突然出兵使债券价格大幅度上涨，从中捞取巨额利润。这个事件充分反映出历届资产阶级政府在殖民主义问题上换汤不换药，也暴露出政治集团如何控制政府的政策，玩弄花招、制造阴谋以达到牟取私利的卑鄙目的。

《漂亮朋友》对资产阶级新闻报纸的揭露是淋漓尽致的，它生动地描绘出法兰西生活报社里种种可耻的内情与卑劣的伎俩：报社的工作轻松得如同儿戏，人们却装出严肃而忙碌的样子；新闻记者不用采访就胡编出新闻报道欺骗读者；一篇已刊载过的旧文稍作改动，就可以再次刊载为另一个目的服务；社会新闻其实就是商业广告；即使是一件小事，也往往被歪曲而用来进行攻击与中伤；报纸与报纸之间在无聊的问题上大肆纠缠，大打笔战等等。小说揭露得最为深刻的是这家报纸作为资产阶级政治的肮脏工具的本质，它的"幕后操纵者和真正的编辑是半打左右的议员"，他们和报馆老板所策划或支持的所有投机买卖都有关系，报纸就是为他们的利益服务的。这个集团善于通过报纸散布消息，制造谣言，弹出弦外之音，以欺骗读者，影响政局与金融。在资产阶级狗咬狗的政治斗争中，报纸有时制造风潮，对政敌进行恶的攻击，有时又充当政府的喉舌、内阁的参谋或指导，而所有这一切都是在极巧妙的形式下进行的。为了掩盖自己这种丑恶的政治作用，报纸竟办得颇有文学气息与巴黎风味，以文学、艺术、音乐、绘画、赛马、法学、名人秘闻轶事等等栏目招徕读者。莫泊桑在这部小说里对资产阶级新闻报纸的揭露，比巴尔扎克在《幻灭》中所作的显然更为具体细致，在深度上亦有过之而无不及，显示出他可贵的社会批判意识。

《漂亮朋友》无疑是莫泊桑最富于社会讽刺才情的作品。他对拉洛舍通奸被捉时丑态的描写是大胆的，对宗教与教会的讽刺是甚为辛辣的。他有意让瓦尔特夫人约杜洛华在教堂里幽会，描写了一个假装祷告、实则谈情的滑稽场面，尖锐地指出资产阶级妇女如何"有时还要上帝给她们拉拉皮条"。在小说的最后，他又安排了主教给杜洛华主持婚礼，对这个流氓的"人品"、"使命"、"榜样"、"文章"作了高度的颂扬，让教会以宗教的名义肯定了巴黎人际战的残酷法则，带有绝妙的反讽意味。由于《漂亮朋友》具有深刻的社会内容与鲜明的批判精神，恩格斯曾经表示，要为这部作品向莫泊桑"脱帽致敬"。①

3.《温泉》《皮埃尔与让》及其他

《温泉》(Mont-Oriol，1886）的主要内容是一个资产阶级家庭的私情故事：女主人公克莉丝蒂娜出身于一个破落的贵族家庭，父亲德·佛内尔侯爵游手好闲，无所事事，弟弟贡特朗更是一个浪荡的公子哥儿，由于家境潦倒，父子只能靠借债维持挥霍的生活，在金钱的压力下，侯爵把女儿嫁给了银行家昂德马特。昂德马特是一个相信金钱万能，以追求金钱为唯一目的的犹太人，与克莉丝蒂娜无感情可言。由于克莉丝蒂娜婚后不育，全家陪她来到昂伐尔温泉进行医疗，在这里，她遇见了她弟弟的好友贵族青年保尔，不久，就由互相吸引、互相挑逗而成为情人。一年后，昂德马特一家与保尔又来到温泉，这时，克莉丝蒂娜已经怀上了保尔的孩子，但保尔对自己的情妇已经厌倦，将她抛弃后转而追求别的姑娘。克莉丝蒂娜深受刺激，在极端痛苦中生下了她与保尔的孩子，产后，她一心放在孩子身上，情感已像一潭死水。

小说的主体带有一定的通俗小说的性质，虽然作者不想把它写成一部通俗小说，为此，他努力把男女主人公的爱情表现得富有诗意，又大力描写了克莉丝蒂娜种种感伤的情绪与精神上极端的痛苦，企图使这个私情故事带有浪漫的色彩与悲剧的性质，但实际上，小说的故事只不过是法国上流社会中司空见惯，并无真正悲剧意义的淫婚之一例。在这里，基本格局仍是"乔治·唐丹"式的。破落贵族家庭的女子嫁给了不懂风雅的有钱的资产者，在物质生活上心满意足，而后只要周围出现了诱因，很快就接受一个善解风情的贵族青年做情夫。作者把这样的题材加以诗化，恰给作品带来了一定的通俗小说的色彩。

---

① 恩格斯：1887年2月2日给劳·拉法格的信，《马克思恩格斯全集》第三十六卷，第588页。

如果说，小说中的爱情故事没有脱离既定的格局与俗套，而在情调上又没有摆脱拉马丁式的感伤的话，那么，在对爱情主人公的描写上却有值得注意的东西。首先是作品对女主人公内心状态的描写：这个性格沉静而善良，安于妇道，并无非分之欲的妇女，尽管是第一次在婚外与其他男性发生了奸情，但她却处之泰然，把它视为自然而然的事，毫无思想上的矛盾与道德上的内疚。而另一方面，她并不把自己视为自然而富有诗意的爱情进一步合理化、合法化，她丝毫没有冲破婚姻与家庭的桎梏、离开自己所厌恶的丈夫的打算，而是有意识地要把这种爱情作为一种不合法的私情保持在公开合法的天主教婚姻家庭关系中，过一种同时有丈夫也有情人的双重生活。这无疑是在法国那种"经常是丈夫得到绿帽子"的天主教婚姻的社会环境中一种约定俗成的必然心理。克莉丝蒂娜这种天主教婚姻关系中妇女过双重生活的自觉意识，比在其他一些法国小说中被描写得更为明确具体，从这个意义上来说，《温泉》是天主教婚姻在法国文学中的一面清晰的镜子。

其次值得注意的是作品对男主人公的描写。为了使这个人物真实生动，作者一方面避免把保尔写成像贡特朗那样专以玩弄女性为业的唐璜式的人物，而赋予他一种奔放的浪漫主义格调与讲义气与荣誉的品质，并表现他对富裕农民的女儿夏洛特的爱情先是出于对她被贡特朗抛弃的同情，而后是由于感情上的冲动，最后与她结婚则是出于一种对少女负责的荣誉感。另一方面，作者为了使人物形象具有血肉之躯，又着意在保尔身上表现自然人的生理属性，如写保尔详细地向克莉丝蒂娜讲述乡间田野里的各种香味如何引起他感官上的种种反应，说明保尔"掺杂着动物性的热情的本能决定他热爱乡村，乡村挑逗起他的性感，使他的神经和器官都骚动起来，因此他对它充满了性爱"，又如写保尔描述他听音乐时肉体上的感受："第一个旋律已经使我皮肉分离，把我的皮肤分解、融化、消灭，让我在乐曲的侵入下，成为一个活生生的、被剥了皮的人"，写他感官的灵敏以及他身上感觉与感情居垄断地位的状态，至于他抛弃克莉丝蒂娜，则被作者描写为完全是因为克莉丝蒂娜怀了孕，他无法克服生理上对孕妇的反感，"肉体上的一种嫌恶的感觉"。作者的这些描写无疑属于自然主义的性质，如果说这种自然主义的对人生理本能的描写在杜洛华这个人物形象上已经开始了的话，那么在保尔身上又有了进一步的发展，使这个形象成为莫泊桑自然主义人物塑造的又一例证。

《温泉》的真正社会意义在于，它真实地反映了法国19世纪80年代医疗旅游业的状况与这个领域里资本主义经营方式的发展。小说以相当主要的篇幅描述了奥里奥尔温泉区从无到有的兴起与繁荣。昂德马特陪妻子到昂伐尔温泉进行疗养期间，偶然发现了富裕农民奥里奥尔的葡萄田地里有一口水质优良的温泉，这个在金融事业上素来精明能干、贪婪狡黠的银行家，马上就产生了要在当地兴建一个新型温泉疗养区的宏伟设想。他几乎立刻就开始行动：向奥里奥尔老头提出购买那一大片土地的建议，调查水源的大小，利用一个瘫痪的流浪汉试验温泉浴的效果，风尘仆仆来往于巴黎与昂伐尔之间。一旦有了把握，他就对上争取政府的同意，对下玩弄手法使奥里奥尔把有温泉的大片土地入股，然后再拉一些"吹喇叭抬轿子的人"组成一个董事会，用他的资本在这一大片土地上进行开发，短短一年就建成了名为奥里奥尔山的新温泉区。小说从一个侧面表现了当时法国金融资本的活动与金融资产者的强大的活力，与此同时，也表现了这种资本和资本所有者种种卑劣的不择手段的活动方式，表现了这种资本的膨胀与胜利正是通过残酷的倾轧与兼并来完成的。小说中对昂德马特与奥里奥尔勾心斗角的描写是相当精彩的，狡猾的奥里奥尔总想利用自己的土地从银行家那里敲一大笔，但他的小手法却敌不过银行家现代资本主义的竞争方式。首先，他被引诱把大片土地入股，一旦陷进了银行家一手操纵的董事会，他就像落进了陷阱的野兽，丢了土地之后只能听凭摆布，而银行家的吞并则是贪得无厌，得寸进尺的，他又看中了奥里奥尔山旁边的大片土地，因为奥里奥尔老头将把这块土地给女儿作嫁妆，所以他唆使欠了他大量债务的贡特朗去追求奥里奥尔老头的女儿，先是追求二女儿夏洛特，当贡特朗搞清楚土地是给大女儿路易丝时，又抛弃了夏洛特而转向路易丝，并得到了成功。这样，昂德马特又通过要贡特朗夫妇入股的方式而又取得一大片土地，再加上他搞垮了原来的昂伐尔温泉，把它买了下来，他就成为整个大温泉区的主宰。小说中的这些描写生动地反映了19世纪80年代大资本对农村的渗透与大资本对小资本与农民的兼并过程，具有一定的社会经济的认识价值。

《温泉》的另一可取之处是它写实的文学描绘，它生动地呈现了旅游疗养地区的面貌，在法国文学的风俗描绘中别开生面。它的描绘风格近似左拉，具体而微，在这里，可以看到当时法国的旅游条件、疗养设施以及疗养区各种生活场景，特别是对疗养所各种医道、各种医疗方法的描写更为细致。实际上，医学内容、生理学原理、科学卫生知识在某种程度上已成为作者文学描述的对象，这是作品的自然主义特色的又一表现。在人物描绘上，莫泊桑又一次显示了在短篇小说创作中所具有的那种功力，以简明的笔法勾画出温泉区形形色色人物的面貌，特别是各种世态人情，其中仅医生形象就有好几个，各种骗术、各种嘴脸无不活灵活现。至于景物描绘，更是莫泊桑所长，特别是他对火山地区险峻奇特风光的描写，给人印象尤深。

就作品以社会现实为其主要内容而言，《温泉》与《漂亮朋友》同属一个类型，只不过在社会意义与思想意义上，前者不如后者，而在《温泉》之后，《皮埃尔与让》《如死一般强》和《我们的心》则属于另一个类型，在这几部作品里，作者无意于表现社会现实生活，而单纯致力于描写人的心理活动。

《皮埃尔与让》（*Pierre et Jean*，1888）是莫泊桑三部心理小说中唯一具有严肃的伦理内容的一部。它在心理分析的真实自然与深刻上，也显然大大超过了其他两部，即使是在法国近代的心理分析小说中，也算得上是一部上乘之作。

皮埃尔与让是退休商人罗兰老爹的儿子，均已成人，分别毕业于医科与法科，都面临着要努力奋斗、成家立业的问题。一天，若望忽然得到了一笔遗产，是罗兰夫妇从前的一位老朋友马雷夏尔临终前留给他的，这使若望一夜之间成为一个富翁。对于马雷夏尔在两兄弟中何以厚此薄彼，皮埃尔开始略感嫉妒，继而感到疑惑不解，终于发现自己的弟弟原来是母亲与马雷夏尔秘恋结合的私生子。他陷于极大的痛苦中，对母亲的爱变成了怨恨，不能自已地以粗暴的态度与言词折磨她，并与若望发生了冲突。感情上有了如此深的裂痕，使他难以再和家人相处，只好离开家庭到一艘往返于法国与美国之间的邮轮上去当医生。全家人送他离岸，他内心怀着永远诀别的感情，而他的母亲也因为将永远不会再见到自己的儿子而暗自心痛。

故事情节平淡无奇，但整个作品并不乏扣人心弦的力量。作者没有求助于奇特的构思与不平凡的事件，而是以一个家庭中带悲剧色彩的伦理矛盾来获取感人的力量。这里的矛盾之所以是悲剧性的，是因为它并非产生于任何一个人物不合理的行为或错误的意念，相反，每个人物都有自己值得同情的一面，并且他们在各自的处境里都深感痛苦。皮埃尔因发现了母亲过去的不贞，心目中失去了一个贤淑慈爱的母亲形象，对母亲产生了幻灭而不能从痛苦里自拔；若望因哥哥对母亲与自己的不可理解的粗暴而不安；他们的母亲罗兰妈妈则因失去了一个儿子的爱而难过，还因为皮埃尔那法官式的严厉而感到害怕。罗兰妈妈早年的隐私被发现一事给全家带来了烦恼、矛盾与混乱，成为母子隔阂并永远分离的根由，然而，罗兰妈妈早年对丈夫的不贞偏偏又是情有可原的，是不相称的婚姻必然造成的结果。那时，她是一个温柔文静、聪明敏感的少女，却被嫁给一个粗鲁、俗气、愚蠢的丈夫，而她所遇见的马雷夏尔又是那么善良、多情、谦和，他们的爱情是真诚的，长时期中，她在感情上更是马雷夏尔的妻子，她从不为这段私情而悔恨，并且一直珍藏着自己的爱，因此，她也就无法向自己的儿子承认过失，表示忏悔。莫泊桑这样构设了每个人物在自己的地位上所不能解决的矛盾，从而写出了一个表面上平静得难以察觉、实际上锐利得令人心碎的感情悲剧。小说最后一章无疑是很感人的，作者对皮埃尔离国前的孤独与凄凉的描写，带给小说的结尾以感伤的基调，母子二人诀别的情景更加强了悲怆动人的效果，而且，作者以真实自然为准绳，严格掌握分寸，力求使感伤的情绪不流于滥，让人物内心里痛苦的感情表露得尽可能简约含蓄，与最后欢送的场面相适应，从而使小说具有一种深沉的悲剧的格调。

在《皮埃尔与让》中，莫泊桑显示出专注心理描写的兴趣，他摒弃了对任何其他趣味性成分的追求而认真严肃地致力于揭示人物内心世界的状态与活动规律。皮埃尔是小说的中心，他的思想情感不断起伏变化，而他自己又不断地进行自我分析，人物的这种自我分析，正是作者所进行的心理描写的一种方式。在小说里，人物的内心活动占有绝大的比重，不仅故事是随着人物的心理活动而展开的，而且作为故事背景的历史事实也是通过人物的观察、窥测、思考、分析而逐渐显露出来的，而人物内心种种思绪的滋生、发展、起伏、变化，又不是凭空而来的，它们往往与日常生活紧密相连，琐碎的生活细节、无关紧要的某个形象就足以成为一种心绪、一段心理活动的诱因或契机，如使皮埃尔开始对母亲产生怀疑的，是药剂师波兰老头和他聊天时所讲的一句话，那么使他在码头上摆脱了自己烦恼的情绪的，则是他所看到的一艘土耳其船。人物的内心活动与外在的日常现实生活这样水乳交融，互为因果，形成了一种心理的辩证法，这是小说中心理描写之所以真实自然的所在。

《皮埃尔与让》作为心理小说的意义在于，它展示了各种不同的心理描写。这里，既有皮埃尔连绵不断、起伏变化的心绪，也有若望明白了真相后在如何对待遗产问题上思想斗争的反复与他思考中不同的层次变化。特别值得注意的是，莫泊桑在小说里实际上已经把潜意识的描写带进了文学，如皮埃尔得知弟弟获得了遗产后莫名其妙的烦恼，兄弟俩在母亲与罗瑟米莉太太面前不自觉的较量，皮埃尔对母亲那种不近人情的怨恨等等，都带有某种潜意识的性质。而且，莫泊桑还在对潜意识进行分析的基础上，表现出了人物之间的某种难以察觉、难以言传的非理性的感应关系与直觉的交流，如第五章中，皮埃尔与母亲两次关于马雷夏尔的肖像的谈话以及皮埃尔在客厅里来回走动时"都遇着他母亲的眼光"的情景，这些心理描写显然突破了19世纪上半期文学中的既定方式，有助于细致地揭示内心深处微妙的活动，开现代心理分析文学的先声。至于小说中写到不止一个人物从遗传学常识对于马雷夏尔与若望的相貌是否相像都有所考虑，写到了皮埃尔把自己的精神状态当作一个"生理学的问题"来思考，显然又带有自然主义的痕迹。

《如死一般强》（*Fort comme la mort*，1889）写的是人在青春即逝、老年将至时期的爱情心理。画家奥利维叶·贝尔坦与居伊勒鲁瓦伯爵夫人已经相好了十几年，过去，画家曾有过一番热恋，而后，这一爱情关系对他实际上已是一种束缚。伯爵夫人唯恐失去自己这个有天才的情人，以柔情蜜意千方百计维系他的爱情，长期不懈，总算使得两人相爱不渝，可望将来白头偕老。但这时，从小在外地长大的伯爵夫人的女儿安莱特回到了巴黎，她酷似其母，简直就是当年年轻漂亮的伯爵夫人的再现。在光艳动人的女儿的陪衬下，伯爵夫人开始感到衰老将至的悲哀，并唯恐因此失去画家的爱而烦恼不已。安莱特的出现又燃起了画家当年对伯爵夫人的热情，然而不久，两人都发现，画家已不自觉地被安莱特所吸引。伯爵夫人在极大的恐慌之中，匆忙安排了女儿的婚事。画家也眼见自己已丧失青春,永远不可能得到安莱特,他精神上受到此刺激后,不幸在路上被马车轧伤,最后不治身死。

整部小说具有一种哀伤的情调,作者将他的题材作为悲剧来处理,企图表现一个与传统文学中大多数爱情悲剧有所不同的爱情悲剧,即渐入老境的人的爱情悲剧。在这里,人物的痛苦、烦恼与不幸不是来自任何社会的或人为的原因,而完全来自不可抗拒的自然规律,来自年龄与感情的矛盾。这一自然的而非社会的矛盾,本无需作者进行深入的发掘,它本身并不具有深刻的意义,它发生在资产阶级有闲者身上,却被作者在文学中加以诗化,因此,作品就不免沾上资产阶级通俗文学庸俗的格调。但作者的艺术处理倒还不失巧妙,他的主人公既不是由于见异思迁或喜新厌旧而陷于新的恋爱,也不是因为他好色成性、积习难改,他爱上安莱特是因为她太像自己青年时期的情妇,她使他对过去的情妇那已经熄灭了的爱情又复燃起来,但在这种复燃中,却隐藏着他完全不自觉地对眼前这个少女的狂热的爱。作者在安莱特与伯爵夫人这两个形象的重叠中发掘两者的对照,老一代与年轻一代的对照,已经衰老的母亲与正当青春年华的女儿的对照,并在这种对照中表现画家的那种感情与自己年龄、处境、身份不相称的矛盾,以此构成小说的戏剧性的冲突,这一构思确有别出心裁之处。

小说的主要篇幅是写两个主人公的爱情心理,其他人物只是旁衬,对社会生活的描写在小说里也只占微不足道的地位,只呈现出巴黎上流社会交际生活的某些略带讽刺色彩的浮光掠影。不过,作者通过画家之口对上流社会风雅人士的批评却相当深刻,他指出,这些自以为富于才情的人物实际上"对任何事物都缺乏理解"、"自外于科学";"不懂得如何观察自然"、"自外于自然";"不会享受真正的幸福"、"自外于幸福";"不能发现现实中的美与艺术中的美"、"自外于美"。而且,作者还让那一群上流社会人士在笑谈中承认这种批评,甚至满不在乎地自嘲,更揭示了这个社会里精神病态之严重。

作为一部心理小说,《如死一般强》与其说是心理分析型的,不如说是心理描写型的。在这里,有深度的分析并不多,但对人物心理情状的描绘却充分而细致,如画家对安莱特的感情由父性的爱转为年长者的友情而后又发展为一种狂热的爱,经历了各种状态。与《一生》《漂亮朋友》有所不同,《如死一般强》很少表现人物的"肉"与"欲",在小说里,人物只是一团团的情感,画家的感受与情绪也被作者赋予某种诗意,这种描写似乎与自然主义的影响绝缘,而回到了巴尔扎克的方式。然而,整个小说所表现的毕竟只是一种自然人的爱情悲剧,完全因年龄与生理条件而产生的爱情悲剧,在这个意义上来说,又恰巧体现了自然主义的影响。

《我们的心》(Notre coeur,1890)写的是巴黎沙龙中文艺圈子里的爱情故事,主人公安德烈·马里约尔是家财殷实的单身汉,对文艺颇有修养,在文学、音乐、雕刻方面都显示过自己的才能,但他浅尝辄止,不从事任何职业,过着悠闲的日子。经文艺界朋友的介绍,他进入有钱的寡妇米夏·德·比尔内夫人的沙龙。夫人不仅丰姿绰约,艳丽动人,而且聪明风雅,通晓艺术,在她沙龙里出入的,都是文艺界的名流与上流社会的风雅人士。聚集在她周围大献殷勤,热烈追求的比比皆是。由于在过去的婚姻中受过刺激,夫人对亲近的男性始终保持独立,但同时又丝毫不放松自己对他们的蛊惑,不断接受他们的爱慕与膜拜。马里约尔幸运地得到了她的青睐,并且成为她的情夫,他沉醉在狂热的爱情之中,把夫人当作他生活的中心。但夫人的感情却从来不很热烈,不久更有所冷却,她全身心地投入上流社会各种高级交际活动,并不把马里约尔放在心上。马里约尔深感失恋与嫉妒,为了摆脱感情上的痛苦,他离开巴黎来到乡下隐居。乡居生活也不能医治他爱情的创伤,他仍对旧情念念不忘,只不过,在这里他又遇见了一个美丽的少女伊丽莎白,她给他当女仆后不久就成为他的情妇,给他一种热烈、真挚的爱情。不久，夫人得知他的隐居处后，立即来访，在她的魅力面前，他答应第二天即返回巴黎，伊丽莎白发现真情后痛苦不堪，马里约尔答应把她带回巴黎，并安排她做自己的外室。

作者企图在这部小说里表现雅士名媛纤细精致的爱情心理，但实际上他是提供了资产阶级上流社会精神贵族的爱情游戏、爱情品尝以及占有与被占有的男女关系的写照。小说的主人公都是地道的资产阶级有闲者，他们的恋爱方式是有闲者的方式，他们的爱情的苦恼也是有闲者的苦恼。毫无疑问，小说的题材既不具有重要的社会意义，也不具有严肃的人生价值，但不可否认，这部作品被作者写得相当精致，其中对于巴黎沙龙生活的描写真实而生动，从一些人物身上可以看到当时文艺界某些名流的影子。男女主人公形象也很有代表性，都是巴黎社交生活特定的产物，作者出色地刻画出比尔内夫人像谜一样难以捉摸的性格，在文学中提供了一个沙龙生活一代尤物的典型。在对马里约尔感情活动的描写上，作者的笔法也很细腻，但又不流于烦琐。小说中的景物描写优美动人，颇具魅力，并且与故事的进展、人物的心绪配合得恰到好处。把一个典型的资产阶级风雅人物的爱情游戏的题材处理得如此精致，既显示了作者杰出的艺术才能，也反映了作者庸俗的趣味与格调。

第四节 "梅塘之夜"的其他作家

于斯曼（Joris-Karl Huysmams, 1848~1907），其真名是乔治·查理·玛利·于斯曼，他的父系祖先是荷兰画家，他的童年因母亲再婚过得并不幸福，他在中学里也只是一个成绩平平的学生。学过几年法律后，他于1868年在内政部谋到一个小差事，普法战争时，他编入别动部队服役，战后又回内政部，同时从事文学创作。

1874年，他出版了一部散文诗集《带香料的糖果盒》（*Le Drageoir*

aux épices），接着又出版了他的第一部小说《妓女玛尔特的故事》（*Marte, histoire d'une fille*）。他的文学活动引起左拉的注意，1876年左右，他与莫泊桑、阿莱克斯、瑟阿尔、厄尼克结为文友，尊奉名重一时的左拉，经常出入左拉的梅塘别墅。在1880年出版的著名文集《梅塘之夜》中，于斯曼拿出的小说是《背包在肩》（*Sac au dos*），写一个新入伍的青年士兵在战争中的经历，他因为生病而痛苦地从一个医院转到另一个医院，目睹了战争的失败与法军的溃退。1879年，他又出版了小说《瓦达尔姐妹》（*Les Soeurs Vatard*），并题词献给左拉。接着，他又发表了《同居生活》（*En ménage*，1881）与《沉浮》（*A vau-l'eau*，1882）。他这些作品往往从生理角度描写饮食男女，不回避官能感受与猥亵情节，因此他无可争议地被视为自然主义流派的一员。

不过，就他的气质而言，却有着与自然主义格格不入的基因。自然主义充满了强健的机能，追求原始生命力，而于斯曼则柔弱而有悲观主义倾向，对外在世界有一种厌恶感。在艺术上，他也显示了与自然主义流派有所不同的个人特色。他的风格类似画家的绘画，具有直观性与逼真性，精细而又富于色彩。这些从气质上到风格上的特点，一开始就已露端倪，1884年《逆反》的发表则标志着他与自然主义的分道扬镳，并显示出他对象征主义的爱好。《逆反》中的主人公戴厄森特是一个情调颓废的精神贵族，他认为文明就是脱离自然的状态，就是建立一种人工的、满足精神享受的氛围与环境，他自己在远离尘嚣的别墅里为自己布置了这样一个文明天地，作为其中的美感与精神享受内容的，不仅有奢华的陈设、珍奇的花草，而且还有罗马时代颓废作家的作品与波德莱尔、魏尔伦、马拉梅的诗集。小说中的这种描写在当时大大助长了开始风行的象征主义诗歌的声势，于斯曼也因此而被视为象征主义派的文人。此后，于斯曼的新倾向又有进一步的发展，他在1891年出版的《在那儿》（*Là-bas*）中，通过主人公的认识,宣告自然主义已经走进了死胡同,只有神秘主义才有出路。1895年后,于斯曼皈依天主教。此后,他的《启程》(En route, 1895)、《大教堂》(La Cathédrale, 1898)与《献身修会的俗人》(L'Oblat, 1903)等作品,都表现了宗教神秘主义的倾向与对象征性的追求。尽管于斯曼发生了转向,但由于他早期与自然主义文学的关系,他于1903年至1907年担任了龚古尔学院第一任主席。

于斯曼一生共写小说十二部,此外,他还是一个颇具慧眼的艺术评论家,他在塞尚、德加、瑟拉等杰出的印象派画家成名之前就对他们大加赞赏,他的艺术评论集有《现代艺术》(L'Art moderne, 1883)与《某些画家》(1889)。

阿莱克斯(Paul Alexis, 1851~1901)是外省人,年轻的时候来到巴黎,结识左拉后,成为自然主义最坚定的追随者之一。他的第一篇小说是收入1880年的《梅塘之夜》的短篇小说《战斗之后》(Après la bataille),小说中,一个青年神甫在战斗中负伤后,在路上遇见一个用四轮车运自己丈夫遗体回去安葬的寡妇,他被搭救上车,由此,在这两个逃亡者之间发生了一段悲欢的故事。同年,他还发表两部小说:《米尔先生的日记》(Le Journal de M.Mur)与《吕西·贝莱格兰的结局》(La Fin de Lucie Pellegrin),此后,他陆续有两部作品问世:《爱的需要》(Le Besoins d'aimer, 1885)与《默里奥太太》(Madame Meuriot, 1890)。此外,他还从事剧本的创作,其中《谁也不要的女人》(Celle qu'on épouse pas)颇为成功,成为保留剧目。他还写有《一个朋友记左拉——附左拉未发表的诗作》(Emile Zola, notes d'un ami, avec des vers inédits d'Emile Zola, 1882)。

瑟阿尔(Henri Céard, 1851~1924),他早年在国防部等机构任职,业余从事小说创作,第一次发表作品也是在《梅塘之夜》中,他拿出的小说是：《国破人亡》(*La Saignée*)，小说运用漫画的笔法，揭露了战争期间一个法军负责防务的首脑如何玩忽职守。此后，他只发表过两部小说，即《美好的一天》(*Une Belle journée*，1881) 与《海边待出售的土地》(*Terrains à vendre aubord de la mer*，1906)。他和自然主义流派其他作家一样，颇有志于戏剧的改革，因此，创作兴趣转向安东尼 1887 年所创办的"自由剧场"，从 1886 年起，他所改编与创作的剧本不时在这个剧场上演并颇获成功，如《屈从者》(*Les Résigniès*，1889)、《一切为了荣誉》(*Tout pour l'honneur*，1890)。除剧本创作外，他还经常为一些报纸撰写文学与戏剧评论文章。他于 1919 年被选为龚古尔学院院士。

厄尼克 (Léon Henniqne，1851~1935) 也是第一次在《梅塘之夜》合集中发表自己的作品。他写有多部长篇小说，其中左拉的影响相当明显，与龚古尔弟兄的作品颇为近似，有不少对时代社会的冷静观察，但都不大成功。他还写有充分具有自然主义风格的剧本多种。从龚古尔学院成立之日起，他就是该院的院士。

第七章 法朗士

法朗士是法国 19 世纪末、20 世纪初著名的批判现实主义作家，是维系从左拉到罗曼·罗兰、巴比塞的法国民主主义传统的纽带，是法国现代进步文学的开拓者。他继承了法国古典文化和 18 世纪启蒙文学的优秀传统，用许多语言清晰、文笔优美的作品配合了现实的政治斗争，并且率先把自己的斗争汇入了社会主义的时代潮流，因而在当时的法国和欧洲都产生了巨大的影响。

第一节 法朗士的生平

阿纳托尔·法朗士（Anatole France，1844~1924）原名阿纳托尔－弗朗索瓦·蒂波，1844 年 4 月 16 日出生于巴黎一个普通的书商家庭。他的父亲弗朗索瓦－诺埃尔·蒂波本是个贫苦农民，后来在查理十世的禁卫军中当兵时受到一位上校的赏识，得到学习文化的机会，由文盲成为一个颇有知识的旧书商。为了迎合恩主上校先生的兴趣，诺埃尔·蒂波的"政治书店"主要经营法国大革命时代的著作、报刊和漫画等资料，因此吸引了不少共和主义者常来光顾，使法朗士从小就受到共和主义思想的熏陶。法朗士幼年时耳闻目睹了社会底层的贫困现象，后来在中学里又备受贵族子弟的歧视，所以很早就萌发了同情穷人、主张自由平等的人道主义思想。中学毕业后他就业无门，对路易·波拿巴的军事独裁和侵略政策深感不满，曾经发表了两首讽刺拿破仑三世的诗歌，并且在 1868 年参加了人道主义者夏尔-路易·沙森为鼓吹和平而建立的合作协会。普法战争爆发后，他曾应征入伍。由于他从小就对雅各宾派的恐怖专政抱有反感，只幻想用和平手段建立共和国，所以他对巴黎公社的革命行动很不理解，在公社被包围的困难时刻曾一度离开巴黎。

法朗士爱好古典文学，中学时代曾因作文《圣·拉德贡德的传说》(*La Légende de Sainte Radegonde*) 获奖。1867 年，他结识了出版商阿尔丰斯·勒迈尔，开始参加帕纳斯派的活动，同时开始了他的记者生涯。1869 年他担任勒迈尔出版社的审稿者，并发表了第一篇文学评论《阿尔弗雷·德·维尼》(*Alfred de Vigny*)。巴黎公社失败后，他重返勒迈尔出版社，编写大仲马未完成的《烹调词典》(*Dictionnaire de cuisine*)，并完成了 10 年后才发表的第一部自传性的小说《让·塞尔维安的愿望》(*Les Désirs de Jean Servien*, 1882)。以后几年里，他编注了拉伯雷、伏尔泰等名家的作品，积累了丰富的历史和文学知识，为以后的创作奠定了良好的基础。

《金色诗集》和《科林斯人的婚礼》的成功，提高了法朗士在帕纳斯派中的地位，在帕纳斯派的领袖勒孔特·德·李勒的推荐下，他在 1876 年成为参议院图书馆的职员。同年，一个银行高级职员的女儿为他带来了丰厚的嫁妆。称心的职业和优裕的生活使他暂时忘却了过去的艰辛，在以后几年里写出了一系列温情脉脉的作品。1881 年，他的小说《波纳尔之罪》获得法兰西学院奖，确立了他在文坛上的地位。1884 年，法朗士被授予荣誉勋位骑士勋章，开始出入贵妇们的沙龙，并结识了他的终身伴侣、热情博学的卡亚菲夫人。从 1886 年起，他主持《时代》杂志的《文学生活》专栏，到 1893 年辞职为止，共发表了三百篇关于作家和作品的评论，约有一半收集在四卷《文学生活》(*La Vie littéraire*, 1888～1892) 里。法朗士作为小说家和评论家声誉日隆,在 1896 年顺利当选为法兰西学院院士。

19 世纪 80 年代,法国社会政局混乱,政治经济丑闻迭起,法朗士在参议院图书馆里亲眼目睹了上层社会的黑暗和腐败,同时他自己平静的生活也泛起了波澜。为了作品的出版问题,他开始和勒迈尔出版社打一场长达 20 多年的官司,另外在文学问题上又和勒孔特·德·李勒意见相左,几乎酿成决斗,因此在图书馆里也备受排挤,长期不能晋升,所以他希望来一阵风暴,把所有的敌人都扫除干净。他和许多人一样,把希望寄托在陆军部长布朗热将军身上,并在 1886 年发表了一篇歌颂战争的文章。但布朗热最后身败名裂,逃往国外,终于使法朗士清醒过来,"学会了理解政治"。这时他的家庭也已名存实亡,他在卡亚菲夫人影响下写成的小说《泰绮丝》又遭到教权主义者的猛烈攻击。种种矛盾促使他对政府、军队、教会、家庭、道德等貌似神圣的一切都产生了怀疑,使他的思想从不满现实而逐渐左倾,他终于在 1890 年愤然辞去了图书馆的职务,"从而获得了文学上的自由和独立",能够不受限制、严肃认真地思考社会问题了。

德雷福斯事件是法朗士思想发展的转折点。在这个事件漫长的过程中,法朗士始终和左拉并肩战斗,并且和社会主义改良派领袖饶勒斯、社会激进党领袖克雷孟梭等站在一起,同一切反动势力进行了不屈不挠的斗争。在饶勒斯的影响下,他开始接近无产阶级,倾向社会主义,同情和支持国内外劳动人民的正义斗争,他的思想正是在这些斗争中发展到了激进人道主义的高度。他以社会现实为题材,写出了《现代史话》《克兰克比尔》和《在白石上》等一系列揭露和批判资本主义制度的优秀作品。1905 年俄国革命爆发后,法朗士作为国际知名的进步人士,当选为"俄国人民之友社"的主席,为反对沙皇统治、宣传俄国革命、声援入狱的高尔基等革命者做了大量的工作。

1906 年,德雷福斯冤案彻底平反,克雷孟梭担任了内阁总理。法朗士一贯支持议会中的"左翼联盟",看到自己的"希望最终得以实现",他以为大功告成,便埋头写作准备了 20 多年的历史巨著《圣女贞德生平》了。但是事隔不久,克雷孟梭便调动军队,血腥地镇压了工人的罢工,使法朗士重新陷于怀疑和失望之中。然而他并未丧失斗争的勇气,他在幻想小说《企鹅岛》和《天使的叛变》中,无情地揭露了包括克雷孟梭在内的政客们的丑恶行径,预言了资本主义社会必然灭亡的命运。他还应邀到拉丁美洲去巡回演讲,宣传自己的社会主义信仰,并且在大战之初勇敢地发表了一篇呼吁和平的声明。十月革命胜利后,他全力支持苏维埃政权,带头签名抗议帝国主义国家对苏联的封锁,并且表示了对马克思的景仰:"卡尔·马克思在 1871 年便预言了今天发生的一切,是一个具有非凡天才的人。"

1920 年 12 月,法国统一社会党在图尔大会上分裂,法朗士对新成立的法国共产党十分同情,并且积极捐款。1921 年 1 月 11 日,《人道报》报道了法朗士捐款的消息,并认为这是他加入法共的实际行动,法朗士也并不否认。同年他荣获诺贝尔文学奖,他在领取奖金的演说中揭露《凡尔赛和约》是"战争的延续",表现了不向帝国主义反动势力妥协的崇高气节,赢得了全世界人民的尊敬。

1924 年 4 月 16 日,巴黎人民热烈庆祝了法朗士的八十寿辰,他于同年 10 月 12 日逝世,法国政府和人民为他举行了隆重的国葬。

第二节 法朗士的前期作品

从青年时代到逝世为止,法朗士在 60 年的文学生涯中,共发表了二十卷小说和近二十卷的诗歌、回忆录、文学评论、政论和历史著作。他的创作可以分为两个时期:1890 年以前,他的作品大都不直接涉及社会现实,而是以传说或回忆的方式来表现对生活的热爱,反映了法朗士向往自由幸福、反对教权主义的人道主义思想。

1.《波纳尔之罪》及其他

法朗士是以诗歌开始文学创作的。1873 年,他把前几年发表的诗歌汇编成《金色诗集》(Poèmes dorés),题献给勒孔特·德·李勒。这些诗歌以动物和植物为题材,赞美生活和爱情,呼吁人们尊重动物的生命,表现了他对幸福的憧憬和对弱者的怜悯,也反映出达尔文进化论对他的影响。三幕诗体悲剧《科林斯人的婚礼》(Les Noces corinthiennes,1876)是根据古代宗教冲突的传说改写的。故事发生在古希腊的科林斯,信奉异教的伊比亚斯和皈依基督教的达菲娜相爱,可是达菲娜的母亲卡利斯塔因为身患重病,竟不顾女儿的哀求,发下了只要自己康复便把女儿献给上帝的心愿,迫使达菲娜同意放弃世俗的生活,扔掉了伊比亚斯赠给她的戒指。伊比亚斯旅行归来,重新唤起了达菲娜热烈的爱情,正当他们准备一起逃走的时候,卡利斯塔发现了他们的企图,赶走了伊比亚斯。痛苦万分的达菲娜决心以死殉情,她赶上了伊比亚斯,和他按异教的仪式举行婚礼后服毒自杀,死在情人的怀抱里。伊比亚斯无比愤怒地诅咒上帝,抱着达菲娜的尸体登上柴堆自焚而死。法朗士出于对教权主义的憎恶,把基督刻画成毁灭人间爱情的元凶,因而使剧本成了一篇反基督教的宣言。1902 年,该剧在法国反教权主义斗争的高潮中首次上演,引起了强烈的反响。《若加斯特和瘦猫》(Jocaste et le Chat maigre,1879)包括两个故事:《若加斯特》描写了爱情和道德的冲突,《瘦猫》则对道学家和哲学家进行了幽默的讽刺。

法朗士的成名作是《波纳尔之罪》(Crime de Sylvestre Bonnard,1881),这是他在 20 年间断断续续地写成的。故事分为两个部分:第一部分《圣诞柴》(La Bûche)写戈格斯夫人分娩不久便失去了丈夫,家境困难,无法度日。在寒冷的冬天里,楼下的老学者波纳尔让人给她送去一块圣诞柴和一些汤,后来戈格斯夫人便不知去向了。若干年之后，波纳尔根据线索到西西里岛去找一份《金色传说》的手稿，途中认识了俄国的彼得罗夫公爵夫人。经过一番周折，波纳尔眼看手稿在巴黎的店里拍卖，却苦于缺钱而无法到手。正在苦恼之际，有个男孩给他送来了一个盒子，里面是公爵夫人送给他的一块由名师雕刻的圣诞柴，还有那份40年来他梦寐以求的手稿。最后女仆在门口认出了男孩的母亲，原来公爵夫人正是当年的戈格斯夫人。第二部分《冉娜·亚历山大》(Jeanne Alexandre)的主人公也是波纳尔，他年轻时爱着克雷蒙蒂娜，但由于双方家长政见不同而未能成婚，克雷蒙蒂娜由她父亲做主嫁给了一个富裕的农民。事隔数十年，波纳尔到友人家里去研究手稿，偶然发现冉娜正是克雷蒙蒂娜的外孙女，她已经失去了所有的亲人，在凶恶的监护人苍蝇先生的逼迫下，不得不在一所学校里做繁重的工作。波纳尔像见到自己的外孙女一样，对冉娜的怜爱之心油然而生。他决心担负起"外祖父"的责任，冒着拐带幼女的罪名把她救出了虎口。恰巧苍蝇先生因卷款潜逃而犯罪，波纳尔才得以免除牢狱之灾，成了冉娜的合法保护人。冉娜长大后与波纳尔的优秀学生格里斯相爱，波纳尔决定把心爱的藏书全部卖掉为她办嫁妆，自己则隐居乡村。但是他实在难以割舍几份最珍贵的手稿，所以在一天夜里又把它们从要卖掉的书中"偷"了出来，藏在一个旧柜子里。他"拐走"了冉娜，"偷"了他监护的孤儿的东西，这就是善良的老学者一生中仅有的"罪行"。

这两个故事成功地塑造了人道主义者波纳尔的感人形象。他仁慈、博学，是一个通过书本来认识世界，对社会现实却茫然无知的老学究。他为了寻找手稿而疲于奔命，一筹莫展，想不到多年前做的一件好事却给他带来了意料之外的回报。他出于对昔日爱情的怀念而搭救冉娜，命运的机缘居然使他逃脱了法律的罗网。波纳尔本人通过接触社会现实，也变得热爱生活，最后写出了关于鲜花和昆虫的作品。法朗士通过这两个故事，为人性的善和美谱了一曲动人的赞歌，而且通过波纳尔的转变歌颂了美好的生活。法朗士用全部热情来歌颂波纳尔纯洁的心灵和崇高的品质,因为波纳尔正是他心目中理想的形象:他的博学显示出法朗士对书籍的兴趣和他本人知识的渊博,他的爱情也多少反映了法朗士对青年时代梦幻的留恋。法朗士在波纳尔身上倾注了自己的全部热情,所以波纳尔的形象才这样栩栩如生,感人至深。

法朗士接着发表了《阿贝依》(*Abeille*,1883)和《友人之书》(*Le Livre de mon ami*,1885)。《阿贝依》是一篇美丽的童话,叙述男孩乔治和女孩阿贝依在水神官和矮人国里的奇遇,以及他们长大后幸福结合的故事。《友人之书》是第一部回忆录性质的小说,法朗士利用虚构的人物皮埃尔·诺齐埃尔,生动地记叙了自己从出生到中学毕业的有趣经历,字里行间无不流露出童年的纯朴和天真。这些富于温情的作品歌颂了人们的善良、仁慈和友爱,洋溢着浓郁的人道主义气息,反映出法朗士向往美好生活的乐观恬静的心情。在自然主义和象征主义统治文坛的时代,法朗士的作品独树一帜,显得清晰自然,幽默典雅,从内容到形式都使人耳目一新,因此受到广泛的重视和好评。

2.《泰绮丝》

1889年,法朗士把自己在1867年发表的诗歌《圣泰绮丝的传说》(*La Légende de Sainte-Thals*)改写成著名的小说《泰绮丝》(*Thaïs*),内容是一个修道士感化妓女的故事。公元4世纪,埃及尼罗河畔的沙漠里有许多修道士,贵族子弟巴福尼斯也在牧师的感召下皈依了基督教,放弃家产来到这里苦修了10年。有一天他忽然想起从前曾在亚历山大剧场见过一个美貌放荡的女演员泰绮丝,许多人为了她挥金如土、沉沦堕落。巴福尼斯决心把她从罪恶的深渊中拯救出来,以实现上帝的意志,于是他不顾饥渴、昼夜兼程,从沙漠步行到亚历山大。泰绮丝在纸醉金迷的生活中虚度年华,得不到真正的爱情和幸福,这时正感到无比的苦闷和空虚。她看透了富人的贪婪和邪恶，常常回忆自己悲惨的童年。黑奴阿梅斯慈父般的温情，使她深感世上只有穷人的心地才善良，只有清贫的生活里才有安宁。巴福尼斯此时来到这里，趁机用天堂极乐的鬼话迷惑了她，为了断绝她的退路，还把她无数的艺术珍宝付之一炬，把她送进女修道院，在一间斗室里过着只有面包、水和一支三孔笛的修行生活。但巴福尼斯回到沙漠之后却坐卧不宁，无论读圣经、做祈祷还是睡眠，都摆脱不了魔鬼的诱惑。他曾爬到一根石柱顶上呆了一年多，任凭日晒雨淋、皮肤溃烂，也曾钻入荒僻阴森的古墓，离群索居，与蛇蝎为伍，但泰绮丝的形象仍然出现在他的眼前，他终于不得不承认是爱上了她。当泰绮丝病危的消息传来，他无比悔恨、绝望，识破了上帝的骗局，他拼命赶到女修道院，声嘶力竭地向奄奄一息的泰绮丝叫道："我爱你，你不要死！我的泰绮丝，我欺骗了你！我是一个可怜的疯子。上帝、天堂都算不了什么，真实的只有人间的生活和人的爱，让我们相爱吧！"

《泰绮丝》深受福楼拜的《圣安东尼的诱惑》的影响，是一部反基督教的杰作。小说中的巴福尼斯是一个狂热的、然而绝非虔诚的基督教徒，支配他的是资产阶级企望一本万利的心理。他不理解不信上帝的蒂莫克莱斯何以跟他一样在沙漠里受苦，更不能像巴雷蒙老人一样看破红尘，在耕作中愉快地消磨岁月。他只是用苦行来压制自己疯狂的邪念，以神圣的外表来掩盖自己丑恶的灵魂，指望以暂时的牺牲来换取永远的满足，"如果不是为了天堂的极乐，那我就马上回到尘世去，像有钱人那样拼命享受"。一旦幻梦破灭，他便像输了老本的赌棍，暴露出狰狞邪恶的本性。他的悔恨绝不是因为对泰绮丝有什么纯洁的爱情，而是要追回过去未曾享受的一切，他出于对尘世欢乐的嫉妒，要进行绝望的挣扎。法朗士以如此犀利的笔触，淋漓尽致地揭露了信仰狂们的卑劣和虚伪，对他们的苦行和忏悔进行无情的嘲弄。这理所当然地会激起教权主义者歇斯底里的狂怒，但是他们对法朗士恶毒的诬蔑和攻击，只能促使他更加坚定地走上反对政教合一、争取自由进步的道路。

《泰绮丝》是法朗士创作的第一部历史小说，他以渊博的历史和宗教知识，栩栩如生地再现了古代埃及五光十色的风貌。在小说中，世俗生活的欢乐和修道士们的苦行形成了强烈的对比，泰绮丝放荡一生之后升入了天堂，巴福尼斯苦行一世却堕入了地狱，这固然是对宗教的讽刺，但同时也表明，法朗士反对基督教来世思想的武器是资产阶级的现世观，这正是文艺复兴以来资产阶级人道主义一贯的表现方式。在小说里，泰绮丝就是爱情和生活的化身，法朗士认为爱神比上帝更为强大，在上帝沉默、撒旦横行的世界上，修行是毫无意义的蠢举，因此他对泰绮丝充满了同情，他创作《泰绮丝》的主要目的也就是歌颂世俗生活的欢乐。《泰绮丝》是一部优秀的作品，它不仅在天主教会回光返照、教权主义者阴谋复辟的第三共和国时代有着特殊的现实意义，而且100年来都以它强烈的艺术魅力吸引着世界上的无数读者。

第三节 法朗士的后期小说

从1890年开始，法朗士积极投身于进步的社会活动，成为左翼势力的杰出代表。他撰写了《教会与共和国》（*L'Eglise et la République*，1905）等大量直接配合现实斗争的政论，同时发表了一系列抨击资本主义制度的小说。这些作品不仅反映了法朗士思想的深刻变化，而且也是这一时期法国历史的真实写照。

1.《鹅掌女王烤肉店》与哲理小说

19世纪90年代初，法朗士连续发表了两部哲理小说：《鹅掌女王烤肉店》（*La Rôtisseric de la Reine Pédauque*，1892）和《热罗姆·瓜纳尔长老的意见》（*Les Opinions de Jèrome Coignard*，1893）。两部小说的主人公都是热罗姆·瓜纳尔长老，但是结构有所不同。《鹅掌女王烤肉店》类似伏尔泰的《天真汉》，它借用18世纪的故事做框架，以烤肉店主的儿子雅克·烤肉钎回忆老师瓜纳尔长老的言行的方式，辛辣地讽刺了法国的社会现实。瓜纳尔长老学识渊博，但在情场上多次失意，而且进过监狱，后来碰巧成了雅克·烤肉钎的老师。哲学家达斯塔拉克邀请他们到家里翻译古代文献，因为他是个狂热的炼金术士，正跟犹太老人莫萨伊德合作，企图发现控制大自然的奥秘。他坚信火里生活着一种名叫蝾螈的精灵，会给人带来美妙无比的爱情。雅克·烤肉钎在按他的吩咐等待蝾螈的时候，巧遇莫萨伊德的侄女雅爱尔，两人产生了热烈的爱情。烤肉钎从前的邻居卡特琳生活放荡，她的情人们互相殴斗，烤肉钎便把她的情人之一、贵族唐克蒂尔藏在自己的房间里，不料雅爱尔和唐克蒂尔一起私奔，长老和烤肉钎也尾随而去。道貌岸然的莫萨伊德实际上霸占着雅爱尔，他把长老错当成情敌，在去里昂的路上伺机刺死了长老。雅爱尔跟唐克蒂尔走了，烤肉钎独自伤心地回到家里，以后成了一个本分的书商。达斯塔拉克天天点火试验，终于在大火中死于非命。莫萨伊德虽侥幸逃出，却掉进塞纳河里被淹死。

从小说的结构、书中情人密约和私奔等情节以及对《圣经》的批判和对"违反自然"的道德的揭露来看，它无疑深受18世纪小说、特别是狄德罗的《拉摩的侄儿》和《宿命论者雅克和他的主人》的影响。它的情节动人但不紧凑，主要是为瓜纳尔长老的议论做铺垫之用。瓜纳尔长老是个有血有肉、诚实可亲的人，他酷爱学问，同时也喜欢金钱、美酒和女人；他主持正义，却也是打架和赌博耍赖的能手；他笃信上帝，但在偷了东西或殴斗之后，总能从圣人的格言里找到自慰的依据。他谈吐高雅而又放荡不羁，因此随时随地都能发表一通不无道理却又令人难堪的妙论。在他看来没有什么神圣的东西，因为"人都是自私、怯懦、放荡的"，"很难不犯罪"，而比起"骗子、流氓和一切坏蛋"来，"可敬的人物使人更不高兴"。爱情是虚无的，嫉妒是愚蠢的，所以卡特琳的放荡值得"宽恕"，雅爱尔的虚荣不过是女人的天性。总之，人类一切活动的中心是"饥饿和爱情"，"道德就像乌鸦一样在废墟上做窝"，就是说只能存在于老年人的皱纹里。他这些议论貌似荒诞不经，其实只是毫不隐讳地说出了资本主义社会里司空见惯的常情，因此反而令人感到亲切和痛快淋漓。

法朗士辞去参议院图书馆的职务之后，像处在十字路口一样，一时无所适从。他虽然在1890年五一劳动节的大罢工中认识到了"工人阶级是一种必须重视的新势力"，但同时也受到了巴枯宁等人的无政府主义思想影响。他对社会现实的种种不满，加上蒙田的怀疑论、伏尔泰的小说对他的影响，使他对生活形成了独特的看法，正如他在《伊壁鸠鲁的花园》(*Le Jardin d'Epicure*，1894)中所总结的那样："我越是思考人类的生活，就越相信应该给生活以讽刺和怜悯，以作为它的证人和法官。讽刺和怜悯是两个好顾问，一个微笑着使生活变得可爱，另一个哭泣着使它变得神圣。我运用的讽刺一点都不残酷，它不嘲笑爱情，也不嘲笑美，它是温和的、善意的，它用微笑平息愤怒，正是它教我们嘲笑恶人和傻瓜，没有它我们就会偏向仇恨。"法朗士怜悯人类的弱点，又不愿偏向仇恨和暴力，讽刺就成了他得心应手的武器。在《鹅掌女王烤肉店》里，他利用瓜纳尔长老之口来借题发挥：贵族是不懂希腊语的笨蛋，哲学家只会胡说八道，修士则以拐骗金钱和勾引女人为业。"战争不过是偷村民们的鸡和猪"，当了兵便"对姑娘们有了公鸡对母鸡的特权"，可谓嬉笑怒骂皆成文章，读者们一眼便可看出瓜纳尔的哲学正是法朗士的哲学，瓜纳尔就是法朗士的化身。所以这本书出版之后，法国人便像雅克·烤肉钎称呼瓜纳尔长老一样，称法朗士为"好老师"了。

《热罗姆·瓜纳尔长老的意见》是《鹅掌女王烤肉店》的续篇，分为《密西西比事件》《军队》《学院》《司法》等若干章节，内容都是针对1892年至1893年法国社会的政治和经济丑闻，例如《密西西比事件》影射的就是巴拿马运河贪污案，因此它的批判锋芒更为直接和明显。小说直言不讳地谴责了资本主义社会的头面人物："资产阶级法官不懂法律"，"部长们只是由于服饰和四轮马车才显得高贵"，"院士们的名声"和舞女一样，"暴君"一个比一个可恶。值得注意的是，法朗士在前言中明确表示了自己对人性的看法："人生来是凶残的。瓜纳尔长老的哲学主张宽恕人的缺陷，而卢梭的哲学则设想人生来是善良的，要把人引回到猴子那里去，然而猴子也并不讲究道德。"这一方面证实法朗士信仰的是伏尔泰而不是卢梭，另一方面也表明法朗士对人性的看法已经和19世纪80年代初大相径庭。他不再歌颂人性的善和美，而是极力揭露人性的恶和丑。他在以后几乎所有的作品里都力图证明"人类的本性没有变，这种本性就是粗暴、自私、嫉妒、好色、残酷"。著名的爱情小说《红百合花》（*Le Lys Rouge*，1894）和《滑稽故事》（*Histoire comique*，1901）就是两出反映人们由于嫉妒而毁灭爱情，甚至丧失生命的悲剧。他从人性而不是从阶级性来观察社会，因此把资本主义社会的种种弊病都归结为人心不古，这是一个人道主义者必然的思想局限，也正是他未能及时转向马克思主义的一个重要原因。从艺术性来说，《热罗姆·瓜纳尔长老的意见》结构松散，缺乏完整的故事情节，因此作为小说并不成功。

2.《现代史话》与现实主义小说

从1895年起，《巴黎回声报》开始连载法朗士的长篇小说《现代史话》（*L'Histoire moderne*），后分为四卷出版：《路旁榆树》（*L'Orme du Mail*，1897）、《柳条模型》（*Le Mannequin d'Osier*，1897）、《红宝石戒指》（*L'Anneau d'améthiyste*，1899）和《贝日莱先生在巴黎》（*M. Bergeret à Paris*，1901）。

《路旁榆树》描写外省某城宗教界的黑暗内幕。18个人争当都尔冈的主教，其中最主要的竞争对手是大修道院的教授吉特雷尔神甫和院长拉泰涅。吉特雷尔神甫不择手段,不惜"把教堂的艺术品偷去装饰省长的客厅",以取得省长沃尔姆·克拉弗兰的支持。拉泰涅不像吉特雷尔那样善于钻营,只能在林荫道的榆树下向经常碰到的文学院讲师贝日莱先生倾诉心曲。

《柳条模型》写贝日莱先生的家庭纠纷。贝日莱先生学识渊博、心地善良。他同情老流浪汉云雀脚,反对死刑,认为"刑法学家要比野蛮人凶恶得多"。可是他到处受到庸人的排挤,连妻子都欺骗了他。他一怒之下打坏了妻子挂衣服的柳条模型,继而又听天由命,只把她当一只黑猩猩那样不予理睬。不料妻子还到处诽谤他,反而使他备受舆论的攻击。

《红宝石戒指》主要写德雷福斯事件。君主主义者勃雷塞公爵、鼓吹战争的夏尔莫将军和吉特雷尔神甫等都极力诬蔑德雷福斯,蓬蒙男爵夫人则百般讨好他们,要送一枚红宝石戒指给吉特雷尔神甫。吉特雷尔靠几个贵夫人的裙带关系当上了都尔冈的主教,他一上任便给总统写公开信,为教会请命,杀气腾腾地扬言"不怕监狱和镣铐"。在德雷福斯事件中,只有贝日莱先生挺身而出,仗义执言,结果在城里陷于十分孤立的境地,幸亏与他观点相近的文学院院长任命他为教授,他才得以到巴黎去上课。

《贝日莱先生在巴黎》揭露了民族主义派的阴谋活动。蓬蒙男爵夫人的先后两个情人都是民族主义者,时时企图复辟,因而神经紧张,歇斯底里。贝日莱先生到巴黎后仍然十分孤独,只能把小狗黎盖引为知己,经常发出一些悲天悯人的叹息:"到什么时候,我们的国家才能从无知和仇恨中解放出来呢。"他虽然受到报刊的指责,但仍然坚信德雷福斯无罪,并且谴责那些"戴军帽的官僚主义者"。

"无论如何要给德雷福斯加上间谍活动的罪名——这是那时的口号。"①在德雷福斯事件中,法朗士尽管和进步人士并肩战斗,但在文

---

① 列宁:《德雷福斯事件的重演》,《列宁全集》第二十五卷,第155页。

学战线上仍然是少数派。他像一个被包围的斗士，把批判的矛头指向四面八方。从民族主义派的复辟阴谋到法国工人党领袖盖德对德雷福斯事件的错误立场，从军阀的倒行逆施到政客的争权夺利，从教会的黑暗内幕到学院的庸俗风气，从法律的残酷腐败到农民的愚昧无知，从贵妇人的卖身求荣到家庭的道德沦丧，几乎整个社会都成了法朗士抨击的目标。虽然由于斗争的需要和连载形式的限制，法朗士不可能构思曲折复杂的情节，只能通过人物的议论来表达自己的观点，从而使《现代史话》带有政治随笔的性质，但是它无疑是一幅巨型的历史画卷，表现了19世纪末法国社会的进程和人们的精神状态，反映了德雷福斯事件爆发前后黑云压城的严重形势，也显示了法朗士力挽狂澜、不屈不挠的斗争精神。

贝日莱先生是《现代史话》的主人公，是当时法国家喻户晓的人物。与老学者波纳尔、瓜纳尔长老不同，他既是法朗士的代言人，又是个置身于现实斗争的人道主义者，他真实地体现了法朗士本人的思想、经历和家庭悲剧。他的孤立处境和忧郁心情，是法朗士为人道主义理想在现实中到处碰壁而苦闷的写照。这种苦闷的心情不是波纳尔那样埋头书本所能逃避，也不是瓜纳尔长老式的嬉笑怒骂所能掩盖的。正是这种苦闷推动着法朗士成为一个激进的人道主义者，使他从对动物、穷人和弱者的怜悯发展到支持国内外无产阶级和劳动人民的正义斗争，并且逐渐改变了对暴力革命的反感。

《现代史话》是法朗士唯一的多卷本长篇小说。它虽然情节单薄、结构松散、议论过多，在艺术上不够完美，并且随着时间的推移逐渐失去了它的现实性，但是它如实地反映了法国19世纪末的时代风貌，因此在法国近代文学史上仍然具有重要的意义。值得注意的是法朗士在小说中第一次提到了工人运动中的分歧，表明了坚决支持饶勒斯的立场，主张"建立一个人人按劳取酬的社会"，说明他已经初步建立了对社会主义的信仰。

1901年，法朗士发表了他影响最大、最为成功的短篇小说《克兰克比尔》(*L'Affaire Crainquebille*)，成功地塑造了卖菜老人克兰克比尔这个受压迫的劳动人民的典型。六十四号警士想在人群面前显显威风，硬说克兰克比尔骂了他"该死的母牛"，并把老人带上了法庭。克兰克比尔一向对宗教和法律奉若神明，只能像羔羊一般任人宰割。法官见他老实可欺，只用了6分钟便审讯完毕，判决他罚款50法郎、监禁15天。克兰克比尔出狱之后处处受到歧视，菜也卖不出去，终于穷困潦倒，被赶出了栖身的阁楼。在寒冷的冬夜里，他真想回到风雨不愁的监狱里去，然而他连这点可怜的愿望也无法实现，只能"低垂着头，晃着手臂，在雨夜的黑暗里消失了"。

《克兰克比尔》无疑是德雷福斯事件的缩影，它通过克兰克比尔的不幸遭遇，揭露了资产阶级司法的腐败，深刻地反映了资本主义社会里劳动人民的悲惨命运，从而有力地谴责了造成一切不公正的资本主义制度。所以这篇小说被译成了世界各国文字，在国内外产生了很大的影响。当然也应该指出，法朗士的人道主义思想改变不了社会的现实，他固然对克兰克比尔寄予满腔的同情，让一位好心人为老人代付了50法郎罚款，但却无法指明任何出路和希望。

1904年，法国正处于政教分离运动的高潮，德雷福斯事件的斗争已胜利在望，饶勒斯在这种有利的形势下创办了《人道报》，并且从创刊号开始就连载法朗士的小说《在白石上》。小说通过几个在罗马相遇的法国人的对话，广泛地讨论了当时人们普遍关心的宗教、战争、殖民主义和社会主义等政治时事问题。法朗士在小说中不仅谴责了他从前曾一度受过影响的无政府主义思想，而且以丰富的想象力，描绘了公元2270年时的"欧洲联邦"：在这个集体化的社会里，没有法官、法院，也没有战争，人们各尽所能，按需分配，生产力高度发展，社会秩序一片和谐。《在白石上》与其说是小说，不如说是一篇政论，其中没有什么为议论做铺垫的情节，也不再对所论的问题作任何影射或掩饰，而是对殖民主义和基督教等进行直接的抨击，例如"白色王国争着消灭红、黄和黑色人种，4个世纪以来拼命掠夺世界的三大部分，这就是人们所说的现代文明"，"弱肉强食是人权的原则和殖民行动的基础"，"基督从最初的一个穷犹太人变成了现在保卫资本的基督"等等。尤其难能可贵的是，法朗士严正谴责"基督教商人和传教士到中国去犯下的种种暴行和掠夺"，在一片"黄祸"声中为受帝国主义侵略的中国人民伸张正义："现在我们发现黄祸，亚洲人许多年以前就认识白祸了。圆明园的洗劫、北京的屠杀……中国的肢解，这难道一点都不是使中国人不安的问题吗？……然而并不存在欧洲经济学家们大感恐慌的黄祸，中国人没有派传教士到巴黎、维也纳、柏林来教基督徒看风水，没有干涉欧洲事务。"这种可贵的国际主义精神，使法朗士成为举世闻名的进步人士，在国内外都享有崇高的声誉。《在白石上》出版之后，法朗士便被公认为坚定的社会主义者了。

3.《企鹅岛》与幻想小说

1908年，法朗士发表了他的历史巨著《圣女贞德生平》(*La Vie de Jeanne d'Arc*)。这部与众不同的传记，抹去了宗教传说加在贞德头上的灵光，把她塑造成一个"人民的女儿"，出版后竟被天主教徒和历史学家们横加指责。特别使法朗士愤怒的是，昔日的战友克雷孟梭也变成了社会主义的敌人。但此时的法朗士已经是阅历丰富、思想成熟的老人，他虽然无比失望，却并未颓唐，而是拿起笔来奋起反击，不到半年便发表了幻想小说《企鹅岛》(*L'lle des Pingouins*，1908)。

《企鹅岛》是法朗士最著名的小说之一。它描写圣人马埃尔坐着魔鬼造的小船漂流到冰洋彼岸的阿尔加岛，为岛上无数的企鹅举行洗礼，使它们变化为人，然后把阿尔加岛带到了不列颠海岸。岛上偏僻的山洞里住着一对夫妇，男的叫克拉根，经常化装成恶龙的模样到村里去偷盗；女的叫奥尔贝洛丝，背着她的丈夫跟牧羊人、牧牛人来往。村民们祈求圣人降服恶龙，于是夫妇俩定下诡计，当着全村人的面轻易地刺杀了事先做好的假龙。奥尔贝洛丝死后被尊为圣徒，克拉根的儿子特拉哥建立了企鹅岛的第一个王朝。历代国王好战成性，企鹅人和鼠海豚人的百年战争毁灭了艺术，僧侣们篡改古代的手稿。有两个博学的僧侣进行了宗教改革，经过文艺复兴和两个古典主义的世纪，在哲学家世纪的末期产生了共和国。企图复辟的贵族僧侣们一口咬定犹太人比洛偷了8万捆干草，共和派内部分裂，产生了一个昏庸无能的政府。50年后，企鹅岛变成了工业化的城市，一边是高楼大厦、车水马龙，一边是饥饿和瘟疫在夺去无数人的生命。最后工业凋零，大地成了一片荒漠。若干年代之后，废墟上又出现了猎人和牧人，人类社会开始了新的循环，但是无论国家换了什么主人，都避免不了资产阶级和无产阶级的斗争。

由于人道主义思想的局限，法朗士不可能理解德雷福斯冤案的昭雪和政教分离运动实际上只是统治者的权宜之计，是为了缓和尖锐的阶级矛盾和转移群众对社会主义的注意力，当然更不能理解昔日的进步人士为什么一上台就会变成社会主义的敌人。无情的现实粉碎了他的美妙理想，使他感到比以前更为强烈的苦闷，《企鹅岛》中流露出来的悲观情绪，正是他这种既失望而又不甘绝望的复杂心情的反映。法朗士在德雷福斯事件时期就是一切反动势力的眼中钉，现在昔日的战友成了敌人，他的人道主义理想也被大战前夕的阴影所笼罩，他进退无路但不愿屈服，只有用他的笔来扫除人间的不平。如果说法朗士在写《现代史话》时是抱着胜利的希望向强大的敌人进攻，那么他在写《企鹅岛》时则是破釜沉舟，背水一战。何况用企鹅岛影射法国，这种手法可以使作者无所顾忌，所以法朗士的笔锋无所不至，尖刻地嘲弄了法国的历史、宗教和传统，愤怒地控诉了资本主义的现代文明：法国人民世世代代顶礼膜拜的圣徒奥尔贝洛丝原来是一个荡妇，圣约翰的福音不过是僧侣们的伪造；历代国王都把人民浸于血泊之中，教会依靠残酷的火刑才得以维持统一的信仰；德雷福斯事件和诬陷别人偷8万捆干草一样可笑，而克雷孟梭则是一个要吞下饶勒斯的反动政客。现代国家建立在"尊敬富翁、蔑视穷人"的原则之上，一切文化艺术都荡然无存，剩下的只是丑恶。尽管法朗士认为人性中最强大的是"傲慢和贪婪"，把文明社会的灭亡看成是人类新的循环的开始，但《企鹅岛》仍然无可置疑地证明了他对资本主义制度的深刻认识。它像"一颗炸弹一样"喷发出反抗黑暗现实的怒火，震动了整个法国。法朗士善于把自己的观点寓于动人的幻想故事之中，在猛烈抨击时仍不失其典雅的情趣和高贵的风度，充分显示了炉火纯青的艺术造诣和非凡的讽刺才能。

大战前夜，法朗士发表了另一部幻想小说《天使的叛变》(*La Révolte des anges*, 1914)，彻底揭穿了教会关于天使的荒诞传说。在小说里，上帝是恶的化身，不满上帝的天使们纷纷降落在巴黎，最后在撒旦的领导下，利用人间的科学推翻了上帝。但小说的目的仍然在于揭露现实：管理金融的天使决定携带财富定居巴黎，是因为"20世纪的法国只是一个共和国名义下的寡头政治国家"，"在民主政府的表面之下，上层财团有着不受监督和检查的绝对权力"。虽然在上帝被打进地狱之后，撒旦又变成了新的上帝，再一次流露出法朗士循环论的悲观情绪，但是《天使的叛变》毕竟表明，法朗士不仅是教会不共戴天的死敌，而且始终是旧世界的批判者。教廷圣职部于1922年悍然下令查禁法朗士的一切著作，恰恰从反面证明了这些作品巨大的进步意义。

大战以后，法朗士没有再发表抨击现实的作品。战争的灾难加深了他的失望，社会主义胜利的希望固然给他以继续战斗的力量，但他毕竟未能看到为之奋斗一生的人道主义理想的实现。因此在最后10年中，他只发表了两部回忆录《小皮埃尔》(*Le Petit Pierre*, 1919)和

《如花之年》(*La Vie en fleur*, 1922), 他要把毕生的经验和智慧都融合在对青少年时代的回忆之中, 用来表达对现实的失望和对未来的希望, 因为"新的欧洲将与在我们眼前沉入深渊的欧洲大不相同"。

《如花之年》的后记是用这样一句话来结束的:"我只能说我是真诚的。我再说一遍: 我热爱真理。我相信人类需要真理, 但是毫无疑问, 人类更需要谎言, 因为谎言能欺骗和安慰他, 给他以无限的希望。如果没有谎言, 人类就会在绝望和厌倦中灭亡。"这句发自肺腑的话是法朗士全部思想和作品的总结, 表达了他对真理孜孜不倦的追求, 也包含了他一生的坎坷与辛酸, 是对充满谎言的旧世界的鞭笞和控诉。

4.《诸神渴了》

《诸神渴了》(*Les Dieux ont soif*, 1912) 是法朗士最杰出的作品。这部描写雅各宾派恐怖专政的小说曾引起过不少争论和非议, 实际上它完全是法朗士思想发展的合乎逻辑的结果。

小说展现了法国大革命失败前后动荡不安的社会生活。1793年, 法国四面受敌, 形势十分危急, 投机商们囤积居奇, 人民生活极为困苦。青年画家埃伐利斯特·加默兰是个充满热情的爱国者, 但是为了赡养母亲而不能从军。他不时画些小作品卖给投机商让·勃兰兹, 逐渐和勃兰兹的女儿艾洛蒂相爱了, 然而由于社会地位的悬殊, 他们只能悄悄地幽会。里通外国的检察官寡妇罗斯莫尔夫人对加默兰颇有好感, 为了在法庭里安插亲信, 设法让他当上了革命法庭的陪审员。加默兰为人仁慈, 崇拜马拉, 不轻易判人死刑。但在马拉被暗杀之后, 形势急剧恶化, 法庭处死的人愈来愈多, 加默兰也变得愈来愈残酷, 以至于被母亲和妹妹看成"魔鬼"。他的妹夫是移民, 在被当作反动分子送上法庭的时候, 他竟然冷若冰霜地拒绝了妹妹朱丽亚的求情。他甚至还坚持把一个无辜的年轻人送上断头台, 因为他怀疑这个人是艾洛蒂的情人。他虽然"夜里二十次被噩梦惊醒",却仍然认为自己是在保卫共和国的利益,因为他认定只有"神圣的断头台"才能"拯救祖国"。最后雅各宾派失败,加默兰自杀未遂,和罗伯斯庇尔一起死在断头台上。艾洛蒂把他赠送的刻有马拉头像的戒指扔进火炉,投入了别人的怀抱。

法国大革命对法朗士的思想和创作有着极为深刻的影响,可以说他一生都在心中酝酿着这个重大的主题。早在青年时代他就在报上登过广告,想发起编写一套《法国大革命百科全书》,这个计划虽因缺乏经费而未能实现,却充分显示了他对法国大革命的兴趣。当然,由于幼年时在父亲书店里获得的深刻印象,他同情的是吉伦特派而不是雅各宾派,而且曾长时期对暴力革命抱有反感,但是现实的斗争使他从19世纪90年代起逐渐改变了态度。在《教会与共和国》里,他谴责反动势力"镇压巴黎公社,屠杀八万无产者"的罪行,认为梯也尔是一个"自私残酷的老人"。1907年,他积极参与了争取为巴黎公社著名的女战士、"红色圣母"路易丝·米歇尔竖立塑像的活动。这种爱憎分明的立场在《诸神渴了》里得到了充分的反映:"人民之友"马拉不顾溃疡的折磨,无情地揭露叛徒,因而惨遭敌人的毒手,人民对他的去世感到无比的悲痛,就像"失去了牧人的羊群";军事委员会书记福尔居纳·特鲁贝尔积劳成疾,把血吐在手绢里坚持工作,直到生命的最后一息,临终前还嘱咐加默兰"提高警惕保卫共和国";罗伯斯庇尔为人类的幸福昼夜操劳,呼吁法国人民团结起来实现博爱,他的失败使法朗士深感痛惜。相反,两面三刀的反动分子勃兰兹,借革命投机的保王党人亨利,以及大银行家和反动贵族等则在法朗士犀利的笔下丑态百出。他们在革命中伪装积极、牟取私利,暗地里大搞阴谋活动;一旦革命失败,马上就狂呼"打倒马拉",砸碎马拉的雕像,挖空心思地侮辱罗伯斯庇尔,充分暴露出反革命复辟的疯狂。

法朗士在小说中反对的不是革命恐怖,甚至还赞扬"国民公会实行恐怖,建立了无情的法庭来惩罚叛徒"。他反对的只是"革命法庭对脚夫、女仆和对贵族、金融家一样严厉"的"平等原则":不论是搞阴谋活动、里通外国的贵族、银行家,还是英勇作战但打了败仗的将军,不论是真正的叛徒、卖国贼,还是只喊了一句"国王万岁"的平民,只要上了法庭便一律被处以死刑。宵小之徒为了领赏而诬陷好人,"许多孩子为了得到遗产而揭发父母",人们互相猜疑、告密成风,狂热使人们失去了理性,社会上弥漫着一片恐怖的气氛。法朗士的描绘基本上符合历史事实:雅各宾派在连续镇压了疯人派、阿贝尔派和丹东派之后,社会基础愈来愈薄弱,最后陷于孤立的困境,在大资产阶级的政变面前只能束手就擒。

作为一个人道主义者,法朗士不可能从阶级斗争的高度来理解雅各宾派恐怖专政的必然性和历史意义,但是《诸神渴了》不是对法国大革命的全面评价,而只是通过对大革命最后一段恐怖时期的描绘,从大革命的失败中吸取沉痛的教训。法朗士正因为不愿意看到悲剧的重演,才敢于正视现实,揭露雅各宾派的弱点,所以尽管《诸神渴了》这个借用的书名点明了它旨在揭露大革命恐怖现象的主题,但小说中流露出来的却是一个人道主义者对大革命的强烈同情。

法朗士批判了罗伯斯庇尔谴责无神论、提倡理性教的错误。勃洛多在许多场合是法朗士的代言人,他既懂得享受生活,又能冷静地观察生活。加默兰动员他加入理性教,他回答说:"我爱理性,但不狂热。理性指引我们,启示我们。当您把它变成一种偶像的时候,它就会使您盲目、使您犯罪。"主人公加默兰正是这种狂热的牺牲品。他的命运和政治事态的发展密切相关。他天性善良、富于感情,曾饿着肚子把配给的面包分给一个抱着病孩的妇女,还想用希腊悲剧的题材精心创作一幅表现兄妹之情的巨画。他担任陪审员之后,决心消灭一切反对共和国的敌人,为此不惜"放弃爱情,甚至生命"。但是连续不断的审讯使他失去了正常的理智,捕风捉影地认为叛徒无处不在,因而处死了许多无辜的人。最后他也被推上了断头台，他的爱情和生命同时结束了。法朗士在描绘他的发展过程时，一方面肯定了他的革命热情，另一方面通过他的悲惨结局，指出了革命一旦堕入宗教式的狂热或偶像崇拜便必然走向失败的真理。

法国大革命期间，资产阶级"通过没收后加以拍卖的贵族和教会的地产进行了投机，同时又以承办军用品而欺骗了国家"[①]。《诸神渴了》恰好反映了这种现实。勃兰兹这样的剥削者在"拥护共和国"的幌子下照样发财，阿泰娜这样的穷姑娘却由于失业而沦为妓女，罗丝莫尔夫人见风使舵，与反动派和革命领导人同时保持密切的关系。小说赞扬了国民公会创办专门学校，鼓励艺术发展等种种措施，但同时也指出革命最重要的手段是变革经济基础，而不仅仅在于互称"公民"、改革历法等表面形式。如果不彻底改变资本主义社会的经济基础，那么革命者越是坚决地实行"取缔妓女"之类的措施，把阿泰娜这样的可怜人投入监狱，革命就失败得越快。

为了写好这本书，法朗士收集了丰富的历史资料，甚至精确地记录了大革命时期每天的天气情况。为了使作品显得严肃和庄重，他还放弃了惯用的讽刺笔法。法朗士写作《诸神渴了》的目的，是为了"表明人类尚未完美到以道德的名义来实行裁判的程度，他们应该把宽容和仁慈作为自己的准则"。这是他对当时道德沦丧的资本主义社会长期观察的结果，表达了他希望人类实现博爱的善良心愿。法朗士认为人类"恶"的本性不可改变，法官雷诺丹利用朱丽亚的不幸来满足自己的兽欲，加默兰出于嫉妒把想象的情敌送上断头台的情节便是证明。但总的来说，《诸神渴了》以朴实而悲壮的笔调，真实地记录了雅各宾派专政时期的历史，细致地描绘了普通人的平凡而不安定的生活，生动地反映了各种人物的精神状态，通过这一切深刻地揭示了"大量辛酸的真理"，因而是描写法国大革命的一部不可多得的杰

[①] 恩格斯：《社会主义从空想到科学的发展》，《马克思恩格斯选集》第三卷，第409页。

作,具有深远的历史意义。

第四节　法朗士的艺术特色

法朗士继承了法国 18 世纪无神论者坚决反对一切宗教的唯物主义历史传统,自称是百科全书派重要成员孔狄亚克的学生。他和狄德罗一样热爱科学,他作品中包罗万象的内容,表明了他对天文学、考古学、古生物学、地质学、植物学、医学和机械学等都抱有极大的兴趣,所以反对宗教、崇尚科学,就成为他作品的一个重要特征。

法朗士是公认的语言大师,他强调法国古典作家的优点"首先是明晰,其次是明晰,最后还是明晰",他的作品充分显示出明晰的特色。他继承了法国古典文化的传统,在几乎所有的作品里都以各种方式提到古代,提到希腊罗马的宗教和文明。他反对自然主义的庸俗和象征主义的晦涩,认为左拉在《土地》中使用的"不是农民的语言",曾表示"我不会理解象征主义的诗歌和颓废的散文"。他善于学习民间口语,用最富特征的语言来刻画作品中的人物,"我从来不想装饰我的语言,总是力求准确地表达我的思想",所以他的文笔明晰生动,自然流畅。

法朗士具有无与伦比的讽刺天才,他特别推崇拉伯雷和伏尔泰,认为"一个没有讽刺的世界就是一座没有鸟的森林"。他像研究历史一样研究过宗教,在改写基督教传说的时候,往往像伏尔泰对待《圣经》一样反其意而用之,站在撒旦一边去反对上帝。这种以其人之道还治其人之身的辛辣讽刺,使渊博的宗教知识成为他打击基督教的有力武器,常常使教权主义者啼笑皆非、狼狈不堪。他的讽刺虽然不如拉伯雷那样粗犷豪放,但是信手拈来、十分自然,更为含蓄和深刻。他还善于把动人的故事传说和对现实的猛烈抨击巧妙地融为一体,以丰富美妙的想象来表现寓意深刻的哲理,使人们在优美的艺术享受中得到教益和鼓舞。

　　法朗士的某些作品偏重于议论，情节不够曲折，结构比较松散，因而妨碍了人物的塑造。有的作品专门表现某些政治事件，不免会由于时过境迁而失去影响。但从总体来看，法朗士成功地使自己的作品服务于现实的政治斗争，是世界公认的进步作家和文坛大师，因而在法国文学史上占有重要的地位。

第八章　前期罗曼·罗兰

罗曼·罗兰（Romain Rolland，1866~1944）是法国杰出的现代作家，伟大的人道主义者。他的前半生在19世纪末叶动荡不安的法国社会中度过，后半生经历了本世纪两次世界大战的历史悲剧时期。他漫长的生涯中以艺术和思想领域的多方面耕耘开创了继雨果之后的人道主义新阶段，对欧洲知识界产生过深刻影响。

第一节　前期罗曼·罗兰的创作道路

罗曼·罗兰于1866年1月29日出生于法国涅夫勒省克拉姆西镇一个小资产阶级家庭。父亲是正直而安分的公证人；母亲是虔诚的天主教徒，谙熟音乐，在她的启迪下罗兰养成了对音乐的爱好。幼年的罗兰喜欢读书，常常通过书本沉湎于那些"关于英雄和文艺巨人的梦"。1880年全家移居巴黎后，罗兰开始阅读莎士比亚全集并发现了托尔斯泰，这两位艺术巨匠的作品使他终生受益匪浅。

1886年，罗曼·罗兰考入巴黎高等师范学校，学了一年哲学之后转修历史，对艺术史的研究给他日后的文学创作打下了坚实的基础。高师毕业后，罗曼·罗兰获历史教师衔。1890年，他利用在罗马研究史学课题的机会漫游意大利，收集素材并开始创作。他以丰富的想象力构筑他的第一批作品，即《奥西诺》(*Orsino*，1890)等几个未曾发表的早期剧本。

1892 年，罗曼·罗兰与犹太血统的克洛蒂尔德·勃莱亚结婚。婚姻使他进入上流社会。婚后第 3 年，他完成博士论文《近代抒情戏剧起源：吕利和斯卡拉蒂之前的欧洲歌剧史》和副论文《十六世纪意大利绘画衰落之原因》。此后，他在高等师范学校和巴黎大学讲授艺术史。这个时期，他创作了以《信仰悲剧》（Les Tragédies de la foi）为总题的三个剧本：《圣路易》（Saint Louis，1897）、《艾尔特》（Aërt，1898）和《理性的胜利》（Le Triomphe de la Raison，1911）。这些剧本表达了爱国主义情感和振兴民族精神的愿望。另一剧本《群狼》（Les Loups，1898）影射了当时的德雷福斯事件。剧本上演时曾激起两派观众"火并"，但戏的主题是模糊的，作者把现实问题处理成"正义还是祖国"的高乃依式两难境遇，反映出他对事件的模糊态度：他同情受害者，却没有加入事件激起的民主浪潮，而是采取超然于斗争双方的立场。在家庭生活方面，罗曼·罗兰与热衷上流社会社交生活的妻子思想隔阂越来越深，终因感情破裂于 1901 年离婚。

1898 年至 1903 年间，罗曼·罗兰参加了"人民戏剧"运动。从 1900 年起，他为创建中的人民剧院写了《丹东》（Danton，1900）和《七月十四日》（Le 14 Juillet，1902）等大革命题材剧本。人民戏剧运动因反民主势力阻挠而没有形成高潮。罗曼·罗兰把他撰写的关于人民戏剧问题的论文结集为《人民戏剧》一书，于 1903 年出版。他这个时期所写的《丹东》等几个剧本也使他构想的"法国大革命史诗"系列剧粗具规模。他一生共写有八个以法国大革命为题材的剧本，其中最后一部《罗伯斯庇尔》（Robespierre，1939）是在他 73 岁高龄时完成的。

罗曼·罗兰的戏剧作品一直受到戏剧界的冷落，他不得不转而尝试别的体裁。1903 年他发表《贝多芬传》（Vie de Beethoven）。这本颂扬"英雄性格"的名人小传引起读书界的注意，并给作者带来不少有志于民族文化革新的年轻追随者。罗曼·罗兰随后构想了一套规模颇大的《名人传记》写作计划,但未能全部实现,只写出《米开朗基罗传》(*Vie de Michel-Ange*, 1905)、《亨德尔传》(*Haendel*, 1910)和《托尔斯泰传》(*Vie de Tolstoï*, 1911)。与此同时,罗曼·罗兰开始创作构思多年的十卷本长篇小说《约翰·克利斯朵夫》(*Jean-Christophe*)。小说第一卷发表于 1904 年初,此后每年出一卷,至 1912 年全书完成,整个工程历时 10 年。最后一卷行将完稿时,罗曼·罗兰辞去教职,成为职业作家。小说《约翰·克利斯朵夫》全文发表的翌年,作家荣获法兰西学院文学大奖。但因为它抨击了法德社会的颓废文化界,尤其是巴黎的"广场上的集市",所以招来守旧势力的仇恨,不少资产阶级腐朽文化的卫道士隐约地感到小说是在影射他们,因此曾对作品发动围攻。

继《约翰·克利斯朵夫》之后,罗曼·罗兰写了一部笔调格外轻松的拉伯雷体小说《哥拉·布勒尼翁》(*Colas Breugnon*)。这部小说刚刚付梓便爆发了战争。世界大战推迟了它的出版,直到 1919 年才有机会面市。战争期间,罗曼·罗兰侨居中立国瑞士。他的反战立场激怒了法国民族沙文主义者,其中包括他过去的一些朋友和知识界同行,他们把他说成是"民族公敌"。但罗曼·罗兰毫不退却,他坚持人道主义立场,不断发表反战文章,号召各交战国人民脱离沙文主义狂潮,努力结束战争。他在战争初期的重要文章有《给盖哈特·霍普特曼的公开信》和著名呼吁书《超乎混战之上》(*Au-dessus de la mêlée*, 1915)。1916 年,战争尚在进行之际,瑞典(中立国)皇家学院不顾法国政府的干预,把 1915 年度的诺贝尔文学奖授予罗曼·罗兰,除表彰他由小说《约翰·克利斯朵夫》奠定的文学成就之外,还因为他是知识界唯一超乎混战之上的人。罗曼·罗兰把奖金全部分赠给日内瓦国际红十字会和几个救济战争难民的民间组织。

战后,罗曼·罗兰的思想进一步左倾,并活跃在社会政治的舞台上，他投身于国际反法西斯运动，支持苏联，成为法国文学界中社会主义的同路人。在文学创作上，他较重要的成果是小说《克莱伦勃》(Clérambault, 1920) 与《欣悦的灵魂》(又译《母与子》，L'Ame enchantée, 1922~1933)。1938 年，罗曼·罗兰告别侨居多年的瑞士，回到法国定居。第二次世界大战期间，他在沦陷的法国闭门著书。最后完成的作品有：《回忆录和日记片断》(Mémoires et Fragments du Journal)、《贝多芬的伟大创作时期》(Beethoven, les grandes époques créatrices, 1928~1934) 和《贝玑》(Péguy, 1944) 等。1944 年 12 月 30 日，罗曼·罗兰在维兹莱小镇住所里与世长辞。

第二节　罗曼·罗兰的戏剧理论和戏剧作品

1.《人民戏剧》的美学思想

《人民戏剧——论新戏剧美学》(Le Théâtre du Peuple, essai d'esthétique d'un théâtre nouveau) 一书，是罗曼·罗兰于 1900 年至 1903 年间关于戏剧问题的一组论文的结集。它围绕着世纪之交一场几乎遍及欧洲的人民戏剧运动，探讨了民主主义艺术的出路，其基本思想是阐明伟大的民主主义运动的历史延续性及其在现代文化生活中的历史作用。

《人民戏剧》一书涉及阶级文化概念，并以这个概念分析新文化运动的社会基础。这种分析的直接结论就是：资产阶级艺术的发展日益背离人民的民主主义愿望，因而任何关于新文化新艺术的设想只能以艺术回到人民自身为基础，而最根本的前提是人民（尤其是社会底层）在文化生活中真正获得他们的社会权力和地位。这个结论促使罗曼·罗兰对资产阶级文化采取批判的态度。但这本书的基本思想并不停留在文化批判的一般水平，而是提出一种以"全人类艺术"为核心的新文化概念,这一概念不仅超越了以"个体"历史构成的文化观,而且超越了民族文化的一般特征,而与歌德的"世界文学"的伟大理想联系在一起。实际上,这个概念提出的是人道主义思想在历史文化领域的一个中心议题,亦即在资本主义社会的历史条件下一种超越阶级界限的文化能否产生的问题。罗曼·罗兰在书中探讨了这一问题的迫切性和可能性。

《人民戏剧》的成书年代和讨论范围与社会主义思潮和民主主义运动的高涨直接有关。大约在 19 世纪最后 10 年间,欧洲许多国家相继出现一些规模不小的大众化剧院,主要上演具有鲜明的人民性主题的传统剧目和当代剧目。莎士比亚的一些历史剧,莫里哀的市民剧,霍普特曼的《织工》,易卜生的《人民公敌》等社会剧,都在这些剧院受到民众的欢迎。这一戏剧动向引起了正在从事艺术史研究的罗曼·罗兰的注意。他确信,这一新的艺术思潮已不代表旧阶级的精神和文化,它实际上是"一个新社会的迫切表达"。

在此之前,罗曼·罗兰一度分析了西方社会的"破产"问题,并试图寻找一条拯救文化的道路,但一直没有发现能够产生新文化的社会基础。他的早期剧本《巴格利奥尼家族》《卡里古拉》《围攻曼图瓦》以历史题材来反映当代"破产"的现实,暴露范围不无深刻之处,但基本上还局限于对"人类社会的一种状况"做批判性的描绘。稍后的一些剧本,譬如以《信仰悲剧》(*Les Tragédies de la foi*)为总题的三个剧本,虽然提出了民族精神的复兴问题,但剧本仅仅描写了体现这一愿望的当代"法国青年中占主导地位的一些倾向和激情",加之历史题材本身的局限(譬如《圣路易》中的基督教狂热),这一新生民主力量的面貌相当苍白,所以剧中民族振兴的历史主体没有显出明确的轮廓。直到人民戏剧运动,罗曼·罗兰才通过对各阶层社会地位的分析而找到了新文化的维系点——民主主义和人道主义的人民基础。

罗曼·罗兰在书中敏锐地指出，人民戏剧面临着两种命运：一是"资产阶级戏剧以偷梁换柱的手法冒充人民戏剧"，这种情况尤其表现在以大量陈旧的传统剧目或充满颓废情绪的当代新浪漫主义剧目作为人民戏剧的主要内容；二是"创造新人，新人的道德，新人的真理"，这是人民戏剧的真正出路，由这一目标所规定，"人民戏剧不是时髦商品，也不是艺术爱好者的游戏"，而是新的社会力量"用以反对一个腐朽衰败的社会的武器"。正因为人民戏剧有这一鲜明的社会倾向，它不能满足于传统剧目中的优秀之作，何况这些优秀之作由于时代的限制，人民的地位在剧中并未得到完全的肯定。按罗曼·罗兰的看法，即使人民戏剧降至最低要求，也要"打破几个世纪以来人民在舞台上被丑化被侮辱的地位"，且不说人民戏剧还要求更多的内容。罗曼·罗兰《革命戏剧》的最初几个剧本，便是为人民戏剧运动提供的最早一批新作中的范本，因为这些剧本的主旨是要恢复人民革命的历史精神，这种精神在资产阶级革命的事件和结果导致普遍失望之后被重新发扬，必将对历史与文化产生深远影响。

罗曼·罗兰对人民戏剧两种命运的分析并不是没有根据的，他所依据的是民众的阶级分化现象。他考察了现代文明对社会各阶层施加的影响，这种文明以商业气息导致拜物化现象，又以其文化奢侈转移大众健康的审美趣味。于是出现了罗曼·罗兰在书中加以分析的"两种民众"：一种是"脱离了贫困状态的阶层"（小资产者阶层），"他们立刻为资产阶级所吸引"；另一种是贫困的社会"底层"，他们为文明所抛弃。这两种社会地位分别决定着他们对待人民戏剧的态度。前者"要求保持人民戏剧的现状"，在文化需求方面依附于习惯势力；后者则"要求从人民这一新的力量之中产生出一种新型艺术，一种新的戏剧"，为全民所共有。

与此同时，罗曼·罗兰批判了人民戏剧运动中的两种有害倾向。一种是以人民剧院创始者之一阿德里安·伯恩海姆为代表的巴黎小资产阶级戏剧派别,他们依赖接受国家津贴的大剧院的支持,专门上演古典戏剧,然后便宣告人民戏剧大功告成,罗曼·罗兰指出这种做法实质上是用资产阶级戏剧取代人民戏剧,其艺术活动是与人民戏剧的方向背道而驰的。另一种是当代剧作家在描写人民生活时表现出来的软弱无力的倾向,如霍普特曼的《织工》和托尔斯泰的《黑暗的力量》,罗曼·罗兰认为这两个剧本描写社会底层的苦难呼号和悲凄故事,竭力渲染人民的绝望情绪,与其说是反映了无产者的状况,毋宁说是为了唤起富有阶级的良心发现,罗曼·罗兰指出这种戏剧对人民摆脱奴役是无济于事的,他认为至少应该反映人民中"带头反抗者"的精神面貌。他甚至批评奥地利剧作家安岑格鲁贝(Ludwig Anzengruber)的社会戏剧,认为作者在反对教权主义的同时,投合了维也纳小资产阶级的审美趣味。罗曼·罗兰对当代戏剧如此苛求,是因为他对人民戏剧寄予很高的期望。他并不认为这一戏剧运动代表着资产阶级文化改良的前途,而是"为一个新世界而开创的一种崭新的艺术"。

不难看出这本书受到了社会主义思潮的影响。当时许多著名社会主义者如法国的饶勒斯,比利时的德斯特莱(Jules Destrée),不仅早已在欧洲青年中广泛游说社会主义,而且直接参与了人民戏剧运动的理论论争。饶勒斯于1900年发表《戏剧与社会主义》等文章,德斯特莱也在1902年发表《戏剧革新》《艺术与社会主义》等一系列论文。这种情况表明社会主义思潮对人民戏剧运动有直接的影响。由于第二国际的复杂性,这种影响也呈现出复杂的方面。譬如,罗曼·罗兰在讨论人民戏剧运动的政治问题时,指出资产阶级的政治手段是同化小资产者阶层和摧残"底层";面对这种状况,他提出:"我们的政治,我们的艺术和社会理想,就是重新联合人民中的这两支,使(他们作为)民众整体重新获得他们的阶级意识。在这点上我们赞成工团主义。"

罗曼·罗兰对戏剧有独特的见解。他对民主主义内容的严格要求并不妨碍他对戏剧艺术本身的特质给予足够的重视。《人民戏剧》一书有相当的篇幅用来讨论戏剧本身的艺术问题，甚至包括剧场设施和道具等技术性问题。他认为新戏剧应当保持民众喜闻乐见的质朴形式，应当具有健康的娱乐性，应当能够给人以美的享受并激发人的精神和行动力量，启发人民正确地观察世界。

在戏剧美学方面，他反对当时流行的投合资产阶级口味的纤细浮华的新浪漫主义，主张恢复古希腊戏剧宏伟的视觉效果和朴素的古典美。他认为狄德罗早在一个世纪以前就已提出人民戏剧的这种希腊传统。他甚至主张可以采用不受场地限制的露天演出或类似大革命时期人民节庆的形式。《人民戏剧》一书附录里收有详尽的大革命时期有关人民戏剧的文告和史料，说明罗曼·罗兰珍惜这一历史遗产，并把它作为尚能发生作用的精神财富来加以继承。

在戏剧创作方面，他强调剧作家人格思想与"集体感情"的结合。他认为只有"诗人的灵魂同民族的灵魂结合在一起的作品"才是伟大的作品，因而也是全人类艺术所要求的作品。这里可以看出，罗曼·罗兰对歌德"世界文学"概念的理解并不简单地以突破狭窄的民族性界限为尺度，而是强调诗人作为世界公民的同时，又作为民族的一员，其创作保持着民族灵魂的特殊性。

在《人民戏剧》一书中，罗曼·罗兰的艺术思想相当明晰，贯穿着清醒的历史观点。对于书中提出的一些重要看法，譬如在资本主义条件下开创全人类文化可能性的看法，罗曼·罗兰并不认为他本人或他这一代人能够做出结论，因为这个问题仍在实践之中。他在该书1913年再版序里表达了让历史做出结论的愿望。诚如罗曼·罗兰所说，"这本书不是一部纯理论著作。它以实践经验为依据；而且由于成书年代，它保持着论战的性质。"这种实践性和论战性使这部美学著作具有探索性质。

罗曼·罗兰对他提出的问题的可行性有充分的考虑。他并未忽视历史的不利因素，他甚至清醒地认识到开创全人类新文化的这一代人或数代人由于出自那个社会，本身便携带着这种不利因素。但民主主义运动的历史性发展，基于对历史和民主主义运动的这种新的理解，罗曼·罗兰得出这样一个结论："我对人民戏剧有很高的估计。我并不认为我们（这第一代人）能够实现开创这种新型艺术的任务；我们还属于旧的制度，属于资产阶级社会和思想。但我们有这种未来艺术的预想；我希望我们将为它创造条件；这种为了人民的艺术，最终还要由人民来完成。"这一结论的思想说明他作为当代人道主义者、民主主义者对历史文化发展远景的认识已经达到一个相当客观的新水平。

人民戏剧运动按其组织者设想的全欧性规模，本可以在欧洲戏剧界造成一个富于民主气息和改革精神的繁荣时期，但这一运动在国家当局的阻挠和干预下很快遭到了扼杀，作为这个运动的纲领性文件的《人民戏剧》也成了这一运动"遗留下来的一份历史文献"。

2. 革命戏剧：《丹东》及其他

罗曼·罗兰的戏剧作品绝大部分都是历史剧，最重要的是以《革命戏剧》（*Théâtre de la Révolution*）为总题的法国大革命系列剧。这组宏伟戏剧迄今为止仍然是戏剧史上的一座丰碑。它们的意义仍未过时，可以使人重新体会到业已生疏的伟大之感和民主主义的巨大热情。在1914年以前，罗曼·罗兰只完成了四个剧，其中《丹东》和《七月十四日》是为人民戏剧运动而写的。它们与作者这一时期的戏剧美学思想有密切的关系。

按罗曼·罗兰最初的设想，革命戏剧包括十二个剧本构成"法国革命广阔史诗"的宏伟规模。他并未能全部如愿，至迟暮之年这项浩大工程仅完成八个剧本，但这已经是前所未有的业绩。1939年，罗曼·罗兰将他先后完成的八个剧本按历史事件的时间顺序重新作了如下排列：

1.《鲜花盛开的复活节·序幕》（*Paques-fleuries. Prologue*，1925）；2.《七月十四日》；3.《群狼》；4.《理性的胜利》（1899）；5.《爱与死的搏斗》（*Le Jeu de l'Amour et de la Mort*，1924）；6.《丹东》；7.《罗伯斯庇尔》；8.《流星·尾声》（*Les Léonides. Epilogue*，1927）。

这八本剧本中，前期完成的有《群狼》《理性的胜利》《丹东》与《七月十四日》。其中《丹东》不仅是前期罗曼·罗兰最重要的剧作，而且在他大革命系列剧中也居关键性的地位。

在《理性的胜利》与《七月十四日》中，作者都表现出了历史的清晰度，前一个剧本揭示了革命右翼吉伦特党人在与雅各宾派的斗争中必然失败的命运，后一个剧本则把人民作为大革命的主要力量来描写，揭示了革命的平民所起的巨大历史作用。《丹东》一剧中的思想则更为丰富，也更为复杂。

《丹东》以革命左翼山岳党人内部的埃贝尔反对派遭到公安委员会镇压的背景为开端，展示了两派冲突的气氛。第一幕：埃贝尔反对派的同情者德穆兰、埃罗、菲利普以及被撤职的共和军将领魏特曼等纠集起来，煽动在人民中享有威望的丹东站出来公开反对罗伯斯庇尔的"恐怖政策"。第二幕：罗伯斯庇尔洞察丹东为贵族和反革命分子所利用，已造成对共和国的威胁。为了保卫共和国，他召集公安委员会的中坚分子和刚从前线归来的圣茹斯特共同制订了消灭丹东分子的计划。他们不敢贸然逮捕丹东，而是决定把他牵扯进银行舞弊案来达到目的。第三幕：罗伯斯庇尔派以国民公会名义对丹东分子提出起诉，并交革命法庭审判。丹东在法庭上以其雄辩的口才为自己辩护，博得民众的同情。但最后所有被告均被判处死刑。

剧本以冷静的笔触来反映这段历史。在整个剧情的发展过程中，剧作者没有对丹东和罗伯斯庇尔之间的对立表明自己的立场，以致剧本问世以来人们对它的理解和评价差异悬殊。进步剧界在剧本里看到了对革命的颂扬,而反动剧界在剧本里看到了对雅各宾党人的攻击,一般人则认为剧本态度暧昧。在罗曼·罗兰看来,丹东对共和制度忠心不二,他的宽容在共和国危急的情况下是不可取的,但问题的症结仅仅在于,丹东的宽容被共和国的敌人利用了。所以,必须在揭示革命本身的完整性的前提下来讨论内部分歧。罗曼·罗兰反对史学界把革命内部派别的斗争视为"内阁危机"与"内讧",并把革命失败仅仅归结为"内讧"的观点,他力图在剧本中还革命以历史完整性,并历史地理解革命的内部分歧。

罗曼·罗兰在写作这个剧本之前,专门研究过大革命的历史文献,并阅读了许多历史学家的著作。他认为:"革命是一场战争。应该把它作为战争来评价,而不是作为内阁危机来评价。"这一看法奠定了《丹东》的思想基调,即把雅各宾派的"恐怖政策"视为对君主制欧洲联盟和内部敌人的"战争"的一个必然方面。罗曼·罗兰剧本的主旨就是努力从这个方面来揭示革命的完整性和"恐怖政策"的历史必要性。当他让他的人物丹东说出"共和国正在互相残杀"这类话时,剧本实际上已经揭示了丹东的悲剧根源,这个根源就是丹东已经偏离历史方向。

由于对丹东持这样的看法,罗曼·罗兰剧本的另一任务便是恢复罗伯斯庇尔的真实的历史形象。他认为罗伯斯庇尔"不仅是大革命的最强有力的领导者……而且还是一个极富于人情味的人……他根本没有搞'恐怖',他是被迫的,他承受着恐怖,他指挥着恐怖,他的死是因为他想阻止恐怖"。这一结论完全纠正了史学界对罗伯斯庇尔形象的歪曲,从而也解释了"恐怖政策"的残酷性乃是历史所迫。《丹东》一剧从细节真实上完美地体现了剧作者的这些非常接近历史真实的思考。但是剧本没有美化历史主人公,而是以一种相当谨慎的态度来塑造罗伯斯庇尔这一形象,力图突出投射在人物性格和心理中的历史环境因素。剧中的罗伯斯庇尔是冷峻的,冷峻到令人感觉他就是

"恐怖"的化身。也许正是这种浓重色彩使许多人对剧本产生误解。罗曼·罗兰绝不让他的剧本流于所谓"悲剧个性"的简单图解,他的创作意图是要反映大革命的政治问题。他有意突出罗伯斯庇尔政治上(不是个性上)的冷酷无情,是为了强调这个革命的中流砥柱对共和国的敌人绝不心慈手软,在这一点上他与丹东的宽容形成尖锐的对立。抛开唯心主义历史学家津津乐道的性格心理冲突表象,而从历史环境因素来解释人物并塑造历史形象,这是罗曼·罗兰剧本的最成功之处。在他笔下,罗伯斯庇尔和丹东的对立不复像在一些历史著作中那样被描述为"个性冲突",而是表现为活生生的政治对立。

但是,罗曼·罗兰并没有把罗伯斯庇尔性格的"冷酷"面一味地凝聚化。他在剧中有意以一些细小的场面来表现这个人物内在的人情味。譬如,罗伯斯庇尔冷冷地驳斥了德穆兰和丹东一伙之后,亲切地坐下来和德穆兰的孩子小贺拉斯亲吻的场面(第一幕第四场);又如他和房东大娘杜卜莱的女儿爱莉娥诺的充满爱护和信任的谈话,他夺下了爱莉娥诺为保护他而握在手中的手枪,他不愿一个天真无邪的少女的双手为他演出流血的惨剧,他希望世界上还剩有一双友爱的手,一双无罪的手,来洗净世间和他罗伯斯庇尔良心上被命运涂上的血污,然而他清醒地知道,这一切要等到事业完成之后(第二幕第三场)。通过剧中这些不太显著的小小细节,剧作家企图让人们理解,在被视为"历史罪人"的雅各宾党人那里,他们身上善良的人性和美好的愿望仅仅是为历史严峻性所掩盖了而已,这些崇高品质和理想正是他们能够献身于共和事业的原因,而他们所从事的革命恐怖,目的也在于阻止恐怖,甚至要在未来社会中彻底消灭恐怖。革命的政治目标和社会理想在这里得到了深刻的揭示。这是剧本的基本思想和意义所在。

罗曼·罗兰这样历史地解释了革命的"恐怖政策"之后,还力图在剧中表达更多的东西。他虽然把丹东描写成偏离历史方向的人,但他认为丹东本人属于革命的一个悲剧部分。这也是剧本对革命的历史完整性探索的一个方面。罗曼·罗兰想通过分析丹东的悲剧来揭示革命后来失败的原因,但这已是他的大革命组剧尾声的任务,不过在这个剧本里他埋下了伏笔,这就是丹东之死从本质上来说是可以避免的,因为丹东在思想上始终忠于共和制度。在作者看来,他的死之所以未能避免,是由于革命的事件体现了历史的无情,为了捍卫共和事业,势必以牺牲丹东为政治手段。剧本尾声的人民骚动场景暗示了丹东之死的悲剧性质。从分析丹东的悲剧来探索革命失败的悲剧,这种尝试是有意义的。不过,这仅仅是这个剧本附带的一笔。不幸的是,这一笔却给剧本带来了在描写事件方面的极大的历史模糊性。全剧结束时的最后一句台词充分显示了这种模糊性所包含的严重的思想问题:

圣茹斯特:理想不需要人们。人民死,为的是要让上帝活着。

这句相当晦涩的台词无意中对全剧的思想作了最糟糕的诠释。圣茹斯特和罗伯斯庇尔身上隐约显现出来的卢梭思想就是这个"上帝"的影子。罗曼·罗兰从卢梭对现代文明的激进批判中引申出对人性和生活欲望的轻视,并把它赋予"不可腐蚀者"罗伯斯庇尔及其追随者圣茹斯特。这个卢梭的"上帝"同丹东的"无神论",以及他对生活的追求发生冲突。这种哲学—人本学意义的问题在剧中并无明显痕迹,但当剧作家把它作为道德概念引入政治领域并用以解释剧本的一个潜在主题时,作品便出现了一条有害的思想副线:为了一个卢梭式的清教徒的共和国的观念,竟可以置人的生命于不顾。

这个问题主要是针对丹东悲剧的性质提出来的。它表明剧作家在历史地考察了一个具体的革命手段问题之后,又把它从历史中抽象出来,作为一个纯道德问题来思考。丹东的悲剧,用剧中人罗伯斯庇尔的话来说,属于革命非常时期的特殊手段,"不应用寻常的道德来加以评判"。这句话或许就是罗曼·罗兰本人的结论,至少从历史相对论来说他是赞成这一看法的,剧本的主要倾向说明了这一点。但另一方面他又认为,这类手段问题就其性质来说,无论它的特定历史意义如何巨大,从纯粹人道的立场来说又是必须加以谴责的。他在1900年初曾这样解释了剧本的这一副主题:"我要表达的是大革命流血的理想主义,对人的漠视,对高于人的唯一存在的观念的深深信仰。"这就是圣茹斯特潜台词的内容。用一个人本学的概念来解释道德问题在一定范围内尚可理解,但用它来解决一个政治的和历史的问题,不能不说是剧作家的一个重大失误。

幸而,这一历史的抽象只是剧本的附带成分,而且罗曼·罗兰很快就不再坚持对剧本作这种解释。因为他发现他给剧本所添加的这些画蛇添足的附带成分几乎使剧本受到了反动知识界的青睐。他曾感慨地说:"不是有意写就的,但确实是通过一个'无知的人'的口无情地发出的控诉。"这个"无知的人"当然是指剧本结尾的圣茹斯特,同时也是罗兰的自责。剧本最初被贵族化的爱斯高里埃俱乐部接受,正反映了它在思想上的模糊性,但它上演时受到社会广大观众的欢迎,毕竟说明了它主导的民主主义倾向,罗曼·罗兰把演出的成功称之为"大革命的胜利"。

罗曼·罗兰的大革命系列剧的创作前后历40余年,因而它们对历史问题的理解与对人物的评价上有着一定程度的差异,特别是他后期的思想有了发展,进一步左倾,更使这种差异表现得很明显,30年后完成的《罗伯斯庇尔》与1900年的《丹东》就存在着明显的距离。在《丹东》一剧里,剧作家虽然已经在很大程度上恢复了罗伯斯庇尔的真实形象,但仍有很大的欠缺,如剧作家在突出这一历史人物的革命坚定性和对敌毫不容情时,亦自觉或不自觉地赋予他以某种过分的猜疑心理,给人造成个人意志或"宿怨"的错觉。而在《罗伯斯庇尔》中,历史主人公的形象则更为丰满,无论其革命家的性格和魄力或是他的失误都在历史真实的基础上获得了充分的表现。这个剧本在揭示革命的平民历史方面也比前者进了一大步。剧本描写罗伯斯庇尔的失败过程,但剧作家没有简单地停留于雅各宾党人革命事件的终结,而是力图通过历史人物在悲剧中的心理发展来揭示失败的根源以及资产阶级革命本身最终导致转向平民立场的革命者失望的历史辩证法。剧本的结尾颇富于历史启示:罗伯斯庇尔在临终前不停地呼唤人民,并向资产阶级发出控诉:"我控诉富人,控诉资产阶级,他们利用革命捞到了自己的利益,然后就要阻止革命的进程。"剧本对历史的这一深刻认识,已经是作为无产阶级革命事业支持者的罗兰的思想境界了。因此《罗伯斯庇尔》可视为罗曼·罗兰大革命系列剧的终点与顶峰。

罗曼·罗兰的"革命戏剧"由于题材庞大、人物众多而具有宏大的气势。在艺术上,它们带有实验戏剧的性质,如要让观众直接加入戏剧,要实现场外的某一真实的社会行动,把剧场变为新的社会运动的策源地等等。他的这些剧本大都未能上演。

第三节 《约翰·克利斯朵夫》及其他小说

1.《约翰·克利斯朵夫》

《约翰·克利斯朵夫》(*Jean Christophe*,1904~1912)是罗曼·罗兰的长篇小说代表作,20世纪前期欧洲著名的"长河小说"之一。在近代法国小说史上占有特殊地位,它的特殊价值一是作为社会小说对欧洲现代文明腐朽衰落的现实作出了有力批判,二是作为观念小说以一种新的人道主义思想对一代人产生了深远影响。

小说描述音乐家约翰·克利斯朵夫·克拉夫脱的一生,塑造了这个集道德理想、行动热情和英雄精神于一身的新人形象,并以他的经历为线索，展现了战前欧洲广阔的社会生活。

小说前三卷（《黎明》，《清晨》，《少年》）叙述约翰·克利斯朵夫在莱茵河畔故乡小镇度过的童年和少年时代。克拉夫脱一家属于比较贫穷的市民阶层，祖父米希尔和父亲曼希沃是镇上有点名气的宫廷乐师，他们见小克利斯朵夫有音乐天赋，便想把他训练成可以给家族带来名利的大音乐家。他的父亲用戒尺强迫他练琴，强迫他演奏，结果破坏了音乐给他的童稚的、圣洁的乐趣，也使孩子的自尊心受到伤害。作家围绕这些生活细节，以戏剧性的笔触，把市民阶级爱慕虚荣的心理描绘得淋漓尽致。约翰·克利斯朵夫的叛逆性格便是在这种家庭和社会环境中形成的，这个庸俗的社会越想要他驯服，他越要摆脱羁绊，不愿做个"循规蹈矩的德国小市民"。

小说第三卷《少年》是主人公青春期寻求友谊和爱情的充满波折的经历，穿插着生动有趣的市民生活画面。其中于莱一家及街坊人物构成的市民社会的描写极为出色，堪称现实主义的优秀篇章，令人想到狄更斯和萨克雷。对克利斯朵夫来说，这是一个观察社会和发现生活的时期，他在给有钱人当家庭音乐教师时，与天真的女孩弥娜相爱，却遭到弥娜的母亲克里赫太太的斥责。伤心之余，克利斯朵夫看透了上流社会高雅面纱掩盖下的金钱关系和门第观念的冷酷现实，于是体会到街坊邻里温和人生的可贵，尽管小市民习气不时地使这里的生活闹出小小风波。

克利斯朵夫喜欢于莱一家，但这家人与世无争的生活态度使他反感。老于莱的忧郁性格，伏奇尔的无病呻吟，阿玛利亚的婆婆妈妈，洛莎的逆来顺受，莱沃那的借宗教逃避人生，这一切使这家人成了规规矩矩的德国小市民。他们在礼教和压迫面前不仅没有反抗，反而要以虚伪的礼教去论断人生。因此，当克利斯朵夫爱上住在院子对面的年轻寡妇萨皮纳时，立刻招来这家人的风言风语。但在克利斯朵夫眼里，萨皮纳却是另一种类型的人，她不依附于世俗，不屈服于礼教，而是以她的生活方式与旧道德决裂。萨皮纳正是小市民典型性格的对立面，她仿佛"故意拿她的行为来取笑根深蒂固的传统、真正的做人之道、一板一眼的责任、毫无乐趣的工作，取笑那些忙乱、闹哄、吵架、叹苦和有益身心的悲观主义；而这悲观主义便是于莱一家的，也是所有的规矩人的生存的意义，使他们的生活成为补赎罪孽的准备"。作家设置了这样一个小型的社会背景，展示了一些观念的冲突，对市民阶层的思想意识，道德观念，社会心理，乃至生活理想作了深刻的剖析，这一切旨在揭示克利斯朵夫性格和心理的发展过程：他不仅开始意识到自身所处阶层的社会意识的麻木与鄙俗，并且已经以实际行动去克服它和超越它。它就为这一强悍个性的斗争精神奠定了坚实的思想基础。

与上述市民阶层温和的人生画面不同，小说第四卷《反抗》和第五卷《节场》暴露了德法社会整个文化艺术界的衰败现实。这两卷小说是全书最具现实批判性的篇章。

约翰·克利斯朵夫在宫廷乐队供职，但他对大公爵统治下的现实感到不满，经常与乐队中的御用文人发生龃龉。他拟定一些艺术题材，倡导英雄主义和鞭挞文化市侩。当他以这种精神来观照德国艺术时，便看到了人们崇拜的浪漫派艺术的颓废本质。他无法容忍瓦格纳的《尼伯龙根四部曲》，认为这部作品汇集了"虚伪的理想主义，虚伪的基督教义，虚伪的中古色彩，虚伪的传说"。像门德尔松、勃拉姆斯、舒曼这样的作曲家，也被他视为"浮夸感伤的歌曲小作者"。他看到了韦伯的虚幻，李斯特的卖弄技巧和贵族式的超然尘外，甚至承前启后的一代宗师巴赫也脱不掉颓废的宗教精神。在众多古典大师中，克利斯朵夫只欣赏贝多芬和亨德尔，认为这两人的作品具有"自由灵动的气息"和"强劲的风"。

约翰·克利斯朵夫不是按完美原则塑造的典型，而是一个粗犷的反抗个性。他凭着年轻人目空一切的气概把整个社会的文化置于他的对立面，因而他对一切偶像的反抗难免不带一点盲目性。这是小说人物性格发展的需要。令人赞叹的是，罗曼·罗兰让他的小说主人公几乎以一种历史的眼光来看待大师们的创造，因为一涉及艺术带来的时代的思想问题，只有社会学意义上（而非音乐学意义上）的观察，才能揭示那些作品对文化的特殊影响。

小说的批判范围不限于艺术领域。约翰·克利斯朵夫接触了一个激进的犹太人无政府主义团体。他应邀担任该团体刊物《酒神》杂志的乐评主笔，接连不断地发表文笔犀利的文章，讨伐德国文化庸人的抱残守缺。当整个批评界转而围攻约翰·克利斯朵夫和《酒神》杂志时，不无讽刺意味的是，围绕在杂志周围的无政府主义者们的批判精神顷刻间丧失尽净。他们怪约翰·克利斯朵夫连累了杂志，连累了他们。

小说涉及的无政府主义，是世纪之交流行的社会思潮，包括克鲁泡特金学说和无政府工团主义的影响，还可以上溯到蒲鲁东的影响，这一切在小说里有所反映。罗曼·罗兰的批判触及了这一思潮的本质，揭示了它的小资产阶级思想基础。《酒神》杂志周围的无政府主义者几乎都是"富家子弟"，他们不乏"济世救人"的善良愿望，却带着"精明的头脑和玩世不恭的态度"；他们不乏反抗的热情，"反对礼教，反对军国主义，反对德国人的市侩气"，却自认是"托尔斯泰的信徒，相信涅槃，相信福音，相信佛教……宣扬一种软绵绵的，没有骨头的，婆婆妈妈的，宽大为怀的道德"。这种二重性决定了他们的软弱性，所以，一旦斗争危及他们的地位和利益，他们便转身退却了。

小说第五卷《节场》是一个场景的转换。一件偶然发生的事件迫使约翰·克利斯朵夫离开家乡。他痛打了到乡间骚扰的德国大兵，遭到缉捕，只好逃往法国。小说的批判锋芒也随着主人公的行踪移向法国社会。

约翰·克利斯朵夫原以为大革命的故乡法国是与德意志不同的国度，岂料这里的社会现实同样使他感到失望。他为投奔民主而来，而这个受着民主洗礼的国家给他的印象却是"一个混乱的社会,受着专横傲慢的官僚政治的统治"。他在巴黎过着穷音乐家默默无闻的生活,为找工作糊口而到处碰壁。当他对这个社会的艺术和政治状况发表一点言论时,人家又把他视为一个"德国蛮子"。他在巴黎遇到昔日的朋友和同乡西尔伐·高恩。可笑的是,这个德国庸人居然成了巴黎的时装记者和社交界的红人,一开口就向他夸耀"法国风格、法国风雅、法国气派、法国精神"。可是在约翰·克利斯朵夫听来,这些堂而皇之的词藻不过是世纪末法国文明腐败状况的代名词罢了。在高恩的"引荐"下,约翰·克利斯朵夫参加了巴黎艺术家的聚会,涉足了音乐界、戏剧界、出版界和评论界。所到之处,目睹的现实无不令他寒心。在作家笔下,法国文化生活和社会生活的种种现代弊病暴露无遗。首先,法国文坛充满"捐客风气",艺术家侈谈艺术,不过是在谈商业问题,艺术发出铜臭,艺术品成了"现代工商业化的产品",拜物现象普遍渗入精神领域;其次,出版物充满"精神卖淫风气",艺术家和批评家借讨论艺术和道德而公开鼓吹"社会化的卖淫",作品的新花样就是不断地向读者提供更加淫猥怪异的刺激,艺术成了淫乱生活的大众媒介;再次,艺术成了投机家捞取政治资本的"晋身之阶",因为艺术不仅是社交界的时髦,也是官场的时髦,加入文艺社团是为了跨入学士院或投靠某个有势力的党派。正如此卷小说标题所暗示的一样,巴黎文坛整个成了乱糟糟的"集市"。

这两卷抨击性小说的现实性之强烈,足以使读者把它们视为纪实作品,加之罗曼·罗兰借约翰·克利斯朵夫之口指名道姓地批评了当代一些著名作家,譬如巴雷斯的自我崇拜,梅特林克的神秘主义,左拉的"涸浊的浪漫主义",于是作品本身虚虚实实的时间差距便完全消失了,无论敌人还是朋友都从中看到了他们正在经历的事情。正统批评界对小说的发难说明了这一点。《时代报》书评专栏主笔、保守派评论家苏代(Paul Suday)1908年的文章以谩骂的口吻写道:"既然他敌视思想范畴和思想本身，那就请他不要弄什么批评和美学吧，他对此一窍不通，却用以充斥他的《约翰·克利斯朵夫》的半数篇幅。"而在进步文学界，人们已经注意到这部小说的重大意义。著名哲学家和评论家阿兰（Alain）在题为《一个诺曼底人的话》一文里称"《约翰·克利斯朵夫》是目前最美的小说"，并谴责巴黎文化壁垒中那些所谓大批评家"联合起来要把这部小说打进巴士底狱"的企图。正如罗曼·罗兰所说，这两卷小说相继发表之后，他先是"和德国闹翻了"，接着又"和法国闹翻了"。在接下来的各卷小说里，这种社会批判的内容并未削弱，而是不时以副线的形式继续出现并贯穿全书，因而在最后一卷《复旦》发表之后，他又"和意大利闹翻了"，原因是他在这卷小说中又抨击了意大利的政治和社会现实。值得一提的是，罗曼·罗兰在这卷小说里肯定了 G. 泼莱索里尼和 G. 巴比尼领导的佛罗伦萨"民族之声"运动对意大利民族文化复兴的贡献。但是，尽管"民族之声"运动成员对《约翰·克利斯朵夫》一书的传播和影响以及作家本人在国外的声誉起了很大的作用，罗曼·罗兰并未感情用事，而是清醒而坚决地指出"民族之声"运动所代表的民族文化方向在 1903 年以后的悲剧性演变，因为帝国主义大战前夕，"民族之声"运动业已分化解体并部分汇入"国家主义"潮流。小说以简洁的笔调反映了这一历史事实。

继第四、第五两卷抨击性小说之后，作品转入一个充满人情味的友爱世界（第六卷《安多纳德》、第七卷《户内》和第八卷《女朋友们》）。主人公周围相继出现安多纳德、奥里维、葛拉齐亚等美好形象。至此，诚如作者所说，小说式的情节找不到了，只呈现出几个性格和思想的平面图画。安多纳德这个人物着墨不多，却感人至深，不与浊世同流的纯洁心灵和坚强的生活信念使之成为法兰西文学中不朽的女性形象。在这组肖像画中，奥里维的形象无疑占有重要地位，因为这个人物身上体现出一种相当流行的人道主义观念，在很大程度上带有托尔斯泰思想的痕迹。

《户内》第一章几乎通篇贯穿约翰·克利斯朵夫和奥里维的观察与对话，涉及时代的基本思想问题。奥里维帮助约翰·克利斯朵夫深入了解法国社会，后者以锐利的眼光发现，法国人"浸透了深沉宁静的悲观气息"。奥里维要约翰·克利斯朵夫从宗教改革运动看基督教思想之与一切正直思想结合的宽容精神。克利斯朵夫则认为，宽容不失为一种美德，"但在现代的欧洲，宽容往往只是麻木不仁，缺少信仰，缺少生命的表现"。他深深地感到，法国人丧失了大革命时期为自由、平等、博爱而斗争的英雄精神。奥里维提出的又一原则是消除仇恨，对敌人也要给予公平待遇，做"世界城的公民"。不管这一思想从博爱的观点来看是多么的重要，约翰·克利斯朵夫还是觉得"用这种脱离人生的观点去爱人生，和自甘灭亡的退让没有什么两样"。他不能赞同奥里维的这种"安安静静的宿命论"。

显然，奥里维主张博爱的人生观并不是作者所要肯定的东西。奥里维的崇高思想，并不妨碍他仍然是一个书生气的幻想家，一个哈姆雷特式的软弱性格。他体现了战前欧洲优秀知识分子的思想特征，让一切美好的理想停留在福音哲学和乌托邦观念上，而无力肩负历史责任和道德责任。

在《燃烧的荆棘》里，罗曼·罗兰把他这一代资产阶级优秀分子的思想立场描述得相当清楚。作家注意到，这一代人中的大多数实际上夹在自身阶级和平民之间而陷入一种两难境况，导致他们的社会理想与实际行动相脱离。奥里维的形象便是这种小资产阶级幼稚病的一个绝妙的标本。他"研究社会的灾难"，抱着匡世救民的愿望加入慈善机构，但很快就发现"一个知识分子根本难于在单纯的慈善事业方面获得满意的效果"，因为这种"支离破碎的、零星的"济世良方只是一个幼稚的幻想。他和许多资产阶级青年一样，"感到资产阶级的没落与无用"，于是尝试与大众结合，但缺乏坚定的信念。他们的思想基础是（也只能是）"大革命酿出来的酒"，亦即资产阶级革命时代的自由、平等、博爱的理想信条。为了一个理想的社会，他们宁愿做叛逆的一代，"把自身阶级作牺牲，去献给新的上帝，无名的上帝——平民"。但是，在工人阶级和平民的运动面前，奥里维"这一代知识青年"却彷徨了，因为他们看到了"暴力"，他们不愿染指暴力，不愿做"暴力的理论家"，于是乎"革命的手段呢还是革命的宗旨"这类问题终日缠绕脑际。但是，他们仍旧对革命抱着幻想。罗曼·罗兰在小说里似乎强调，在时代的潮流面前，这些人毕竟卷入了工人和平民的斗争，作为一股叛逆力量，他们客观上起了对旧世界的"破坏"作用。

约翰·克利斯朵夫是一个有着丰富性格内涵的复杂形象。他不像奥里维那样从个人对社会的伦理关系去批判资产阶级，而同时又保持着对它的某种依恋性，因而他没有奥里维那种表面化的苍白的思想特征。不过，在展望未来社会的远景时，他也不自觉地为某种宽泛的博爱理想所困扰，导致他那强悍个性的畸变和悲剧性终结。

罗曼·罗兰并未赋予这一小说人物以过多的政治色彩，但他那被作家有意突出的普遍人性由于不断地处在尖锐的社会矛盾之中，因而往往被历史化和具体化了。这也是小说家努力的方向，他想使这一人物成为有血有肉的人的形象，不排除身上的弱点和盲目性，而突出他的英雄性格和反抗精神；不使他脱离社会和政治斗争，却又让他保持着思想上的绝对自由；不窒息他身上一定程度的野性和强悍个性，同时赋予他以人情味和真诚的同情心。总而言之，这是一个具有丰富人性特征的人物形象，又是一个在社会里挣扎，谋生，创作，反抗，探索的实实在在的艺术家形象。从小说美学的观点来看，这是一个在现实性的基础上加以理想化的形象。

但是，审美理想化并没有妨碍小说家把他的人物的个性根植于现实的土壤。约翰·克利斯朵夫的性格发展不停滞于单纯的人性层面，譬如凝聚的"英雄个性"的层面。在小说的前半部,主人公的活动表现出个人干预社会的倾向。然而这种个人干预社会进程的可能性非常有限,《反抗》和《节场》中,作者的叙述多于人物的行动可以说明这种特点。但主人公性格的发展在小说后半部突破了这一点,他逐渐使自己的生存目的由单纯反抗变为一种明确而自觉的民主主义理想,即投身于人类的进步事业。在战前的历史条件下,这种转变的根本标志就是与劳工结合。约翰·克利斯朵夫不仅嘲笑了奥里维那种只在口头上而非行动上亲近劳工的"布尔乔亚本能",而且亲自深入劳工大众之中,甚至和工人们"称兄道弟"。但是,在政治问题上,他却感受着矛盾,一方面他作为艺术家不能为政治空谈而浪费他的时间,另一方面又感到政治是不可逃避的东西,面对贫富悬殊的不公平的社会现实,他"良心上不能不拥护劳工的政党"。所以,要他选择的话,他"一定会站在工团主义方面"。罗曼·罗兰的人物是一代优秀分子,他们对劳工的事业充满同情和希望,但在历史潮流中仅仅看到工团主义的神话,因而未能真正地找到历史的出路,小说的悲剧性就在于此。

从《燃烧的荆棘》后半部开始,小说进入了尾声,这里出现的转折,正是一代精英思想上的悲剧性转折。奥里维终因鄙视"暴力"而对革命感到幻灭。这年"五一"节,不愿介入工人运动的奥里维在街上遇上示威群众与武装军警的冲突,被军警的马队撞倒,死于乱蹄和蜂拥的人群脚下。约翰·克利斯朵夫卷入混战,他在搏斗中杀死一名军警,事后被当局通缉,只得流亡瑞士。在逃亡的生活中,他与有夫之妇阿娜的爱情纠葛使他内心受到道德的审判,变得十分颓唐。他最后隐居瑞士汝拉山上,埋头创作。此时,欧洲各地都在演奏他的作品,他终于成了世界著名的音乐家。小说的结尾部分出现主人公性格的分裂:年老的约翰·克利斯朵夫回到巴黎后与多年的敌人雷维-葛和解并寻求内心的平静。

罗曼·罗兰在小说末卷初版序里，已向读者言明小说结局的悲剧意味。他无意于讴歌约翰·克利斯朵夫的宽容与慈悲，只是以冷静的痛苦的忏悔意识写出这一个性的悲剧：

> 我写下了快要消亡的一代的悲剧。我毫不隐蔽地暴露了它的缺陷与德性，它的沉重的悲哀，它的混混沌沌的骄傲，它的英勇的努力，以及它在重新缔造一个世界、一种道德、一种美学、一种信仰、一个新的人类这一超人使命的重负之下感到的沮丧。——这便是我们过去的历史。

这是一段超人精神的沮丧的历史。在1914年大战临近的历史进程中，这段试图超越老旧的欧洲的可歌可泣的历史，已经接近尾声。所以，作家在深思熟虑之后，不得不匆匆结束他的主人公的行程。

尽管小说的结局带有悲剧色彩，还是不能把它的基本精神作为悲剧意识来理解，因为小说主题的侧重点是欧洲新一代民主主义者的"超人使命"，他们不仅要重新缔造一种文化，而且要重新缔造一个新的人类。罗曼·罗兰在小说中正是试图通过他的人物来设想一种全新的文化和一个全新的人类社会，从而开拓了欧洲人道主义文学的广阔前景，正是在这个意义上，阿拉贡[①]认为"这部小说打开了20世纪的门户"。

罗曼·罗兰在小说中明确提出了铲除"贫乏的个人主义"的主张，这标志着欧洲人道主义的一个新的方向。但罗曼·罗兰并不要求取消个性，相反地，他主张个性获得全面的发展，只是不赞成以个性的发展来拒绝个人的社会义务。个人与社会，个性的发展与社会的义务，这就是《约翰·克利斯朵夫》的中心内容。小说正是围绕这一中心内容来表现"生与爱"，或英雄主义与博爱的主题的。生命力，或

---

① 路易·阿拉贡（Louis Aragon，1897~1982），法国作家。

英雄主义，体现了强有力的个性特征，爱则是一种道德天职和人类义务。约翰·克利斯朵夫身上集中了当代思想的这两个方面。作者在塑造这个艺术形象的过程中，做了一个大胆的尝试，把尼采的超人精神同托尔斯泰的道德使命结合起来，并以新的历史精神处理个人命运同周围世界的现实关系。这样，读者便看到了小说主人公的个性及其社会存在犹如一条生命的巨流自由地奔泻。与这种粗犷强悍的个性并存的，是对人类的巨大同情心，它以真诚的爱维系着人类的精神联系，并试图克服冷酷无情的人际关系。围绕主人公形成的友爱世界，体现了作者的这一审美理想。但这一理想只是一个未来的远景，当作家让他的人物把这一远景乌托邦地搬移到现实中来的时候，便导致了小说结尾的思想悲剧。

2.《哥拉·布勒尼翁》

1914年4月27日，罗曼·罗兰在给友人索菲亚的一封信里愉快地告诉对方，他完成了他的"勃艮第小说"。这本小说就是《哥拉·布勒尼翁》(*Colas Breugnon*, 1919)。这是一部寓历史深意于嬉笑诙谐之中的拉伯雷风格的小说，在罗曼·罗兰的全部作品中可说别具一格。

小说采用第一人称叙述。主要情节发生在法国宗教战争后期。哥拉自叙生平之时已年届五旬，故其后半生处在内战结束之后。这种时间跨度的安排对小说整体的完整性具有特殊意义：不仅内战时期的社会生活得到展示，而且战后动乱的社会现实对揭示主人公的命运也是同样重要的。小说以作者的故乡克拉姆西所处的法国中部勃艮第地区为背景，这里保留着外省闭塞的古朴遗风。写作《哥拉·布勒尼翁》时，罗曼·罗兰曾回到故乡重新体验古老的高卢乡土气息。哥拉的形象就是这里土生土长的高卢人的典型。

小说叙述了哥拉动荡不安的一生的若干片断，但穿插了许多趣味横生的小故事，情节显得不连贯，但历史轮廓仍可通过人物活动的范围显示出来。作者曾经说过，这部小说是写"一个逆境中的快活人"。哥拉生于战乱年代，却能谈笑自若地面对苦难的社会，以他乐天主义态度享受人生。他是乡镇上的细木匠，有一手雕花的好手艺，他嗜酒，喜欢女人，生活举止中显出一定程度的粗野。但这不是作者刻意描绘的本质特征，而只是哥拉身上的平民习气，他那个阶层的生活地位带来的习气。这种习气并不削弱这个人物的形象，相反，它有助于显示人物的生活态度：他对中世纪虚伪的禁欲主义的嘲笑和他对生活永不失去信心的乐天精神。这种执着的生活信念，属于伊壁鸠鲁主义的体系，最能反映法国人思想意识中古朴而深刻的人道主义传统。在哥拉的年代，这种生活态度直接反映出平民阶级同封建教会在意识形态上的对立。

罗曼·罗兰没有把他的主人公的思想局限于这种生活态度。哥拉有酒就喝，但他不是那种随遇而安的人。他的人生观不是把他导向知足常乐，而是导向对生存环境的不满。这样，小说家便揭示了这一平民性格的社会心理基础，这就是他对自身阶级所处地位的清醒认识。在小说第二章《围城》里，哥拉形象地把自身阶级喻为夹在牧羊人与狼之间的羔羊。这一比喻凝聚了对社会的深刻观察，把宗教战争时期的阶级关系描述得相当清楚。牧羊人是以保护者自居的教派上层，而狼则是敌对教派的上层，在两者之间，是百姓们的生灵涂炭。对宗教战争性质的洞察，使哥拉表明了他的政治态度，这就是他对结束宗教战争的"好国王"亨利四世之死的惋惜。因为哥拉看到，内战虽已结束，但敌对教派的纷争仍继续制造着人民生活的灾难，并加剧了战争遗留的社会创伤。小说第七章《瘟疫》和第九章《房子烧了》描写了这一社会现实。在第十章《骚乱》里，哥拉组织平民进行反抗，显示了平民阶级的社会力量。

小说虽然对平民强硬的政治立场作了上述描写，但这些描写淹没在大量有趣的、枝节横生的日常生活场景之中，历史轮廓相当苍白，没有构成平民历史的发展线索。这是因为作家本人的意图并不是描写历史事件，而仅仅是在历史事件的背景下描写人。所以在大多数场合，读者只看到主人公的肖像与性格。这也构成了小说最富于生活气息的一面，提供了人物性格最生动的特征，而这一切恰恰是在特定的历史背景下完成的。由此可见作者在处理生活题材方面的一种审美态度，即在不脱离历史影响的情况下，在另一个更广的文化层面上把人物作为"普遍性格"来描写。这种情况也就是小说中似乎孤立地出现的"高卢性格"或"高卢精神"的人性聚合体。

在罗曼·罗兰早年的笔记里，有一句引自他人著作的名言："高卢的古老欢乐乃是最深刻的哲学。"用这句话来概括《哥拉·布勒尼翁》这部小说的主旨再确切不过。哥拉的身上完美地体现了古老高卢的乐天主义，这在小说中时常以"人之常情"这一习语来加以定性，此种精神最本质的东西乃是对生活直接的无条件的肯定。哥拉所说的"一切痛苦都不能阻止一个法国好人笑乐"包含着最朴素最原始的伦理观。在作家笔下，这种平民的生活态度超越了一切时代，它成了一个非常简单的生活哲理：一切欢乐得之于克服痛苦；反过来，一切痛苦都不能动摇一个真正的人的生活信念。

整部小说表现出历史观与人生观两个侧面的结合。如果"高卢性格"是一个哲学抽象的话，那么哥拉的心理和性格发展中的一切人性细节却获得了历史的解释。哥拉首先是作为一个特定时代的特定阶层的成员（平民，手工艺人）出现的，但他身上又聚集了一切时代的人民性格特征。当作家这样来解释人的完整性时，便出现了普遍人性与历史性的交织。这恰恰是罗曼·罗兰小说的艺术特征。

第九章　其他种种倾向的小说家

第一节　布尔热与其他心理小说家

1. 布尔热的生平

布尔热（Paul Bourget，1852～1935）的生活经历十分简单，他的生活史就是他的写作史与思想发展史。1852年9月2日生于亚眠，父亲于斯丹·布尔热是著名的数学家，曾在不止一个省份任科学院院长。布尔热从小酷爱阅读，打下了扎实的知识基础。中学毕业后，他来到巴黎，在高等研究院继续他的学业，1874年获文学学士学位，此后，不时在学校任教。在文艺思想上，他是泰纳与圣伯夫的信徒，特别热衷于文艺批评。但他走上文学道路却是从诗歌创作开始的。最初发表的三个诗集是：1874年的《不安宁的生活》(*La Vie inquiète*)、1878年《埃代尔》(*Edel*)与1882年的《承认》(*Les Aveux*)。不久，他转向理论批评，1883年他的《当代心理学论丛》(*Essais de psychologie contemporaine*)出版，显示出他在心理学上的高超造诣，当即引起了轰动，接着，他于1885年又发表了《当代心理学论丛续篇》。

布尔热从30岁开始，立志成为一个小说家，他第一部小说《残酷的谜》(*Cruelle énigme*)发表于1885年，接连问世的有：《一桩爱情罪》(*Un Crime d'amour*，1886)、《安德烈·柯内利》《谎言》

(*Mensonges*，1887)，1889 年的《弟子》更使他声誉倍增。从此，他继续进行小说创作的同时，又恢复了他的理论批评活动。在小说方面，他笔耕收获颇多，长篇有：《一颗妇人的心》(*Un Cœur de femme*，1890)、《希望之乡》(*Terre promise*，1892)、《国际都会》《悲惨的牧歌》(*Une Idylle tragique*，1896)、《蓝色的公爵夫人》(*La Duchesse bleu*，1898)、《阶段》《离婚》《流亡者》(*L'Emigré*，1907)、《中年魔障》《死亡的感觉》(*Le Sens de la mort*，1915)、《人间一剧》(*Une Drame dans le monde*，1921)、《思绪不知所以》(*Cœur pensif ne sait où il va*，1924)、《形影相随》(*Nos actes nous suivent*，1927)等，短篇小说有：《彩色粉笔》(*Pastels*，1889)、《顾虑重重的人》(*Un Scrupule*，1893)、《女旅行者》(*Voyageuses*，1897)、《感情纠纷》(*Complications sentimentales*，1898)、《一个商人》(*Un Homme d'affaires*，1900)等，理论批评方面则有：《现代爱情生理学》(*Physiologie de l'amour moderne*，1890)、《研究与肖像》(*Etudes et Portrait*，1906)以及《批评与原理》(*Pages de critique et de doctine*，1912~1922)，此外，布尔热还写有两部游记散文，他与人合作创作或改编的剧本也有将近 10 个。

布尔热于 1894 年当选为法兰西学院院士。1935 年 11 月 13 日在奥特叶去世。

2. 布尔热的文学作品

布尔热虽然在诗歌与戏剧方面也有所获，但成就不高，他是以小说创作赢得他在文学史上的地位的，而他的小说创作最突出的特点就是心理分析。

作为一位热衷于心理分析的作家，布尔热既有小说实践，也有理论研究，事实上，他在成为一位心理分析小说家以前，已经是一位心理分析的理论批评家，他的心理分析小说正是他的心理学思想的体现。

布尔热最初三个颇受象征派诗歌影响的诗集，显示了他对心理学的兴趣，他的批评论著更是文学评论与心理研究结合的产物，他在自己的文集《当代心理学论丛》《现代爱情生理学》与《研究与肖像》中，选择了一些对当代人深有影响的作家，如巴尔扎克、司汤达、福楼拜、波德莱尔、勒南、泰纳等，作为论述的对象，力图说明与解释他们在作品里所表现出来的思想感情。布尔热曾接受实证主义与自然主义的影响，但他却自觉地回避自然主义在心理分析中常引进的生理因素，他不像自然主义者那样经常把心理现象归结为血肉生理条件发生作用所致，他感兴趣的只是心灵本身、心理变化本身，他割断心理感情现象与动物生理性的关系，而对它们本身进行封闭式的细致分析，在这一点上，他可谓拉法耶特夫人与贡斯当的传统的继承者。如果说他的心理分析与描写也与自然主义有关的话，那就是它也以精确性、科学性见长，并且具有自然主义描写所常具有的那种科学资料式的烦琐与细致。

布尔热的心理分析方法决定了他作品的题材内容。自然主义作家经常采取下层社会的题材，以便通过下层人物身上更为明显的原始本能的力量，表现出心理机制与血肉机制的关系。布尔热则相反，他那种限于心理活动本身的带有封闭性的方法，使他必然到闲极无聊、心理活动与精神活动更为细致、复杂、隐秘的社会层次里去寻找题材与人物，因此，他的作品大都以上层社会为背景，他的人物主要是绅士淑女或知识分子，他经常以深刻的笔触去剖析上流社会客厅里一些最无聊的琐事。他对上流社会里一切带装饰性的小玩意儿颇有兴趣，对风雅生活中那些微妙的言谈举止有时颇为欣赏，而对笔下那些不值得称道的扭捏作态的人物则又略带宽容，从这个意义上说，布尔热是一个热衷于上流社会时髦生活的心理描写者。而且，布尔热在他的心理分析小说中，经常是以在现实生活中并不常见的人物事件为描写对象，带有某种例外的性质，这在一定程度上减低了读者对作品内容的兴趣，也使读者不能充分欣赏作者的分析技巧。

在对人的心理的理解上，布尔热颇受近代心理学的影响，根据这种学说，人的心理由无数从非理智的深渊中涌出来的各种不同的意念所组成，变幻不定，反复无常。布尔热以这种理论为基础，打破了过去一些作家的人物描写中常见的"性格的统一"，而力求表现人物内心中最奇特的分裂状态，他在自己的作品中把人物复杂的内心状态归结为人格的二重性，即传统的灵与肉的对立。在表现人性的复杂上，布尔热无疑是应该得到肯定的，但他的描述却有明显的缺点，布尔热经常在作品中从头到尾进行指点评说，他不是通过人物自己的行为与语言来塑造人物，而是由他本人来加以解释。他把小说当作精神解剖学的论文，而且，其中的一些措词颇有违美感。显然，在布尔热身上存在着小说家与心理学家的分裂，他的心理学分析往往插入情节之中或者与情节重叠，他的解释不断地侵入作品的正文，使之淹没在议论之中。布尔热起初是从事文学批评的，他把他的文学批评方法用于小说，却缺乏小说家的重要素质，即生活的素质。因而，他的人物都写得不够生动，能给读者留下深刻印象的形象不多。在艺术上，布尔热是一个认真而专注的匠师，他缺乏高超的才情，因而有时文笔不免略嫌滞重，而缺少灵巧轻盈的风格。

除心理描写与心理分析外，布尔热的创作还有另一个特点，即说教的倾向。他在自己的后期作品中，经常探讨道德、社会与宗教等方面的问题，表述他对各种问题的观点与主张。如他认为任何主义都应该对社会负责，严肃考虑某种主义、某种学说的社会影响与社会效果是完全必要的；又如，他认为家庭是社会组织中最为重要的基本单位，应该大力维护家庭的完整与正常的秩序以利于社会的稳定，反对离婚与婚外的奸淫；再如，他认为社会的平等与民主的实现应该循序渐进，绝对的平等只不过是一种不实际的理想，下层阶级不宜采取过激的手段争取民主与平等，而应该通过提高文化与教养的途径来提高自身的社会地位等等。布尔热在政治上是一个君主主义者，在信仰上是天主教徒，他把君主政治与天主教信仰视为社会稳定的两大基石，其基本立场是右倾保守的。他在小说创作中，几乎一开始就让自己对道德原则的重视与对心理分析的爱好同时并存，他对道德信仰的关注，在他最初的作品里已见端倪，从1889年所发表的《弟子》起，这一倾向更趋明显。因此，他在小说里，往往一方面宣扬道德原则，另一方面又乐于描写内心的混乱与人性的弱点，两种倾向对照，多少造成了某种程度的不协调。

布尔热较为著名的小说主要有：《安德烈·柯内利》《弟子》《国际都会》《阶段》《离婚》与《中年魔障》等。

《安德烈·柯内利》(*Audré Cornélis*, 1887)写的是一个哈姆雷特式的故事。早在主人公安德烈·柯内利的童年时期，他的父亲就神秘地被人谋害，人们始终不知道凶手是谁。柯内利长大成人后，对这桩谋杀事件的回忆总是使他不安，他一心要为父报仇。为了能够自由行动，他离开了自己母亲的住所。母亲自父亲被害后就与父亲的一位朋友，银行家戴尔蒙德结了婚。柯内利对继父一直有所怀疑，而且，他虽然很爱自己的母亲，但逐渐对她也产生了不信任，终于，他弄清楚了母亲是清白无辜的，谋害者是戴尔蒙德。柯内利着手对继父进行报复，他亲手刺死了元凶，并在他死去之前迫使他留下遗书表示自己将要自杀。整部小说甚为阴沉，文笔过于修饰，但心理分析不落俗套。

《弟子》(*Le Disciple*, 1889)是布尔热的代表作。阿德里安·西克斯特是实证主义的坚定而绝对的捍卫者，他反对斯宾塞的不可知论，一直致力于意志与情感的研究，他认为人类的感情有其动物性的根由，精神状态决定于血肉之躯的生理状态。他最狂热的弟子罗伯特·格雷斯卢在一个侯爵家任家庭教师，西克斯特曾断言心理不能对人的行为起决定作用，格雷斯卢对此坚信不移。他选定侯爵的女儿夏洛特作为验证的对象，他假装陷于爱情而痛苦，使得夏洛特爱上了他,但不久,他自己也不由自主地堕入情网。由于内心与人格的分裂,他的精神陷入极大的危机,他感到无法把导师的学说与自己身上的感情作用调和起来。夏洛特也努力要摆脱格雷斯卢的爱情,在一段时期里避开了他,并准备嫁给一个与她门当户对的青年人。但是在她举行婚礼之前,格雷斯卢写信给她表示自己想要自杀,夏洛特在他的爱情面前退让屈服了。他们在度过一个爱情之夜时,夏洛特决定次日清晨与情人一道去死,而这时格雷斯卢已不愿再自杀,他想劝阻夏洛特,她却对这种软弱极感失望。后来她发现了格雷斯卢的日记,明白了事情的原委真相,痛苦绝望之下,她服毒自尽。格雷斯卢被捕,夏洛特的兄弟得知了全部经过后,故意使格雷斯卢得到无罪释放,而后亲自动手杀死了这个引诱者,为夏洛特报了仇。格雷斯卢的导师读到了自己弟子的忏悔自白,深感无所适从,面对弟子的悲剧,他开始有了一种责任感。这部小说是布尔热创作倾向有所变化的标志,是他对自己曾受其影响的实证主义的某种反思的结果,从这部作品开始他更多地显示出自己作为道德家的一面,对于知识与学说的社会作用表示了他严肃的关注,他力图指出实证主义轻视人的精神的危险性。虽然小说中有一种明显的与艺术描写相悖的论证意图,但作者真诚的道德激情使作品具有一种严正的力量与有感染力的勃勃生气,而作者对人物心理的研究与刻画中所倾注的功力,则使这部小说成为法国文学中具有深刻洞察力和精确剖析的一部作品。

《国际都会》(*Cosmopolis*,1892)以罗马为背景,描写这里一群不同国籍的来访者所组成的上流圈子中道德的败坏。小说的故事情节错综复杂,其主体部分是威尼斯的斯泰罗伯爵夫人的情场丑闻。她先与波兰贵族哥尔卡有私,而哥尔卡正是她女儿阿尔芭的一个挚友的丈夫,他曾与两个法国青年决斗,其中的一个本来可以与阿尔芭结婚,把她从这个腐朽的环境里救出去。而后,斯泰罗夫人又与美国画家曼特朗通奸,哥尔卡得知后,为了报复斯泰罗夫人,向阿尔芭透露了其母水性杨花的丑事。阿尔芭深感绝望，再也没有活下去的勇气。小说颇近似巴尔扎克的作品，但又有泰纳的种族理论影响的痕迹，作者有意识通过不同国籍的人物来表现不同民族的特性，让他们在这个来自各个国家、各个阶级的人群麇集的大染缸中，按照他们各自的民族遗传性行事。这部作品是布尔热已经开始致力于社会小说与问题小说的产物，他通过其中的小说家多尔塞勒这个人物来表述自己的思想观点，严肃地提出人对自己的行为负责的问题，还力图指出思想上没有信仰、精神上陷于麻木状态的可怕。

《阶段》（*L'Etape*，1902），是一部比较典型地反映了布尔热右倾保守思想的作品，带有反民主主义的性质。小说主人公莫内龙教授原来是一个农民的儿子，他发迹很快，迅速上升到与他的遗传性与习惯传统相距很远的上等阶层，他的孩子们在他本来不熟悉的上层社会长大，成为他的陌路人。而且，儿女们由于自己原来的血统根基与新的社会地位不协调而均无好结果，女儿朱丽被一个年轻的贵族所引诱，大儿子安特瓦勒在浮华淫靡的环境里堕落成为一个伪币制造者，另一个儿子若望早期信仰民主自由，碰壁后经受了一次精神危机，由于对一个少女的爱而皈依了天主教，不再相信父亲所灌输给他的民主自由思想。

《离婚》（*Un Divorce*，1904）与《中年魔障》（*Démon de midi*，1914），都是以婚姻家庭问题为题材的小说。《离婚》通过一个家庭的离异所造成的纠葛、矛盾与痛苦不幸，证明离婚的危害。在这部作品里，布尔热的天主教立场是非常鲜明的，他反对家庭的破裂，通过小说中厄夫拉尔修道院长之口，明确指出离婚不论对家庭、对社会都很有害。《中年魔障》是布尔热后期创作中最著名的作品，写的是人到中年误入奸淫歧途的故事。主人公路易·萨维扬是著名的天主教作家，四十出头，听从了工厂主加尔维叶尔的意见，接受家乡提名自己为大选候选人。对他来说，这是一个可以再遇见过去的未婚妻绮勒维叶芙·索雷阿克的好机会，她20年前离开了他，被家庭逼迫嫁给了有钱的加尔维叶尔。路易与绮勒维叶芙重逢后,成为她的情夫,虽然通奸与他的信仰原则不符,他并非没有悔意,但却沉醉在暧昧的私情之中不能自拔。他的儿子雅克崇拜父亲,但在福雄修道院长的影响下,追求当代时髦。不幸的是,他本来要娶的一个单纯的女孩泰蕾丝被福雄占有,泰蕾丝从家中出走后嫁给了反对教士独身不娶的福雄。福雄发表了一本反对罗马教会的书,被路易狠加批驳,二人结下私仇。路易与绮勒维叶芙的奸情不久被丈夫发觉,他获得了路易写给绮勒维叶芙的情书,把这些书信交给福雄供他利用。雅克从泰蕾丝处得知消息后,前往福雄家抢夺信件,被福雄失手放枪打死,临死时,他规劝双方弥补各自的过错。最后,福雄遁入修道院,绮勒维叶芙与泰蕾丝回到各自的家,那个误入歧途的不幸的父亲重新投入了天主的怀抱。整个作品贯穿了论证的目的与道德告诫的意图,带有警世的意味,鲜明地表现了作者宣扬宗教、维护家庭与道德的立场。正因为如此,其中有的人物,如反对教会的福雄,不免流于漫画化。

3. 弗罗芒丹、普雷沃等其他心理小说家

与布尔热同时代、以心理描写见长的小说家尚有多人,比他更早的是弗罗芒丹,和他大致同时的则有普雷沃以及埃尔维欧、艾斯托尼埃等人。

弗罗芒丹(Eugène Fromentin,1820~1876),出生于拉罗舍尔一个法律界与医学界人士的家庭,自幼学习成绩优秀,对古典主义传统的文学深为喜爱,对浪漫主义作家亦有兴趣。他很早就从事绘画,19岁来到巴黎,不久,他少年时期的恋人夭折,此事对他刺激颇深,正是这股持久的恋情使他日后写出他的小说代表作《多米尼克》。以绘画为业后,1846年他得到机会去阿尔及利亚旅行,非洲之行使他把强烈的色彩带进了自己的绘画。回到巴黎后,即展出了自己的画作,受到观众的欢迎,从此,他的绘画不断取得成功。1847年他获出展

奖，1859年又获荣誉勋位勋章。弗罗芒丹不满足于以画笔来表达自己的观察与感受，他开始从事文学创作。1847年与1855年两度再去阿尔及利亚旅行，使他得到了他最初两本书的素材，这两部作品：《撒哈拉沙漠之夏》(*Un Eté dans le Sahara*)与《在撒厄尔的一年》(*Une Année dans le Sahel*)先后出版于1856年与1858年。接着，弗罗芒丹开始着手写作带有自传性的小说《多米尼克》，小说完成于1862年。弗罗芒丹成名后，他的生活一直舒适平静，只是在普法战争与巴黎公社时期，他的思想受到了震撼。恢复和平后，他到比利时与荷兰做了一次旅行，走访了那里的博物馆，回国后把他的札记整理成《往昔的大师》(*Maître d'autrefois*)一书。除此以外，他同类的论著还有：《艺术的探访》(*Visites artistiques*，1852)与《单纯的朝圣》(*Simples pélerinages*，1856)。他逝世于1876年8月27日。

弗罗芒丹的代表作《多米尼克》(*Dominique*，1863)是一部带有自传性的心理小说，描写了青年时期他的一段恋情。主人公多米尼克是一个孤儿，在乡下被一个老姑妈和一个年轻的小学教师教养长大，生性敏感，却又充满了野性与本能，在中学里，他喜欢梦想，醉心于诗歌及他唯一的朋友奥里维叶的友情。在结识了奥里维叶的表姐玛德莱尔以后，他就深深堕入了情网，但玛德莱尔比他大两岁，已经结了婚，多米尼克因爱情而痛苦不已，只求向对方一吐衷曲为快。这个年轻的妇女出于善良怜悯之心，想要帮他平静下来得到解脱，但很快她就发觉自己也爱上了多米尼克，她恐惧地赶忙后退，疏远了多米尼克。多米尼克心灰意懒，既然这位多情而善良的少妇埋葬了他们的爱，他也就永不再追求别的爱情了。与此同时，多米尼克在事业上也不顺利，他试图在写作生涯中获得成功，但未能达到目的。经过人生的挫折，他回到自己的家乡，他将在那里成为一个乡绅、镇长，娶老婆、生儿育女，心静如水，默默无闻地过一辈子。

这是一部心理描写相当细致的小说，叙述的语调变化微妙，带有一种迟暮的郁郁之情,即使在强烈的抒情中也有几分节制,而那种对情人的天真纯净的虔诚,既带有浪漫的情调,也具有典雅的风度,无疑是一部很有特色、很有吸引力的心理小说。而且在这部小说里,作者通过主人公追求无着的经历表现了这样一种认识:当一个人认识到自己无力实现自己少年时期心比天高的愿望时,就应以自知之明放弃与退缩。这种认识与其说是作者所要宣扬的哲理,不如说是他自己在绘画领域与文学领域里无法跻身于一流人物之中时产生的一种真实的心态,是他对自己局限性的一种坦率的承认,但正是这种坦率的自白,使得这部自传性的心理小说具有了特殊的意义与价值。

弗罗芒丹是一位颇具才能的作家,他在文学上的成就高于他的绘画。他不属于某一个文学流派,他既是一个剖析深刻的心理小说家,也是一个异国风光、异国情调的出色描绘者,他的两部散文游记《撒哈拉沙漠之夏》与《在撒厄尔的一年》以写非洲风光著称,描绘精细,色彩鲜明,有写生绘画的艺术效果,出版后曾得到乔治·桑、米什莱、圣伯夫等大作家的赞赏。弗罗芒丹也是一个杰出的艺术评论家,他评论尼德兰绘画艺术的《往昔的大师》一书,是法国艺术评论中最精彩的作品之一。

普雷沃(Marcel Prévost,1862~1941),生于巴黎,毕业于巴黎综合理工学院,当过工程师,1890年起,当他的写作收入足能维持生活时,便辞去了这个职务。普雷沃笔耕甚勤,小说作品接连问世,主要有:《天蝎星》(*Le Scorpion*,1887)、《匈谢特》(*Chonchett*,1888)、《若弗尔小姐》(*Mlle Lauffre*,1889)、《表妹拉腊》(*Cousine Lara*,1890)、《情人的忏悔》(*La Confession d'un amant*,1891)、《一个女人的秋天》(*L'Automne d'une femme*,1893)、《不纯的处女》《我们的女伴》(*Notre compagne*,1895)、《秘密花园》(*Le Jardin secret*,1897)、《强悍的处女》(*Les Vierges fortes*,1900)、《幸

福之家》(*L'Heureux ménage*，1900)、《皮埃尔与泰蕾丝》(*Pierre et Thérèse*，1909)、《米赛特》(*Misette*，1914) 等等，到1920年为止，他所创作的小说共有十八部之多。此外，他还写有书信作品三种：《妇女的信》(*Lettres de femme*，1893、1894、1897) 三卷、《给弗朗索娃的信》(*Lettres à Françoise*，1902) 与《给弗朗索娃妈妈的信》(*Lettres à Françoise Maman*，1912)，散文集二种：《妇女特性》(*Féminités*，1910) 与《新妇女特性》(*Nouvelles féminités*，1914)，关于战争指挥问题的政论一种以及剧本一种。他于1909年当选为法兰西学院院士。

普雷沃在文学史上以他的反自然主义倾向与对女性内心隐秘的描写著称。他写得最富有特色、最成功的作品都属于这一类。他这种创作特色在他创作初期并不鲜明，但1890年以后的作品表现得愈来愈明显，特别是他对妇女心理的研究、分析与描写更成为大部分作品的主要内容，只不过在他后期的作品里多了一些对道德的关注与道德说教的成分，如1905年以后不止一部小说就是如此。

普雷沃的代表作是《不纯的处女》(*Les Demi-vierges*，1894)。这部作品的标题是作者所创造出来的一个名词，"不纯的处女"是指那些品质恶劣、工于心计的少女，她们保持着肉体的清白只是为了掩盖她们在精神道德上的堕落。在作者笔下，这种少女在巴黎社会中几乎随处可见。他描写了同属这种类型而面目各不相同的妇女形象，其中主要的人物莫·德·鲁弗尔小姐虽然在这种类型中要算是最正派的一个，但也善于玩弄手段，工于心计。她祖上的家业毁在她父亲手里，为了改善自己的经济地位，她一心想嫁一个有钱人。她设法使一个富有的乡下贵族爱上了她，用种种巧妙的手段打消了这个乡绅对她的疑虑而即将与她结婚，另一方面则以自己的美色与柔媚来平息自己的情人于连·德·苏贝尔梭的嫉妒。于连是一个靠赌博与借债度日的花花公子，但对莫小姐倒有一片真情，要他眼睁睁把情人让给另一个男人，他实在忍受不了，激愤之下，他对这位乡绅公开了自己与莫小姐的关系后，自杀身亡。小说以莫小姐为中心展现了巴黎社会中人心败坏的情景，描写了妇女在这种社会环境中玩弄手段的种种心态，对人性的狡诈与世风的沦落进行了谴责。1894年小说出版后，大获成功，次年被改编成戏剧搬上舞台，"不纯的处女"（直译为"半处女"）一词也进入了其他国家的语言。

埃尔维欧（Paul-Ernest Hervieu, 1857～1915），大学毕业获得法学学士称号后，在高级行政机构中担任过法律职务，又曾任法国驻墨西哥大使的秘书，后辞职专心从事文学创作，1900年被选入法兰西学院。

埃尔维欧著有长篇小说六种，短篇小说五种，戏剧作品十种。他最初是以他的小说获得声誉的，其主要作品有：《巴黎的愚蠢》（*La Bêtise Parisienne*, 1884）、《陌生人》（*L'Inconnu*, 1886）、《调情》（*Flirt*, 1890）、《他们的自画像》（*Peints par eux-même*, 1893）。其中《他们的自画像》是他的代表作，在这部书信体小说里，每一个通信者都作一番自我描绘，袒露自己的缺点与过失，作者通过这种手法毫不留情地把巴黎上流社会人士文质彬彬外表下各种卑鄙龌龊的心理与见不得人的勾当都暴露了出来。1892年以后，埃尔维欧主要致力于戏剧创作，即使在他的戏剧作品里，仍然保持着《他们的自画像》这部作品的特点。

艾斯托尼埃（Edouard Estaunié, 1862～1942），出身于名门望族，毕业于巴黎综合理工学院，担任过工程师与邮电部的高级职务，发表过工程技术方面的论著，业余从事文学创作。他尊巴尔扎克为师，着意表现人与环境的关系，写有小说作品近十部，主要有：《痕迹》（*L'Empreinte*, 1896）、《起因》（*Le Ferment*, 1899）、《落魄者》(*L'Epave*, 1902)、《隐蔽的生活》(*La Vie Secrète*, 1908)、《物在看》(*Les Choses voient*, 1914)与《巴斯莱夫先生的腾达》(*L'Ascension de M.Baslèvre*, 1919)等等。他早期的《痕迹》带有明显的自然主义的特征，而以《隐蔽的生活》为代表的一系列作品，则显示了他对人的内心活动的兴趣。在他看来，隐蔽的生活在于内心，内心生活中有种种不同的成分，有时往往从平凡的内心生活中产生出爱与牺牲的伟大感情，从而使人升华，他的《巴斯莱夫先生的腾达》就表现了他的这种认识。

艾斯托尼埃于1903年当选为法兰西学院院士，1925年他完成最后一部作品《迷宫》(*Le Labyrinthe*)后，就搁笔隐退了。

博尔多（Henri Bordeau, 1870~1963），他青年时期在巴黎攻读法律，但酷爱文学，结识了布尔热后尊之为师。最初他从事传记文学的写作与文艺批评，1900年后才开始写小说。他是一个多产作家，小说作品有十五部之多，此外还有文艺批评论著十一部，散文游记两种，剧本两种。

博尔多的小说很多都以他的家乡萨瓦省为背景，以家庭问题、宗教问题为题材，致力于描写人物内心的自然状态，表现纷乱的思想感情与传统习俗的冲突，主要作品有：《罗克维拉尔一家》(*Les Roquevillard*, 1906)、《毛料长袍》(*La Robe de laine*, 1910)、《足迹上的雪》(*La Neige sur les pas*, 1912)与《生之恐惧》(*La Peur de Vivre*, 1912)等。

布瓦莱斯夫（René Boylesve, 1867~1926），原名勒内·达尔第沃（René Tardiveau），青年时期攻读过政治学与艺术，将近30岁才开始文学创作，但他小说创作的数量可观，共有十三部。1919年，他当选为法兰西学院院士。

布瓦莱斯夫的小说中有相当一部分是描写情爱欲望所引起的心理混乱，代表作有：《圣女群芳玛丽》（*Sainte-Marie des fleurs*，1897）、《波罗美群岛的芬芳》（*Le Parfum des Îles Borromées*，1898）《我的爱情》（*Mon amour*，1908）。作为一个心理小说家，他对既定的成规不感兴趣，他的风格自然，挥洒自如，颇具特色。他另外还有一部分作品专写外省资产阶级生活，代表作是：《虚无城太太们的医生》（*Le Medecin des dames de Néant*，1896）、《克洛克小姐》（*Mademoiselle Cloque*，1889）、《鸟食》（*La Becquée*，1901）、《靠在栏杆上的孩子》（*L'Enfant à la balustrade*，1903）、《有教养的少女》（*La Jeune fille bien élevée*，1912），在这类作品中，作者显示了敏锐深刻的观察力，对外省资产阶级平庸的生活作出了真实的写照，揭示了这个阶层生活的保守的本质。

此外，巴赞（René Bazin，1853~1932）通常也被认为是一个注重性格分析与心理描写的作家。他早年当过法律教授，1884年开始投身文学创作，其作品数量很多，有长篇小说十五种，短篇小说集三种，散文游记三种，批评论著与历史论著三种。他于1904年当选为法兰西学院院士。

巴赞的创作带有道德说教的倾向与保守思想的色彩，他不求以文娱人，而只求能引起思考，他最好的作品是以农村生活为题材的三部小说：《荒芜的土地》（*La Terre qui meurt*，1899）、《奥贝尔莱一家》（*Les Oberlé*，1901）与《茁壮生长的小麦》（*Le Blé qui lève*，1907），这几部作品风格自然，无牵强雕琢之痕，出色地描绘了农村的大自然与农民的生活，更为出色地表现了他们的内心世界，特别是他们对土地家业的依恋。其中又以《荒芜的土地》尤为杰出，作者在这部小说里以真挚而深刻的感情，描述了一个农民家庭在求生存求发展中的艰辛苦楚以及这个家庭几个子女各自不同的心愿与命运，赋予小说一种悲怆感人的力量。

在心理小说方面，杜雅尔丹是一个特殊人物，他以著名的小说《月桂树已被砍尽》而在心理小说的发展上占有重要的地位。

杜雅尔丹（Edouard Dujardin，1861~1949），在高等师范学校与音乐学院完成学业后，19世纪80年代期间，从事短篇小说的创作，也写过诗与散文，是马拉梅的信徒与朋友，在象征主义高潮的年代里甚为活跃。作为出色的音乐评论家，他对瓦格纳的音乐在法国的传播作出过贡献，1885年创办过"瓦格纳专刊"，此后，他还办过其他刊物，在喜剧、悲剧等各方面都作过尝试。他兴趣广泛，才智过人，但性情浮躁，搞了一阵文艺之后，曾耽于花花公子的赌博生活，后又成为商人，还一度对宗教研究感兴趣。他始终没有与象征主义告别，不断写点有关象征主义的东西，直到20世纪二三十年代。他在文学创作方面浅尝辄止，成就不大，但他1887年发表的《月桂树已被砍尽》（*Les Lauriers sont coupés*）却是一部有开创性的作品。

这部小说的内容是一个青年人的爱情，这个青年在巴黎社交界颇为活跃，他爱上了一个女演员，因为他的爱情是柏拉图式的，所以特别热烈真挚，女演员虽然在经济上接受他的帮助，但对他并无真心实意。小说集中写青年主人公的一天，情节简单而平淡，但手法在当时却是全新独创的。通篇都由主人公内心的意识活动构成，人物的意识活动又并非由作者加以叙述，而是通过人物本人的自我独白客观地呈现，其中思考、回忆、想象与眼前的景象互相交替，杂然纷呈，这样，读者就自始至终置身于主人公脑海的荧光屏之前，而对其脑海中的所有隐秘一览无余，这种内心的自言自语式的流动着的意识，在法国被称为"内心独白"（monologue intérieur），实际上是现代心理学中的"意识流"。杜雅尔丹这部手法新颖的小说直接影响了20世纪爱尔兰作家乔伊斯，他借鉴了杜雅尔丹的手法创作出意识流小说名著《尤利西斯》,在这个意义上,杜雅尔丹是 20 世纪意识流小说的先驱。

第二节 巴雷斯

1. 巴雷斯的生平

巴雷斯(Maurice Barrés,1862~1923),1862 年 8 月 19 日出生于孚日省夏尔默一个富裕的资产阶级家庭,有洛林人的血统。他从小一直在受到母亲特别宠爱的环境里生活,只是在 1870 年眼见法军大溃败的情景时,幼小的心灵才第一次受到强烈的刺激与震撼,他在南锡念了中学,从那时起就开始对文艺感兴趣,并颇受浪漫主义诗人与波德莱尔的影响,1883 年,他来到巴黎,先在法学院随便选修些课程,尔后,自己单枪匹马办起了一份小小的刊物《墨迹》,由此,他结识了不少他所崇拜的名流如雨果、勒孔特·德·李勒、泰纳、勒南等,可惜这份刊物寿命不长。他又开始写小说,第一部作品《在野蛮人眼前》于 1888 年问世,接着发表的是《自由人》与《贝雷尼斯的花园》,巴雷斯把这三部小说统称为《自我崇拜》三部曲,在读者中获得了成功,巴雷斯从此广为人知。

与此同时,巴雷斯还开始从事政治活动,他把民族主义与社会主义两种成分糅进自己的政纲,颇有号召力。1889 年,他作为南锡的代表当选为国会议员,在政治上属于极左翼,但却卷入了布朗热将军的民族主义狂潮,从他第一个三部曲发表后,他的思想倾向从自我转到国家民族,1897 年至 1903 年,他又陆续发表了三部小说:《离根的人》《给士兵的号召》与《他们的面目》,总称为《民族力量的小说》,是为他的第二个三部曲。

此后,他仍过着政治活动家与作家的双重生活。在政治上,他热衷于布朗热主义之后,又在德雷福斯事件中成为与左拉对峙的反德雷福斯派的领袖之一,德雷福斯事件以右翼派别的失败而告终。巴雷斯与他那些顽固的朋友们不同,对政治权力斗争并不感兴趣,他感兴趣的是成为民族主义的鼓动者,他集中代表了"复仇的一代"的情绪,念念不忘对德国的仇恨,并力图以唤起爱国主义精神来对抗德国的威胁,因此,狂热宣传民族主义思想,是他作为政治家与作家的突出标志,这使他在民众中赢得不少声誉,并成为一部分法国青年所尊敬的导师。在民族主义思想倾向下,他又写出了包括《为德意志服务》与《柯莱特·波多什》两部小说的《东面的堡垒》。此外,在这个时期,他还有一些其他作品问世,如《斯帕尔特的旅行》(*Le Voyage de Sparte*,1906)、《托莱德的秘密》(*Le Secret de Tolède*,1912)、《有灵气的山丘》(*La Colline inspirée*,1913)、《朝向阿洪特的花园》(*Un Jardin sur l'Oronte*,1922)等。第一次世界大战爆发,他因已超过服役年龄,而且身体欠佳,未赴前线,但在后方甚为活跃,在国会多次演说大声疾呼,在报刊上发表大量文章鼓吹民族主义、宣传抗敌,这些演说词与政论后来收集成十一卷的《法兰西之魂与战争》(*L'Ame française et la guerre*)。晚年,他还发表了《在东方国家的考察》(*L'Enquête aux Pays du Levant*,1923)。

2. 巴雷斯的思想与创作

巴雷斯与布尔热一样,在艺术表现上致力于心理描写,而在思想内容上则热衷于宣传自己的观点与主张。所不同的是,布尔热更多的是宣传道德、宗教原则,巴雷斯则主要是宣传自己的人生哲学与社会历史观。

巴雷斯的思想有两大构成部分,即自我崇拜与民族主义,前者主要体现在他的第一个三部曲中,他第二个三部曲则集中表现了民族主义思想。巴雷斯的这两种思想都具有19世纪后期法国社会历史现实的根由,很快地在社会中获得了广泛的响应与群众基础,巴雷斯一时也就成为青年人的导师式的人物。

巴雷斯的第一个三部曲《自我崇拜》(Le Culte du Moi)包括三部作品,即《在野蛮人眼前》(Sous l'œil des barbare, 1888)、《自由人》(Un Homme libre, 1889)与《贝雷尼斯的花园》(Le Jardiu de Bérénice, 1891)。《在野蛮人眼前》是一部没有明显情节的哲理小说,巴雷斯在这部作品里通过一个年轻敏感的大学生菲利普自我完善的追求,抒发自己在个性问题上的哲理思想,在一定程度上带有自述的性质。在作者看来,人的内心有不止一个"我",每一个"我"都各不相同,互相矛盾冲突,因而人对世界的认识与看法也经常发生变化,外在现实往往在人心目中呈现出不同的图景,甚至对同一件事的回忆也往往有好几种不同的真实性,为此,人就应该有自己的内心生活,对自我进行分析与认识,这是人自我完善与自强的重要途径。作者在小说里安排菲利普进行这种自我完善的努力,他在体现了不同"自我"的各种矛盾、失望、懊悔等等感情中前进,每前进一步都有新的感受与经验。为了激起对真理的热烈追求,使自己的精神不至于囿于周围的环境,他研读了过去的思想家的作品,感受到一种自命不凡的精神,这种精神使他从远离世人中寻求力量;他不断地提高他的文化教养与对事物的理解力;他出于一种高傲的对生活的超脱感,为了与缠绵的儿女之情一刀两断以便真正地实现自己,主动离开了他所爱的少女;巴黎令人眩晕的生活吸引了他,但他在那里的学府与知识界里却没有找到新的思想;他又把自己闭塞在自我的天地里,在失望之中又找到了他的精神导师泰纳与勒南;他曾想与他人的生活打成一片,在与外部世界接触之后,又感到沮丧与愁闷,他认识到了他需要的是一种来自自我深处的爱,而不是来自外部世界的爱。在巴雷斯看来,与外部的联系接触、对先贤先哲的钻研,于自我完善都有重要的作用,但他所特别重视与特别强调的,却仍然是内心的自我探索、自我辨析、自我确认、自我发现,这是他心目中自我完善的重要途径,是自我力量的所在，是自我生活意义的所在，从这个意义上来说，自我之外的人与事不过是"野人"而已。这部作品作为三部曲的第一部，提出了自我崇拜的思想主题，这种思想既承继了从卢梭到司汤达的个性发展、个性昂扬的思想传统，也明显地受了当时已经流行于法国的尼采超人哲学的影响，虽然巴雷斯的"自我"哲理与尼采的"超人"哲理并不完全相同，但也体现了对个性自由的强调、对主观力量的颂扬。

《自由人》是巴雷斯自己特别钟爱的一部作品，它承袭《在野蛮人眼前》的主题思想，写主人公菲利普自我完善的努力。他怀着认识世界的愿望，与同伴西蒙一道离开了巴黎，来到杰西岛，他深知要真正地实现自己，就必须过一种不平凡的生活并感受种种强烈的激情。他陶冶于大自然之中，在艰苦僻静的乡野独处，对先圣伊雅斯·德·洛约那的遗著进行思考，所有这些使他感受到了宇宙的奥妙。他原不知世界充满了幻象，女人总是使男人丧失理智，在使他分心的时候剥夺掉他真正的自由。在读贡斯当的《阿道尔夫》与圣伯夫的《情欲》时，他看到了两个主人公在自己青年时代为了战胜生活、为了自己掌握自己的命运而进行的战斗，对此，他所进行的思考使他自己在对女人的情爱上坚强了起来；他作为一种严峻宗教的信徒，对先哲们的认真思考使得他也去进行精神上的苦修，但他到自己的故乡朝圣后，重新发现了自己；到了意大利，米兰、威尼斯等艺术名城给他展示了新的天地，给了他新的生活感受，特别是威尼斯对他有更大的影响，使他懂得了生活的意义，他感到自己的梦想现在开始通向坚实的现实。至此，对以往思想家的研读与思考、对意大利艺术杰作的欣赏与在旅途中对各地的观感，使他精神上充实坚强。他回到了巴黎，准备投入行动。为了充分实现自己，他给自己安排了新的生活规律，他写信给朋友西蒙，把自己要孤独而自由地生活的打算告诉了他。在小说中，虽然内心生活、沉思、自我完善仍占有很大的比重，但面向现实的倾向已趋明显，主人公的历程已预示着他将入世。这部小说是巴雷斯本人青年时期精神生活的反映,正因为如此,他对主人公心理活动的描写才真切而细致,出色地表现了人物矛盾复杂的精神状态和一些独特的心理感受。

在《贝雷尼斯的花园》里,菲利普认识到他的生活必须与世人协调一致。为了把自己内心的悟性付诸实现以服务于现实生活的需要,他在外省组织了选举运动,他对布朗热的民族主义纲领充满了热情,认为它是照亮未来道路的宏伟思想。在他看来,只有把这种思想付诸实现,他才可能在精神上得到自己的归宿,才可能投身于一种光荣的值得骄傲的生活。在阿尔勒,他又遇见了他过去在巴黎认识的舞女贝雷尼斯,他前往拜访,在幽静宜人的花园里看见她,似乎第一次感受到了生的欢乐。他在大自然中所进行的恬静而充满了幻想的沉思,又使他获得了新的激情。他回到巴黎又重新从事选举运动,同时怀着对贝雷尼斯的爱,他总觉得在那个恬静花园里一个女人的微笑蕴含着宇宙奥秘的意义。但是,一位议员认出了贝雷尼斯是自己的女儿,而他却正好是反对布朗热主义的,贝雷尼斯的丈夫又恰巧是菲利普在选举中的对手,这时,对于菲利普来说,政治信仰与当选都无关紧要了,他怕的是失去贝雷尼斯,因为他早看到,他的幸福是与这个年轻女人结合在一起的。后来贝雷尼斯不幸去世,菲利普在经受了痛苦之后,仍感到贝雷尼斯活在自己身上,对她的回忆照亮了他的内心,促使他怀着友善的感情对待世界。经过一番磨炼之后,人道主义成为他精神上的指导,他感到应该为自己的理想而奋斗,克服各种困难,接受生活的挑战。这部小说是一部入世的书,主人公已经完全从孤独的内心生活中走了出来,投入了生活与社会现实,虽然他所热衷的民族主义有明显的局限性,但它反映了普法战争失败后成长起来的一代青年的民族意识与爱国主义思潮,也是巴雷斯本人思想历程与政治信仰的写照,由于有这种思想内容,《贝雷尼斯的花园》可说是巴雷斯宣扬民族精神、国家主义的第二个三部曲《民族力量的小说》的先导。

第二个三部曲《民族力量的小说》(Le Roman de l'énergie nationale)的第一部《离根的人》(Les Déracinés，1897)写 7 个洛林省的青年人离开本土的故事。这 7 个人都是南锡的中学生，他们的青年教师保罗·布特叶善于宣传鼓动，对他们颇有影响，保罗·布特叶被甘必大召到巴黎委以政治与文化方面的重任后，他们也追随其后离开了本土，开始在生活中奋斗，一心要实现自己的个性。他们在巴黎先后目睹了甘必大与雨果的葬礼，在 1882 年至 1885 年巴黎的政治喧嚣与思想纷扰中完成了自己的社会教育，逐渐丢失了他们从故土带来的精神品质而陷入不切实际的幻想。他们之中有几个在新闻界文化界谋到了职位，仍忠于布特叶的思想，但其中的两人拉卡多与莫希弗南在一个事件中杀死了一个有钱的女人，拉卡多被逮捕后判处了死刑，莫希弗南则躲藏了起来。在这部小说里，巴雷斯通过 7 个青年醉心于漂亮的言辞与不切实际的空想、背井离乡的故事，表现了他们离根后丧失了对故土的爱，在精神上沦落的悲剧。在他看来，这些青年人应该坚持在普法战争后被德国人割走的洛林省故土，在那里扎根，巴雷斯的这一思想立场正是他民族主义感情的表现。小说反映了 19 世纪 80 年代法国的社会现实：整个民族还没有从普法战争的失败中恢复过来，国家被政治纷争弄得四分五裂，共和制摇摇欲坠，巴黎陷于社会动乱之中。对现实社会的真实反映，使这部作品颇具历史的认识价值。

在第二部《给士兵的号召》(L'Appel au soldat，1900)里，作者站在反对议会制、主张建立极权政府的布朗热主义立场上，以 7 个青年之一弗朗索瓦·斯居勒尔为中心，表现了当时法国的政治与思想的状况，并力图探求出路。斯居勒尔是这几个青年中最有头脑的一个，他这时已经成为一个律师，眼见党派的政治纷争危害重重，经济上投机倒把盛行，认为按照布朗热主义行事方可得到有效的解决。他常思念自己的故土洛林，充满了爱国主义的热情，希望有机会向德国占领者复仇，为此，他力图为布朗热将军的上台出力效劳。他在完成了意大利的旅行后,从威尼斯写信给在德国深造的好友、历史学家霍梅斯巴谢交换意见。霍梅斯巴谢是同他一道从洛林省出来的,在7个同学中是最聪敏的一个,他们对法国的悲剧都深有所感,都认识到要复兴这个国家就必须靠爱国主义与牺牲精神,认识到对自己沦落于异族之手的故土的爱要求他们采取果敢而有效的行动。他们出于一种纯洁的责任感,与一切腐败的行为进行斗争,他们怀着尊敬虔诚的感情访问了被割让给德国人的阿尔萨斯与洛林两省,缅怀自己故土的光荣。布朗热将军自杀身亡后,斯居勒尔继续为实现布朗热的民族主义纲领而奋斗,尽管他又遇到了重重的困难。

小说具有鲜明的民族主义思想,通过主人公的活动大大宣扬与鼓吹了爱国主义精神,是巴雷斯创作中国家与民族的主题最鲜明、最突出的一部作品,也是最清楚显示出巴雷斯的布朗热主义思想立场的内容与实质的一部作品。显然,他是把布朗热的民族主义作为促使法国复兴、报仇雪耻的一种精神力量,而他的这种思想立场正是他对故土沦落的悲愤之情铸成的,应该得到理解。在小说中,与这两个信奉布朗热主义的青年相对照的是法国政治与社会生活腐朽衰败的图景:议会中的堕落、巴拿马运河丑闻、大工商集团的犯罪与不法行为、国家政治机能的疲惫不振、议员们的贪污腐化等等,这些揭露性的描写是小说特别有价值的所在,它们使这部作品成为1885年至1891年间法国政治社会生活的历史画卷。

第三部《他们的面目》(*Leur figure*, 1902),继续第二部写斯居勒尔的活动。在作者笔下,斯居勒尔和他的知己霍梅斯巴谢是法国一代青年精英的代表,他们并没有因为布朗热将军的自杀与他的政治理想遭到失败而丧失信心,他们认识到必须坚持下去,决不退缩,决不按照别人给他们规定的行为准则行事,而要与议会中的种种腐化堕落进行斗争,要把巴拿马运河丑闻弄个水落石出,要清算一些议员的非法勾当。斯居勒尔作为布朗热派的议员,反对企图控制法兰西的资本家集团，与自称激进的共和派也存在着矛盾与斗争，他决定进行有力的打击，公开指责那些腐败的议员，揭露种种堕落的行径，但是，由于爱情上的弱点，他在斗争中犯了错误，反倒损害了自己。之后，他闭门自省，继续思考法兰西的悲剧。这部小说同样具有编年史的性质，它所表现的是1891年至世纪末的法国政治生活。它以漫画的笔法，勾画了当时政治生活与社会生活中那些显要人物如银行家、议员、政客、煽动家、高级骗子的嘴脸，小说的题名即由此而来。它是巴雷斯带有尖锐揭露性的一部作品。

普法战争的失败，始终像阴影一样投射在巴雷斯的思想与创作上。直到20世纪初期，他在包括了两部互相独立的小说、总标题为《东面的堡垒》(Les Bastions de l'Est) 里，仍然继续他的民族主义主题，发掘与探究德法两个国家历史性的冲突与纠葛在普通人心理上造成的积淀，宣扬民族主义的文化传统与感情。前一部小说《为德意志服务》(Au Service de l'Allemagne, 1906) 中的主人公是沦陷于德国的阿尔萨斯省的一个青年人，他在德国军队里服役，虽然心向法国，却不愿离开军队，因为他要以自己的存在来保持法国文化的传统与精神，他坚挺在德国的军队里，表现了一种深层的、曲折的抵抗意识。后一部小说《柯莱特·波多什》(Colette Baudoche, 1909) 的主人公是一个善良的少女，她与年老穷困的祖母住在梅茨。35年来，阿尔萨斯－洛林省区的人们都默默地忍受着德国的占领，而心里始终不忘记自己的祖国，柯莱特的精神状态也是如此。她遇见了一个德国的青年教师，他尽管有些傲气，但心地纯洁，与柯莱特的接触使他发现了新的生活，他对法兰西文化产生了赞赏崇仰之情，对占领区里实现泛日耳曼主义、以德国的语言与风俗来窒息本地固有的传统文化颇不以为然。他被柯莱特的品格与当地法国居民纯朴的生活所吸引，忘掉了他在德国故乡的未婚妻，而与柯莱特产生了爱情，但柯莱特想起了普法战争中在梅茨为国捐躯的法国士兵以及为了祖国的光荣而献身的先人，她熄灭了自己的爱情，坚决拒绝了这个德国青年，表现出了高昂的民族主义精神与宝贵的爱国主义品德。

在巴雷斯自我崇拜、自我完善的思想体系中，追求丰富的感受也是一个重要的内容。正是这种追求使他酷爱旅行，他的足迹遍布意大利、西班牙与近东一带。他喜欢在那些濒于泯灭的古文化遗迹中去寻胜探美，感受精神的奋发、冒险中的美与死亡。表现了他这种体验与感受的散文作品有：《血、肉之快感与死》（*Du Sang, de la volupté et de la mort*，1894）与《神圣的爱与痛苦》（*Amori et dolori sacrum*，1903）。

巴雷斯在自己的作品里还表现出了对行动与对力的追求，他崇尚英雄主义、严肃的苦行生活与死亡，在精神风貌上，上承司汤达的传统，下启孟戴朗、马尔罗等20世纪法国作家之先河，是文学史上以精神力量取胜的作家。在艺术上，他致力于心理描写，也善于做心理描写，他写景状物的技巧亦细腻出色。

第三节　洛蒂与其他异国风情的作家

1. 洛蒂的生平

洛蒂（Pierre Loti，1850~1923）原名路易·马里·于里安·维欧（Louis Marie Julien Viaud），1850年1月14日出生于罗什福尔，该市位于夏朗特河的下游，临近大西洋的万顷波涛。他的家庭属于一个古老的信仰新教的大家族，早在16世纪南特敕令废除时，这个家族就逃往此地定居。洛蒂在家庭里深得母亲、姑母与姐姐的宠爱，从小就娇生惯养。他少年时代即开始学习绘画和音乐，但是由于生长在大洋之滨，而祖先之中又有不少航海者，他更向往出海远游，很早就渴望成为一名水手，能走遍天涯海角。在罗什福尔受了初等教育之后，1866年他被送往巴黎进了亨利四世中学，准备升入海军军官学校深造。第一次远离家庭，少年人并没有被首都喧嚣的生活所吸引，他沉醉于夏多布里昂的作品，在其中自得其乐，不久，1867年他幸运地进入了航海学校。在沿着法国海岸做了一次航行实习以后，于1869年被任命为准尉来到"约翰·巴尔特"舰上服役，从此不断来往于从日本到大洋洲、从北部湾到阿拉伯半岛的航线上。1872年，他访问太平洋中的塔希提岛，岛国王后的侍女们亲切地以"洛蒂"（意即"太平洋之花"）的外号称呼他，不久后，他以此作为自己的笔名。

1873年，他又扩大了航海的范围，到了塞内加尔与其他一些非洲国家，1876年，他提升为海军中尉，分配到"王冠号"上服役，被派往希腊的萨洛尼卡，他在土耳其水域呆了整整一年半，1877年11月回到法国，得到一段相当长时间的休假，终于有机会从事他青年时代以来就一直渴望的文学写作，这时，他已经将近30岁了。1879年他发表了第一部小说《阿姬雅黛》，小说虽然写得相当出色，但未引起人们的注意，次年他又发表了第二部小说《娜娜玉》，写太平洋波利尼西亚群岛上的一个爱情故事，此书后来再版时改名为《洛蒂的婚姻》（1882）。此后，洛蒂连续推出一系列小说，以其航海生活的题材与异国情调引起人们的注意与兴趣，不断获得成功，计有：1881年的《非洲一骑兵》、1882年的《烦恼之花》（*Fleurs d'ennui*）、1883年的《我的兄弟伊弗》、1886年的《冰岛渔夫》、1887年的《菊子夫人》、1889年的《秋景艺品》（*Japonerie d'automne*）、1890年的《在摩洛哥》（*Au Maroc*）与《一个孩子的故事》（*Le Roman d'unenfant*）、1891年的《东方的幽灵》（*Fantôme d'Orient*）。由于他在小说创作上所获得的广泛声誉，1891年5月，法兰西学院选举他为院士。

此后，洛蒂仍写作不懈，接连又有三部作品问世：《水手》（*Matelot*，1893）、《荒漠》（*Le Désert*，1895）与《拉慕珂》，但洛蒂这时仍是一个海军中尉，未能得到升迁。更糟糕的是，1898年，他在一家报纸上发表的文章涉及了某些军事情况，使得内阁甚为不满，勒令他退役。此事上诉到行政法院，他得到了胜诉，次年，他又入伍供职并提升为海军中校。几个月后，义和团事件发生，八国联军进攻中国，洛蒂所在舰队被派往远东。从这次远东之行中，他又获得了新的散文随笔的题材。1901 年，他发表了《北京的末日》（*Les Derniers jours de Pékin*），1903、1904、1906 年，又先后有《英国人治下的印度》（*L'Inde sous les Anglais*）、《走向伊斯法罕》（*Vers Ispahan*）与《醒悟了的妇女》问世。1906 年，他晋升为海军上校，1910 年，他到了退役的年龄，在此前后，他发表的作品还有：《菲拉德之死》（*La Mort de philade*，1909）、《吴哥的朝圣者》（*Le Pèlerin d'Angkor*，1912）与《垂死的土耳其》（*La Turquie agonisante*，1913）。1914 年第一次世界大战爆发，他一直想重新入伍服役，未果。1921 年，他与自己的儿子合作出版了《高瞻远瞩看东方》（*Suprêmes visions d'Orient*）。1923 年，洛蒂在昂戴伊去世，身后享有国葬的哀荣。

2. 洛蒂的文学作品

洛蒂一生中的大部分时间是在航海中度过的，这决定了他作为一个作家的特殊性，他对海上生活的体验与了解远远超过了他对法国社会现实的认识，他只可能从长期海上游弋生活中去寻找题材、吸取灵感，而海上生涯所能提供给他的，则不外是世界各地的异域风光与他在不同地点停泊时的露水姻缘与艳遇。因此，他的社会视野与艺术感受中就没有，也不可能有其他的事物，而只有他自己的这种既在时空上广阔开放，又在性质上狭隘褊窄的生活内容。他的作品大都带有自传性，程度或多或少，形式或显或隐，题材往往是生离死别、哀婉凄凉的爱情故事，其背景则毫无例外地是形形色色的异国风光，这一类代表作有：《阿姬雅黛》《娜娜玉》(《洛蒂的婚姻》)、《菊子夫人》《非洲一骑兵》《拉慕珂》与《醒悟了的妇女》。

《阿姬雅黛》(*Aziyadé*, 1879) 是经过加工的自传故事, 除了男主人公最后的结局外, 基本上都是以作者的经历为蓝本写成的。年轻的海军军官在舰艇停泊期间, 小住于希腊的萨洛尼卡, 他从一个穆斯林深闺的窗口, 看见里面一位美貌的少女, 一见倾心, 由此即产生了热烈的爱情。这对情人难分难舍, 直到最后出发动身的命令使得青年军官不得不告别了阿姬雅黛, 离别之后, 这个多情的少女因痛苦而去世, 她的情人则为了她的祖国而英勇地在战争中牺牲。《洛蒂的婚姻》(*Le Mariage de Loti*, 1882) 也带有明显的自述性, 主人公海军上尉洛蒂在太平洋的塔希提岛停泊期间, 遇见了当地一个美丽迷人而又散发出山野气息的少女娜娜玉, 他们牧歌般动人的爱情在森林的绿荫下进行, 最后发展成一次纯朴而充满稚气的婚礼。不久, 出发的命令下达, 洛蒂被迫离岛, 撇下了他年轻的妻子, 娜娜玉每天翘首远眺, 期待着夫君的意外归来, 终因带病的身体不堪这种无望的等待而忧伤逝去。几个月后, 洛蒂重返海岛, 只见到了一个小小的坟墓, 有娜娜玉的女伴们为她立下的墓碑, 上面天真地写着: "这里安息着洛蒂的妻子娜娜玉。"《菊子夫人》(*Madame Chrysanthème*, 1887) 的故事也大同小异, 只不过缺乏前两部作品中所流露的作者真诚的感伤。海军上尉洛蒂所在的舰艇停泊在日本, 他在长崎与菊子结成了露水夫妻, 他们的同居并不是建立在爱情的基础上, 因此, 当离港的命令下达后, 洛蒂乐得了结这段临时的姻缘, 菊子夫人对现实利益的考虑也淹没了她的离情别绪。《醒悟了的妇女》(*Désenchantées*, 1906) 的故事情节, 在某种程度上也是洛蒂的自述, 他曾声称这部作品绝非虚构, 其中男主人公、法国小说家安德烈·莱里就是洛蒂本人。他在土耳其遇见了在小说中出现的3个青年妇女, 狄热娜内、泽蕾布与梅勒克, 她们都是被禁锢在土耳其深闺的穆斯林清规戒律之中, 不能随意行动、不能轻易做任何事情, 甚至不能做有意义的善举。她们为此深感痛苦, 特别是因为她们都具有相当的文化修养, 知道世界上还有更为丰富多彩的生活并热烈期望过那种生活,但她们的生活环境却只能使她们在不能实现的梦幻中受煎熬受折磨。狄热娜内具有反抗精神,她主动写信给安德烈·莱里这位"长期以来萦绕着自己梦境"的作家,当这位作家来到土耳其的时候,3位少女都冒了种种危险前来与他相会。莱里被她们的命运所感动,答应她们写一本书叙述她们的不幸。狄热娜内因为对莱里怀着无望的爱情而黯然神伤,莱里回到法国后不久,她就不幸去世。

比较起来,《非洲一骑兵》(Roman d'un spahi, 1881)与《拉慕珂》(Ramuntcho, 1897)这两部小说的自传性质比较弱。《非洲一骑兵》以一个出生在塞文山区的法国青年若望·贝拉尔为主人公,他被派往塞内加尔服役,与黑人女子法杜·盖热烈相爱。在她身边,他把自己的故乡与在故乡的母亲、未婚妻全都忘掉了。他在一次出征中英勇牺牲,法杜·盖也自杀辞世,不愿在情人身后继续活下去。《拉慕珂》的主人公是西比利牛斯山巴斯克地区一个粗犷强悍的青年,既是一个牧羊人、半个渔夫,又是一个走私犯。他与少女加许霞热烈相爱,约定在拉慕珂服完兵役后即举行婚礼。但拉慕珂回到家乡后,未婚妻却因为自己母亲对拉慕珂有强烈敌意,自己无法解决矛盾而进入修道院,并立下了自己终身不嫁的誓愿。拉慕珂绝望之下,决定把情人从修道院里劫持出来,但他潜入修道院后,修女们的天真纯洁,加许霞如古井一样平静的感情使他清醒过来,他退出了修道院,远行到美洲去。小说主人公的身份虽与洛蒂本人相距很远,但在精神上却有洛蒂本人的影子。

洛蒂的这些小说是他对自己行踪不定的"弄潮儿"生涯中的艳遇与露水姻缘的一种浪漫主义的诗化,几乎都是大同小异的格局与俗套:痴情的异域女子、火热的爱情故事、奉命转移的了结、红颜薄命的悲剧,无疑带有浓重的通俗小说的气息。然而,洛蒂是一个其灵巧精致不下于夏多布里昂的文学匠师,他在夏多布里昂那里受到了影响,获得了启示,也在自己这种特别的通俗言情的题材中注入了两种颇具魅力的纯文学成分,即旖旎的异国风光与忧郁的情调。

在法国文学中,从来还没有一个作家像洛蒂这样绘制出如此广阔、如此真切的异域图景,在这方面,他显然超过了以对美洲风光的浪漫化描绘而著称的夏多布里昂。洛蒂的异域风光描绘的规模是巨大的,他几乎每一部小说都是一种异域图景的展现,在《阿姬雅黛》中,他复活了希腊岛屿和伊斯坦布尔充满芳香、略带神秘意味的氛围;在《洛蒂的婚姻》中,他再现了太平洋上塔希提岛上的风和日丽、郁郁葱葱的森林、村民们的原始生活以及他们充满了稚气的风俗;在《菊子夫人》里,他以工笔画般的艺术细致地描写了日本的日常生活、民间节庆、街景、花山以及妇女的聚会;《非洲一骑兵》以精确的笔法绘制出非洲国家的赤道风光、原始大林莽、圣路易平原以及"真实得可怕"的现实生活的图景;《醒悟了的妇女》又一次带来了土耳其的异国情调;《我的兄弟伊弗》则通过主人公漫长的航海生活,使人见识了沿途的种种异域风光。如果再加上洛蒂的一些游记散文,从欧洲到非洲与亚洲的半个地球的风光习俗,几乎无不被他写到。洛蒂以优美的文笔把他对异国风光细致的观察与敏锐的感受表现得极为出色,并赋予轻淡的诗意,其中有不少篇章段落堪为散文的典范,洛蒂作品中这个重要的特色,既大大满足了法国读者传统的对异国情调的审美要求,又大大地迎合了法国海外殖民兴盛时期广大公众对于海外各地的关注与兴趣,因而使他轻而易举地成为当时文坛上备受欢迎的人物。

洛蒂在他那些以海外露水姻缘为题材的小说里,无一例外地注入了忧郁的情调,甚至在他所描绘的生动秀丽的风光景色里,也常浸透着忧郁,笼罩着哀伤。这种忧愁似乎是由于这些故事里总有生离死别的情节与红颜薄命的悲剧结局,但更重要的是作者把自己在长期飘忽不定的海上生涯中、在殖民主义游弋的枪炮声中所形成的人生变幻、生死无常的感情带进了文学,并给予了他笔下的人物,即使是在自述成分较少的小说里也是如此。像《拉慕珂》中的男主人公，虽然是一个强悍的走私者，与洛蒂本人的身份完全不同，但这个人物身上那种忧郁的感情，是他作为巴斯克地区的乡民所不应该具有的，他其实正是洛蒂本人感情的化身。同样，在《非洲一骑兵》里，洛蒂式的忧郁悲观的情调也体现在人物的身上。正因为有了这种忧郁的情调，洛蒂成为一个接近夏多布里昂的、具有浪漫主义文学色彩的作家，他小说中的那些露水姻缘就得以脱离实际生活中水手浪迹天涯、逢场作戏的本来面目，而进入感伤故事的层次。由于披上了忧郁的外衣，具有一定程度的感人力量，它们之中不止一部被搬上舞台银幕，如《菊子夫人》被改编为著名歌剧《蝴蝶夫人》，《拉慕珂》曾被改编为电影，谱写成歌曲。

在洛蒂的小说创作中也有不同于哀婉凄凉的爱情故事的其他题材，《我的兄弟伊弗》(*Mon frère Yves*，1883)就是一例。这部小说叙述海军军官洛蒂收留了一个布列塔尼青年做水手，在长期的航海生活中，在克服困难的过程中，彼此加深了了解，培植了友爱的感情，最后水手回到自己家乡幽静的小城，与家庭过幸福的生活。作品表现了水手们在海上生活中的思乡感情、团结精神与平凡之中见出的英雄主义。与洛蒂那些略带矫饰的哀情小说相比，这部小说堪称洛蒂文学创作中朴实无华的范例，其中一些篇章平易自然而又感情内蕴，是出色的散文佳作。

洛蒂文学创作的最高成就是《冰岛渔夫》(*Pêcheur d'Irlande*，1886)，作品以布列塔尼穷苦渔人的生活为题材，在洛蒂小说中独具一格。

散居在班保尔和特雷吉那地区的布列塔尼人，世世代代以捕鱼为生，渔夫们每年春天远航到冰岛海面上辛劳操作好几个月，然后在秋季返航。小说的主要人物扬恩与西尔维斯特就是这些渔夫中的两个。他们都是纯朴、健美、带有几分孩子气的青年，是能干的水手。西尔维斯特是扬恩妹妹的未婚夫，扬恩则是西尔维斯特童年的朋友歌特·梅维尔的恋人,他们十分友善,情同手足。不久西尔维斯特应征入伍,在战场上受伤后不治身亡。扬恩与歌特·梅维尔的恋爱经过一些周折后,有情人终成眷属,但他们结婚仅仅6天,扬恩即出发捕鱼。歌特·梅维尔深情地等待着他的归来,返航时节早已过去,她仍抱着渺茫的希望,而不知她的扬恩早已葬身海底。

小说表现了布列塔尼渔区穷人严酷的人生,他们唯一可以从事的职业无异于卖命。阴郁的冰岛海岬、灰色波涛汹涌的英吉利海峡每年都要吞噬一些布列塔尼的水手。在这个地区,几乎每个家庭都有未能返航的不幸者,到处可见死难人的墓碑,而这个地区所面临的大海则像一个永恒的、不祥的威胁,与他们的生活结为一体,既供给他们生活来源,也造成他们世世代代、千家万户的不幸,莫昂一家就是一个典型。这个家族的成员几乎都死于大海,最后只剩下了老祖母与她最后一个孙子西尔维斯特,这个善良不幸的老妇人曾失去那么多亲人而痛苦得有些麻木了,因此,当她唯一的指望与依靠西尔维斯特的死讯传来时,新的死讯与过去那么多噩耗在她脑子里混在一起而使她"痛苦的机能"反应迟钝。同样,扬恩从大量死亡的先例中,也早已预感到自己的命运,他一直声称他这一辈子只可能与大海结婚,这一解嘲的诙谐其实包含了浓重的辛酸,他与歌特的命运也是布列塔尼众多青年夫妇不幸命运的缩影。在小说里,洛蒂力图再现这个苦难地区那种凄凉阴沉的气氛以及即使在晴和日子里与节庆欢乐中也摆脱不了的死亡阴影,使作品具有悲怆的基调与厄运难以抗拒的悲观主义色彩。如果说这种悲观主义色彩是来自洛蒂本人对人在大海之中是渺小而软弱的感受,来自他在惊涛骇浪的海上生活生死无常的感受,因而被洛蒂赋予他几乎所有的作品的话,那么在《冰岛渔夫》中,这种悲观主义的色彩则有了人在生存斗争中与在死亡线上挣扎的现实的内容。而且,洛蒂以细致的笔触描写了普通人的不幸,如莫昂老奶奶丧失了所有亲人后悲惨的晚年、新婚的歌特凄苦而无望的等待,流露出他深沉的悲天悯人的感情，使作品又充满了一种鲜明的人道主义精神，因而也就在格调上高于他那些以邂逅相爱、生离死别为题材的小说。

同样，洛蒂对某些与资本主义相对立的东西的兴趣，在《冰岛渔夫》中也有了更明确更具体的凝聚。在洛蒂不止一部海上题材的小说中，他都明显流露了对原始山野地区的纯朴粗犷的人性与习俗的喜爱，如塔希提岛上天真质朴的野姑娘、巴斯克地区强悍的乡民、塞文山区血气方刚的青年等，而在《冰岛渔夫》中，他则更明确更具体地对在现实的生存斗争中与命运奋斗的渔区劳动人民进行赞美与歌颂。在他笔下，生活在大海的威胁下、死亡的阴影中与贫寒的生活里的布列塔尼渔人，却保持了人的全部尊严与闪光的品质。他们有强壮的体魄，沉重的劳动与惊涛骇浪既带给他们辛苦劳顿，也带给他们开朗健康的情绪；他们不被任何困苦所压倒。甚至从劳动中与对大海的抗争中还品尝搏击的乐趣；他们之间的关系是好汉与好汉的关系，友爱团结，不存在任何阴险、暗算与计较；他们的品质纯正，感情认真，对婚姻与家庭态度严肃，他们的生活虽然贫困，然而他们却生活得整洁、体面；他们虽然始终笼罩在大海的死亡阴影下，但是他们顽强地活着，顽强地享受生活、追求幸福、繁衍后代；他们的繁殖能力惊人，如加沃家族中的一个男人就生有12个孩子，尽管有一些死于冰岛，但人丁的兴旺似乎战胜了大海的残忍。

洛蒂出色的描绘艺术在《冰岛渔夫》里也更显得完美，他以优美的文笔绘制出了一幅幅生动真切的布列塔尼渔区的画面：阴暗的村落、荒凉的岬角、教堂里的祈祷与婚礼、海岸上的送别仪式等等，而特别出色的则是他所描绘的海景。洛蒂以擅长写海景著称，他把世界各个海域的洋面波涛带进了法国文学，再现出海上千变万化的景色，他在《冰岛渔夫》里所展示出来的精致的海景图，就足以构成一个丰富的画廊：有北极光映照下的海面，有大雾弥漫的海面，有狂风怒号、浊浪排空的海面，有平静如镜的海面，有各种色调的海景，还有各种时辰的海景等等。洛蒂写海不以词汇文句取胜，而是以自己对海景细致的观察与丰富的感受作为基础，通过平易的语言，奇迹般地再现了他所捕捉到的景观。他的笔触准确精细，而他的主观感受与印象又赋予他的图景以深邃的意境与独特的色彩，颇具印象主义绘画的特点。

洛蒂的文学创作的内容与他所达到的成就，都是他长期的海上生活的产物，而他的海上生涯又是与当时法国海外殖民主义事业紧密相连的。洛蒂的根本局限性在于，他在一些重大问题上的思想从来没有超出他作为一个听命于殖民主义政策的海军军官所具有的褊狭的水平，常常带有深深的殖民主义的烙印。

3. 在洛蒂之后

洛蒂对异国风光的描写，在19世纪后期至20世纪初期的文学中，无疑起到诱发与示范的作用，在他之后，热衷于追求异国情调、从事异国风情描绘的作家大有人在，值得一提的有：

夏夫里戎（André Chevrillon，1864～？）致力于写东方地区，他的作品展现了印度、伊斯兰国家与摩洛哥等地的风光。

贝尔特朗（Louis Bertrand，1866～1941），精细地描绘了北非风光。

贝莱索尔（André Bellessort，1866～1942），当过教师，服过兵役，足迹踏遍美洲与亚洲，写出了多种游记散文，如：《智利与玻利维亚》(*Chili et Bolivie*，1897)、《从锡兰到菲律宾》(*De Ceylan aux Philippines*，1899)、《日本社会》(*La Société japonaise*，1901)、《当代罗马尼亚》(*La Roumanie contemporaine*，1905)。此外，他还是一个历史学家、文艺批评家，1935年，他被选入法兰西学院。

法雷尔（Claude Farrère，1876～1957），他不仅与洛蒂一样是一个海军军官，而且还曾是洛蒂的部下，在远东服役多年，由此写有以远东地区为背景的小说多种。《鸦片烟》(*Fumée d'opium*，1906)与

《文明人》(Les Civilisés, 1906) 描写了法国人在印度支那的活动与生活,《战斗》(La Bataille, 1909) 写的是日俄战争。法雷尔的小说情节生动、富于戏剧性,心理分析也相当细致。他的《文明人》曾获龚古尔文学奖,1935 年,他当选为法兰西学院院士。

阿雅贝尔(Jean Ajalbert, 1863~？)是诗人兼艺术批评家。作为小说家,他以描写地方风俗见长,写有异国风情的作品,都以老挝为背景,《沙万狄》(Sao Van Di, 1906) 描写发生在这个殖民地的一个爱情故事,《拉凡·絮絮》(Raffin Su-Su) 讲述了一个法国公务员在老挝的经历,其中对印度支那地区的风土人情都有细致的再现。

米勒(Pierre Mille, 1864~1941),代表作有《在辽阔的土地上》(Sur la vaste terre, 1903)、《巴尔纳沃与几个女人》(Barnavaux et quelques femmes, 1908) 与《专制君主》(Le Monarque, 1914) 等,塑造了一个贯穿多部作品的中心人物——殖民军士兵巴尔纳沃,通过他的故事描写了东方国家与法国殖民军的生活。

第四节　列那尔与其他社会人生写实作者

1. 列那尔

列那尔(Jules Renard, 1864~1910),1864 年生于梅扬河畔的夏隆,父亲是当地铁路工程的监督,在列那尔两岁的时候,携家迁回故乡希特里定居,不久当上了那个小镇的市长。在家庭里,列那尔有一个姐姐、一个哥哥,他们得到父母的偏爱,而小列那尔却受过不少委屈与亏待,他童年时这种痛苦的感受,成为他以后写作他的代表作《胡萝卜须》的根由。

列那尔 11 岁被送到奈韦尔念中学,在校 6 年,各科成绩几乎都名列前茅。1881 年,他到巴黎上学,准备投考巴黎高等师范学校,两年后中学毕业，放弃了原来的志愿，决心从事文学创作。他出入巴黎的文艺沙龙，朗诵他的处女诗作《玫瑰花集》。1885 年，他服了一年兵役，回巴黎后过着清贫的生活，当过铁路职员、家庭教师。1886 年，《玫瑰花集》出版，此后转向小说创作，1887 年至 1889 年写出长篇小说《鼠妇》(Les Cloportes)，此作当时并未发表，直到 1908 年才出版，其间，他的短篇集《乡村的罪行》(Crime de village，1888) 问世，1890 年，他与几个青年朋友创办了文学期刊《法兰西水星》，在这个刊物上，他除了常写一些文学批评的文章外，还发表了后来结集为《冰冷的微笑》(Sourires pincés) 的一些短篇散文。90 年代是他创作力的旺盛时期，接连问世的作品有：《食客》《胡萝卜须》《葡萄园里的种葡萄人》(Le Vigneron dans sa vigne，1893)、《自然纪事》与《情妇》(La Maîtresse，1896) 以及《牧歌》(Bucolique，1898)，其中《胡萝卜须》为作者赢得了巨大的声誉。

1896 年后，列那尔主要从事戏剧创作，写有《决裂的乐趣》(Le Plaisir de rompre，1898)、《家常面包》(Le Pain de ménage，1899)、《凡尔内先生》(Monsieur Vernet，1903)、《过度虔诚的女人》(La Bigote，1910)，改编有《胡萝卜须》。列那尔在戏剧上亦颇为成功，他的剧本演出很受欢迎，如《决裂的乐趣》于 1902 年成为法兰西剧院的保留节目，《胡萝卜须》不仅搬上舞台后大获成功，而且后来还搬上了银幕。

列那尔生活后期几乎一直住在自己故乡的农村，1900 年他被选入地方议会，1904 年他当上他父亲曾经担任过的希特里市镇的市长，1907 年，他被选入龚古尔学院，1910 年 5 月 22 日，他因动脉硬化在巴黎去世，享年仅 46 岁。去世后问世的作品还有：《明亮的眼睛》(L'œil clair，1913)、《日记》(1925) 与书信集 (1927)。

列那尔是一个传统的现实主义的作家，真实是他自觉追求的目标，他的创作基本特征是写实而又不带 19 世纪后期的任何流行色调,他不属于自然主义流派,也没有趋向当时心理分析与异国情调的潮流,更无意于宣扬这个时期种种不同的意识形态与思想主张,而只是致力于绘制一幅幅现实生活与人生情景的画面。由于他对现实最深切的感受与最活跃的印象主要来自他早年在农村环境的生活,农村题材的作品在他的创作中也就占有了相当大的比重,不仅他的小说作品《乡村的罪行》《胡萝卜须》《葡萄园里的种葡萄人》等都是写农村生活的,而且他的散文作品《自然纪事》也凝聚着他对农村生活的观察,在这个意义上,他是一个农村生活的写实者。同时列那尔又是一个别具一格的写实作家,他对现实生活的描绘既不是社会历史的画卷,也不是风俗画式的,他注重日常的观察,着重写平淡的人情,他笔下没有鲜艳缤纷、浓重夺目的色彩,也没有烦琐的描绘,而是以简约准确的线条做出醒目的素描。他的白描艺术具有很强的表现力,它清晰、干净、利落的笔触呈现出一幅幅形象图景,似乎不是写在纸上,而是刻在纸上,给人以深刻难忘的印象。而且,这些素描的形象图景并不平淡刻板,它们充满了生气与某种情趣,因为作者在勾画与绘制的时候饱蘸着感情,这一点他与都德有近似之处。列那尔与都德另一点相似的地方是,他的小说也有散文化的特点,他几乎无意于追求故事性与叙述的结构,而满足于平淡无奇的情节,只在对细枝末节的生活现象进行描述时追求引人入胜的魅力与感染人的意蕴。不言而喻,这种方法要求他有完美的文风和富于表现力的语言,而这正是他的特长。他的作品写得讲究精致而又毫不矫揉造作、刻意求工,他的文句简约、准确、明晰而又有丰富的表现力,构成一种古典美的风格。

列那尔传世的代表作是《胡萝卜须》(*Poil de Carotte*,1893),小说写的是一个乡村男孩的童年,真实地反映农村的日常生活与家庭关系。主人公胡萝卜须是一个农村小康人家的孩子,因为头发是棕红色的,所以被母亲赏给了这样一个可笑的绰号。他有一个姐姐和一个哥哥,深得父母的偏爱,他自己却遭到父母的嫌弃,得不到家庭温暖，还经常受气被虐待。本应是哥哥姐姐去干的家务，只要他们不愿意，就被母亲分配给年幼的胡萝卜须；在地里劳动时，哥哥的农具砸伤了胡萝卜须，但被家人慰问照顾的却是哥哥，被责备的反倒是弟弟；母亲明知胡萝卜须有夜里尿床的毛病，不仅不帮他少犯此病，反而故意为难他折磨他等等。整部作品并无特别的故事情节，所记述的都是一件件家庭生活的琐事，这些琐事平凡细小，微不足道，但对于一个年幼的儿童来说，却包含了莫大的委屈与深刻的辛酸。小说是根据作者少年时期在农村生活的经验与感受写成的，胡萝卜须的家庭关系与他所得到的待遇，正是自己家庭生活的写照，因而也就写得格外真切生动。而作者追述时的怀旧感情，又使他赋予胡萝卜须一种对待家庭不平的豁达态度，并且在描述中使用了含蓄而幽默的语调，作品由此具有了一种怨而不怒的艺术效果。

列那尔小说创作中另一部较为著名的作品是《食客》(*L'Ecornifleur*，1892)，这是一部以文人生活为题材的小说。主人公亨利是一个青年作家，天赋良好，本来大可施展其文才，但他在赢得了资产者凡尔内先生一家的好感、成为长住他们家的客人后，却对凡尔内先生的妻子与侄女进行引诱。他手段高明，先使得凡尔内太太险些失身，而后又使得凡尔内小姐六神无主，几乎被他玷污。有一天，他突然从这个家里消失了，因为他不敢对自己的行为负责而逃之夭夭，整个家庭却因此感到难过与失望，特别是好心肠的凡尔内先生。小说成功地描绘出一个特定的文人形象，他经常自我剖析，他清楚地认识到自己就是一条寄生虫、一个畸形的文人，他不专心致力于任何严肃的工作，而只是以自己的笔混饭吃，由此才有了他在凡尔内家里的那一番行径。亨利是一个复杂的人物，他充满了活力，但内心也由于有自知之明而感到苦涩，同时却又明知故犯，不可救药，这样一个人物形象无疑具有高度的社会写实的意义。小说的风格精致完美，既有讽刺的意味，也有抒情的成分，出版后颇为成功，于1908年改编为剧本《凡尔内先生》上演。

列那尔的《自然纪事》(*Histoire naturelle*,1894)也广为人知,这一散文作品描述了自然界各种动物、鸟雀、昆虫的形象与生态,每一则均短小精悍,语言简练,形象生动,并经常含有隽永的意蕴与深刻的哲理,有时还不乏诗情画意,是作者在农村生活中对大自然进行广泛深入的观察,凝聚了自己独特的感受与体验的产物。此外,列那尔的《日记》(*Les Journaux*,1925)也颇有名,特别是从1889年以后列那尔就一直坚持写日记,直到他逝世的1910年。他的日记广泛记述了他的见闻、读书心得、写作意图、身边琐事以及与各种人物的交往与聚会等等,甚为具体生动,富于情趣,是反映了当时社会生活与文学艺术状况的有价值的资料。

2. 其他社会人生写实者

与列那尔同期,以表现社会与人生为目的,作品以社会写实为突出特征的作家为数还相当多,值得注意的有:

法布尔(Ferdinand Fabre,1827~1898),他出生于贝达里欧一个建筑师家庭,幼年跟随一个当神甫的舅舅学文化,后又在圣朋斯与蒙佩利叶等修道院继续他的学业,但他并没有建立宗教信仰,更不打算当神职人员,而决心从事文学创作。他从外省来到巴黎后,当过律师的秘书,图书馆的馆长。从1856年起,他开始发表作品,最初发表的两部小说总标题为《教士生活场景》(*Scène de la vie cléricale*,1863),深得当时文化界的赞赏。他的创作范围广泛,形式多样化,其主要的作品是:《牧羊人》(*Le Chevrier*,1868)、《蒂格拉纳修道院长》(*L'Abbé Tigrane*,1873)、《我的舅舅赛莱斯丹》(*Mon oncle Célestin*,1881)、《魔王》(*Lucifer*,1884)、《我的志向》(*Ma Vocation*,1889)等。法布尔文学创作的题材几乎都与他青年时期在外省农村里的印象与感受有关,也有些来自他在乡镇中学与修道院的生活。乡村教会中的人与事、农村里的人情习俗与风光,是他小说作品中的两大内容，他怀着亲切的感情，以忠于现实的精确画笔，描绘了宗教生活与乡村生活的图景。他几乎没有一部小说不写乡村教堂里的侍童与青年农民，塑造出一系列教职人员与农民的形象，特别是在对农民形象的描写上更为出色，他成功地表现了农民性格的全部真实。他所绘制的乡村风光图景也生动宜人。所有这些奠定了他作为19世纪后期的一位现实主义农村生活画家的地位。

与法布尔一样，致力于写农村生活的小说家还有克拉代尔（Léon Cladel，1835～1892）、普维庸（Emile Pouvillon，1840～1906）与特里埃（André Theuriet，1833～？）。克拉代尔出身于农家，早年参加过帕纳斯诗派的活动，后来从自己的童年生活里寻找灵感，专门写农村题材小说。他所讲述的农村故事大都骇人听闻，他笔下的农民也是一些自私自利、愚蠢迟钝、贪财吝啬、淫荡下流的形象，主要作品有《可笑的殉道者》（Les Martyres ridicules，1862）与系列小说《我的农民》（Mes paysans）等。普维庸一辈子都生活在外省自己的家乡，因在好几家报刊上发表长篇连载小说而闻名，代表作有《瑟赛特，一个农家妇女的故事》（Césette, histoire d'une Paysanne，1881）。特里埃也是由于他的农村题材小说而获得声誉的，他在自己家乡的树林、草地的背景上，描述清新动人的故事，其风格柔和可亲。

埃尔芒（Ahel Hermant，1862～1950），出身于富裕的资产者家庭，毕业于巴黎高等师范学校，最初从写诗开始文学创作，很快就转向小说，第一部作品《轻蔑》（Les Mépris，1883）完全是按当时占统治地位的自然主义美学规范写出来的。接着发表的小说都以对社会现实广泛的观察、真实的描写见长，而且无一例外都是犀利讽刺之作，《拉波松先生》（Monsieur Raboson，1884）是对大学教育的讽刺，《骑兵米塞雷》（Le Cavalier Miscrey，1887）嘲笑了军队的营房生活，《娜塔丽·玛多雷》（Nathalie Madoré，1888）揭露了卖淫，《总监夫人》(*La Surintendante*,1889)讥讽了共和政治与政府管理机构中的资产阶级作风。1890 年后,埃尔芒受布尔热的影响,曾一度热衷于心理分析小说,而后再次转向,1893 年的《祖母的秘密》(*Les Confidences d'une aïeule*)与 1909 年的《一个轻浮女子的秘密》(*Les Confidences d'une biche*)开始形成了他以后的创作特色,即对贵族资产阶级上流社会的冷静观察,对这个阶层中人物种种丑态的真实写照、无情揭露与尖刻但并不令人愤慨的讽刺。埃尔芒的作品数量相当惊人,仅长篇小说就将近 30 部之多,另外还有剧本 12 个,散文一种。第二次世界大战期间,他曾与德国人合作,1944 年被捕判刑,1950 年出狱后不久去世。

罗斯尼(Josephe Henri Rosny ainé,1856~1940)的第一部小说《奈尔·霍恩》(*Nell Horn*)以英国宗教圣母为题材 1886 年出版后深得龚古尔与都德的赏识,此后,他与其弟小罗斯尼(1859~1948)合作写小说。他们的作品都是社会写实的,完全属于当时的自然主义潮流,虽然 1887 年左拉的《土地》发表后,罗斯尼曾在反对左拉的"五人宣言"上签了名,但此后两兄弟合写的小说仍然符合自然主义的规范。作为社会写实的作家,罗斯尼兄弟的取材面比较广泛,《奈尔·霍恩》是描写英国伦敦生活习俗的作品,《两面》(*Le Bilatéral*,1887)与《马克·法勒》(*Marc Fane*)表现了巴黎平民阶级的生活与社会主义思潮在现实生活中的影响,《白蚁》(*Le Termite*,1890)反映了文人的生活状况,而《另一个女人》(*L'Autre femme*,1895)与《回心转意》(*Les Retours du cœur*,1898)则是上流社会的写照。1908 年后,他不再与其弟合作,又写了一些别具风格、形式多样化的作品,其中较为特别的是描写史前时代原始人的生活与心理的《火之战》(*La Guerre du feu*,1911)。罗斯尼兄弟的文学成就以哥哥的较高,他才华横溢,可惜作品写得不甚讲究,不过他显示了较高的精神境界与人道主义的激情，这又使他的作品有感人的力量。由于与龚古尔兄弟的友谊，他曾任龚古尔学院的主席，他的弟弟也是该院最初的十大院士之一。

马格里特（Paul Margueritte，1860~1918）与罗斯尼相似，同属自然主义文学潮流，是龚古尔学院最早的一批院士之一，而且也是反左拉的"五人宣言"的一个签名者。他的父亲是一位将军，在普法战争中英勇牺牲，他自己也在陆军学校上过学，但他放弃了军旅前程，而进入国民教育部担任文职。1884年他开始发表小说，他初期的作品是深受自然主义影响的产物，1887年后，他与自己的弟弟维克多·马格里特（Victor Margueritte，1866~1942）合作写小说，从内容到形式都是写实的，其中《波昂》（*Poum*，1897）以一个小孩的经历为题材，写得甚为动人。左拉的《崩溃》的发表对他们颇有启发，他们也合作写出了一系列反映普法战争的小说，共四部，其总标题为：《一个时代》（*Une Epoque*，1898~1904），构成了以普法战争为中心的那个时代的真实广阔的画面，出版后在整个欧洲闻名遐迩。保罗·马格里特自1908年后不再与其弟合作，他自己又继续发表了一些作品，它们基本上是贵族资产阶级上流社会生活的风俗画。

德卡夫（Lucien Alexandre Descaves，1861~1949）是一个雕刻匠的儿子，童年时代居住在贫民区所见到的社会苦难，使他倾向于激进的政治思想，他把自己的生日从3月19日改为3月18日，就是为纪念巴黎公社的起义日期。他青年时代即开始文学创作，以自然主义为指导思想，但他也是"五人宣言"的签名者之一。他的小说作品以真实描写社会为目的，具有强烈的人道主义思想，对下层人民充满同情，对不合理的社会现实进行了揭露与针砭，为当局者所忌。他的主要作品有：描写下级军官辛酸生活的《士官生》（*Sous-officier*，

1898），表现盲人不幸的《被终身监禁的人》(Les Emmurés, 1894)与反映巴黎公社伤残人员命运的《特遣队》(La Colonne, 1901)。除了小说创作外，他还写过几个成功的剧本，其中《心花怒放》(Le Cœur ébloui)直到 20 世纪 50 年代还曾在法兰西剧院上演。他于 1900 年当选为龚古尔学院的院士。

傅尼埃（Henri Fournier, 1886~1914），出身于一个外省小学教师的家庭，在巴黎上过中学，投考巴黎高等师范学校失败后，服过兵役，在报社当过编辑，1913 年发表他著名的小说《大个子莫尔纳》(Le Grand Meaulnes)，以完美精致的艺术绘制了栩栩如生的乡村生活的画面，在这背景上，通过复杂、引人入胜的故事情节，表现了出身于农家的青年莫纳对幸福的幻想、憧憬、追求与悲剧，不仅是复杂人生的真实写照，而且带有浓烈深沉的抒情成分，还构成某种空灵的象征意境。这部小说凝聚了作者青年时期一次经久不息的爱情感受，他所痴心爱上的少女与他只有一面之交，而他却长期保持着类似但丁对贝阿特丽克丝的那种永恒的爱慕。小说发表后深得青年一代的喜爱，并对 20 世纪法国文学有深远的影响，它在全世界已被译成多种文字出版，并且被搬上了银幕。仅仅因为有了它，作者在文学史上获得了不容忽视的较高层次的地位。但小说发表后不久，应征入伍的傅尼埃就在第一次世界大战的前线殉职，年仅 28 岁，未能充分施展其文学才华。

第五节　追求浪漫想象的作家

1. 凡尔纳

凡尔纳（Jules Verne, 1828~1905），生于南特一个法律界人士的家庭，先后在私立学堂与当地的中学完成了初、中等教育。他从小就想出海远航，11 岁时曾离家出走，准备去当见习水手。1847 年来到巴黎念法律，大学期间，一心要在戏剧创作上出名，结识了大仲马，自己也写出了几个剧本，其中的一个独幕剧曾于 1850 年 6 月在历史剧场演出。1852 年，他获法学博士学位，但他不愿从事律师职业，继续投身戏剧创作，成就不大。在这个时期，他已经对当时各种科学发明颇感兴趣，工作之余对数学、物理学、地理学均作一些钻研，并研读了美国作家爱伦·坡的幻想小说，逐渐产生了写作科学幻想小说的意图。1863 年，他第一部科幻小说《气球上的五星期》（*Cinq semaines en ballon*）问世，十分畅销。从此，他沿着这条独创的文学道路走下去，不断发表新作，也不断得到新的成功，整整 20 年之中，他常常每年推出两卷，有时甚至在不到一年的时间内推出四卷，他一生创作的小说共达六十六部，其中主要的代表作有著名的三部曲：《格兰特船长的儿女》《海底两万里》和《神秘岛》以及《八十天环游地球》（*Le Tour du monde en 80 jours*）与《机器岛》（*L'Ile à helice*，1895），其他亦广为人知的作品还有：《气球上的五星期》《地心游记》（*Voyage au centre de la Terre*，1864）、《从地球到月球》（*De la Terre à la lune*，1865）、《环游月球》（*Autour de la lune*，1870）、《十五岁的船长》（*Un Capitaine de quinze ans*，1878）、《蓓根的五亿法郎》（*Les Cinq cents millions de la Begum*，1879）等等。

《格兰特船长的儿女》（*Les Enfants du capitane Grant*，1868）是凡尔纳的三部曲的第一部。英国贵族、邓肯号游船的主人格里那凡爵士从海上的漂流物里获得了一份文件，得知两年前在海上遇难失踪的苏格兰航海家格兰特船长尚在人间，格里那凡爵士毅然驱邓肯号远航前往寻救，同行的有格兰特船长的女儿玛丽与儿子罗伯尔等人。邓肯号先驶抵南美西海岸，没有发现格兰特船长的下落，格里那凡又组织了一支小分队横穿美洲大陆继续寻找，这支旅队在大陆上历尽了种种险阻，仍无结果，这时才发现原来对文件理解有错，格兰特船长并非在南美洲海岸遇难。根据新的理解，他们又驾邓肯号渡过大西洋直奔澳大利亚海岸，在澳大利亚他们遇见了格兰特船长原来的舵手、现已成为海匪头子的艾尔通，受了他的骗，又横贯整个澳大利亚，不仅未见格兰特船长的踪影，反而差一点丢失了邓肯号，陷入绝境。他们为了惩罚艾尔通，决定将他抛弃在太平洋上的达抱荒岛上，却意外地在这个岛上找到格兰特船长。

如果说《格兰特船长的儿女》以其故事情节的不平凡、特别是人物在自然界惊心动魄的险阻中的种种冒险经历而富于浪漫主义色彩的话，三部曲的第二部《海底两万里》(*20000 lieus sous les mers*, 1870) 更是充满了浪漫的科学想象。1866年，在海面上出现了一头从未见过的大怪物，类似一条独角的鲸鱼，法国生物学家阿龙纳斯应邀参加追踪捕捉，发现原来是一艘新发明的构造奇妙的潜水艇。潜艇的船长尼摩是个神秘人物，国籍不明，自称"与整个人类已断绝了关系"。他在一个荒岛上设计建造的潜水艇诺第留斯号是先进科学技术的结晶，性能优异，令人惊叹。尼摩船长邀阿龙纳斯一行参观了潜艇，并载他们在海底做环球旅行，穿过太平洋、印度洋、红海、地中海、南北两极海洋，全程共两万里。在旅途中，阿龙纳斯见识了种种海底奇观，经历了不少海洋险情，对尼摩船长也有了新的了解与认识。这个勇敢坚毅、聪明非凡的人物并没有与人类断绝关系，更没有泯灭他对人类的感情，他用数百万黄金秘密支持被压迫的种族与受苦的人群，他的诺第留斯号经常与压迫者的军舰为敌，在一次海战中，潜艇对敌舰进行了可怕的打击，表现出尼摩船长身上那种残酷的复仇情绪。

尼摩船长的秘密，到第三部《神秘岛》(*L'lle mystérieuse*, 1874) 中才有最后的解答。美国南北战争期间，联邦参谋部的工程师史密斯与报社记者史佩莱一行乘坐氢气球逃离南部，气球远飘到太平洋上空，最后落在一个不知名的神秘小岛上。他们在岛上进行了鲁滨逊式的开拓与奋斗，在原始的条件下从事渔猎与耕作，居然过上了温饱自给的生活。在这个过程中，每当关键时刻，他们遇见的困难总是意外地得到了解决，如意外地得到了枪支、工具与衣物；海盗来袭时，又有一种看不见的力量使海盗连遭挫折，最后全军覆没；移民中有人受伤病重时，特效的救命药又不翼而来。很多迹象都说明，岛上有一个神秘力量在帮助着这一批开拓者，终于在第4年，他们发现了一直暗中援助着他们的就是深居海底的神奇的尼摩船长，也正是他指点了移民们前往附近的达抱岛，解放了被邓肯号船长格里那凡爵士放逐抛弃在那个岛上12年的艾尔通。这时，尼摩船长已经是白发苍苍的老者，临近死期，在去世前，他向移民们述说了自己的历史，原来他是抗英失败的一个印度王子，发明创造了神奇的潜艇，在海下生活了30年，接济与支援被压迫的民族与受难的人民，最后，他指引移民们逃离了这个即将火山爆发的荒岛。

凡尔纳的科幻小说基本上属于浪漫主义文学的性质，其主要的特征是对人类科学技术的浪漫畅想，这种畅想是现代科学技术长足发展的历史条件下的产物。凡尔纳的才能在于，他实际上是在科学技术所容许的范围里，根据科学发展的规律与必然的趋势作出了种种在当时是奇妙无比的构想，如潜艇深入海底、人类登上月球、在太空里环绕地球与月球飞行、在海洋里建造人工岛屿等等。正因为这些构想是符合科学的发展趋势，它们到20世纪的今天几乎全都成为现实，在这个意义上，凡尔纳的科学幻想实际上就是科学的预言。作为科学的预言家，凡尔纳对待科学的态度是认真严肃的，他不作无根据的臆想，他尽可能把自己的想象建立在科学的基础上，如他为了写从地球飞行到月球的故事，事先仔细研究过空气动力、飞行速度、太空中的失重以及物体溅落等等科技问题，至于他作品中经常出现的地理与旅行路线，也无不精确地与实际相符。

作为一个小说家，凡尔纳很能引起人们的兴味，他的作品并非科学的图解，他总是在科学畅想的框架里，编织复杂、曲折而又有趣的人间故事，他的文笔流畅，叙述轻快，引人入胜，而在他的作品故事中，又充满了惊险的情节与奇特的偶合，再衬以非凡的大自然的奇景与壮观，作品就更具有浓重的浪漫主义色彩。凡尔纳是一个具有社会正义感与人道主义精神的作家，他的不止一部作品都表现了对压迫者的憎恶，描写了殖民主义国家给被压迫国家与土著民族带来的灾难。他的主人公大都是善良、正直而富于理想的，而且都具有人道主义的品格与人情味。

科学幻想小说并非从凡尔纳开始，在他之前，大仲马写过《月球旅行》，美国作家爱伦·坡也有过科幻性的作品，但在幻想的规模上，特别是在科学的预言性上，凡尔纳大大超过了他的前人，这是凡尔纳使20世纪读者备感亲切的一个重要原因。凡尔纳生前已经获得世界性的声誉，他去世后，作品流传的范围更广，他是被译成世界各国语言最多的法国作家，他被公认为"现代科学幻想小说之父"。

2. 其他作家

19世纪后期，浪漫主义倾向的作家远比写实主义倾向的作家少，雨果、乔治·桑的传统已经衰退没落，在新一代小说家中似已后继无人，但有两个作家仍然把小说作为一种纯粹想象虚构之作，而不是作为对现实生活的观察与描绘，他们是弗耶与谢尔比利叶。

弗耶（Octave Feuillet，1821～1890）出身于一个公务员家庭，大学期间攻读法律，很早就开始文学创作，最初写短篇小说与童话，参加过一部长篇连载小说的集体创作，1845年以后，在戏剧创作上取得成功。19世纪50年代以后开始写长篇小说，到去世前共发表了十三部，主要有：《一个贫穷青年的故事》(*Le Romman d'un jeune homme pauvre*，1858)、《加莫尔先生》(*Monsieur de Camors*，1867)、《上流社会的一次婚礼》(*Un Mariagedans le monde*，1875)、《菲利普的爱情》(Les Amours de Philippe, 1877)、《一个巴黎女人的故事》(Histoire d'une parisienne, 1881)、《寡妇》(La Veuve, 1883)、《一个艺术家的荣誉》(L'Honneur d'un artiste, 1890)等等。

弗耶的小说在一定程度上是对缪塞的模仿，他在创作中显然无意于对现实事物作准确的描绘，而只求想象出不寻常的故事与生活中难以见到的人物形象，浪漫性才是他追求的目标。当然，弗耶作品中并非完全没有真实性，但他在描写现实的时候，又乐于加以美化，或者用他想象的较为精致文雅的图景去取代实际的现实。弗耶作品的长处在于：构思巧妙，叙述轻灵，文笔纯净，他特别具有和谐感、分寸感与完美感，在这些方面，他都继承了法国文学中固有的优秀传统。

谢尔比利叶（Victor Cherbuliez，1829～1899），生于日内瓦一个法裔家庭，早年是一个从事自由职业的教授，到东方各国做了一次旅行后，开始研究考古学与美学，并开始写浪漫情节的小说，在这方面，他得心应手，作品接连不断问世，比较有名的是：《关于一匹马》(A propos d'un cheval, 1860)、《维达尔王子》(Prince Vitale, 1864)、《保尔·梅雷》(Paul Méré, 1869)、《一个正派妇女的故事》(Le Roman d'une honnête femme, 1864)、《拉第斯拉·波尔斯基的奇遇》(L'Aventure de Ladislas Bolski, 1869)、《脆弱的爱情》(Amours fragiles, 1880)等。除小说外，他还写过剧本与批评论著，批评论著较为出色的是：《文学与艺术之研究》(Etudes de littérature et d'art, 1877)、《今人今事》(Hommes et choses du temps présent, 1889)等。1881年，他当选为法兰西学院院士。

第十章　帕纳斯派诗歌与象征派诗歌

第一节　帕纳斯派诗歌

1. 帕纳斯派诗歌概况

巴黎的出版商勒迈尔于 1866、1871、1876 年刊行三本当代诗歌合集，取名《当代帕纳斯山》(Le Parnasse contemporain)，帕纳斯山在希腊境内，古代曾是祭祀酒神狄奥尼索斯、太阳神阿波罗和诗神缪斯的圣地。据希腊后期传说，帕纳斯山为缪斯所居，因而也是诗人取得灵感的地方。在《当代帕纳斯山》发表作品的诗人大致上有一种共同的艺术倾向，因而他们代表的诗风、形成的流派就被称为"帕纳斯派"。

主张"为艺术而艺术"的戈蒂耶可以视为帕纳斯派的先驱。另一位诗人，泰奥多尔·德·邦维尔（Théodore de Banville, 1823~1891）对这个流派的形成也起了一定作用。邦维尔认为美就是形式的完美，他的早期作品《女像石柱集》(Les Cariatides, 1842)、《钟乳石集》(Les Stalactites, 1846)已经显示他对希腊雕塑的醉心和对诗歌技巧的关注。他的代表作《奇巧短歌集》(Les Odes funambulesques, 1857)刻意追求词藻的华美、节奏的和谐、韵脚的铿锵，1872 年发表《法国诗歌格律简论》(Petit Traité depoésie française)，提出"韵脚便是诗歌的一切"。

帕纳斯派首先是对浪漫派诗歌的一种反修正。浪漫派诗歌往往感情泛滥，诗人在读者面前把自己最隐秘的感情暴露无遗，甚至夸大其辞。这种"陈列"感情的做法，帕纳斯派认为是对感情本身的一种亵渎。他们要求诗人从主观世界转入客观世界，用对外在世界的精心描绘代替内心世界的展览。诗人应该"不动感情"，至少应该把个人感情隐藏在客观事物的背后，或者用人类的共同感情代替作者的特殊感情。浪漫派推崇中世纪和外国文学，帕纳斯派则要求回归古希腊、罗马文学。相应地，浪漫派诗歌在形式上比较自由、松散，帕纳斯派则提倡严格的诗律。

帕纳斯派同时是 19 世纪下半期的科学思潮和实证主义哲学在诗歌领域的反映。在这个意义上，不妨说帕纳斯派诗歌与自然主义小说是孪生姊妹。这一派诗人企图把自然科学、历史学和哲学引入诗歌，以宇宙同生命的悲壮和人类的集体命运作为诗歌题材。

1866 年出版的第一册《当代帕纳斯山》收入 37 位诗人的作品，其中有已成名的戈蒂耶、邦维尔、勒孔特·德·李勒、波德莱尔，也有当时声名不彰的埃雷迪亚、科佩、苏利－普吕多姆、马拉梅、魏尔伦。由于战事，1869 年编定的第二册诗集到 1871 年才得以出版，收入以勒孔特·德·李勒为首的 56 位诗人的作品。第三册 1876 年问世，收入六十三家的诗作。帕纳斯派的阵容相当庞杂：戈蒂耶和邦维尔属于前辈，波德莱尔自成一家，马拉梅和魏尔伦日后成为象征派运动的主将。其他人一度在勒孔特·德·李勒周围形成一个营垒，在追求诗歌形式完美的共同前提下在不同程度上各自体现帕纳斯派的某一或某些特征，并不整齐划一。

1881 年苏利－普吕多姆进入法兰西学院，1886 年勒孔特·德·李勒也当选为法兰西学院院士，填补雨果的空缺。这两件事标志帕纳斯派在文坛取得正统地位。19 世纪末的法国教科书中，帕纳斯派作品占据相当可观的篇幅。但是象征派诗歌在帕纳斯派鼎盛时期已经诞生,日益壮大,最终取而代之。第一次世界大战后,帕纳斯派的势力完全消退,从此成为一个文学史名词,在教科书里也不再占有重要位置。

2. 勒孔特·德·李勒

勒孔特·德·李勒(Charles Leconte de Lisle, 1818~1894)出生于法国属地,印度洋上的留尼汪岛。他的父亲原籍布列塔尼,在军队里当过外科医生,退役后在岛上经营甘蔗园。勒孔特·德·李勒在留尼汪岛念完中学,转到法国本土学习法律,接触到拉梅内神甫的带有社会主义倾向和神秘色彩的人道主义思想。1845年勒孔特·德·李勒定居巴黎,接近空想社会主义者傅立叶的小团体,为他们的刊物《法朗吉》撰稿。1848年2月革命爆发时,他以为他素所服膺的雅典共和国的理想即将实现,因为对他来说古希腊人正是最早的社会主义者。临时政府派他到布列塔尼去筹备选举,他却发动请愿,要求解放黑奴。他的家庭在留尼汪岛上使用黑奴种植甘蔗,不满他的作为,断绝了对他的经济接济。二月革命后继起的六月起义遭到反动派的残酷镇压,勒孔特·德·李勒一度入狱。他把革命失败的原因归咎于人民的麻木不仁,从而对社会主义理论大感失望。1851年12月拿破仑三世发动政变后,他更认为世事不可为,遁入艺术王国寻求安慰。他一面潜心研究希腊文史、拉马克的进化论、佛教与印度教经典,一面从事创作,以渊博的学识入诗。他在1852年出版的《古代诗集》(*Poèmes antiques*)序言中声称:"拿个人做题材和在这个题材上翻来覆去变花样,已使人们感到疲倦……向公众披露心灵的焦虑和同样苦涩的心灵的快乐,这样做是不负责任的虚荣心的表现和亵渎行为。"对每星期六晚上在他家聚会的青年诗人们,他宣传诗人应离开喧嚣的广场,回到自己的斗室,在离群索居中实现艺术和学问的统一。

悲观主义和斯多噶主义贯穿勒孔特·德·李勒的全部作品。他对人类文明史进行研究后得出的结论是文明、宗教甚至神祇和个人一样都难逃一死。因此他不像浪漫派那样玩味个人的感伤，而是企图以客观的态度叙述人类的苦难，提倡正视痛苦，勇敢地承担痛苦。

李勒的第一部诗集《古代诗集》主要取材于古希腊传说。第二部诗集《蛮荒诗集》(*Poèmes barbares*，1862)的视野大为开阔。人类历史在不同地域经历的各个时期，《圣经》、古埃及文明、荷马史诗、伊斯兰教、印度教、中世纪的西班牙、波利尼西亚岛民的原始信仰、北欧和克尔特神话，莫不成为他的题材和灵感来源。如《夏尔马尔的心》(*Le Cœur de Hialmar*)取材于北欧传说，写一位战士临死前要求啄食尸体的乌鸦把他的心衔走，带给他远方的情人。诗的结尾，战士召唤狼群前来喝干他的血，想象自己死后升天：

　　阳光下我将坐在众神之间微笑：
　　年轻、英武、自由、玉身无瑕。

生物界的弱肉强食似乎印证他的悲观主义。勒孔特·德·李勒尤喜描绘猛禽恶兽，如狮、虎、豹、狼、兀鹰、秃鹫，他对这些动物的体态、习性和生活环境的精确描写，足见他丰富的博物知识。以著名的《兀鹰的睡眠》(*Le Sommeil du condor*)为例，该诗写一头兀鹰在南美洲安第斯山脉的顶峰上栖息。最后八行：

　　黑夜茫茫，南十字星座
　　在天际点亮一线光明。
　　他因快乐而喘息，抖擞羽毛，
　　挺直光秃、强壮的头颈，
　　拍打山顶的寒雪腾空而起，
　　随着沙哑的叫声升到风力不及的高处，

> 远离黑暗的地球和芸芸众生，
> 敞开双翅在冰冻的空气中睡去。

第二帝国覆灭后，1872年李勒被任命为参议院图书馆馆长，1873年任参议员，1886年当选为法兰西学院院士。晚年作品有诗剧《复仇女神》(*Les Erinnyes*, 1873)、《悲剧诗集》(*Poèmes tragiques*, 1884)等。遗作编成《绝唱集》(*Derniers Poèmes*, 1895)。他曾把荷马史诗译成法文。

3. 科佩

弗朗索瓦·科佩(François Coppée, 1842~1908)曾被19世纪末的官方批评家誉为法国最伟大的诗人之一。这当然是过誉，但是他当时确实拥有大量读者。这位诗人出身平民，先后在国防部和参议院图书馆供职，最后任法兰西剧院的档案保管员，业余从事创作。他的作品在帕纳斯派中独树一帜，也许不算正宗。如果说勒孔特·德·李勒喜欢从古代异域惊心动魄的事件中寻找题材，科佩则着意发掘巴黎平民散文式生活中的诗意。他认为"最普通的事物对于善于观察的人来说也有一种新鲜的风韵"，所以他常以生活中熟悉的细节入诗。下班路上看到群鸟归巢，他把那一片聒噪比作"大油锅里炸着食物"；外出旅行，巴黎最使他怀念的是"白杨树干间晾着衣服的绳子"。他这样写巴黎郊区：

> 我喜欢半城半乡的街区，
> 尤其在夏天晚上，当温暖、
> 浓烈的花香弥漫空中；
> 我也爱露天舞会上突然
> 迸发的爽朗笑声，波尔卡，
> 开酒瓶塞子的打闹声，

白木桌子上大酒杯的碰撞，
以及混在这一片笑语声
和幽暗的树丛里悄悄的风声里
一架笨重的秋千的吱嘎声。

科佩的主要诗集有《亲切的生活》（*Les Intimités*，1868）、《卑微者》（*Les Humbles*，1872）、《散步与内景》（*Promenades et Intérieurs*，1875）。他于1884年当选法兰西学院院士。

4. 苏利－普吕多姆

苏利－普吕多姆（Sully-Prudhomme，1839～1907）出身于富裕的商人家庭。他学过工科，一度在有名的克娄索铁厂当工程师，后来为补足自己的教育，又去学法律，在巴黎定居。得到一笔优厚的遗产后，他便献身文学创作。在帕纳斯派诗人中，他的诗风也不是很典型的。根据勒孔特·德·李勒的诗学，诗人理应不慕荣华，不为美色所动，远离尘世，闭门琢句，并在诗作中排除个人的感情。苏利－普吕多姆却写上流社会的沙龙生活，咏叹感情的脆弱和人生的孤独，如《短长诗集》（*Stances et poèmes*，1865）、《考验》（*Les Epreuves*，1866）、《内心生活》（*La Vie intérieure*，1866）、《孤独》（*Les Solitudes*，1869）、《徒劳的温情》（*Les Vaines tendresses*，1875）。这类诗的代表，是风靡一时的《碎瓶》（*Le Vase brisé*）（见《短长诗集》）写一只瓷瓶被美人的扇子轻轻一击，产生一道裂痕，裂痕逐渐扩散，瓶中的水流失，瓶中的花枯死。瓶子已经破碎，但表面上仍保持完好，如同情人的心，受伤以后，永难愈合。在这首诗里，诗人对瓷瓶的碎裂过程有精细的刻画，这一点是帕纳斯派的风格。但是诗中的感伤情绪和碎瓶的象征意义又使诗人不同于典型的帕纳斯派。又如诗集《内心生活》中的《眼睛》（*Les Yeux*），这首诗把情人的眼睛，碧眼珠或者黑眸子，比做星辰。星辰昼隐夜现；眼睛白天工作，夜里休息，活着睁开，死后闭上。既然星辰的光芒在白昼只是消隐，那么坟墓里的眼睛应该仍有目光，它们能看到尘世看不见的无边曙色。又如《银河》(La Voie lactée) 以天文学知识为依据，体现精确的心理观察，抒发人生的孤独感。诗人假设天上的星星与他对话：

"我们姊妹似乎挨得很近，
其实彼此相隔路程迢遥。
任何一人发出的温柔的幽光，
在她自己的国土都无人知晓。

她的火焰射出亲切的热流
在冷漠的太空终将消逝。"
我对她们说："我了解你们！
因为你们与人的灵魂相似。

和你们一样，每个发光的灵魂
离开她的姊妹似近实远。
怀着永恒的无法排遣的孤寂
我们也在黑夜中默默地自燃。"

作为帕纳斯派诗人，如同李勒以史学、神话学、宗教学入诗一样，苏利-普吕多姆企图以自然科学入诗。他把拉丁诗人卢克莱修的《物性论》第一部译成法文，轮到他自己用诗来描写避雷针、气压计或解释数学定理时，却不出佳作。他另一个倾向是写作阐发伦理学和哲学概念的长诗，如《正义》(La Justice, 1878)、《幸福》(Le Bonheur, 1888)，认为正义的理想有赖于人类征服自然，而幸福是努力的结果。这种题材自然很难成功。他对科技成就满怀热情,对人类的进步抱有坚定的信念。1875 年 4 月,3 个法国人在巴黎搭乘"中天"号气球上升到 8600 米高空进行科学观察,几个小时以后,气球降落地面,3 名乘客仅有一名生还。苏利－普吕多姆以此为题材写了《中天》(*Le Zénith*, 1876),歌颂两位死者为科学献身的崇高精神,把他们看做人类克服阻力,不断上升、进步的象征。

1881 年,苏利－普吕多姆当选为法兰西学院院士。1901 年他获首届诺贝尔文学奖。评奖委员会赞扬他的诗作表现了"崇高的理想主义、完美的艺术造诣以及心与智两种素质的宝贵结合"。

5. 埃雷迪亚

把帕纳斯派美学理想推向极致的是埃雷迪亚(José-Maria de Hérédia, 1842 ~ 1905)。他生于古巴,父亲是古巴人,母亲是法国人。他早年到法国求学,毕业于文献学院,成为研究古代手抄本的专家。3 册《当代帕纳斯山》里都有他的作品。1893 年,他把千锤百炼的全部诗作——一百多首十四行诗——结集出版,取名《战利品集》(*Les Trophées*)。次年当选法兰西学院院士。1901 年任规模居全国第二位的军械库图书馆的馆长。除了创作,他从西班牙文翻译了《新西班牙征服信史》和历险故事《修女阿菲雷兹》,编定了安德烈·谢尼埃的《牧歌集》新版本,并为这一版本写了功力很深的序言。

十四行诗的格律特别严谨。为了在有限的长度内容纳尽可能多的内容,诗人必须付出刻苦、耐心的劳动。正因为这一点,埃雷迪亚选择十四行诗做表现形式。至于内容,主要是咏史:希腊、罗马、蛮族、中世纪、文艺复兴,间或写到东方和热带;也有一些咏物诗。人类历史上辉煌的业绩,叱咤风云的帝王和倾国倾城的美人统统成为过去,没有留下任何遗迹。唯独诗人、艺术家,用他们的作品,使这些事件得以在人类的记忆中永远保存下来。在这个意义上,诗人的每一首诗是艺术从时间那里夺得的战利品。

埃雷迪亚不是平铺直叙历史事件（十四行诗有限的篇幅也不允许他这么做），而是着意刻画这个事件中最关键的时刻和场景。他的诗色彩绚丽，结尾尤见功力，往往像电影的特写镜头，推出一个巨大、鲜明的形象。代表作如写罗马大将安东尼与埃及女王克娄巴特拉的故事的一组三首十四行诗：《西得努斯河》(*Le Cydnus*)、《战地黄昏》(*Soir de bataille*)、《安东尼与克娄巴特拉》(*Antoine et Cléopâtre*)，堪与莎士比亚写同一故事的著名剧本媲美。西得努斯河在西里西亚，克娄巴特拉溯河而上，在河口城镇达苏首次会晤安东尼。她展露迷人的笑容，伸出琥珀色的双臂，紫色的王袍在皮肤上投下玫瑰色的反光。最后三行：

> 她的双眸没有见到自身命运的预兆：
> 在她身边，两位圣子，欲望与死亡，
> 摘落的玫瑰花瓣在暗黑的水面上漂荡。

《战地黄昏》写安东尼与巴特人的一场恶战。巴特人的弓箭队万矢齐发，罗马士兵死伤枕藉。危急之际，一个身披紫袍、头顶钢盔、周身箭矢猬集、伤口淌着鲜血的人影在号角声里，在漫天烽火中勒住坐骑，出现在疆场上："血迹斑斑的皇帝"安东尼。第三首写安东尼与克娄巴特拉的爱恋场面。最后三行，当克娄巴特拉委身转投于安东尼怀抱中的时候：

> 钟情的皇帝就向她俯下身躯，
> 在闪烁金光的星眸中他瞥见
> 战舰在茫茫大海中四散逃窜。

这个结句暗示安东尼已预感到,他将在一场海战中被对手屋大维击败。

埃雷迪亚写咏物诗也用类似的手法。《珊瑚礁》(*Le Récif de corail*)先是描写寂静的海底世界,然后写一条大鱼在珊瑚丛间巡游,最后:

> 突然它摆动火一般艳丽的尾鳍,
> 于是这阴郁静止的蓝色晶体
> 传遍黄金、螺钿和翡翠的战栗。

第二节 象征派诗歌

1. 象征派诗歌概况

普法战争后,第二帝国覆灭,法国国力一度不振,政局动荡,各方面的情况都令人失望。一些敏感的资产阶级青年文人想起史称"颓废时代"的罗马帝国晚期的颓唐光景,感慨自己也生逢末世。他们既不能适应社会,便对社会现实采取拒绝态度。他们特别鄙夷第二帝国时期的功利主义思潮,把实证主义哲学、生硬的自然主义和帕纳斯派诗学都看做是这种功利主义在哲学和文学领域的表现。19世纪80年代初,他们组成一些文社,用各种方式自我陶醉,追求稀奇的感官刺激,分析自己最细微、最隐秘的心理活动,发现"内心的墓地"。文学批评界认为这些人身上带着"世纪末的病态",称他们为"颓废派"。他们干脆把这个称号接过来,1885年创办了《颓废者》杂志。1883年秋天,已经有点名望的魏尔伦在一家文学杂志上发表一系列评论,介绍当时不为公众所知的科比叶、兰波和马拉梅。次年这一组文章结集出版,题为《厄运诗人》(*Les Poètes maudits*)。公众开始瞩目诗坛出现的这一新倾向。1884年,小说家于斯曼(Huysmans)发表一部奇怪的小说《逆反》(*A Rebours*),其中的主人公台才生特感到周围社会俗不可耐,便在巴黎郊区租下一所别墅,用奢侈的家具、暖房里的琪花瑶草、醇酒和香水为自己安排一个"人工的天堂"。他的书架上除了罗马帝国颓废时代作家的著作,就是波德莱尔、魏尔伦和马拉梅的诗集。这部小说风行一时。波德莱尔、魏尔伦和这以前还不怎么出名的马拉梅于是成为颓废派文学青年的导师。他们继承并浓化了波德莱尔的忧郁,欣赏魏尔伦纤细的感觉,钦慕马拉梅对神秘境界的向往。至于兰波,他当时还不为人知。魏尔伦常在拉丁区的一家咖啡馆里高谈阔论;马拉梅每星期二在罗马街的寓所接见文学青年。他们虔诚地听取大师的议论。马拉梅有一次用比较浅显的话说明自己的主张:"诗歌系用恢复到根本节奏的人类语言来表达人生各种面貌的神秘意义,它就这样使我们在人世的居留获得真实性,成为我们唯一的精神使命。"

1885年,勒内·吉尔(René Ghil)在杂志上发表用散文诗形式写成的《文论》(*Le Traité du verbe*)。作者认为仅仅观察自然不能达到真理和把握生命,作家应该根据个人的构想(Vision)重新组合杂呈在我们眼底的各项因素,赋予它们一种象征意义。1886年《文论》出单行本,冠以马拉梅的《前言》。马拉梅发挥同一观点,提出诗人写作是为了达到"纯粹概念",或曰理念(l'Idée)。如他写一朵花,绝不是为了描写花本身,而是为了在他笔下出现在一切花束里都找不到的那朵花,那个"笑盈盈的、高傲的理念"。同年9月,莫雷亚斯在《费加罗报》文学副刊上发表一篇文章,介绍被称为颓废派的诗人和散文家们的情况,解释新兴的艺术运动的基本原则。这篇文章正式提出象征主义这个名称,被认为是象征主义的宣言书。莫雷亚斯认为,浪漫主义和帕纳斯派都已落伍,自然主义有它的欠缺,一种新的艺术运动的兴起是不可避免的事情。这一期待已久的新兴艺术运动刚刚问世,便受到新闻界的攻击,被加上颓废派的恶名。他建议应该用"象征主义"这个名词来称呼"艺术上的创造精神在当前的倾向"，在他看来，波德莱尔是这一运动的先驱；马拉梅赋予了它以神秘意义；魏尔伦则为它砸烂了在诗歌格律方面的枷锁。莫雷亚斯继续写道："象征主义诗歌是说教、夸张、虚情假意和客观描摹的敌人，它要使理念具有触摸得到的形貌；不过，创造这种形貌并非写诗的目的，其目的在于表达理念，而形貌则处于从属地位。故而，自然景物，人的活动，种种具体的现象都不会原封不动地出现在象征主义艺术中，它们仅仅是一些可以感知的外表而已，其使命在于表示它们与原始理念之间神秘的相似性。"

1890年，莫里斯（Morice）发表《即将来临的文学》，这篇论文对于象征主义的重要性，被誉为相当于雨果的《〈克伦威尔〉序》之于浪漫主义运动。作者认为艺术比任何一种哲学、任何一种宗教更能达到世界的本质。象征诗人为了与自然融洽一致，必须摆脱社会生活对他的羁绊，在自己身上创造一种特殊状态，一种孤独境界，以便"倾听上帝的声音"。灵感不是不可捉摸的，而是诗人为超越自身而作的长期、艰苦努力的结果。为了把读者带进一个崭新的天地，诗人应使用暗示手法："暗示可以办到直接表现办不到的事情。暗示是灵魂与自然的应和关系和亲和作用的语言，暗示不去表现事物的反光，它深入事物内部，成为它们自己的声音。暗示绝非千篇一律的，它在本质上是终古常新的，因为它要说出来的是隐藏的、未被解释的、不能表达的东西。"这些观点显然与马拉梅如出一辙。

综上所述，象征派诗学认为现实世界本身并不重要，在现实世界背后另有一个更具本质性的世界。用理智不能达到这另一个世界，诗人只有用象征暗示它的存在。人与宇宙万物之间存在应和关系，或曰亲和力、同一性，每一种景物都对应于某种心态。这不是说景随情迁，人喜则景物怡然，人忧则景物凄惨，而是说景物有独立意义，或忧郁，或愉快，或平静，或激昂。诗人若要传达一种心态，最好去描写相应于这种心态的景物，不必明说。这样他就找到了象征。象征与隐喻不同，隐喻从抽象概念出发，用形象使抽象概念具体化。象征则反其道而行之，从具体事物出发，达到一个理念（如马拉梅），或进入一种神秘境界（如兰波）。起象征作用的，不仅是一个形象，而是整个作品。

象征派诗人推崇波德莱尔。波德莱尔在那首有名的十四行诗《应和》中揭示宇宙万物皆有灵性，自然的各种面貌和人的各种心态之间存在复杂的对应关系，五官的感觉亦可以相通。象征派诗学在这个基础上追求"通感"。兰波在《母音》(*Voyelles*) 十四行诗中赋予每个母音一种颜色：A 黑色，E 白色，I 红色，U 绿色，O 蓝色。勒内·吉尔更进一步，通过实验确定母音、颜色、乐器、感情之间的对应关系。A 黑色，悲哀沉郁，相当于大风琴；E 白色，表示崇高，相当于竖琴；I 蓝色（与兰波的提示不同），热情奔放，相当于小提琴；U 绿色，快乐纯洁，相当于笛子；O 红色（又与兰波的提示不同），灿烂辉煌，相当于铜管乐。象征派的这种对应法不失为一种创造，但如果把它作为规则加以绝对化，那么，写诗就会像是作曲，为表现某一特定情绪只需要多使用包含与该情绪相对应的母音的单词，这就有把诗歌化为语音学练习的危险。

技巧上，象征派诗学重视内在的旋律（mélodie），而不是外加的节奏（rythme）。整齐划一的偶数节奏适合表现明确的思想，所以古典主义诗人偏爱滞重的十二缀音亚历山大体。唯有变化多端、飘忽灵动的旋律才能表达朦胧的情致，因此象征派诗歌特别强调音乐性，由此产生七、十一、十三缀音诗、自由诗和散文诗，这对诗律是一大解放。与不动感情地描写客观世界的帕纳斯派不同，象征派着意发掘诗人的内心世界，而这个内心世界与他们理想中的超现实世界又是重合的。与痛哭流涕，如痴若狂的浪漫派不同，象征派表达的情绪是委婉、缥缈的，往往是一种不可明言，甚至找不到原因的哀愁，如魏尔伦在《我心中在哭泣……》那首小诗里所写的。

象征主义运动在19世纪末风靡全欧。除了象征派诗歌，还产生了象征派的戏剧和小说。不过和其他文学运动或流派一样，其成员在创作理论和实践上虽有相通之处，更多的是从一些共同点出发，各人朝不同方向进行探索。到后来作为一个整体的运动还会出现分化。20世纪的后期象征派大师瓦莱里回顾这一运动时声称："人们称之为象征主义的那个东西，可以归结为若干诗人团体（他们彼此敌对）的一种共同意愿：把音乐从诗那里夺走的东西索取回来。"就是说他认为音乐性是象征主义的最大特点。至于什么是象征，象征主义的作家们却并没有作过清楚的说明。

2. 象征派的前驱与同路人

象征派汇成一股文学巨流之前，几位短命诗人的创作已有象征派的倾向。象征主义运动和继起的超现实主义运动把他们从公众的冷淡和遗忘中发掘出来，使他们在文学史上也占一席之地。

科比叶（Tristan Corbière, 1845~1875）是布列塔尼一个航海家兼冒险小说作家的儿子，学过绘画，体弱多病，但是喜欢海洋生活，1869年曾航海到意大利，他在意大利看到的不是美，而是贫穷、肮脏、懒惰。1871年到巴黎小住，过着酒色之徒的放荡生活。1873年得到他父亲的资助，自费出版诗集《黄色之恋》（*Les Amours jaunes*），印3500册，当时无人问津。11年后，一个布列塔尼同乡在巴黎塞纳河畔的旧书摊上发现这本书，拿给魏尔伦看。魏尔伦大为赞赏，随即在杂志上撰专文向公众介绍（收入《厄运诗人》的第一篇论文），从此科比叶得到死后的声名。《黄色之恋》的题材庞杂，除了对航海生活的追忆，对人生一切都冷嘲热讽。形式上、节奏多变化，多用粗话、咒骂入诗，或用第二人称直接诉诸读者。下面是他对埃得那火山的印象："你又是冷笑又咳嗽，想必／吐出老年人病歪歪的爱情／

岩浆在你长癌的乳房／一层硬皮底下滚动……"

拉弗格（Jules Laforgue，1860~1887），生于南美洲乌拉圭的首府蒙得维的亚，他的父亲是法国南部比利牛斯山区人，在南美洲当教师和银行职员，母亲是布列塔尼人。拉弗格幼年丧母，随父亲到巴黎上中学。中学毕业考试落第后，一面当零杂工，一面写诗，并参加新派艺术家的聚会。1881年，作家布尔热介绍他到柏林当普鲁士王后奥古斯塔的法语侍读，工作之余，他沉迷于叔本华、哈特曼的哲学著作，染上悲观厌世思想。1886年在柏林结识英国女教师雷娅·李，两人相爱。拉弗格辞去宫廷职务后，1887年初在伦敦与李结婚，婚后6个月，即因肺病在巴黎逝世。生前发表《怨歌集》(Les Complaintes，1885)、《月亮圣母颂》(L'Imitation de Notre-Dame de la Lune，1886)等。遗作甚多，死后结集出版。

或许因为他身患当时是不治之症的肺病，自知不久于人世，所以经常想到死亡，想到自己死后大地上的生活却一切照旧。于是为了安慰自己或者出于一种报复心理，他想到地球上、宇宙间的生命有一天也要死绝的。受叔本华的影响，他的作品有怀疑、敌视女性的倾向，但是他对自己的爱人又不乏柔情。他也有布列塔尼血统，自认与科比叶有灵犀相通之处。他最喜爱的题材是月亮，如《外省月亮怨歌》(Complainte de la lune en province)、《上弦月连祷词》(Litanies des premiers quartiers de la lune)等；他常从古代民歌、神话和史诗中汲取灵感，抒发感伤的情怀，诉说他对人生的倦意。这些诗有很强的音乐性。他与古斯塔夫·卡恩(Gustave Kahn)同为每行长短不等、任意押韵或根本不押韵的自由诗体的创始人。

洛特雷亚蒙(Lautréamont，1846~1870)原名伊齐多尔·迪卡斯(Isidore Ducasse)，同样生于乌拉圭的蒙得维的亚，同样死于肺病。他的父亲是法国领事馆职员。14岁时他回法国上中学，1867年来到巴黎。他潜心阅读法国早期浪漫主义诗人以及拜伦、但丁、拉伯雷等人的作品。由于生活孤独，精神不大正常。

他的作品《玛尔佗萝之歌》(*Chants de Maldoror*，1869）用散文写成，富节奏感，宜于朗诵，个别段落达到诗的境界，整体可以视作散文诗。它仿照但丁《神曲》的格式，分为六部分或六"唱"。叙述者玛尔佗萝自认童年时代患先天性精神病，又说常做不可思议的噩梦。整部作品充斥疯狂、恐怖、匪夷所思的场面，如虱子繁殖成灾，人们唆使狗强奸一名少女后再把她开膛剖腹，母亲与儿媳合谋吊死自己的儿子后再用刮胡子刀片损伤他的尸体……通过这些令人恶心或发指的描写，我们看到作者对人生的憎恶，对人间丑恶的诅咒达到无以复加的地步。

《玛尔佗萝之歌》出版后，一直无人问津，洛特雷亚蒙死时默默无闻。1910年法国作家拉博发现并赞扬了这部作品。20世纪20年代超现实主义运动兴起时，因为《玛尔佗萝之歌》的创作方法（潜意识活动、梦境、疯狂）与他们信奉的原则暗合，超现实主义者对它赞不绝口，洛特雷亚蒙也因而出名。

3. 魏尔伦

保尔·魏尔伦（Paul Verlaine，1844~1896）生于法国北部城市麦茨。他的父亲当时是驻军的工兵上尉，家道殷实，生性软弱，因系中年得子，对这个孩子特别宠爱。1851年，魏尔伦上尉辞职到巴黎定居，保尔得以在巴黎上学，他的学业平平，1862年通过中学毕业会考。那个时期他已经开始酗酒，也写点诗。他本想搞文学，但是父母要求他继续学习，以便能在社会上自立。魏尔伦于是在巴黎大学法学院注册，功课不重，课余经常光顾拉丁区常有文人聚会的咖啡馆。他的父亲发现他荒疏学业，无意上进，就让他进一家保险公司当练习生，1864年又为他在市政府谋得一个抄写员的职位。同年年底，他加入一个帕纳斯派文学团体。1865 年底，他的父亲去世。母亲的性格更加软弱，根本管束不了他。

　　1865 年，魏尔伦的朋友克查维埃·德·里卡创办《艺术》杂志，魏尔伦在这家杂志上发表诗作和评论。由于经费不足，《艺术》出了十期后即停刊，改为一种不定期的诗刊，这就是有名的《当代帕纳斯》。魏尔伦在 1886 年结集的第一册《当代帕纳斯》上发表八首诗，后来收入同一年由同一个出版家阿尔丰斯·勒迈尔出版的《感伤诗集》(*Poèmes saturniens*)，由魏尔伦的表姐出资印刷。这本诗集当时没有引起公众的注意。19 世纪 80 年代魏尔伦成名后，人们发现尽管诗人早年有意模仿波德莱尔与李勒，他本人的声音已经显露。如名篇《秋歌》(*Chanson d'automne*)，韵律上追随邦维尔，抒写的却是魏尔伦特有的那种不可名状的哀愁：

　　　　秋之提琴
　　　　弦弦声声
　　　　　　如怨泣，
　　　　单调漫长
　　　　令我神伤
　　　　　　慵无力。

　　　　窒息难言
　　　　容颜惨淡
　　　　　　钟声鸣，
　　　　令我追念
　　　　似水年华
　　　　　　泪沾襟。

我遂出门
　　恶风袭人
　　　　行趔趄，
　　忽东忽西
　　飘零无依
　　　　似落叶。

　　魏尔伦随后放弃帕纳斯派风格，转向 18 世纪艺术寻求灵感。当时在龚古尔兄弟的推动下，18 世纪艺术成为一时的风尚。魏尔伦特别醉心华托（Watteau，1684～1721）的作品，华托的画大部分以上流社会贵族仕女的游乐生活为题材，画面轻松柔和，色彩精致华丽，但在主人公表面上的无忧无虑背后，似乎隐藏着某种不安。魏尔伦把他的第二部诗集题作《戏装游乐图》（*Les Fêtes galantes*，1869），用音乐性很强的诗句准确体现了华托作品的情调。

　　1869 年 6 月，魏尔伦的一位音乐家朋友把自己的妹妹玛蒂尔德·莫台介绍给他。诗人对这位年仅 16 岁的少女一见钟情，取得女方家长同意后开始追求她，不断写诗寄给她，同时在生活上开始检点，节制饮酒，希望用纯洁的爱情和对未来幸福生活的向往净化自己的灵魂。同年 9 月魏尔伦与玛蒂尔德订婚，1870 年 8 月结婚。这个时期写的诗编成《美好的歌》（*La Bonne Chanson*，1870），调子比较欢快、明朗。如《一轮明月》（*La Lune blanche…*）：

　　一轮明月，
　　照在林中；
　　一个声音，
　　来自枝丛。
　　枝荫底下，

是我情人。

一塘池水,
如同明镜,
水中映出,
黑柳剪影。
风儿唏嘘,
梦游其时。

一片宁静,
广袤温柔,
如从天降。
满天星斗,
染红苍穹,
其美无穷。

1870年普法战争爆发。巴黎被普军围困期间,魏尔伦在国民自卫队服役,经常需要在城墙上值夜,重又开始酗酒,家庭生活因此产生裂痕。巴黎公社期间,旧政府人员纷纷辞职或怠工,魏尔伦留了下来,担任新闻检查工作。公社失败后他虽未受到追究,但被解雇。他从此搬到岳父家居住,夫妻之间愈加不和。

1871年8月底,魏尔伦收到外省少年诗人兰波的来信。9月,他邀请兰波到巴黎来。兰波的到来像一股旋风,搅得魏尔伦岳父这个谨小慎微的资产者家庭不得安宁。兰波狂飙般的性格对意志薄弱的魏尔伦产生了巨大的吸引力,以致1872年7月魏尔伦抛下妻子和不满周岁的儿子,跟随兰波出走。他们结为同性恋人,旅居伦敦和布鲁塞尔,虽然时有龃龉,毕竟难分难舍。其间,玛蒂尔德提出分居诉讼。

1873年7月，魏尔伦与兰波吵了一架后，只身从伦敦来到布鲁塞尔。他给玛蒂尔德写信，希望她能来会晤，重归于好，否则他就要自杀。玛蒂尔德置之不理，倒是他的母亲赶来照料他。魏尔伦又给兰波发电报，要他到布鲁塞尔来。兰波来后，两人又在一起喝酒、吵架。兰波感到腻烦，表示要离开魏尔伦。7月10日，魏尔伦失去自制，向兰波开了两枪，其中一枪击中兰波的手腕，但伤势不重。魏尔伦和他母亲把兰波带到医院包扎后，当天晚上送他上火车。在火车站，魏尔伦又有行凶的表示，于是兰波叫来警察。虽然兰波声明放弃任何法律行动，布鲁塞尔法院还是判处魏尔伦两年徒刑。

魏尔伦与兰波同居期间（1872～1873）写的诗，收入《无题浪漫曲》（*Romances sans paroles*，1874）。这部诗集由三部分组成：《被遗忘的曲调》《比利时风景》和《水彩画》，是魏尔伦创作的高峰。诗集的标题可能受到德国作曲家门德尔松的无题钢琴曲的启发。魏尔伦有意找回古代歌曲，"被遗忘的曲调"的旋律，所以这些诗篇特别富于音乐性；同时在兰波的影响下，诗律更自由，诗句更富暗示性。例如那首有名的《我心中在哭泣……》（*Il pleure dans mon Cœur...*）：

> 我心中在哭泣
> 如雨洒向街头，
> 潜入我心坎的
> 该是何种烦忧？
>
> ……
>
> 我无爱也无仇
> 却有万般痛苦：
> 人间愁苦莫过

没来由的痛苦!

魏尔伦在蒙斯监狱服刑,没有条件再酗酒。他从事一些简单的体力劳动、读书、学习英语。监狱的神甫常来看望他,引导他皈依天主教。1874年4月,法院判决玛蒂尔德与他分居。1875年1月,他提前获释,出狱后即被驱逐出比利时国境。他在德国的斯图加特与兰波见过一面,嗣后在英国的小城镇教书。1877年,他在法国勒台尔一家教会学校教书,重又开始酗酒,并对他的学生吕西安·雷蒂诺阿产生一种超过师生之情的感情。1880年,他买下一座农庄,与雷蒂诺阿一家人同居。同年底,他自费出版《智慧集》(*Sagesse*)。

《智慧集》共收诗47首,其中一部分是在蒙斯监狱里写的,以诗人的宗教渴望与皈依为主要内容。魏尔伦真诚地追悔往日的行径,盼望恢复正常生活,祈求上帝给予拯救与安慰。但是集中三分之一的诗篇与宗教毫不相干;就是在歌颂宗教信仰,带有强烈神秘主义色彩的诗篇里,读者仍能隐约感到诗人内心深处的骚动、困扰。

1882年,魏尔伦因经营亏损,卖掉他的农庄,回到巴黎定居。1883年4月,吕西安·雷蒂诺阿死于伤寒。同年8月起,他在《吕台斯》杂志上连续发表《厄运诗人》,介绍科比叶、兰波和马拉梅,为即将兴起的象征主义运动准备了舆论,也为作者本人赢来了声名。同年11月,他作于1874年的《诗艺》(*L'Art poétique*)一诗在《现代巴黎》杂志上发表,引起批评家的瞩目。这首诗可以视作魏尔伦的创作宣言。诗人开宗明义强调:音乐在一切之先,因此应该优先采用奇数缀音的诗句,因为它"更朦胧,更容易在空气中溶解"。诗人还应该选用意义不明确的词,因为"没有比灰色的歌更讨人喜欢的",这好比"面纱后面美丽的眼睛,正午颤动的阳光和秋夜闪烁的繁星"。他提倡"不着颜色,只分深浅",因为只有色调上深浅不同的差异能使梦和梦融合,笛声与号角声联姻……雄辩不可取,应当扭断它的脖子；押韵不必太讲究。诗的结尾，魏尔伦再次强调最重要的是音乐。诗句应该从灵魂中逸出，飞向另一个天空和另一些爱情，应该在寒颤的晨风中飘散……"而其他一切不过是矫揉造作"。这些主张，与帕纳斯派富丽的色彩和铿锵的脚韵针锋相对。

1885年年初《今昔集》（*Jadis et naguère*）问世，内收《诗艺》。这个集子里的作品只有一小部分是近作，大部分是不同时期的旧作，最早的写于诗人认识兰波以前。

魏尔伦虽已成名，但饮酒有增无减。他荡尽家产，还因为殴打并威胁要杀死自己的母亲坐了一个月牢。他患有酗酒引起的多种疾病，经常住院。1886年1月，他的母亲去世。从此无人照料他的生活，他变得更为潦倒。1890年起，他与几个妓女姘居。1893年，他在荷兰、比利时、洛林和英国做巡回讲演。1894年8月，他得到教育部首次拨给的500法郎救济金。同月，他被选为"诗国王子"，接替刚死去的勒孔特·德·李勒。1896年1月，魏尔伦死在一个情妇的家里。他的朋友，巴黎有名的文人们为他送葬，并集资为他建立一座纪念碑。五年以后，纪念碑在卢森堡公园落成。

魏尔伦晚年常为稿费而写作。这些作品内容庞杂，有的露骨地宣扬肉欲；艺术上也比较粗糙。这个时期较重要的诗集有《平行集》（*Parallèlement*，1889）。作者自谓基督教对来世的追求和异教对尘世享乐的沉溺平行不悖，同是他讴歌的对象，实际上显然后者压倒了前者。

4. 兰波

亚瑟·兰波（Arthur Rimbaud，1854~1891）出生于法国北部亚登省的小城夏尔维尔。父亲是行伍出身的步兵上尉，母亲是富裕的农家女。母亲没有受过教育，性格严厉，见解狭隘，对子女的态度近乎专横，所以亚瑟心里从小就埋下叛逆的种子。

兰波在故乡上中学，成绩出类拔萃，特别擅长用拉丁文写诗。中学最后一年，他在修辞学教师伊桑巴的鼓励下，开始作法文诗投寄报刊。1870年，外省一家杂志登了他一首诗。少年诗人于是信心十足，写信给当时享盛名的邦维尔，并附上三首诗，希望能在《当代帕纳斯》上发表。但是邦维尔没有录用他的作品。兰波在外省小城感到窒息，向往巴黎的广阔天地。1870年8月底他首次离家出走，乘火车到巴黎。普法战争已经爆发，首都戒备森严。兰波无票搭车，形迹可疑，一下车即被扣押，关在拘留所里。他的老师伊桑巴把他保出来，先让他在杜埃自己的熟人家里小住，然后把他送回夏尔维尔。兰波的母亲因此对他的管教更加严厉，促使兰波再次出走，在比利时和法国北部流浪，后来又回到杜埃。两次居住杜埃期间，他把自己写的20多首诗抄在大张纸上，送给当地一位诗人保尔·德梅尼。11月，他回到夏尔维尔家里。这一年冬天他在市立图书馆里勤奋地阅读法国社会主义者的著作、历史著作、小说和有关魔法的著作。

1871年2月，兰波第三次出走，坐火车到巴黎。他身无分文，在首都街头流浪半个月，终因生活没有着落，不得不穿过敌军防线，步行还乡。巴黎公社的成立激起他的热情。5月23日或24日他是否在巴黎，还有待进一步考证，但是他写过几首诗歌颂公社是没有疑问的。

同年5月13日和15日，兰波写了两封在文学史上有重大意义的信。第一封寄给伊桑巴，兰波声称要做诗人，要通过一切感觉的错乱达到未知的境界。第二封信寄给保尔·德梅尼，兰波在信里发挥上一封信的论点，提出全新的诗学理论，涉及诗的评价，诗人及其作用和诗的语言。兰波回顾诗史，赞扬古希腊诗，认为那时候"诗和琴都是行动的节奏"。但是从古希腊以后直到浪漫派，只有文人，按格律作诗的人，没有真正的诗人。兰波提出一句乍看起来十分古怪的名言："因为我是另外一个人。"研究者对这句话做过许多诠释，但是兰波紧接着说的话或许最说明问题："如果黄铜一觉醒来变成小号，那完全不是它的过失。这对我是很明显的：我在旁边观看我自己的思想绽放；我注视它，倾听它；我拉一下琴弓；交响乐在深处骚动，或者一跃登台。"为了使自己成为另一个人，诗人应该经历"长期的、巨大的、有步骤的全部感官的错轨"，变成"慧眼"（voyant）。这样，他才能达到"未知的境界"。诗人要尝遍人间毒药，只留下毒药的精华。"他肩负人性，甚至兽性"；他应该让别人感觉到、触摸到、听到他的发明；如果他从那里带回来的东西是有形状的，他给人家的也是有形状的；如果是没有形状的，他给的也是没有形状的。为此，诗人需要创造新的语言。这个语言应该是"从心灵到心灵的，有声、有色、有香，概括一切"。信的最后，兰波对浪漫派诗人做出具体评价。早期浪漫派诗人，如雨果、拉马丁，有时不自觉地变成"慧眼"，但是他们采用的形式太旧。后期浪漫派，如戈蒂耶、勒孔特·德·李勒、邦维尔，颇具慧眼。最具慧眼的是波德莱尔，不过他生活在艺术气氛太浓的圈子里，他的诗歌的形式备受推重，但与内容不相称：发明未知的事物需要新的形式。至于新兴的帕纳斯派只有两名诗人生具慧眼，其中有魏尔伦。

这封信，被文学史家称为"慧眼人的信"。我们看到，青年兰波把写诗当作认识、进入未知世界的手段，这个未知世界对他来说比现实世界更重要，甚至更真实。

一位朋友有意把兰波介绍给魏尔伦。兰波欣然同意，写了一封长信给魏尔伦，后来又寄去几首诗。魏尔伦给他一封热情的回信，邀请他到巴黎来。9月底，兰波抵达巴黎，起先住在魏尔伦的岳父家。他孤僻、暴烈的性格招致主人的反感，只得搬走，在魏尔伦的朋友们家里轮流借宿，同时参加一个文人俱乐部的定期聚会。

兰波带给巴黎诗人们的见面礼是有名的《醉船》（Bateauivre）。中世纪的手工业行会有个规矩：帮工若要升为师傅，必须独立制作一件精品。《醉船》在某种意义上正是这样一件精品，得到巴黎诗人们的普遍赞赏，使兰波与他们平起平坐。全诗二十五节，共一百行，采用古典的亚历山大体。也许是他暂时还不想惊世骇俗，所以没有把自己在"慧眼人的信"中提出的理论全部付诸实践。但是从内容到技巧，这首诗对于迄今为止的诗歌已有若干革新，并且预示着兰波本人日后诗风的转变。

《醉船》用拟人的口气写一艘船的历险：

> 我沿着无情的长河顺流而下，
> 没有任何纤夫再来拖拉导引。
> 红印第安人已经把他们钉上
> 彩柱，然后把他们一一射死。

于是这条船越过河口，来到海上。它"轻巧有如木塞，在波涛上舞蹈"。绿色的海水侵蚀松木船身，冲走船舵和铁锚。船身失去控制，在各个海洋漂流，见到种种奇景：被闪电撕裂的天空、好似白鸽群翱翔的清晨、绿色的夜里白雪的幽光、银色的太阳、螺钿色的波浪，被虫蚁吞噬的巨蛇带着黑色的芳香从盘曲的树干上坠落，鸟在船上做窝，溺死者的尸体在碧波中冉冉下沉……最后，"醉船"的精力耗尽，船体开裂。在葬身海底之前，它想起故土：

> 要是我还追念欧洲，该是那片
> 鸟寂的水潭，芬芳的黄昏里
> 一个孤愁的孩子蹲跪着放出
> 轻柔有如五月蝴蝶的小纸船。

醉船的形象，象征少年诗人冲决一切网罗、至死无悔的反抗精神。不过这种反抗的对象是不明确的，恐怕只是发育时期过剩的精力需要宣泄。更引人瞩目的，不是这个象征本身，而是表现、烘托这个象征的手法。读者莫不震惊于诗中奇特、瑰丽的想象；遣词的大胆出人意料（"蓝空的黏液和太阳的苔藓"），一再运用"通感"手法（"歌唱的磷火黄色和蓝色的觉醒"，巨蛇"带着黑色的芳香"）。值得注意第八节最后一行诗："有时我看到人们自以为看到的景象"，这已是对"慧眼"理论的暗示。

兰波与魏尔伦的关系造成后者家庭破裂。1872年1月，魏尔伦的妻子玛蒂尔德带着刚生下来不满4个月的儿子到外地居住，声称如果魏尔伦不把兰波打发走，她决不回家。3月，兰波回到夏尔维尔。魏尔伦一再求他重返巴黎。5月兰波回巴黎，7月带着魏尔伦出走，先到布鲁塞尔，后到伦敦，过着贫困的流浪生活。年底，兰波独自回法国。

1873年，兰波与魏尔伦时分时合，有时亲密如初，有时不和。兰波家在罗什有一座农庄，同年4月，兰波住在农庄里，写作《异教徒的书》，或名《黑人的书》。7月，兰波到布鲁塞尔重晤魏尔伦。后者朝他开了两枪后，两个朋友分手。一个进监狱，一个住医院。兰波出院后回到罗什，继续写他的书，最后把这本书定名为《地狱的一季》（*Une Saison enenfer*）。他把书交给布鲁塞尔一个出版商出版。书印成后，因兰波无力支付印刷费，成品被出版商扣留，作者只拿到几本样书。

《地狱的一季》是一组散文诗，间杂几首短诗。其主要部分题为《谵语之一》和《谵语之二》，诗人讲述自己怎样努力挣脱过去的束缚，在生活上和文学上追求新形式的自由；他自以为掌握的"超自然的力量"最终不过是虚妄。集中最后一篇散文诗题作《告别》。兰波写道："我自以为是魔法师或天使，不受任何道德的约束，结果还是回到土地上，需要寻找一项义务，拥抱坎坷不平的现实！农民！"他把自己的作品看做"谵语"，把使自己精疲力竭的精神斗争比作在地狱里穿行。在地狱里度过一季后，他又回到人间。

这个集子里最重要的作品是《谵语之二》中的《语言的炼金术》（*Alchimie du verbe*），这是兰波创作方法的自白，其中关于元音与颜色的对应关系那一段可与有名的《元音》十四行诗[①]参看：

> ……我早就夸耀自己拥有世间的全部景色，我觉得当代画坛和诗坛的名流无不可笑。
>
> 我曾喜欢幼稚的画：门上的装饰、布景、马戏班的广告、招牌、民间的彩绘；我也喜欢过时的文学、教会拉丁语、错字连篇的色情故事、老祖宗读的小说、童话、小人书、旧的歌剧、傻里傻气的叠句、天真的旋律。
>
> 我曾梦想十字军的战绩，在无人知晓的国土游历，没有历史的共和国，被扑灭的宗教战争，风俗革命，种族和大陆的迁移：我曾相信所有的魔法。
>
> 我发明了元音的颜色！——A是黑的，E是白的，I是红的，O是蓝的，U是绿的——我规定了每个辅音的形式和运动。借助本能的节奏，我自诩发明一种总有一天诉诸所有感官的诗歌语言。我秘而不宣这种语言的译文。
>
> 这是一个学习过程。我默默地写，整夜整夜地写，我记录不能表达的事物。我把眩晕固定下来。

特别值得注意的是他的"眩晕"，兰波通过苦修、绝食、不眠，甚而吸毒，使自己的"感官错轨"，产生幻觉。他曾自述"在一家工厂所在的地方看到一座清真寺，在天空的道路上看到天使们在打鼓，马车在奔驰，在湖底看到客厅。"

1873年年底，兰波结识青年诗人热尔曼·努伏。次年3月，

[①] 《元音》十四行诗由魏尔伦根据兰波送给他的抄本发表，其写作日期应早于《地狱的一季》。

两人同在伦敦。努伏帮助兰波根据手稿抄写散文诗集《彩画集》（*Illuminations*），这部诗集后来由魏尔伦发表（1886）。根据《地狱的一季》的内容，人们合乎逻辑地认为兰波从此搁笔，那么收入《彩画集》的散文诗的写作年代应早于《地狱的一季》。进一步的研究证明，《彩画集》中某些作品的创作日期晚于《地狱的一季》，就是说兰波没有完全与文学决裂，他像一座火山，大喷发虽然过去了，还剩下一点能量有待释放。不管怎样，这本集子实践了兰波的"慧眼"理论。这些散文诗描写诗人创造、感受的神秘世界，在艺术上是很出色的。如《晨曦》（*Aube*）：

我拥抱了夏天的晨曦。

宫殿的正面没有任何动静。河水凝滞不流。黑影依然在林中的大路上安营扎寨。我信步走去，唤醒生动的、温暖的气息。闪闪发光的小石子望着我，鸟翅无声地展开。

第一个收获，是在已经弥漫着清新的、淡白色光亮的小径上遇到一朵花。花向我报出自己的名字。

我朝着穿过一片枞树林纷披地溅落的金色瀑布微笑：从银色的树尖我认出女神的足迹。

于是我逐层揭开她身上的罗纱。在小路上，我挥舞胳膊，在原野上，我告诉公鸡，她已经来临。在大城里，她在钟楼的尖顶和圣殿的圆顶之间觅路奔逃，而我，像个乞丐，在大理石铺成的码头上飞跑。我追逐她。

在大路那一端，在月桂林子边上，我终于围住她，把她裹体的轻纱薄罗都攥在手里。于是我仿佛感触到她无形质的身躯。晨曦和孩子一起坠落到树林底下。

醒来时已是中午。

这首诗,一般理解为对大自然有性爱色彩的赞颂。对另一些诗的诠释则颇多分歧。如《鲜花》(Fleurs),从字面上看是写诗人躺在一片草地上看到各种奇花异草:"我看到在银丝、眼睛和头发编织的地毯上,毛地黄绽开花瓣。"有人认为这首诗用各种珠宝和绸缎的颜色来暗喻盛开的鲜花;有人认为诗里提到的各种颜色都有象征意义,而"鲜花"这个词在炼丹师的术语里指的就是金属的本质;还有人认为这首诗是"阳光照射下的色彩的交响乐"。其实多义性本是象征派诗歌的特点,读者不必固执一义。

无论如何,《彩画集》以后兰波向文学彻底告别了。他开始"拥抱坎坷不平的现实"。1875 年初他到德国,在斯图加特当家庭教师,见过一次魏尔伦。后者企图说服他皈依天主教,他没有理睬。与魏尔伦分手后,他到过意大利、奥地利。1876 年,他在荷兰加入雇佣军,签了 6 年的合同,但是到了巴达维亚(今雅加达)不久就开小差,搭一艘英国帆船回到欧洲。1877 年他再次去德国,一度在马戏团当翻译。1878 年底他在塞浦路斯岛上一家法国公司的工地上当工头,染上伤寒症,次年回法国,在罗什的农庄养病。1880 年,他重返塞浦路斯,后来又到英国殖民地亚丁,在专营兽皮和咖啡贸易的巴岱公司找到职务。这家公司委派兰波到埃塞俄比亚的哈勒尔建立收购点。这个地方当时很少有白人的踪迹,兰波骑马在沙漠里走了 20 天才到达目的地。1883 年,兰波接受巴岱公司的委托,在埃塞俄比亚与索马里交界的奥加登省做地理调查。他写成一份出色的调查报告,次年发表在法国地理学会的会刊上。1885 年 10 月,他听说卖武器给正在争夺埃塞俄比亚帝位的绍阿国王梅奈里克有厚利可图,便向巴岱公司辞职,与人合伙做这笔生意。由于政局的变动,买卖很不顺利。兰波历尽千辛万苦,于 1887 年把武器运到绍阿,却没有赚到钱。他感到自己开始衰老,左膝患风湿痛,在开罗稍事休息后,回到亚丁。1888 年,他在哈勒尔经营进出口贸易,商务繁重。1891 年 2 月,他右膝长了肿瘤。3月，他已不能起立，被用担架抬到海边，搭船到亚丁。5月，他回到马赛，住进医院，做截肢手术。6月底一度出院，在罗什农庄养病，得到妹妹伊莎贝尔的精心照顾。8月底病情恶化，再度在马赛入院，从此不起，11月10日去世，终年37岁。他葬在故乡夏尔维尔的公墓里。

兰波死前七八年，由于魏尔伦在《厄运诗人》里对他大力赞扬，又发表了他的《彩画集》和《地狱的一季》，他在巴黎的颓废派和象征派文人圈子中的声望越来越高。巴黎的文人们不知道他的下落，而他远在非洲也不知道巴黎发生的事情。从他历年与家人的通信来看，他想的只是攒一笔钱，在法国买一所农庄，娶妻生子，教育子女。从反抗一切的少年到孜孜求利的资产者，从目空一切、立誓创造新的语言、发明新的生活的诗人到对文学、诗歌完全冷漠的商人，这个反差实在太大。后人从各种角度解释兰波这一变化的原因，把他看做传奇人物，于是有所谓"兰波神话"的产生。不过有一点是无疑的：兰波继波德莱尔之后，为现代诗歌指出一个新方向，开辟一个新天地。在诗歌形式上，他对散文诗的发展贡献尤大。20世纪20年代的超现实主义运动奉兰波为不祧之祖。直到今天，兰波仍是文学史家研究的热门课题。

5. 马拉梅

斯台芬·马拉梅（Stéphane Mallarmé，1842~1898）生于巴黎一个公务员家庭，幼年丧母，由外祖母抚养成人。他在外省中学当寄宿生时，读到波德莱尔的《恶之花》，大受震动。在一位青年文学教师的指导下，他开始接触现代文学，并学习写作。为了读美国作家爱伦·坡的原著，他学会了英文。中学毕业后他当过职员，不久改做教师，参加早期的帕纳斯运动，在《当代帕纳斯》上发表作品。

1862年，马拉梅认识了英国少女玛利亚·杰拉德。次年他在英国与玛利亚结婚。从伦敦归来后，他取得英语教师资格，自1863年至1870年先后在外省三所中学任教。他的职业安定，家庭和美，但是精神生活极其紧张，因为他在艺术创作上对自己提出近乎绝对的要求，但自己的作品很难实现这一要求。

外省生活令他厌倦，1871年他终于得到任命在巴黎教书。象征主义运动使他出了名，新派作家奉他为领袖。他的艺术兴趣很广，交游除了诗人、小说家，还有音乐家、画家、雕塑家。1880年起，他每星期二下午在罗马街的寓所接待朋友、弟子，座上客皆为一时名流。1893年，马拉梅退休，从此大部分时间住在乡间别墅里，潜心写作。1898年9月，突然死于喉部痉挛，终年56岁。

马拉梅平静地度过一生，留下的作品数量有限。他在文学史上的地位在于他独特的美学理论和他的创作在内容、技巧、形式上的独特性。读他的作品，第一个印象是晦涩。但是晦涩正是他追求的效果。"晦涩或者是由于读者方面的力所不及，或者由于诗人的力所不及……不过规避这一努力便是作弊。如果有一个智力平平、文学修养也不充分的人信手打开一本这样写成的书，自命要欣赏它，那就免不了误会。必须把事物放到它们自己的位置上去。诗永远应当是个谜。文学的目的——它不可能有别的目的——是唤起对象。"

所谓"唤起"（évoquer），意思是说不应直接表现对象。他这样说："我认为只应该暗示。观照对象，由对象引起梦幻，从梦幻飞出形象：这便是歌。帕纳斯派诗人把事物和盘托出，所以他们缺乏神秘性；人们（读诗时）产生一种美妙的乐趣，以为自己在创造，而帕纳斯派诗人剥夺了人们这一乐趣。读诗的乐趣在于逐渐猜透诗人的命意，如果一语道破对象，等于取消了这个乐趣的四分之三。理想的做法是暗示对象。所谓象征，就是完美地使用这种神秘性：逐渐展现某一细微对象，借以表达一种心态，或者反过来，选择某一对象，以便通过反复的辨读过程从中引出某一心态。"

如果说兰波企图达到表现一个未知世界的目的，有时自以为实现了自己的企图，马拉梅则认为现实世界背后有个"理念"的世界。重要的、有本质性的，不是具体事物本身，而是代表这一事物的"纯粹概念"。他认为，语言不过是声波的颤动，说话或写作把一个具体事物变成语言，如果这样做不能提示事物的本质（事物本身是这一本质的复制品），那么干脆没有必要使用语言。他以"花"这个词为例："我说'花'，这个词在我头脑里唤起的不是一朵特定的花的形象，而是抽象的花。这一抽象的花在现实世界的花束里是找不到的，它便是花的本质，便是理念。"所以，如果说兰波的神秘主义更多是感官的、想象的，马拉梅的神秘主义则更多是理性的、玄学的。另一个不同是马拉梅相信有这个理念世界的存在，但是不相信作家的创作能达到暗示理念世界的艺术上的完美。概括地说，他的全部创作只有一个主题：艺术家的艰辛，高贵的劳作都是徒然，他永远实现不了自己的理想。马拉梅的诗歌里常用"青天"或类似的词象征这个难以企及的理想，如那首有名的十四行诗《纯洁、活泼的……》(*Le Vierge, levivàce…*)：

纯洁、活泼和美丽的，他今天
是否将扑动陶醉的翅膀去撕破
这一片铅色的坚硬霜冻的湖波
阻碍展翅高飞的透明的冰川！

一只往昔的天鹅不由回忆当年
华贵的气派，如今他无望超度
枉自埋怨当不育的冬天重返
他未曾歌唱一心向往的归宿。

> 他否认,并以颀长的脖子摇撼
> 白色的死灭,这由无垠的苍天
> 而不是陷身的泥潭带给他的惩处。
>
> 他纯净的光辉派定他在这个地点
> 如幽灵,在轻蔑的寒梦中不复动弹;
> 天鹅在无益的谪居中应有的意念。

诗中那只冻僵了的天鹅的形象所暗示的,与其说是诗人与尘世的关系,不如说是诗人与自己的创作理想的关系。诗人徒有雄心,未能展翅高飞,但自甘受罚,高傲终生。

诗体悲剧《希罗底亚德》(*Hérodiade*)的片断(作者未能完成)从另一个角度表现同一个主题。《新约》记载,希罗底亚德又名莎乐美,是犹太王后的女儿。她在母亲指使下,为继父、国王希罗德表演舞蹈,作为交换条件要求继父下令砍下施洗者约翰的脑袋。马拉梅写成的片断中,最重要部分是希罗底亚德公主与她的老保姆的对话。艳如桃李、冷若冰霜的公主只爱一面镜子,欣赏镜子里自己纯洁而又不可企及的形象。她对镜出神时,保姆三次企图把她引回尘世。第一次,保姆吻她的手;第二次,用香料熏她的头发;第三次,为她整理发辫。保姆每一个动作都遭到希罗底亚德的拒绝,她对保姆盛赞的人间欢乐根本无动于衷。最后她才听明白,保姆的来意是要她梳妆打扮,迎接未来的丈夫。保姆走后,希罗底亚德承认自己在期待"一个未知的事物"。马拉梅把希罗底亚德当作冰冷的美的象征,暗示为了达到艺术的完美,艺术家应该拒绝爱情和尘世享乐的诱惑。

马拉梅在一再修改、续作《希罗底亚德》的长期过程中,灵机一动想写一部"以一个牧神为主人公的英雄插曲"。这部作品与他的其他作品一样经过反复修改才正式发表,题作《牧神的午后》(*L'Après-*

midi d'un faune，1876），由一百一十二行亚历山大体诗组成。一个炎热的午后，牧神在水边吹笛。笛声惊起正在沐浴的仙女，牧神开始还以为她们是一群天鹅。牧神赶上去，抓住她们中两个，欲行非礼。他的亵渎行为惹恼了神明。为了惩罚他，神明让他昏昏睡去。待他醒来，人去水空，只剩下潺潺的泉声和温暖的夏风仿佛是两位水仙的化身，又好像他不过是做了一场梦，梦中误把泉声和风声当作两位水仙。最后，牧神再次入梦，但愿与水仙再度相会。这首诗以华丽的形象、流动的节奏和完美的形式创造出扑朔迷离、似梦非梦的境界，艺术上堪称精品。与《希罗底亚德》中犹太公主的清心寡欲相反，牧神热烈追求欲望的满足，执着尘世的享乐。表面上看，这与马拉梅的一贯主张似乎矛盾，但是深究一层，牧神追逐的享乐终属虚妄，又好像从反面暗示另一种追求更为实在。这首诗被誉为象征主义的杰作，音乐家德彪西从中获得灵感，谱成交响诗《牧神的午后序曲》（1894）。

　　1885年，魏尔伦应出版商之约撰写一组有关当代作家的评论。为了收集材料，他向马拉梅提出若干问题。马拉梅在回信（11月16日）中讲到自己一生最大的梦想是写一本唯一的书。为了实现这个梦想，他准备牺牲一切虚荣和满足，像炼丹师为了保持炉火不灭，不惜烧掉家具和房梁一样。他确信用一本书可以包容全世界。这本书不是一时灵感之作，而是精心构造的建筑物，因为"诗人的唯一职责与文学游戏的极致是以俄耳甫斯的方式解释世界"（俄耳甫斯是古希腊神话传说中最出色的音乐家，他的乐声能驯服猛兽）。马拉梅呕心沥血写这本奇书，就是写不出来。据勒内·吉尔的回忆，马拉梅设想这本书有二十卷，十二开本。印张的折叠方式也有助于思想的表述：书页不裁开，读者先读暴露的页码，从而理解作品公开的含义。有了这个思想准备以后，他裁开书页，才能找到作品秘密的、完整的含义……

　　《骰子一掷永远取消不了偶然》（Un Coup de dés jamais n'abolira le hasard，897）是这部天书的片断，也是马拉梅毕生诗歌探索的顶峰。在某种程度上,马拉梅用写乐谱的方式写诗。骰子一掷／永远／取消不了／偶然。这句话打断成四组,用大号黑体字印刷,像乐曲的主旋律贯穿全篇,轮流反复出现。次要成分依附在这四组黑体字上用大小不等的字体印刷,好比用强弱不等的音符奏出主旋律的变奏。更重要的是空白(文字只占三分之一的地位),相当于乐句周围的寂静。星散各处的文字,给人的视觉形象类似舞台的抽象布景或芭蕾舞动作(马拉梅一度设想他的"书"是一部戏剧或一出舞剧)。于是诗的单位不是诗行,而是作为整体的一页书。这首诗奇在形式,至于内容仍不离马拉梅的一贯想法,大致是说人的思想(艺术创作、诗歌)好比掷向虚空的骰子,得不到回响,达不到"绝对",不能改变这个由偶然主宰的世界。

马拉梅在遗嘱里要求家人焚毁他的全部存稿,但同时要求他们相信这些作品"应该是很美的"。可见他走火入魔之余,对自己的信念并非没有丝毫动摇。尽管他力求用最少的文字表现最丰富的内容,作品十分精练,总难逃晦涩之讥。他把创作、也把自己引上了绝路。

6. 其他与象征派有关的诗人

象征主义全盛时期登上诗坛的诗人,无不受象征主义的影响。

莫雷亚斯(Jean Moréas, 1856~1910),原籍希腊雅典,因醉心法国文化而留居巴黎入法国籍。他家境富裕,常在咖啡馆以文会友。一位批评家在《时报》的专栏上撰文,称新派文人为"颓废派"。1886年莫雷亚斯在《费加罗报》上撰文反驳,认为他们代表现代艺术的潮流,应该叫"象征派"。他在这篇有名的文学宣言里,谈得更多的是象征诗的内容,较少涉及象征诗的形式。他本人的早期创作,如《西尔特海湾》(*Les Syrtes*, 1884)、《短歌集》(*Les Cantilènes*, 1886),兼受波德莱尔、魏尔伦和马拉梅的影响。象征主义以朦胧为宗旨,与阳光明媚的地中海居民的气质似乎不协调,莫雷亚斯终于与象征派分手，于 1891 年创立罗马派，要求法国文学接受希腊、罗马精神。晚年作品有《热情的香客》(*Le Pèlerin passlonné*, 1891) 和《节诗集》(*Les Stances*, 1899~1905 年发表前六部，1920 年印行第七部)，用传统的亚历山大诗体描写自然景色，歌唱生命的短促和宝贵，回到古典诗人的老路上。

亨利·德·雷尼耶 (Henri de Régnier, 1864~1936) 生于塞纳河口的海港翁福乐 (Honfleur) 的一个贵族世家，1871 年迁居巴黎，20 岁时进入外交界，不久便投入文学事业。他是雨果和埃雷迪亚的沙龙的常客，在后者家里认识勒孔特·德·李勒，接受帕纳斯派的影响。他与魏尔伦、马拉梅的交往也很密切，所以又对象征主义发生兴趣。1896 年，他与埃雷迪亚的次女结婚。1900 年以后，主要转向散文创作。1911 年当选法兰西学院院士。

他的作品很多。诗集主要有《明日集》(*Les Lendemains*, 1885)，用传统形式和韵律直抒感想，接近帕纳斯派诗风，《插曲集》(*Episodes*, 1888) 标志他向象征主义靠拢，用含蓄的手法、复杂的意象表现捉摸不定的诗意。《陶质勋章集》(*Les Médailles d'argile*, 1900) 又回到古典诗风，歌咏古代景色、事物、传闻，但在诗句的流动性、音乐性上还能找到象征派艺术的痕迹。

阿尔贝·萨曼 (Albert Samain, 1858~1900) 是穷家子弟，生于北方城市里尔，14 岁开始独立谋生，当小职员、小公务员。1893 年发表处女作《在公主的花园里》(*Au Jardin de l'infante*)，一举成名，40 年内竟印了一百六十五版，因此经济上也大有改善。成名后在乡间过着和平恬静的生活，间或出去旅行。1898 年发表《瓶边集》(*Aux Flancs du vase*)，1900 年死于肺病。

萨曼喜欢编织梦想，用和谐悦耳的诗句表现华丽的视觉形象。前一个特点来自象征派，后一个特点脱胎于帕纳斯派。他个人的特色，或许是某种"世纪末"的慵倦，如《西班牙公主》(*L'Tnfante*)所反复咏叹的："我的灵魂是盛装艳服的公主／她永恒的谪居反映在／古老离宫高大的镜子里／像海湾上被人遗忘的楼船……"

弗朗西斯·雅姆斯（Francis Jammes，1868～1938）长期生活在法国西南部农村，是用铅弹打斑尾林鸽的好手。1898 年，他的第一部诗集《从朝颂到晚祷》(*De l'Angélus de l'aube à l'Angélus du soir*)传到巴黎，大受马拉梅、纪德、雷尼耶、克洛代尔的赞赏。这位诗人性情天真，亲近自然。他用质朴、近乎幼稚的语言歌唱平凡的乡间事物；一草一木、一溪一石经他点染便有一种原始、本色的美。其实很难把他归入某一派，只因为他爱用自由诗体，形式和句法都不拘法则，人们就把他算作象征派诗人。后来他在克洛代尔影响下皈依天主教，用亚历山大诗体写成《天上的草地》(*Clairières dans le ciel*,1906)。他最有名的诗是《为与驴子一起上天堂而做的祷告》(*Prière pour aller au Paradis avec les ânes*)，感情真挚动人："我必须到您那儿时，上帝呀，求您／定一个好日子，在田野灿烂开花的／节日。我希望，像我在地上同样的／选一条路，好走到，只要你喜欢，／天堂，白天也见得着星星的地方……"

第十一章　戏剧中多种多样的风格与倾向

19世纪后期，20世纪初期的戏剧基本上可分为两大部分，即第二帝国时期的戏剧与第三共和国时期的戏剧。前一阶段的戏剧，以小仲马与奥吉埃为代表，主要倾向是社会写实、世态写生，虽也有轻松喜剧、滑稽剧、消遣娱乐剧等不同的风格，但远不如第三共和国时期的戏剧风格倾向多样化。在后一个时期，不仅有承袭了社会写实精神的自然主义戏剧、社会剧，而且还有心理剧、喜剧、象征剧等其他形式。

第一节　小仲马与其他同时代剧作家

1. 佳构剧与良知剧

早在浪漫主义运动鼎盛时期，法国就有一位写"佳构剧"的剧作家斯克里布，他所拥有的观众比雨果、大仲马的还要多。"佳构剧"是法国近代戏剧，特别是新喜剧的重要来源之一，因而在介绍19世纪下半叶的法国剧坛之前，有必要先提一提这位剧作家。

欧仁·斯克里布（Eugène Scribe，1791~1861）出生于巴黎一个绸布商家庭。早年丧父，学习法律，但很快被舞台吸引，1810年开始发表剧作，1815年上演《国民自卫队的一夜》（*Une Nuit de la garde nationale*），受到欢迎，此后单独或与别人合作，陆续写出戏剧作品三百五十部以上。1834年当选为法兰西学院院士。他的剧本体裁多样，主要有通俗喜剧、悲喜剧、历史剧、浪漫剧、歌剧、喜歌剧等，都以错综复杂的情节、紧凑完善的结构取胜，所以被评论家们称为"佳构剧"。他善于在剧中设置悬念，构思巧妙，适合广大市民阶层消遣，满足他们的好奇心和寻求刺激的需要。《杯水》（*Le Verre d'eau*，1840）是体现他的"从小原委酿成大变故"的哲学的代表作。《阿德里安娜·勒库弗勒》（*Adrienne Lecouvreur*，1849）是他与欧内斯特·勒古韦（*Ernest Lecouvé*，1807~1903）合写的，剧情内容颇为感人：名优勒库弗勒爱上萨克森亲王，以一束花定情，最后被亲王的情妇在花中下毒害死。《贵妇之战》（*La Bataille des dames*，1851）亦为与勒古韦合作之作，又名《爱的决斗》（*Un Duel en amour*），写一个受到追捕的拿破仑分子同时为一个伯爵夫人和她的侄女所爱，情节跌宕起伏，富于传奇性。

斯克里布思想平庸浅薄，认定重大的事故都由细小的原因促成，对社会的观察停留在表面现象上，不加分析地过分强调生活中的细枝末节和偶发事件，因而他的作品缺乏严肃的内容和深度，文笔软弱无力，未能留下典型的人物形象和传世之作，成就不大。尽管如此，他注重舞台效果的编剧技巧还是对后来不少剧作家有一定的影响。小仲马、奥吉埃、拉比什等都曾借鉴他的"佳构剧"的形式，描绘世态人情，探讨社会问题，创作出各自富有特色的戏剧作品。萨杜、费多等更是直接继承了斯克里布的传统，成为红极一时的剧作家。

1843年雨果的最后一个剧本《城堡里的伯爵》上演失败，标志着浪漫派戏剧的衰落，结束了法国戏剧史中的一章，与此同时"良知剧"应运而生，其代表剧作家是蓬萨尔。

弗朗索瓦·蓬萨尔（François Ponsard，1814~1867）是19世纪中期法国戏剧潮流转折时期的重要剧作家，他开创了"良知剧"，这是对过分夸张的浪漫剧的修正。当时的法国进入商业活跃、科学发展的时代，这些社会条件在哲学和文学中得到反映，人们崇尚唯物主义和求实精神，重新对17世纪的古典主义感兴趣，趋向理性、良知和秩序。

蓬萨尔于1814年6月1日生在法国外省维埃纳一个律师的家庭，1833年到巴黎学习法律，毕业后返回出生的城镇做了短时期的律师，同时写了一个五幕悲剧《柳克丽西娅》(*Lucretia*)。他把这个剧本带到巴黎，通过一位朋友的帮助，1843年在奥德翁剧院演出，受到欢迎，一跃而成为"良知剧"的代表作家。这个剧严格遵循古罗马历史学家李维乌斯的原著，塑造了一位烈女的形象。美丽的柳克丽西娅是贵族科拉提努斯的贤妻，被罗马暴君塔尔奎尼乌斯之子塞克斯图斯奸污。她悲愤地要求丈夫和父亲为她报仇，然后当着他们的面用匕首自尽。《柳克丽西娅》的成功并不全在本身的价值，而在于上演的时机，当时距《城堡里的伯爵》演出失败仅一个月，说明观众的欣赏兴趣已从浪漫主义的浮夸转至古典主义的严峻。从此蓬萨尔专心从事文学创作。第二帝国初期，他被任命为参议院图书管理员，但他为了保持自由而主动辞职。1853年演出他讽刺投机买卖的喜剧《荣誉与金钱》(*L'Honneur et l'argent*)，同年当选为法兰西学院院士。在上演了另一出讽刺喜剧《交易所》(*La Bourse*, 1856)之后，蓬萨尔沉默了10年，直到1866年才又发表了《恋爱的雄狮》(*Le Lion amoureux*)，接着是三幕剧《伽利略》(*Galilée*, 1867)。尽管蓬萨尔以提倡"良知剧"闻名，但他并没有坚持自己的创作主张，例如他于1850年发表的《夏洛特·科尔兑》(*Charlotte Corday*)，取材于拉马丁的《吉伦特党人》(*Histoire des Girondins*)，就是一出浪漫剧，因而他对法国剧坛缺乏持久的影响。

2. 小仲马

小仲马是法国近代戏剧的先驱者之一，第二帝国时期社会写实戏剧的代表作家。

小仲马（Alexandre Dumas fils, 1824~1895），1824年7月28日生于巴黎，是大仲马与缝衣女工卡特琳娜·拉贝的私生子，因父子姓名相同，都叫亚历山大·仲马（Alexandre Dumas），所以人们以"大"（父）"小"（子）仲马加以区别。小仲马从小靠母亲抚养，7岁时才在法律上获得父亲承认，被大仲马领回后受到常规的教育，9岁入寄宿学校，直到17岁。大仲马在巴黎过着纸醉金迷的生活，小仲马受其熏染曾一度误入歧途。但很快认识到这种生活的谬误和危险性，并由衷地产生反感。非婚生子的身份使小仲马在学校和社会受尽歧视，这种痛苦的经验促使他深入研究社会问题，立志移风易俗。他年轻时就开始文学创作，早期的长篇传奇小说《四个女人和一只鹦鹉的奇遇》(*Les Aventures de quatre femmes et d'un perroquet*, 1846) 可以看出有大仲马的影响。他随即改变方向，转而反映现实生活。1848年发表小说《茶花女》，一举成名，继而又写了几本小说。但不久就转向舞台，他的创作中产生重大影响的是戏剧作品。一生写剧本二十余部。1875年当选为法兰西学院院士。1895年11月27日去世。

小仲马具有敏锐的观察力，善于再现当时的风俗人情。他的第一部五幕话剧《茶花女》(*La Dame aux camélias*) 是根据同名小说改编的，1849年写成，由于主角是妓女而一度遭到政府禁演，直到1852年2月2日才得以首次演出。缝衣工出身的巴黎名妓玛格丽特对豪华、堕落的生活感到厌倦。税务官之子阿芒真诚的爱使一向被贵人们玩弄的玛格丽特深为感动，她把最喜爱的茶花赠送给他，渴望通过纯洁的恋爱自新。她和阿芒到巴黎附近一个村庄度夏，为了应付开销，她卖掉车、马、首饰，还打算把在巴黎的全部家产出售，还清债务，和阿芒一起过日子。但阿芒的父亲私下来找玛格丽特，要她为了他儿子的前途和他女儿的婚姻而离开阿芒。玛格丽特忍痛作出自我牺牲，恢复过去的生活。阿芒以为玛格丽特贪恋财富，愤然当众羞辱她。年轻的玛格丽特终于在冤屈和疾病的双重折磨下离开了人世。剧本《茶花女》对原著做了一些改动，取消了小说中阿芒当着玛格丽特的面和另一个妓女相好等情节，还让他不是通过玛格丽特死后留下的日记，而是通过父亲的一封信了解到事实真相，赶在玛格丽特咽气之前来同她诀别，这样做加强了这出恋爱悲剧催人泪下的艺术效果，并使批判社会偏见和虚伪道德的命题更加突出。

《茶花女》不仅是小仲马的代表作，也是法国近代现实主义戏剧的开端。过去浪漫剧描写妓女生活的不算少，但人物和场景总是虚构的。《茶花女》却是作者根据自己的一段真实经历写成的。玛格丽特的原型是年轻貌美的玛丽·杜普莱西，她从农村来到巴黎，沦落为娼，曾和小仲马相恋过一段时间，后来小仲马出国旅行，而玛丽患肺病死去，年仅 23 岁。她的悲惨遭遇触发了小仲马的激情，使他创造出一个不甘堕落、心地善良的茶花女的动人形象。玛格丽特自从爱上了阿芒，为了洗刷过去的污点，流尽最后一滴血也心甘情愿。最后在以阿芒的父亲乔治·杜瓦尔为代表的社会偏见的逼迫下，为了阿芒的安宁、名誉和前途，她宁愿捏碎自己的心死去。与原型相比，《茶花女》的人物感情虽也有夸张之处，没有完全摆脱浪漫色彩，但总的来说，女主人公那种默默的真挚的爱还是比较自然纯朴的。更重要的是，《茶花女》忠实地再现了七月王朝时期具体的社会环境，特别是揭露了巴黎上层社交界的内幕，这在戏剧史上具有划时代的意义，作品也因而有了认识的价值。整个剧本是小仲马用一个星期的时间连续写成的，显得紧凑、精练，语言也很生动。1853 年，意大利作曲家威尔第将《茶花女》谱成歌剧，使其得到更为广泛的传播。

《半上流社会》（*Le Demi-monde*，1855）也许更充分地阐明了小仲马的思想。在这个剧中,小仲马对一个重要的社会问题从事严肃的研究,从而开创了社会剧的范例。这是他第一次认真处理伤风败俗的题材,表明他厌恶放荡的生活。苏珊是一个靠阔佬供养的高级妓女,连她的情人奥利维埃都不愿娶她。她冒充男爵夫人,使一个不知底细的贵族青年雷蒙爱上了她。尽管奥利维埃几次揭发,都被苏珊巧妙地应付过去,反而更坚定了雷蒙娶她的决心,甚至要和奥利维埃决斗。最后她的面目被戳穿,一切计划归于失败。这个剧的情节发生在当时巴黎的上流社会和下层社会之间的"半上流社会",这里汇集了一切堕落的女人,她们串通一气,一方面想要爬上去,另一方面唯恐跌下来,终于在这个社会里了此一生。剧中女主人公苏珊和她周围的人物形象真实生动,使剧本成为一部出色的世态喜剧。

《金钱问题》(*La Question d'argent*,1857)写一个名叫让·吉罗的银行家,原为花匠的儿子,用卑劣的手段起家,大做投机买卖,成了暴发户。他认为:"金钱是唯一无可争议的权威。"正是凭借金钱的力量,他挤进了贵族社会,花言巧语地骗取别人的投资。他还想买到一个家境贫困的姑娘的爱情,把大批资金作为"嫁妆"转移到她名下,以便万一破产时可东山再起。正在他踌躇满志的时候,他的丑行败露,如意算盘全部落空,受到人们的鄙视。这个剧明显地批判了金钱万能的思想,对话机智,但结构比较松散。

《私生子》(*Le Fils naturel*,1858)作为小仲马的又一部重要的作品,其贡献是开创了一个新品种——主题剧。他在《私生子》的序言中强调:"戏剧不是目的,它仅是达到目的之手段……"而他写这个剧的目的就是为了论证当时有关非婚生儿童的法律和习俗是苛刻的、不公正的,应当予以修订。小仲马认为:"任何文学,如果不把完善道德、理想和有益作为目的,就都是病态的,不健康的文学。"因此他喜欢在舞台上宣讲道德教训,以便把误入歧途的人从罪恶中拯救出来,同时他又尽量使他的说教不露痕迹,取得感人的戏剧效果。《私生子》是这两者结合得较好的一个剧本。由于小仲马的出身和经历，这个剧的题材是他最关注的，他谴责对女工始乱终弃的富人，把自己的全部同情都倾注在被遗弃的母与子身上。主题剧是小仲马擅长的社会剧发展到极端的必然结果。

1860年左右，小仲马因病搁笔了几年。1864年发表喜剧《妇女之友》(*L'Ami des femmes*)，对与丈夫不和的女性心理作了深入细致的分析。此后，他又创作了两个较重要的剧本。《奥布雷夫人的见解》(*Les Idées de madame Aubray*, 1867)写孀居的奥布雷夫人鼓励一个有了私生子的少女走上正道。当她的儿子爱上这个少女时，她坚持自己的道德原则，同意了这门婚事。这个剧建立在宽恕和仁慈的基础上，虽然带有空想的色彩，却由于作者的真诚而不乏感染的力量。《克洛德的妻子》(*La Femme de Claude*, 1873)写科学家克洛德的妻子塞扎琳道德败坏，为一间谍集团利用，在窃取克洛德发明的新式大炮的图纸时，被克洛德击毙。剧中塞扎琳的结局象征放荡的恶果。这个剧充满爱国主义的激情，作者无疑受到不久前普法战争的影响。

小仲马的最后两个剧本《丹妮丝》(*Denise*, 1885)和《弗朗西荣》(*Francillon*, 1887)又回到从前的风格和题材，没有增加什么特殊的内容。他死时留下一部未完成的手稿《底比斯之路》(*Route de Thèbes*)。

小仲马的写剧技巧在于将巴尔扎克式的现实主义小说内容纳入斯克里布的佳构剧的模子中去，这就使他的剧本既集中反映了社会生活，具有一定的哲理思想，又不乏使观众感兴趣的情节。他的缺点是有时难于把这两方面结合成完整的统一体。他的作品揭示了金融贵族、大资产阶级的糜烂生活和伪善，为被侮辱与损害的妇女、儿童鸣不平，然而由于他过分注重剧本的道德效果，喜欢让剧中的某些说理人代表他指出剧本的教训，宣传改革的主张，使人不免有说教之感。而且从整体来看，他的戏剧创作的题材比较狭隘，局限在上层社会的爱情、婚姻、家庭范围之内。但小仲马作为法国现实主义戏剧创始人的贡献是巨大的，他使戏剧摆脱了纯粹的幻想和刺激，赋予了它严肃的思想和目的。他的创作主张和实践影响了整整一代的戏剧家，他们将沿着他开辟的道路，把法国的戏剧事业继续推向前进。

3. 奥吉埃

第二帝国时期另一个社会写实戏剧的重要代表作家是奥吉埃。奥吉埃开始创作的时间略早于小仲马，但其代表作发表的时间则晚于后者。

埃米尔·奥吉埃（Emile Augier，1820～1889）1820年9月17日生于法国东南部德龙省的瓦朗斯城。8岁随家庭来到巴黎，受到良好的教育，先在亨利四世中学念书，后听从父命学习法律。但他很早就对文学发生兴趣。1843年弗朗索瓦·蓬萨尔的《柳克丽西娅》一剧使奥吉埃赞叹不已，他决心加入"良知派"，用写剧来维护资产阶级的伦理道德，反对浪漫派经常宣扬的虚无主义。他向奥德翁剧院献出一部诗剧《毒芹》（*La Ciguë*），1844年5月演出受到欢迎，从此专心从事戏剧创作。

奥吉埃的创作生涯可以划分成三个阶段：

第一阶段，1844年至1853年间，他基本上属于"良知派"，写了八个剧本，其中七个是诗剧，有《女冒险家》（*L'Aventurière*，1848）、《加布里埃尔》（*Gabrielle*，1849）、《萨福》（*Sapho*，1851）、《菲利贝尔特》（*Philiberte*，1853）等。他的诗句不够自然，与现实生活的内容颇不协调，因而这些诗剧都不算成功。

第二阶段，1854年，奥吉埃在小仲马的影响下，写出《普瓦里埃先生的女婿》（*Le Gendre de monsieur Poirier*），一举成名，进入现实主义散文剧的创作阶段，主要写家庭问题，有《奥林普的婚姻》（*Le Mariage d'Olympe*，1855）、《金腰带》（*Ceinture dorée*，1855）、《青春》（*La Jeunesse*，1858）、《可怜的时髦女子》（*Les Lionnes pauvres*，1858）等。

第三阶段，从 1861 年起，奥吉埃又前进一步，开始了社会政治讽刺剧的创作阶段，写出三部曲《无耻的人们》（*Les Effrontés*，1861）、《吉布瓦耶的儿子》（*Les Fils de Giboyer*，1862）、《狮与狐》（*Lion et Renard*，1869），它们不仅有相同的主题，而且重复出现同样的人物。这个时期的作品还有《盖兰大爷》（*Maître Guérin*，1864）、《传染》（*La Contagion*，1866）、《让·德·托姆雷》（*Jean de Thommeray*，1873）。他的最后两个剧本《卡弗莱夫人》（*Mme Cavelet*，1876）和《富尚博一家》（*Les Fourchambault*，1878），涉及离婚、私生子等问题，主张婚姻应建立在感情的基础上。

奥吉埃一生写了二十几个剧本，其中有一些是和别人合作的。1857 年当选为法兰西学院院士。在他创作的后期，由于他的政治讽刺剧锋芒毕露，曾给他招来不少敌人，引起一系列的诉讼和论战，他不得不在自己创作力旺盛、作品达到成熟的时期中断写作。1878 年以后，他神经失调，到克鲁瓦西去休养，1889 年 10 月 25 日在那里去世。

五幕诗剧《女冒险家》是奥吉埃第一阶段创作的代表作，作品描写一个年轻能干的女骗子克洛兰德冒充西班牙逃亡贵族，混入一个富裕的市民家庭，把年老的家长迷得神魂颠倒，准备娶她，同时她又和儿子勾搭。最后她被揭露，同意放弃唾手可得的财产出走，这才保全了这个家庭。剧本主张用资产阶级的理性去抵制不切实际的幻想，表现出"良知剧"的特点，但其中人物的情感并没有完全摆脱浪漫精神的影响。

《普瓦里埃先生的女婿》是奥吉埃的现实主义散文喜剧的代表作，与儒勒·桑多（Jules Sandeau，1811~1883）合作写成，1854 年在巴黎首演。普瓦里埃是个布商出身的富裕资产者，他替贵族女婿加斯东·德·普雷东清偿了债务，让他过上阔绰的生活，就以为有权求他帮助自己得到爵位，不料遭到拒绝。普瓦里埃恼羞成怒，决计把败家的女婿赶出家门。这时他又发现加斯东要为从前的情妇去决斗。他的女儿安托瓦内特为爱护丈夫的名声，把父亲掌握的证据烧掉，但提出只有加斯东肯为她放弃决斗，她才原谅他。加斯东发现自己已真正爱上妻子，表示痛悔，愿意听从她的愿望，于是安托瓦内特也收回自己的条件。幸亏加斯东的对手主动放弃决斗，这才解决了矛盾。只有普瓦里埃先生不可救药，还在幻想受封为法兰西贵族。这个讽刺剧根据桑多的小说改编，题材并不新颖，承袭了莫里哀的传统，写两个阶级——衰落的贵族阶级和虚荣的资产阶级的结合，但反映了第二帝国初期新的时代特点，写得十分细腻，主要人物的个性相当鲜明。

在社会政治讽刺剧中，《吉布瓦耶的儿子》是他的代表作。主角是《无耻的人们》中的两个人物：记者吉布瓦耶和德·奥伯里夫侯爵。吉布瓦耶做了父亲，他的儿子马克西米利安·热拉尔是在远离丑恶的环境中长大的，不知自己是吉布瓦耶的儿子。他是一个新贵族马雷夏尔的秘书。这个暴发户千方百计想在政界成功，为此他必须依靠某个名声有问题的男爵夫人。这时需要有篇维护教权派的演说，吉布瓦耶替马雷夏尔代笔写了一篇权威的发言稿。但男爵夫人希望马雷夏尔和德·奥伯里夫侯爵断交，而后者是那一派的旗手。马雷夏尔随即改变主意，委派马克西米利安另给他写了一篇反神职人员的演说词。他发言获得极大成功，即将在议院获一席位。吉布瓦耶看见马克西米利安继承了他写抨击文章的才能，想把儿子带到美洲去，以免他在巴黎社交圈中腐化堕落。马雷夏尔反对说："谁将为我写演说词？"为了挽留马克西米利安，提出把女儿嫁给他。年轻人从此不愁吃喝，可以名正言顺地发挥他的才能。吉布瓦耶只好独自去美洲重建生活。这个五幕讽刺喜剧曾引起激烈的论战，因为有人认为它矛头指向神职人员，其实作者的意图只不过要指出并谴责同时代人的恶习。

奥吉埃是法国19世纪优秀的剧作家之一，他在开创现实主义社会剧方面与小仲马有同样的声望。小仲马无疑是先锋，在戏剧界首先举起现实主义的旗帜，奥吉埃紧跟在后，巩固了小仲马开辟的阵地。奥吉埃前期所写的抨击浪漫主义哲学的"良知剧"为现实主义社会剧的出现铺陈了道路，因而小仲马的《茶花女》演出不到两年，奥吉埃就发表了他的第一部反映现实的剧本《普瓦里埃先生的女婿》。奥吉埃洞察19世纪中期法国人民的生活和思想，他的剧本深深扎根在法国的土壤中。他崇尚自由资产者的精神，站在秩序一边，把家庭视为社会的基础，反对金钱的腐蚀作用，维护婚姻的神圣义务。奥吉埃有其保守的一面。在《普瓦里埃先生的女婿》一剧中，他以十分宽容的态度处理贵族阶级和资产阶级的结合，这是法国革命后的一个重要问题。他清醒地看到这两个阶级的恶习，例如加斯东侯爵的游手好闲、傲慢、挥霍，普瓦里埃先生的目光短浅、虚荣、吝啬，同时他也肯定了他们各自的长处，前者的勇敢、文雅、慷慨，后者的勤奋、节俭、务实，然后他通过婚姻关系，特别是小两口的互爱互让，使两个阶级联合起来。

奥吉埃和小仲马都维护家庭，但奥吉埃在反对腐化堕落方面更为严峻。在《奥林普的婚姻》中，他写女主人公奥林普从良当上伯爵夫人之后恶习难改，继续偷情，并耍弄阴谋诡计，最后被丈夫杀死在舞台上。奥吉埃不同意小仲马在《茶花女》中为妓女恢复名誉，但走向另一极端，认为妓女难以改造，甚至把她处死，这在当时的法国也难以被观众接受。在《可怜的时髦女子》中，他对奢侈的危险性提出有力的警告。

在奥吉埃塑造的众多典型形象中，盖兰大爷是突出的一个。他是以公证人面貌出现的无赖，千方百计地欺骗主顾。他丧失了所有良好的感情，被妻子和儿子抛弃，仍不悔悟。他崇拜金钱，但并不想把钱存入保险箱，而是要买爵位和别墅，这是19世纪法国资产阶级追求的目标。《无耻的人们》《吉布瓦耶的儿子》中的吉布瓦耶是个更为复杂的形象。他出身下层家庭，碰巧受过高等教育。他把自己的笔、才能、信念出卖给一家报社，通过自己也不相信并憎恶的理论把公众引入歧途。他甚至堕落到作为记者敲诈勒索。但他热爱自己的孩子，希望儿子受到良好教育，造就成一个正派人。

在写作技巧方面，奥吉埃和小仲马都采用"佳构剧"作为情节的基础，剧中充满悬念。不同之处是奥吉埃更注重突出人物的性格，他的情节不如小仲马的情节那么紧凑和富于刺激性，而是比较自然，合乎逻辑。

4. 其他同时期的剧作家

欧仁·拉比什（Eugène Labiche，1815~1888），1815年5月5日生于巴黎一个富裕的企业主家庭。中学毕业后学法律，同时从事文学创作，向报刊投稿。最早的剧本《水盆》（*La Cuvete d'eau*）发表于1837年。次年的轻松喜剧《德·夸斯兰先生》（*Monsieur de Coislin*）引起了人们的注意。他接着陆续写了一百七十多个剧本，大部分与别人合作，在法兰西喜剧院等剧院演出。1878年至1879年出版的《拉比什戏剧全集》（*Théâtre de Labiche*），共十卷，由埃米尔·奥吉埃作序。1880年当选为法兰西学院院士。1888年1月13日卒于巴黎。

拉比什的创作大致可分为两类。一类是带有闹剧性质的喜剧，缺乏严肃的思想内容，仅仅为了逗乐，但妙趣横生，演出效果较好，代表作有五幕剧《意大利草帽》《集体积钱箱》等。另一类剧本反映现实生活，具有哲理性，数量不多，但文学价值较高，其中最著名的是《佩里雄先生旅游记》《迷眼的沙子》《恨世者和奥弗涅人》等。他的剧作的共同之处是引人发笑，把法国庸俗的资产阶级漫画化。

《意大利草帽》（*Le Chapeau de paille d'Italie*）由拉比什与马克-米歇尔（Marc-Michel，1812~1868）合写，1851年演出获得成功，1927年搬上银幕。这是19世纪下半叶法国典型的轻松喜剧。一个新郎在准备结婚之日，他的马啃坏一顶女人的草帽。这个女人名叫阿娜伊斯，是偷偷出来与情夫幽会的，新郎不得不为她四处奔走去找一顶同样的草帽顶替。帽店老板说这是意大利草帽，只有男爵夫人有一顶。新郎赶去，男爵夫人已把草帽送给她的教女。新郎又赶到教女家，原来这家的主人就是阿娜伊斯的丈夫。新郎跑回来急得走投无路，无意中发现叔叔送给他的结婚礼物就是意大利草帽。阿娜伊斯的丈夫追来时，她已戴上这顶帽子。新郎的丈人也解除了误会，结局是皆大欢喜。《集体积钱箱》(*La Cagnotte*，1864) 写一些外省赌徒共同抽头攒钱去巴黎游览，路上闹了种种笑话。

《佩里雄先生旅游记》(*Le Voyage de monsieur Perrichon*) 由拉比什与埃德蒙·马丹 (Edmond martin) 合写，1860 年首次演出。资产阶级暴发户佩里雄先生带着百依百顺的妻子和一个可爱的女儿去瑞士旅游，有两个年轻人争着追求他的女儿。阿尔芒在冰川上救了佩里雄先生的命，还处处为他效劳，结果引起死要面子的佩里雄先生的反感。达尼埃尔却故意让佩里雄先生救自己的命，阿谀奉承博得他的欢心。女儿爱忠厚的阿尔芒，自私的父亲偏偏中意达尼埃尔。这几乎酿成悲剧。但最后佩里雄先生终于认清达尼埃尔的面目，把女儿许配给阿尔芒。这个剧对资产者佩里雄爱好虚荣的心理刻画得淋漓尽致。

两幕剧《迷眼的沙子》(*La Poudre aux yeux*，1861) 通过两家人为儿女定亲，竞相讲排场，弄虚作假，几乎下不了台，取笑了小资产阶级的虚荣心。独幕剧《恨世者和奥弗涅人》(*Le Misanthrope et l'Auvergnat*，1852) 描写一向愤世嫉俗的有钱人希福内丢了贵重的钱包，没想到一个贫穷的奥弗涅人捡到后送还了他。他认为找到了知己，要求奥弗涅人永远对他说真话，但不久他就陷入狼狈的境地，宁愿拿出一半的财产把耿直的奥弗涅人打发走。

拉比什继承了法国中世纪笑剧和莫里哀喜剧的传统，是近代法国重要的喜剧家之一。他对社会生活和人物心理有细致的观察，剧作诙谐幽默，使人看了忍俊不禁。

亨利·梅拉克（Henri Meilhac，1831～1897）与吕多维克·阿莱维（Ludovic Halévy，1834～1908）都生于巴黎，两人都从19世纪50年代开始创作，1860年相遇，从此紧密合作。1860年至1880年间，他俩共同写了50来个剧本，大多是喜剧和歌剧，几乎都受到欢迎。他们的幽默、风趣、机智和纯粹巴黎式的讽刺使广大观众得到娱乐，同时也获得教益。他俩合写的第一个剧本是喜剧《男人喜欢的事》(Ce qui plaît aux hommes，1860)，以后又有《巴汝奇的羊》(Les Brebis de Panurge，1863)、《弗露-弗露》(Frou-Frou，1869)、《小侯爵夫人》(La Petite marquise，1874)、《初登台的女演员的丈夫》(Le Mari de la débutante，1879)等。

梅拉克和阿莱维的成就还在于他俩为雅克·奥芬巴赫（Jacques Offenbach，1819～1880）的轻歌剧写的歌剧剧本。他们3人的合作开始于1863年的滑稽歌剧《巴西人》(Le Brésilien)，以后又有《美丽的海伦》(La Belle Hélène，1864)、《蓝胡子》(Barbe-bleue，1866)、《巴黎生活》(La Vie parisienne，1867)、《群盗》(Les Brigands，1869)、《小公爵》(Le Petit duc，1878)等，这些歌剧曾风行一时。梅拉克和阿莱维还分别独自或同别人合作写过一些作品。阿莱维于1884年当选为法兰西学院院士，同样，梅拉克则于1888年当选。两人都卒于巴黎。

五幕正剧《弗露-弗露》是他俩的代表作。"弗露-弗露"意为"炫耀"，是可爱而任性的少女吉尔贝特的外号。她的姐姐路易丝性格同她相反，爱上庄重的萨托里先生，但萨托里却喜欢弗露-弗露，并娶了她。结婚后，弗露-弗露越发受到宠爱，家务事一概由姐姐帮助承担，她轻浮的毛病有增无减，竟然跟一个伯爵私奔。她丈夫找到了他们，在决斗中将她的情人杀死，弗露-弗露回家后郁郁死去。剧本写得哀婉动人。弗露-弗露性格突出,从本性来说她并不是一个坏女人,她的最后结局是由众多原因造成的,作者在这方面作了细致的分析。

四幕滑稽歌剧《巴黎生活》写3个天真的外国人来到巴黎,落入两个爱耍恶作剧的人手中。他俩声称要领他们去见识法国的"上流社会",实际上让一些同伙装扮成贵族男女陪他们吃喝玩乐,对他们极尽耍弄之能事。这个剧摆脱了歌剧中一向占统治地位的神话剧的窠臼,直接表现了第二帝国时期的生活场景。

爱德华·帕耶隆(Edouard Pailleron,1834~1899),1834年9月17日生于巴黎,学习法律,毕业后做过公证人的书记和律师。1860年开始戏剧创作,在奥德翁剧院演出《寄生虫》(Le Parasite),他富于才智,一生写了十几个剧本,既有诗体的,也有散文体的,如《下弦》(Le Dernier quartier,1863)、《假家庭》(Les Faux ménages,1869)、《小雨》(Petite pluies,1875)、《青春期》(L'Age ingrat,1878)、《火花》(L'Etincelle,1879)等。1881年在法兰西喜剧院演出《讨厌的社会》(Le Monde où l'on l'enuie),名声大振,随即被选入法兰西学院。此后又发表《小老鼠》(La Souris,1887)、《蹩脚演员》(Cabotins,1894)等剧。1899年4月20日卒于巴黎。

三幕世态喜剧《讨厌的社会》是帕耶隆的传世之作。雷蒙偕新婚夫人到雪兰伯爵夫人家短期做客,处身在一个"所想的绝对不是所说的"社会中间。他要年轻的妻子在伯爵夫人主持的沙龙里见见世面,因为"许多人的名誉、地位、选举,都在这儿造就,在这儿改变,在这儿高价出卖。外面挂着文学与艺术的招牌,里面却是一班滑头的人在做生意。这儿乃是国务院的后门,学院的外厅,成功的实验室"。于是,夫妻俩尽可能按环境的要求行事,年轻的夫人不由自主地做出一些笨拙的举动,但都能巧妙地予以补救,最后他们设法从这个讨厌的社会中摆脱出来。剧本对当时法国上流社会的一些恶习作了真实的反映和讽刺，其中那些虚荣、浅薄的贵妇们对时髦的哲学教授毕拉克的盲目崇拜，令人联想起莫里哀的《女学者》中的场面。此剧结构谨严，情节曲折有趣，对话机智生动，符合人物的身份和性格，具有较高的艺术性，是这个时期法国戏剧的重要成就之一。

帕耶隆创作的其他剧本大多是些短喜剧，影响都不能同《讨厌的社会》相比。《青春期》由于绘声绘色地描述一个外国女人主持的沙龙而受到左拉的赞赏，他在《我们的剧作家》一书中认为，这是"从生活中撷取的真实画面"，"肯定在朝着自然主义戏剧前进"。但这个剧的中心情节却是平庸的，写一个单身汉试图安慰一个与丈夫分居的妇人。《火花》是只有3个人物的独幕剧，写一个少女的心被爱的火花打动，可是她的情人却舍弃她而娶了一个将军的遗孀。

维克托里安·萨杜（Victorien Sardou，1831~1908），1831年7月7日生于巴黎，原学医，后任哲学、数学、历史辅导教师，同时为杂志写文学作品。第一部剧作《大学生酒店》（*La Taverne des étudiants*）于1854年演出没有成功，后又写了几个剧本，均未得到上演机会。1858年与女演员德·布蕾库小姐结婚，同戏剧界往来密切，终于在1859年以《费加罗的初征》（*Les Premières armes de Figaro*）和翌年的《蝇头小字》（*Les Pattes de mouche*）引起注意，从此写作不懈，发表了几十个剧本，最后演出的是历史剧《毒案》（*L'Affaire des poisons*，1907）。萨杜还写有几部小说，1877年当选为法兰西学院院士。1908年11月8日卒于巴黎。

萨杜写作的范围极广，各种体裁的剧本几乎无所不涉。他师承斯克里布的"佳构剧"传统，情节安排紧凑、巧妙，想象力丰富，对话生动，技巧圆熟，注重剧场效果，卖座率高，因此他的剧本当时在各剧院竞相演出。但由于他过分以性格迁就情节，人物不够自然、真实，评论界一般认为其剧作文学价值不高，缺乏持久的艺术生命力。写得较好的仅《祖国》《怨恨》等有限的几个剧本。

五幕历史剧《祖国》(*Patrie*，1869）以 16 世纪的尼德兰革命为背景，写爱国志士李索伯爵为把祖国从西班牙奴役下解放出来，密谋将起义领袖威廉亲王引进布鲁塞尔城内。这时他发现妻子多洛蕾与他的战友卡洛私通，但以大局为重，未加计较。后因有人告密，李索的行动失败。临死前他要卡洛答应查明叛徒予以严惩。但叛徒就是多洛蕾，她为了救情人的性命而出卖了丈夫。失望的卡洛遵守了诺言，杀死多洛蕾后也去就义。这个剧情节曲折，1886 年曾改编成歌剧演出。

五幕剧《怨恨》(*La Haine*，1874）中骄傲的姑娘柯德丽娅以为奥索侮辱了她，趁战争混乱之际暗杀他，后又出于怜悯把他救活，从怨恨渐渐转为爱情。奥索提出要娶她为妻，但柯德丽娅的兄弟不同意，强迫她吞下毒药。众人以为她得了瘟疫，把她关在大教堂内，只有出征归来的奥索竭力想挽救她，但为时已晚，最后双双死去。

除上述两剧外，萨杜还写了大量的轻松喜剧，较有代表性的是风俗喜剧《新居》(*Maison neuve*，1867）、闹剧《我们离婚吧》(*Divorçons*，1880）、政治社会喜剧《拉巴加》(*Rabagas*，1872）、历史喜剧《无拘束夫人》(*Madame Sans-Gêne*，1893）等，其中少数是和别人合写的。五幕剧《托斯卡》(*La Tosca*，1887）以建立罗马共和国的起义运动为背景，写歌女弗洛丽娅·托斯卡的曲折遭遇，曾改编成歌剧，由普契尼（Puccini，1858～1924）谱曲，流传较广。

第二节　自然主义戏剧

自然主义戏剧直接来源于左拉，左拉在《戏剧中的自然主义》与《我们的剧作家》两部理论著作中，大力宣传了自然主义戏剧的主张，召唤自然主义戏剧的诞生："我期望剧作家在舞台上能塑造出取自现实生活、经得起推敲、有血有肉、不说假话的人物。我期望不再看到凭空杜撰的人物，不再看到仅仅作为善恶象征，而对认识世道人心毫无价值可言的人物。我期望看到描写环境决定人物的作品，而人物的所作所为又能符合事理，符合各自的禀性。我期望剧作家不要再借助什么法术魔棒之类，刹那之间改变事件和人物的面貌。我期望他们不要再讲那种令人难以置信的故事，不要添油加醋糟蹋正确的观察所得，把剧本里原有的那些好东西也破坏殆尽。我期望能把尽人皆知的窍门，用滥的俗套，以及廉价的眼泪和笑料，统统抛却不要。我期望舞台上能去掉装腔作势的朗诵，夸张的语言和过火的感情，使作品具有真实的品性，哪怕真实的世态里含有可怕的教训。最后，我期望发端于小说的演变，在戏剧中得以完成；为此，戏剧应到科学和现代艺术的源泉里汲取滋养，在探索自然，解剖人类，描摹人生时，笔触不仅应当准确，尤其因为前人从未在戏剧舞台上作过这种尝试，而应该独创有力。"这就是左拉理想中的自然主义戏剧。

左拉本人在戏剧写作方面也作过不少尝试，主要是将他的小说移植于舞台，最成功的是根据他的同名小说改编的《戴蕾斯·拉甘》。其他重要剧本还有《拉布丹家的继承人》(*Les Héritiers Raboudin*, 1874)、《玫瑰花蕾》(*Le Bouton de rose*, 1878)等。他最后的剧本《勒内》(*Renée*, 1880)，也是根据他的小说《贪欲的角逐》改编的。左拉还帮助别人把他的一些重要小说改编成戏剧，其中以威廉·布斯纳克(William Busnach)的《小酒店》(*L'Assommoir*, 1879)比较成功。布斯纳克改编的《萌芽》1885年被禁演，1888年演出后又遭到尖刻的抨击，使左拉最终放弃了改编活动。左拉曾多次在文章中大声疾呼，希望有"天才人物"出来创作自然主义剧本，并认为这对于戏剧是生死存亡的问题，虽然这种真正称得上"天才人物"的作家并未出现，但在左拉的大力提倡下，自然主义戏剧中也有了贝克这样有才能的代表，而自然主义戏剧理论则得到了安托万和他的自由剧院的支持。

1. 贝克与米尔博

亨利·贝克（Henry Becque，1837～1899），1837年4月28日生于巴黎一个书记员家庭，受过中等教育，从小自己谋生。1854年起在铁路局当雇员，1856年任经纪人的办事员，服兵役后给一些学生个别授课。近30岁时写了一个歌剧剧本《萨丹纳帕路斯国王》（*Sardanapale*，1867），1868年，他的另一个歌舞剧《浪子回头》（*L'Enfant prodigue*）上演，两年后又发表五幕剧《米歇尔·波佩》（*Michel Pauper*）。同年参军回来写出三幕剧《诱拐》（*L'Enlèvement*），上演失败后改任《人民报》的戏剧专栏编辑。直到1878年又发表一出独幕喜剧《梭子》（*La Navette*），1880年演出《正派的女人》（*Les Honnêtes femmes*），这两个剧本均获得成功。从此恢复创作自信心，相继演出了其代表剧作《群鸦》（1882），以及《巴黎妇女》（1885）。

四幕剧《群鸦》（*Les Corbeaux*）写大工业家维涅龙在为小女儿订婚而举行家宴时突然中风死去，使他的遗孀、3个女儿和一个儿子陷于慌乱之中。"群鸦"——维涅龙的合伙人泰西埃、财产经纪人、建筑师等等，一起扑向孤儿寡母，争夺死者的遗产。维涅龙夫人不得不变卖工厂和地皮，搬进简陋的旧屋，儿子入伍服役，二女儿想靠教音乐挣钱而受到嘲笑，小女儿因对方解除婚约而精神失常，各种商人还前来索债。最后，维涅龙的年方20岁的大女儿玛丽决定自我牺牲，同意嫁给年过60的泰西埃老头，由他去对付其他贪婪的乌鸦，这才挽救了面临破产的家庭。《群鸦》是暴露社会阴暗面的自然主义戏剧，赤裸裸地表现了资本主义社会中弱肉强食的罪恶现象。

三幕讽刺喜剧《巴黎妇女》（*La Parisienne*）写女主人公克洛蒂尔德·德·梅尼尔的丈夫依靠妻子的色相向上爬。克洛蒂尔德因情夫拉丰过于嫉妒想同他断绝关系，去爱另一个年轻的情人，但不久遭后者遗弃，又回来找拉丰，恢复过去平静的生活。作者以罕见的魄力将资本主义社会中肮脏不堪的家庭生活内幕展示出来。

《巴黎妇女》被左拉评为"一部杰作"，但它表现乏味的日常琐事，难以维持观众的兴趣，1890年在法兰西喜剧院演出失败。贝克感到失望，离群索居。他着手编一部揭露金融投机的大型喜剧《丑陋的人们》(Les Polichinelles)，但写了10来年未完成，死后由别人根据他的手稿整理成一出四幕剧。他于1899年4月12日在巴黎去世。

贝克是19世纪法国自然主义戏剧的代表作家。他拥护左拉的理论，反对小仲马、奥吉埃等因袭的主题剧传统，厌恶华丽的辞藻和复杂的情节，主张把日常生活如实搬上舞台。他的剧本没有明显的结尾，剧中也没有说教的人，一切让观众自己下结论。他的剧作严峻、精确，人物性格鲜明，并夹杂尖锐的讽刺，但带有悲观色彩。

除了剧本之外，贝克还著有三卷论文集：《文学论战》(*Querelles littéraires*, 1890)、《一个剧作家的回忆录》(*Souvenirs d'un auteur dramatique*, 1895) 和《对戏剧艺术的研究》(*Etudes sur l'art dramatique*, 1926)。

除贝克外，自然主义戏剧还有另一位重要作家：米尔博。

奥克塔夫·米尔博 (*Octave Mirbeau*, 1848~1917)，生于卡尔瓦多斯省的特雷维埃尔一个公证人家庭，早年丧母，对父亲怀有可怕的回忆。他到巴黎学法律，1872年起从事新闻工作。1883年参加创办讽刺周刊《鬼脸》(*Les Grimaces*)。他的小说《髑髅地》(*Le Calvaire*, 1887)、《于勒神甫》(*L'Abbé Jules*, 1888) 等反映现实，表现出他的反教权和反军国主义的思想。他揭露社会弊病的小说中最出名的是《一个侍女的日记》(*Le Journal d'une femme de chambre*, 1900)。

米尔博写有九个剧本。他的戏剧的最大成就是《生意就是生意》，此外尚有收在《闹剧与寓意剧》（*Farces et moralités*，1904）中的一些剧本，其中《可恶的牧羊人》（*Les Mauvais bergers*，1897）猛烈抨击错误的政治家，三幕剧《家》（*Le Foyer*，1908）由米尔博与纳唐松（Thaddée Natanson）合写，通过孤儿院的发起人图谋私利，揭露救济事业的虚伪性。

《生意就是生意》（*Les Affaires sont les affaires*，1903），是自然主义戏剧中最卓越的作品之一。这出三幕剧与贝克、列那尔的剧本一脉相承，暴露社会的丑恶面。贪心的投机商伊西多尔·勒夏不择手段地发了大财，办起报纸，还想当议员。他的女儿热尔梅娜和他的雇员加罗私下相爱，但勒夏自作主张，要把女儿嫁给破产贵族波塞莱侯爵的儿子，因为他向往贵族的头衔，还想通过侯爵的社会关系向上爬。热尔梅娜不愿父亲在他的投机事业里把她当作诱饵、筹码，轻蔑地拒绝了这门亲事。勒夏褫夺了他女儿的继承权，把她赶出家门。紧接着，消息传来，他心爱的儿子又因车祸丧生。然而，当两个工程师递给他一份合同让他签字时，他仍不忘仔细审阅，让他们在上面加写一条保证他的利益的附则，而正是这时，他儿子的尸首运了回来，他妻子因痛苦而晕倒在地。在这个剧中，米尔博成功地塑造了一个唯利是图、铁石心肠的投机商人的形象，他的信条是：生意就是生意，讲生意便讲不得仁爱。为了追求自己的直接利益，他连骨肉之情都不顾了。

米尔博于1896年当选为龚古尔学院院士。

2. 安托万与自由剧院

安德烈·安托万（André Antoine，1858~1943），生于利摩日一个普通的家庭。童年时代随家长迁居巴黎，很早就不得不在煤气公司当职员谋生，完全靠自学成才。他从小热爱戏剧，深受左拉的自然主义创作理论的影响。他在困难的物质条件下创办自由剧院（Le Théâtre libre），1887年3月29日和30日首次演出四个短剧，包括根据左拉的短篇小说《雅克·达穆尔》(*Jacques Damour*)改编的剧本。

1887年至1894年，安托万领导自由剧院期间，共演出了一百多部戏，由于他没有自己的剧场，每部戏演出一般不超过3次。1896年至1906年，他负责一座正规的剧院：安托万剧院（Le Théâtre Antoine）。1906年至1914年，他领导奥德翁剧院（L'Odéorn）。最后，在破产的威胁下，他过早地结束了剧团负责人和导演的生涯，以后只写一些剧评。

安托万从事了一场真正的戏剧革新运动。他反对当时流行的斯克里布、萨杜的"佳构剧"和庸俗的商业戏剧。按照左拉的理论，他肯定环境决定剧中的情节和人物的行动，为此他特别重视布景的真实性，精心加以制作。编剧受舞台的制约，必须先建立房屋，截其一面，即去掉"第四堵墙"，然后让情节适应已定的环境开展起来，这样背景就不再是次要的，而成为首要的。

安托万对戏剧活动进行广泛的改革，他的口号是："新的剧本，舒适的剧场，便宜的票价，通力合作的剧团。"他不赞成商业化的明星制。事实上，安托万组织的是早期的"人民戏剧"运动。在法国，莫里斯·波特谢（Maurice Pottecher，1867～1960）于1895年在比桑创办了人民剧院（Le Théâtre du Peuple）。接着，罗曼·罗兰在《人民戏剧，一种新戏剧的美学》(*Le Théâtre du peuple, essai d'esthétique d'un théâtre nouveau*，1903)中阐述了"人民戏剧"的理论。安托万推动的事业，由自由剧院的演员菲尔曼·热米埃（Firmin Gémier，1869～1933）继承，他后来成了国家人民剧院（Le Théâtre national populaire）最早的领导人。

安托万推崇贝克的剧本，但从未演出过，因为这位自然主义剧作家的两部代表作在自由剧院成立之前就已公演过了。不过他发现了另一位自然主义剧作家乔治·昂塞（Georges Ancey，1860～1917），演出了他的《鳏夫学堂》(*L'Ecole des veufs*，1889)、《受骗者》(*La*

Dupe，1892）等剧，只是这个作者的观点过于悲观，影响不大。他也演过儒勒·列那尔的剧本。安托万不限于重视自然主义，他还发现了许多新的剧作家，如伯里厄、居雷尔、波托-里什、伯恩斯坦、库特林等，演出了他们的作品。他也向法国观众介绍了许多外国名剧，如易卜生的《群鬼》和《野鸭》，斯特林堡的《朱莉小姐》，霍普特曼的《织工》，托尔斯泰的《黑暗的势力》，莎士比亚的《李尔王》等。

安托万把舞台看成封闭的场所，因而自由剧院向观众推荐的往往只是一个又一个"生活的截面"，不是连续和发展的生活。他主张演员不必总是面向观众，也可背对着观众演出。由于他遵循自然主义的理论，过分强调细节的真实，在他导演的戏剧中，曾出现把大块猪肉挂在布景上，让活鸡在舞台上觅食等场面。自然主义戏剧很快趋向衰落。与真实的环境等观念最终决裂，是由另一位推重象征主义的戏剧活动家吕涅-珀和他领导的作品剧院实现的。

第三节 社会剧

1. 伯里厄

欧仁·伯里厄（Eugène Brieux，1858~1932），生于巴黎，他是木匠的儿子，从小了解下层人民的生活，曾长期担任记者，喜爱戏剧。21岁时与别人合写了一部独幕诗剧。1890年在自由剧院上演喜剧《艺术家的家庭》（*Ménages d'artistes*）。1892年演出《白姑娘》（*Blanchette*），受到观众欢迎，奠定了他的声誉。

伯里厄继承了小仲马、奥吉埃的传统，创作社会问题剧，讽刺与批评当时的不良习俗及社会弊病，涉及的范围相当广泛，如写父母溺爱的《一窝雏》（*La Couvée*，1893），写贿选问题的《纠葛》（*L'Engrenage*，1894），写假冒伪善的《慈善家》（*Les Bienfaiteurs*，1896），写婚姻问题的《杜邦先生的三个女儿》(*Les Trois filles de M.Dupont*, 1897)，写离婚问题的《摇篮》(*Le Berceau*, 1898)，写赌博问题的《赛马的结果》(*Le Résultat des courses*, 1898)，写司法问题的《红袍》(*La Robe rouge*, 1900)，写奶妈问题的《替身》(*Les Remplaçantes*, 1901)，写花柳病问题的《梅毒患者》(*Les Avariés*, 1902)，写优生学问题的《母性》(*Maternité*, 1903)，写国民性问题的《法国妇女》(*Les Françaises*, 1907)，写宗教问题的《信仰》(*La Foi*, 1910)等等。由于他的剧作大多充满道德说教的意味，因而也被有些评论家称为教训剧。

三幕剧《白姑娘》讽刺法国教育制度不切合实际。"白姑娘"是女主人公艾莉丝·鲁塞的爱称。她是乡村旅店老板的女儿，上了几年学。剧本描写她毕业后在家里无法施展抱负，到巴黎后当过家庭教师和女工，仍然找不到理想的工作。她对人生的种种幻想破灭后返回故里，嫁给她本来拒绝的一个青年农民。这个剧对社会环境作了现实主义的描绘。

四幕剧《红袍》抨击司法界的腐败和黑暗，剧情紧凑、尖锐，是伯里厄的代表作。剧本围绕争夺上诉法院推事一职之事，揭露了野心勃勃的司法人员滥用权力，只关心晋级而不主持正义。莫莱翁城的预审法官穆宗既无耻又卑鄙，比检察官瓦格雷更为狡猾，他依靠一位议员的支持，使自己得到了上述职位的任命。他诬告无辜的埃查帕尔谋杀一位老人，把他送上重罪法庭；瓦格雷主张判处死刑，直到最后关头才产生怀疑，对陪审团作了干预。但埃查帕尔及其家庭却因而被毁，诉讼期间，他不仅丧失了财产，而且由于穆宗有意透露，得知了他的妻子娅纳塔过去的错误。娅纳塔绝望之下，在终场时杀死了穆宗。这个剧演出获得很大成功。穆宗的形象写得甚为生动，虽然结局有些牵强，仍能给观众留下深刻的印象。

伯里厄是社会改革家，坚持创作严肃而有教育意义的戏剧。他的观察力很敏锐，剧中有不少真实可信的生活场面。但他的戏剧结构不够完善，对人物性格缺乏细致的分析，为此也受到一些批评。

伯里厄于 1910 年当选为法兰西学院院士。

2. 居雷尔

弗朗索瓦·德·居雷尔（François de Curel，1854～1928），生于法国东北部梅斯市一个富裕的家庭，父亲原是洛林地区的贵族地主兼大工业家。居雷尔中学毕业后，进入技艺和制作中心学校深造。1870 年普法战争后，法国割让了阿尔萨斯和洛林的东部，居雷尔放弃了继承父亲做冶金工厂厂主的道路，退隐到故乡的大森林里读书、思索，准备从事写作，但直到 1885 年才发表第一部小说《干果的夏天》(L'Eté des fruits secs)。此后，他继续写小说和短篇故事，直到 1889 年。

居雷尔写的小说都不大成功，于是他听从评论家夏尔·莫拉斯（Charles Maurras，1868～1952）的意见，改写剧本，终于被自由剧院的创建人安托万"发现"。他曾以不同的笔名，给安托万寄去三个剧本，都被接受了。第一个剧本《圣女的反面》(L'Envers d'une sainte) 于 1892 年公演，受到评论界赞扬，使居雷尔一举成名。第二个剧本《水里逃生者》(Sauvé des eaux) 经过两次改写，最后定名为《镜子前的舞蹈》(La Danse devant le miroir，1914)。第三个剧本《女配角》(La Figurante) 虽非代表剧，1896 年演出时舞台效果却较好。

当居雷尔的第一个剧本正在排练时，他写出另一个剧本《化石》(Les Fossiles)，1892 年在自由剧院上演。他早期的剧作还有《女宾》(L'Invitée，1893)。

1897 年至 1902 年是居雷尔戏剧创作的高峰，他接连写出三个剧本：《新偶像》(La Nouvelle idole，1895 年发表，1899 年演出)、《狮子的食料》(Le Repas du lion，1897 年演出，1920 年重写)、《蛮女》(La Fille sauvage，1902)。

1906 年发表了《振翼》(Le Coup d'aile) 之后，居雷尔暂停写作，13年未发表新剧本。1914年8月，第一次世界大战爆发前三天，他不得不离开德国占领的洛林，到瑞士去生活。返回法国时，他被选为法兰西学院院士（1919），同年发表《疯狂的心灵》(*L'Ame en folie*)。后来又写了几个剧本。1927年12月27日，居雷尔被一辆汽车撞伤，从此没有恢复健康，1928年4月25日卒于巴黎。

《化石》又译《老顽固》，显然受自然主义戏剧理论的影响，像亨利·贝克所写的讽刺喜剧那样展示生活中的阴暗面。在法国阿登省一座古老的宅邸内，住着尚特梅尔公爵夫妇，他们的儿子罗贝尔和女儿克莱尔。罗贝尔患了肺痨，自知死期不远，向母亲坦白，说自己和一个叫埃莱娜的姑娘有过恋情，而且秘密生下一个男孩。埃莱娜是克莱尔的同学，出身贫穷，曾在尚特梅尔家住过一段时期。公爵了解真情后，决定立即让罗贝尔和埃莱娜结婚。但克莱尔深知埃莱娜生性软弱，和公爵也有过可耻的关系，便竭力反对。于是公爵用大义来说服女儿：不管那男孩是谁生的，总归是他们家的后代。为了使尚特梅尔家族后继有人，克莱尔同意妥协，最后还准备按照罗贝尔的遗言，把埃莱娜母子带到别处去，负责教养那男孩，使他得以过真正高贵的生活。在这个剧中，尚特梅尔父女俩在伦理观念上的激烈冲突，最后是以"无后为大"的封建贵族的道德准则来加以解决的。

《新偶像》写外科医生多纳把科学作为"新偶像"狂热崇拜。有一天，为了研究致命的传染病菌在人体内如何起作用并寻求解药，他拿一个被他认为患了不治之症的小女孩做实验，把病菌注入她的血中，不料女孩的病却好了。这使他大惑不解。他把病菌注入自己体内，临终前记下传染的过程。《狮子的食料》写劳资关系。居雷尔把资本家和大工业家看作公共福利因素，肯定他们对财富和奢侈的追求。

居雷尔写作时，"主题剧"正在盛行，不少法国剧作家忙于展示社会弊病，开药方，而居雷尔却摒弃各种社会改革的设想，他关心的是社会弊病对人物的影响。他的剧情来自人物内心的冲突，以及人物之间的观念冲突。由于他善于提出社会问题，风格庄重，因而有人称他为"法国的易卜生"。但居雷尔的思想极其保守，又不大注重戏剧效果，这就使他的剧作脱离了广大的观众，只为少数上层人物所欣赏。

3. 埃尔维欧

保尔·埃尔维欧（Paul Hervieu，1857~1915）既是一位小说家，又是一位剧作家，他早期从事小说创作，《他们的自画像》为其代表作。

从1892年起，他转向戏剧创作，他继承了小仲马的现实主义社会剧的传统，取得了不小的成就。他通过在舞台上演出的一个个故事，巧妙地提出资产阶级家庭和夫妇生活中的各种问题，引起观众的思考。第一部剧本《言语不会消失》（*Les Paroles restent*，1892）论证了诽谤引起的严重恶果。紧接着两个剧本提出了当时的人们普遍关注的离婚法问题。《铁钳》（*Les Tenailles*，1895）写一对老夫少妻的悲剧：起初妻子提出离婚，丈夫不同意，后来妻子有了外遇，生下一个私生子，丈夫知道真情后想提出离婚，妻子又为了使自己的儿子有合法的身份而不同意，这对夫妻只好凑合着一起生活下去。在《男人的法律》（*La Loi de l'homme*，1897）中，埃尔维欧进一步发挥了上述主题：女主人公洛尔由于拿不出足够的证据，没法同不忠的丈夫离婚，她的天真的女儿又偏偏爱上了她丈夫的情妇的儿子，而法律规定儿女的婚事只消父亲单方面同意就行，一切都证明，现行的婚姻法只对男人有利。从《谜》（*L'Enigme*，1901）开始，埃尔维欧不再直接抨击社会制度或法律，而转向探讨人性。这个剧的情节有点类似侦破剧，"谜"在于要知道两个女人中哪个犯了通奸罪，强烈的戏剧悬念直到最后的悲剧时刻才解开，剧本提出了丈夫有没有权利严惩不贞的妻子的问题。

四幕剧《火炬接力跑》（*La Course du flambeau*，1901）是埃尔维

欧的代表作，从各方面来看都比较完善。三个妇女象征三代人，她们是老妇人丰特内夫人，她的女儿萨比娜和外孙女玛丽－让娜，每个人都面向下一代，似乎无动于衷地背对着上一辈。剧名使人想起古希腊的火炬接力赛跑，每个运动员都从前一个人手中接过点燃的火炬，再递到下一个人手中。剧情集中在萨比娜身上，她兼有做女儿和做母亲的义务。她年纪尚轻就成了寡妇，丈夫把她的嫁妆花光了，她只得靠母亲接济为生。她的女儿结婚后离开了她，小家庭发生经济困难，玛丽－让娜眼见丈夫陷入破产的绝境而病倒。萨比娜为了救女儿，向母亲求援，但丰特内夫人顽固拒绝。起初，萨比娜试图偷她母亲的钱，后来她决定陪女儿上山休养，并把丰特内夫人一起带去，虽然她明知高海拔会使老母心脏病发作。丰特内夫人果然病故，玛丽－让娜却不顾母亲的痛苦，跟丈夫一起到美洲去了。剧终时萨比娜陷入深深的绝望，得不到任何安慰，这是自私的母性合乎逻辑的报应，因为正如她自己悲叹的："我为了女儿杀害了母亲！"

此后，埃尔维欧还写了《迷宫》(*Le Dédale*, 1903)、《觉醒》(*Le Réveil*, 1905)、《要有自知之明》(*Connais-toi*, 1909)、《琐事》(*Bagatelle*, 1912)等剧。1900年他当选法兰西学院院士。

埃尔维欧崇尚理性，用道德家的目光观察社会生活，态度严肃、冷静。他的剧本写得简洁明了，凡是与主题无关的成分一概删除，没有浅薄的喜剧因素，有点像古典悲剧，只不过用散文写出，表现的是近代资产阶级的生活内容。他观察精确，剧情合乎逻辑，发人深省，但有时流于抽象的道德说教，对话显得比较牵强，不免减弱了使观众真正感动的力量。

第四节　心理剧

1. 多奈

莫里斯·多奈（Maurice Donnay，1859~1945），生于巴黎，放弃做民营企业的工程师而从事戏剧，他从1890年起成为"黑猫"酒吧和一些小剧院的台柱。1893年相当自由地改编了古希腊喜剧家阿里斯托芬的名剧《吕西斯忒拉忒》（*Lysistrata*），引起评论界注意。1895年他的《情侣》（*Amants*）上演，获得成功，成为他的代表作。接着他又写了不少剧本，以《激流》（*Le Torrent*，1899）、《另外的危险》（*L'Autre danger*，1902）较为出名。其他尚有《王子的教育》（*Education de prince*，1900）、《女主人》（*La Patronne*，1908）、《女尖兵》（*Les Eclaireuses*，1912）等。多奈有时也写一些更严肃的剧本，论述道德和社会问题，如《显现》（*Paraître*，1906）、《重返耶路撒冷》（*Le Retour de Jérusalem*，1903）等，但这些剧情节不够集中，冗长拖沓，演出效果较差。他于1907年当选为法兰西学院院士。

五幕剧《情侣》写女演员克洛迪娜脱离剧院，由吕瑟伯爵供养，给他生了一个女儿。但她的平静生活突然被她对韦特伊的爱情打乱，从而使她卷入一系列又苦又甜的感情的旋涡。当韦特伊出于嫉妒，要求克洛迪娜只属于他一个人时，她拒绝了，唯恐失去她的物质地位。为了结束苦恼，他俩决定友好地分手。克洛迪娜嫁给离了婚的伯爵，韦特伊也准备过规矩的婚姻生活。这是一出探讨自由恋爱的剧，高潮表现在这对情侣的诀别场面，但不带悲剧性。作者分析了19世纪末期巴黎青年的心理，真实地显示出他们的精神状态，既有浪漫的诗意，又非常讲求实际。通常的道德问题，诸如婚姻的圣洁性、夫妻间的忠诚等在这个剧中是被忽视的，多奈重视的只是切实的生活的权利。

四幕剧《激流》写一个工业家的妻子瓦朗蒂娜与别人私通怀孕，

面临两种抉择：抛下两个孩子与情人私奔，或是欺骗丈夫说所怀的孩子是他的。最后，她决定向丈夫坦白，被逐出家门后投身激流自尽。这是当时典型的法国心理分析剧。《另一个危险》写女儿爱上了母亲的情人，最后当然是做母亲的退让。整个剧本在于渲染这种牺牲的可贵。

2. 拉夫当

亨利·拉夫当（Henri Lavedan，1859～1940），生于奥尔良，父亲为名记者，后任国立图书馆负责人。拉夫当在巴黎受到良好的教育，经常出入上流社会，得以对巴黎的生活习俗进行深入的观察。早期写了大量对话体作品，体裁介于剧本和小说之间，集成二三十辑，如《美德小姐》(*Mam'zelle Vertu*，1885)、《新花招》(*Le Nouveau jeu*，1892)、《老色鬼》(*Le Vieux marcheur*，1895) 等，大多讽刺一些庸俗可笑的贵族人物和纨绔子弟，其中有些后来改编成剧本。但他很快就开始创作真正的现实主义戏剧，如《奥雷克亲王》(*Le Prince d'Aurec*，1892)、《两种高贵》(*Les Deux noblesses*，1894)、《普里奥拉侯爵》(*Le Marquis de Priola*，1902)、《决斗》(*Le Duel*，1905) 等。除剧本以外，他还发表过一些小说。拉夫当于1899年当选为法兰西学院院士。

《奥雷克亲王》写这位年轻的亲王嗜好赌博，把家产败光，几乎连祖传的宝剑都要卖出抵债，他本人和他轻佻的妻子差点儿落入一个犹太高利贷者的手中，幸亏被他的母亲搭救。原来这位公爵夫人是富商的女儿，由她最后替儿子还清了巨额债款。这出戏自始至终充满对贵族阶级的讽刺，贵族最重视的荣誉依靠资产阶级出身的妇女才得以保全，这个情节令人想起奥吉埃的名剧《普瓦里埃先生的女婿》。《两种高贵》写奥雷克亲王的子孙抛弃贵族阶级的头衔，凭本事成为近代实业界大亨，终于从贵族变成有钱的资产者。

三幕剧《决斗》一般认为是拉夫当的代表作，剧名指的是宗教与科学、灵与肉之间的较量。夏耶公爵夫人把痴呆、濒死的丈夫送入疗养院，由于和院长莫雷大夫经常交往，彼此倾心。莫雷大夫是反教权的无神论者，可他的兄弟达尼埃尔恰巧是夏耶公爵夫人的指导神甫。剧中两兄弟展开针锋相对的论战，争夺这个既虔信又热情的女人。最后，夏耶夫人成了寡妇，神甫不得不同意她嫁给她所钟情的莫雷大夫。

拉夫当观察敏锐，文笔犀利，注重心理分析，但人物性格不够完整，往往不能始终如一，剧情发展有时离题，影响了演出效果。

此外，还有儒勒·勒梅特尔（Jules Lemaître，1853~1914），他不仅是著名的文艺评论家，还是个有成就的剧作家。1889年以《反抗的女人》（La Révoltée）一剧登上剧坛。其他剧作有《众议员勒沃》（Le Déphuté Leveau，1890）、《名义上的婚姻》（Le Mariage blane，1891）、《宽恕》（Le Pardon，1895）、《长女》（L'Aînée，1895）、《公积金女司库》（La Massiére，1905）等。1893年，勒梅特尔出版小说《诸王》（Les Rois），同年改编成剧本。他还在报刊上发表了大量剧评，后收集成九卷《戏剧印象》（Les Impressions de théâtre），对19世纪的法国戏剧生活作了概括性的论述。1896年勒梅特尔当选为法兰西学院院士，年仅43岁。他还发表过一些评论专著。

《众议员勒沃》是一出政治讽刺剧，揭露法兰西第三共和国时期一个平步青云的众议员的丑恶面貌。他为了达到娶一位侯爵夫人的目的，逼迫妻子和他离婚，又不择手段地迫使那位侯爵夫人就范，最后不得不同意嫁给他。

剧本《宽恕》是勒梅特尔的代表作。这出三幕剧只有3个人物，注重心理分析。苏珊在18岁时结了婚，她的丈夫乔治一心从事科学工作，常常不在家，对妻子不够关心。寂寞的苏珊受别人引诱，欺骗了丈夫。乔治觉察后很是痛苦，向苏珊的女友泰蕾丝诉说，以求慰藉，结果身不由己也做下了欺骗苏珊的事。这时可怜的泰蕾丝发现乔治真心爱的仍是苏珊，决定退出。乔治和苏珊承认有共同的弱点，彼此宽恕，终于和好如初。

与传统的"佳构剧"相比，勒梅特尔的剧本比较自然，情节不做作，酷似生活，但作者任意发挥，结构松散，显得拖沓，缺乏内在的统一性。

第五节　爱情剧

1. 波托-里什

乔治·德·波托-里什（Georges de Porto-Riche，1849~1930）生于法国波尔多市，是意大利犹太商人家庭的后裔，父亲是有钱的实业家。起初，他试着创作大型诗体历史剧，1875年在奥德翁剧场上演《菲利普二世治下一出戏》(*Un Drame sous Philippe II*)，效果不佳。经过长期沉默、探索之后，1888年他在自由剧院上演一出散文体小喜剧《弗朗索娃的运气》(*La Chance de Françoise*)，开始出名。

波托-里什通常被认为是现代"爱情剧"的创始人，他的所有作品几乎只有一个主题：爱情，因而他把自己的四卷戏剧集冠以总标题：《爱情剧》(*Théâtre d'amour*)。他最著名的剧本是三幕喜剧《恋爱的妇人》(*Amoureuse*)，1891年演出获得成功。女主人公热尔梅娜结婚8年后仍然热恋丈夫艾蒂安。她丈夫想全心全意献身于医学，妻子执着的爱成了他的负担，使他不能安静地工作，连外出参加国际医学会议都不可能。两人不免时常发生矛盾，彼此都很痛苦。热尔梅娜感叹道："啊，恋爱是何等不幸的事情！"她丈夫却抱怨说："啊，被爱是何等的苦恼！"在一次激烈的争吵之后，艾蒂安为获得工作的自由，把妻子推进一个朋友的怀抱，可当她真的要离家出走时，他又嫉妒地拦住了她。末了，热尔梅娜要他多加考虑："将来你会是不幸的。"他回答说:"这有什么要紧呢!"剧本对男女不同的恋爱观作了深入的分析,指出如果处理不当,相爱的夫妻也有可能反目成仇,作者最初曾想把剧名定为《女仇人》,以便点明主题。这出戏的优点在于比较自然,不过分夸张,情节发展合情合理。

《往事》(Le Passé, 1897)是波托-里什另一部重要的剧本。年轻寡妇多米尼克被勾引她的男子遗弃,痛苦欲绝。几年后偶然重逢,旧情复燃。但终因厌恶她的情人荒淫无耻的生活而未重蹈覆辙。剧本成功地表现了女主人公的复杂性格。1911年演出的《老人》(Le Viel homme)写儿子爱上父亲的情妇,最后自杀,酿成家庭悲剧。

波托-里什不注重曲折的情节,他观察敏锐,分析细腻,是通过平凡的日常生活表现两性之间冲突的高手。他注意避免笔下的人物发表长篇大论,擅长运用简短的对话,但有时显得有些重复。波托-里什的爱情剧对后来通俗喜剧的发展有较大的影响。

2. 巴塔耶

亨利·巴塔耶(Henri Bataille, 1872~1922)生于尼姆一位法官的家庭,在巴黎受教育,年轻时曾想当画家。他主要从事戏剧创作,也发表过《白房间》(La Chambre blanche, 1895)等几部诗集。巴塔耶主张使用非直接的、不明说的语言显示隐晦的真理,因而有人把他归入象征派作家之列,实际上他的风格却相当驳杂。他喜欢利用报刊上的桃色新闻作题材,描写狂热的激情。第一出引起注意的剧本是《蜂鸟妈妈》(Maman Colibri, 1904),写一个绰号叫"蜂鸟妈妈"的中年妇女爱上了儿子的朋友,不惜追随他到阿尔及利亚去,不久发现她的情人热情已退,便主动回来,担任祖母的角色。

《婚礼进行曲》(La Marche nuptiale, 1905)通常认为是巴塔耶的代表作,写一个浪漫的内地贵族少女爱上贫穷的音乐教师,遭父母反对后仍跟他一起私奔到巴黎。在严酷的生活面前,她发现自己所爱的是个极其平庸的男人，这时她已怀孕，幻想彻底破灭，终于自尽。《裸女》(*La Femmenue*, 1908)中怀才不遇的画家皮埃尔以他的情妇露露为模特儿画了一幅油画，这幅画为政府收购，从此皮埃尔青云直上。他遵守诺言，娶了露露，但很快就爱上了别的贵妇。露露很伤心，为了不妨碍她所爱的人的自由，她悄悄离去。巴塔耶其他剧本尚有《丑闻》(*Le Scandale*, 1909)、《疯处女》(*La Vierge folle*, 1910)、《火炬》(*Les Flambeaux*, 1912)等。

巴塔耶的剧作大多以爱情为情节发展的唯一动力，题材狭隘，格调也不算高，但他提出的一些恋爱问题仍然引起观众的兴趣。

3. 伯恩斯坦

亨利·伯恩斯坦(Henry Bernstein, 1876~1953)生于巴黎。父亲为银行家。他属于德雷福斯派，反对军国主义。1897年服役几个月后脱离部队，逃到比利时。大赦以后返回法国，开始从事戏剧创作。他被安托万发现，1900年演出第一个剧本《交易》(*Le Marché*)，从此不断创作。他以写情节剧为主，免不了三角恋爱的内容，情节富于刺激性。

《小偷》(*Le Voleur*, 1906)写一个堕落的已婚妇女为买衣服和首饰而从事偷窃，当她败露时，她说服一个年轻的情人替她顶罪。《参孙》(*Samson*, 1907)写一个犹太金融家，受到妻子的鄙视，他为了使妻子的情人垮台，不惜同时使自己破产。《以色列》(*Israël*, 1908)集中描述一个排犹主义的年轻贵族，他在公开辱骂了一个犹太银行家之后，发觉这个银行家实际上正是他生身的父亲。剧本意在影射德雷福斯冤案的荒谬和不公正。《在我之后》(*Après moi*, 1911)写一个工业家从事违法的投机活动破产，想为他的妻子做好能使她再婚的安排之后自杀。这时他发现17年来他以为一直忠诚的妻子在欺骗他，立刻起了妒意，打消自杀的念头，决心把她从情敌手中夺回，带着她一起逃走。《秘密》(*Le Secret*，1913) 刻画一个变态女子的形象，她表面上很有情义，暗地里却专门破坏别人的幸福，暴露后使一直爱恋她的丈夫感到羞耻和幻灭。这个剧偏重于精神病学的研究。其他尚有《飞来横祸》(*La Rafale*，1905)、《魔爪》(*La Griffe*，1906)、《攻击》(*L'Assaut*，1912) 等剧。

伯恩斯坦显然继承了斯克里布和萨杜的传统，采用了"佳构剧"的形式。不同之处是他观察生活，对金钱和色情的腐蚀作用进行思考，在剧中多少反映了某些社会现实，只是缺乏深刻的哲理思想。他擅长写反面人物，但有时为了紧张的戏剧效果而宁愿牺牲心理分析。

第六节 喜剧

1. 弗莱尔与卡亚韦

罗贝尔·德·弗莱尔 (Robert de Flers，1872~1927) 生于法国卡尔瓦多斯省，是剧作家萨杜的女婿。加斯东·德·卡亚韦 (Gaston de Caillavet，1869~1915) 生于巴黎，母亲以主持文学沙龙著名。弗莱尔和卡亚韦都当过记者，又都喜爱戏剧，1900 年相遇后开始合作写剧本。早期滑稽歌剧和通俗喜剧有《韦尔日老爷》(*Le Sire de Vergy*，1901)、《德行之路》(*Les Sentiers de la vertu*，1903)、《米凯特及其母亲》(*Miquette et sa mère*，1906)。接着，他俩进入创作鼎盛时期，写出一批世态讽刺喜剧和感伤喜剧，如《国王》(*Le Roi*，1908)、《圣林》(*Le Bois sacré*，1910)、《普里姆鲁丝》(*Primerose*，1911)、《法兰西学院院士礼服》(*L'Habit vert*，1912)、《美好的奇遇》(*La Belle aventure*，1913) 等。1915 年卡亚韦去世，弗莱尔于 1920 年当选为法兰西学院院士，继续写作。

政治讽刺剧《国王》由他俩与埃马纽埃尔·阿雷纳 (Emmanuel

Arène，1856～1908）合写。发了财的社会党人布迪埃发现自己的情妇在私下侍候塞尔达尼亚公国的国王乔治四世，极为愤怒。为了抚慰他，国王决定光临布迪埃组织的舞会和狩猎活动。当晚，布迪埃的妻子又被国王勾引。但这个资产者的虚荣心得到了满足：他终于当上部长，一向瞧不起他的侯爵的儿子也来向他的女儿求婚。

《法兰西学院院士礼服》一般认为是这两个合作者最好的喜剧。莫莱夫里埃公爵的美国夫人发现她的情人于贝尔在和女秘书调情，很是生气。于贝尔跪下讨饶时，恰巧被公爵撞见。公爵夫人推说于贝尔想进法兰西学院，求她说情。于是一个从来没有写过任何著作的不学无术的人，通过公爵的关系当上了法兰西学院院士。但就在这时，公爵证实了他俩的私情。他只好去爱丽舍宫求他的议员朋友——刚刚当选的共和国总统，把于贝尔暂时调离法国。这样，他可以继续编纂词典，而公爵夫人则另找一个新的情人。这个剧讽刺了法兰西学院及其"不朽的"院士，人物滑稽可笑，剧情曲折夸张，充分体现了通俗喜剧的特点。

2. 库特林

乔治·库特林（Georges Courteline，1858～1929）为乔治·穆瓦诺（Georges Moineaux）的笔名。生于图尔，其父是幽默作家儒勒·穆瓦诺（Jules Moineaux，1815～1895）。他在巴黎上学，1878年服兵役，14个月后由于健康原因退役，这个时期的生活后来成为他的几个剧本的源泉：《骑兵队的乐趣》(Les Gaietés de l'escadron，1886)、《八点四十七分的火车》(Le Train de 8h47，1888)。接着，库特林通过父亲的关系，谋得一个公务员职位，业余为报刊撰稿，把这个时期的印象写入了《机关职员先生们》(Messieurs les ronds-de-cuir，1893)一书。1894年辞职，专心从事写作。

库特林的戏剧生涯自1891年在自由剧院上演他的写军事生活

的独幕剧《利杜瓦尔》（*Lidoire*）正式开始。两年后演出著名的《布布罗什》（*Boubouroche*，1893），受到欢迎。接着，他根据对社会生活的直接观察，写了一系列独幕讽刺喜剧和滑稽短剧，如《一位严肃的顾客》（*Un Client sérieux*，1896）、《警察局长是好孩子》（*Le Commissaire est bon enfant*，1899）、《警察没有怜悯心》（*Le Gendarme est sans pitié*，1899）、《第339条款》（*L'Article 339*，1900）、《天平》（*Les Balances*，1901）。可是他反映、剖析最多的还是市民和小资产阶级的生活，有《家庭的平静》（*La Paix chez soi*，1893）、《害怕挨打》（*La Peur des coups*，1894）、《巴丹先生》（*Monsieur Badin*，1897）、《奥棠丝，你躺下吧》（*Hortense, couche-toi*，1897）、《泰奥多尔找火柴》（*Théodore cherche des allumettes*，1897）、《傻瓜》（*La Cruche*，1909）等。1926年他当选为龚古尔学院院士。

库特林的代表作《布布罗什》只有两幕，但在他的剧作中要算是最长的一部，他从没有写过两幕以上的剧本。《布布罗什》最初是以短篇小说的形式发表的，经他改编后的剧作比原著更紧凑。市民布布罗什一向以他供养的情妇阿黛尔对他的忠诚自负，然而有一天，阿黛尔的一位邻居来告密，让他知道8年来阿黛尔没有一天不在欺骗他。他气急败坏地跑去找阿黛尔，她矢口否认，要他搜查，结果他发现一个年轻人藏身在大衣柜里。但阿黛尔仍然镇定自若，声称这是她不能泄露的一个"家庭的秘密"，因为"牵涉到另外一位女人的名誉"。布布罗什巴不得不这样相信，请她原谅后把气出在那位邻居的身上，怪他不该打扰他的平静。剧本对小市民得过且过、自欺欺人的心理刻画得很生动。

在《家庭的平静》中，文人特里埃尔和瓦朗蒂娜已结婚五载，起初他想说服妻子，让他安静地工作，接着失去耐性，想出对瓦朗蒂娜处以罚款的办法：使丈夫生气罚3法郎95生丁，威胁丈夫要当面自杀罚4法郎95生丁，而没有按此行事则罚半个法郎等等。后来瓦朗蒂娜欠了债，特里埃尔同意替她还清，但"只在他让她害怕的时候，她才承认他的好心。这个剧客观上反映了当时妇女低下的经济地位。

库特林的喜剧不作任何说教。他擅长表现日常的现实生活，对话通俗，使观众感到亲切。他成功地振兴了"高卢精神"的传统，塑造了各种滑稽可笑的人物形象，成为法国人民公认的幽默大师。

3. 费多

乔治·费多（Georges Feydeau，1862~1921）生于巴黎。父亲是小说家欧内斯特·费多（Ernest Feydeau，1821~1873）。乔治·费多从小喜欢戏剧并练习写作。他的第一出独幕喜剧《爱情与钢琴》（Amour et piano）1883年在巴黎演出，他还显示了表演的才能。1887年上演的《女装裁缝》（Tailleur pour dames）轰动一时。接着演出的《先生去打猎》（Monsieur chasse，1892）、《不由自主的尚皮尼奥尔》（Champignol malgré lui，1892）、《自由贸易旅馆》（L'Hotel du libre-échange，1894）、《马克森家的贵妇》（La Dame de chez Maxim，1899）等也都受到欢迎。1908年公演的《照看好阿梅莉》（Occupe-toi Amélie）更使他的名声达到顶点。此后，他写了一系列独幕剧，主要表现夫妻争吵，以《从结婚到离婚》（Du mariage au divorce）为总标题结集发表，其中最有趣的是《太太的刚去世的母亲》（Feula mère de madame，1908）和《请别光着身子散步》（Mais n'te promène donc pas toute nue，1911）。

三幕剧《照看好阿梅莉》是费多的代表作。单身汉马塞尔缺钱用，而他在比利时的教父受他父亲的委托，只肯在他结婚时才能把大宗钱财交给他。他请轻佻的阿梅莉冒充他的未婚妻。阿梅莉的情人艾蒂安是马塞尔的朋友，在一次短期外出时把她委托给马塞尔，要他"照看好阿梅莉"。马塞尔对此话过于认真，连夜里都未离开阿梅莉的房间，被提前回来的艾蒂安发现。艾蒂安气急败坏，趁马塞尔和阿梅莉假结婚时使他们的手续合法化。马塞尔发觉自己中了圈套，拿枪逼着艾蒂安脱去衣服，叫人来"当场捉奸"，这样他既能从教父那里取到钱财，又把阿梅莉推还给了艾蒂安。

费多写了近 40 个喜剧。他的剧作滑稽粗犷，人物性格突出，对话机智俏皮，场景正确细致，卖座率较高，常常连演不衰。

第七节 诗剧

1. 罗斯丹

埃德蒙·罗斯丹（Edmond Rostand，1868~1918）生于马赛，在巴黎学法律，曾登记做律师，但从未开业。他从 1884 年起就在文学杂志上发表诗作，一生写了七部诗剧。最早的《红手套》（*Le Gant rouge*，1888）是出闹剧，未引起注意。二幕喜剧《浪漫情侣》（*Les Romanesques*）较有意义，1894 年在法兰西喜剧院公演，其中一对青年男女自以为他俩的爱情像罗密欧与朱丽叶那样受到双方家长的阻挠，其实他们的父亲是密友，利用儿女的浪漫心理，故意装成死对头，促使他俩成婚，达到他们想把两家之间的墙垣拆除的目的。事后真相暴露，男女青年一度失望，后经生活的教训，领悟到真正爱情的诗意存在于心中。

四幕剧《远方公主》（*La Princesse lointaine*，1895）写 12 世纪的一个爱情故事。王子、诗人吕台尔根据传闻爱上远方公主梅丽桑德，远涉重洋去寻访她，抵达时已病危无法下船，托好友贝特朗去向公主转达他临死前想见她一面的愿望。贝特朗进入宫堡后，公主误以为他就是吕台尔，两人产生情意，但他们及时克制了自己。公主上船与吕台尔举行婚礼，使他得以幸福地瞑目。最后公主决心弃绝红尘进修道院。这个剧中已见端倪的克己的理想主义与爱的哲学是罗斯丹剧作的基石。1897 年,罗斯丹又根据《圣经》故事改编、演出《撒马利亚女人》(*La Samaritaine*)。

五幕英雄喜剧《西哈诺·德·贝热拉克》(*Cyrano de Bergerac*)是罗斯丹的代表作,1897 年在圣马丁门剧院上演,标志着浪漫主义的复兴和发展,成为当时最受观众欢迎的一个新浪漫主义剧本。罗斯丹笔下的西哈诺是 17 世纪法国才华出众的诗人、科幻小说家、军人……他热爱表妹罗克萨娜,但由于长了个大鼻子,自知其貌不扬,便把爱情埋在心里。罗克萨娜则喜欢另一个美貌的年轻人克里斯蒂安,但在一次幽会时,发现他缺乏才气,于是西哈诺站在阴影里,代克里斯蒂安向站在阳台上的罗克萨娜表白诚挚的爱情,终于感动了罗克萨娜,决定嫁给克里斯蒂安。本来也看中罗克萨娜的指挥官出于报复,把克里斯蒂安和西哈诺派到前线去送死。离别后,西哈诺每天代克里斯蒂安给罗克萨娜写情书,使她留下极深的印象。克里斯蒂安阵亡后,罗克萨娜进了修道院。15 年期间,西哈诺坚持经常去看望她,直到有一天他中了敌人的暗算,身负重伤。他要求读克里斯蒂安的最后一封信,尽管天色渐黑,他仍能背下来,罗克萨娜终于认出了那天晚上阳台下的声音,并透过克里斯蒂安的信看到西哈诺的心灵。她激动地告诉西哈诺说她爱他,但为时已晚,她失去了真正心爱的人。《西哈诺·德·贝热拉克》是典型的浪漫主义作品,以其理想主义的光辉与当时的自然主义形成鲜明的对比。它具有浓厚的地方色彩和传奇气氛,使观众仿佛置身于 17 世纪法国那个崇尚英雄气概的时代。它运用对照的原则,把崇高和滑稽,悲剧性和喜剧性结合在一起。整个剧本建立在具有强烈的荣誉观、独立不羁和自我牺牲精神的西哈诺的特殊个性上。戏剧冲突主要存在于主人公的内心活动中。充分的抒情性加强了戏剧效果。

六幕历史剧《雏鹰》(*L'Aiglon*)于 1900 年在巴黎上演。"雏鹰"

指拿破仑的儿子赖希施塔特公爵，他是一个充满幻想和优柔寡断的人物。1830 年，不少法国人想把年轻的公爵捧上皇位，一个拿破仑时代近卫军的老兵弗朗博鼓励他行动。但是雏鹰犹豫不决，最后密谋失败，弗朗博自杀，雏鹰抑郁终身。

1901 年，罗斯丹当选为法兰西学院院士，年仅 33 岁。接着，因患肺炎，去外地休养，有 10 年时间没有发表作品。1910 年在巴黎演出的《雄鸡》（Chantecler）是四幕寓言剧，剧中角色都是拟人化的动物。雄鸡每天宣布日出，以至自认为能支配太阳。有一天，它被一只雌锦鸡迷惑，忘了啼鸣，太阳照旧升起。从此它威信扫地，幻想破灭，但它仍然鼓起勇气去工作和尽责。这个剧充满了诗情画意，它可以说是罗斯丹的最后一个剧本，因他的《唐璜的最后一夜》（La Dernière nuit de Don Juan）是未完成的遗著，在他死后 1921 年才出版。

2. 黎施潘

让·黎施潘（Jean Richepin，1849～1926）生于阿尔及利亚，父亲为军医。他曾在巴黎高等师范学校攻读文学，毕业后周游法国各地，做过各种工作：普法战争时的自由射手、码头工人、水手、演员、记者等。他的第一部诗集《乞丐之歌》（La Chanson des gueux）出版于 1876 年，热情颂扬失去社会地位的穷人、流浪汉、卖艺人、乞丐等，但因用词过于粗俗、大胆，他被地方当局以有伤风化的罪名判处拘禁一个月。他一生游历过国内外许多地方，著作有诗集《抚摸》（Les Caresses，1877）、《亵渎话》（Les Blasphèmes，1884）、《海洋》（La Mer，1886），小说《粘鸟胶》（La Glu，1881）、《米娅卡，母熊的女儿》（Miaka, la fille à l'ourse，1883），诗剧《星》（L'Etoile，1873）、《娜娜－萨伊布》（Nana-Sahib，1883）、《司卡潘先生》（Monsieur Scapin，1886）、《打短工的流浪汉》（Le Chemineau，1897）等。1908 年当选为法兰西学院院士。后又发表一些诗集，卒于巴黎。

五幕诗剧《打短工的流浪汉》是黎施潘的代表作：年轻的流浪汉沿途打短工，引诱并遗弃了村女图瓦内特，20多年后回来，发现她已给他生下一个儿子安东尼，这孩子被推定的父亲是她现在的丈夫弗朗索瓦。此时弗朗索瓦已卧床不起，快要死去，而安东尼爱上一个姑娘，她的父亲拒绝让她嫁给他。流浪汉治好姑娘的父亲的病牛，安东尼如愿和姑娘结婚了。圣诞节夜晚，大家聚集在弗朗索瓦家中，人人都恳求流浪汉留下，弗朗索瓦临终前也希望他能娶图瓦内特。虽然受到天伦之乐的诱惑，流浪汉最后还是决定回到他的漂泊生活中去。《打短工的流浪汉》表现游民和农民的生活，充满理想主义的浪漫气氛和感伤的情调，是科佩的独幕诗剧《过路人》的进一步发展，演出时获得成功。

黎施潘曾把自己的两部小说以及塞万提斯的《堂·吉诃德》、贝洛的《睡美人》等名著改编成剧本。《粘鸟胶》写一个放荡的巴黎女人诱使一个钟情于她的小渔夫堕落的故事，最后这个外号叫"粘鸟胶"的坏女人被这个青年的老母用斧头劈死，剧本于1883年演出，后又改编成歌剧。《米娅卡，母熊的女儿》写一个喝母熊的乳汁长大的吉卜赛女郎，恋爱时，她的情人竟被母熊弄死，剧本于1905年演出。这两部剧作和《打短工的流浪汉》后来又都被搬上银幕。

此外，著名的帕纳斯派诗人弗朗索瓦·科佩（François Coppée，1842~1908），也是法国19世纪下半叶少数诗剧作家之一，他第一出诗剧《过路人》（*Le Passant*）1869年在奥德翁剧院演出，使他一举成名。接着他又出版了不少诗集和剧本。由于他始终保持对劳苦人民大众的同情，作品中洋溢着民主精神，因而赢得了"卑微者的诗人"的称号。

科佩的诗剧可以分为两类：第一类大多是五幕历史悲剧，如《曼特侬夫人》（*Madame de Maintenon*，1881）、《塞弗罗·托雷利》

(Severo Torelli，1883）等，情节曲折，具有浪漫剧的气氛，但消除了过分夸张的因素。《为了王冠》(Pour la couronne，1895）是其中较好的一部：主人公康斯坦丁是保加利亚一个将军的儿子，因其父阴谋篡位并为实现此野心欲出卖祖国，便在战场上大义灭亲，使父亲保存了名节，自己却默默地忍受着弑父的痛苦。这个剧本中没有贵族情调，康斯坦丁的出发点不是荣誉观，而是希望把祖国和人民从异族的残暴统治下拯救出来。科佩第二类作品大多是抒情的独幕剧，其中有些已成为法国戏剧中的经典作品，如《过路人》《宝藏》(Le Trésor，1879）等。这些剧生动、质朴，更具有艺术生命力。《过路人》中美貌的高等妓女西尔维娅对人生感到厌倦时，爱上了波希米亚青年扎纳托。小伙子以为她是一位贵妇，向她描述自己喜欢的流浪艺人的生活，同时也天真地承认对她的爱慕。西尔维娅为他的坦率所感动，不忍让他为自己失去自由而痛苦，把他送走后独自饮泣。同《茶花女》一样，这个剧也为妓女辩护，并充满一种感伤的情调。

第八节 象征剧及其他

1. 弗尔与吕涅-珀

保尔·弗尔（Paul Fort，1872～1960），法国诗人，由于经常和魏尔伦、马拉梅等接触，对象征主义发生兴趣。他针对当时自然主义统治舞台的状况，17岁时发表一个为象征主义说话的宣言，接着1890年创办了艺术剧院（Le Théâtre d'art，1890～1892），提倡自由剧院忽略的象征剧和诗剧，在不长的时期内上演了梅特林克的《闯入者》《群盲》，以及英国作家马洛（Christopher Marlowe，1564～1593）、雪莱（Shelley，1792～1822）的剧本。他重视想象力，以抽象的彩画幕布代替如实的布景，渲染象征主义的神秘性。但他不擅长剧院的组织管理工作，任职不到两年，就让位给了吕涅-珀。

吕涅-珀（Lugné-Poe，1867～1940）最初是自由剧院的演员（1888～1890），因与安托万意见不合，转到艺术剧院和其他剧院演出梅特林克的剧本，以《佩列阿斯与梅丽桑德》的演出最为成功。1893年他创办作品剧院（Le Théâtre de l'Œuvre），用纯属虚构的诗剧来对抗自然主义，使作品剧院成为"象征主义戏剧的圣堂"。吕涅-珀的导演风格是空旷的舞台，暗淡的灯光，缓慢单调的节奏，认为"演员的最大价值就在于让人忘掉他们"。他还不断演出外国戏，方式与自由剧院迥然不同。1896年上演雅里的《乌布王》标志着现代戏剧的一个重要时刻。1899年他遇到重重困难，不得不暂时关闭作品剧院。1912年重新开演，运用舞台聚光灯上演克洛代尔的《给圣母报信》，获得成功。在吕涅-珀的领导下，作品剧院的演出活动一直延续到1929年。

2. 梅特林克

莫里斯·梅特林克（Maurice Maeterlinck，1862～1949）虽然出生于比利时的根特市，但他用法语写作，又长期住在法国，与法国文学有不可分割的联系。他学习法律，1886年在巴黎逗留7个月，结识了法国象征派诗人。1889年发表诗集《暖房》（*Serres chaudes*）和剧本《马莱娜公主》（*La Princesse Maleine*），引起注意。

梅特林克是象征主义戏剧的代表作家。早期作品充满神秘、悲观的色彩，表现死亡的无从避免、命运的不可违抗。独幕剧《闯入者》（*L'Intruse*，1890）描绘一家人在阴暗的客厅里守护着隔壁房间的女病人，他们越来越忐忑不安地等待着一个不速之客的光临。瞎眼的祖父最先感到死神的闯入，这时门突然打开，护士来通报：那个女人死了。同年发表的《群盲》（*Les Aveugles*）表现12个瞎子——6男6

女——陷入莽莽的原始森林之中，曾经引导过他们的教士已经死了，可他们还在痴心等待着他来搭救。梅特林克早期的主要作品是《佩列阿斯与梅丽桑德》（Pelléas et Mélisande，1892），后由音乐家德彪西（Claude Debussy，1862~1918）谱成歌剧，流传较广。王子高洛在森林中打猎时遇见不知从何处来的少女梅丽桑德，娶她为妻。阴暗的宫堡使梅丽桑德感到沉闷，高洛的同母异父兄弟佩列阿斯把她领到花园内，梅丽桑德玩耍时失手将高洛送她的指环落入泉水中，从此引起高洛的疑心。佩列阿斯决定出外旅游，临行前夕约梅丽桑德在花园里话别。他们互相倾诉已在心中滋长的爱情，同时感到忧伤。这时高洛赶来，一剑把佩列阿斯刺死，梅丽桑德随后也痛苦地死去。这个剧充满宿命论的观点，梅丽桑德被剧中人形容为"出生得莫名其妙……死得也莫名其妙"，一切都不可理喻。上述三个剧先后被吕涅-珀搬上舞台，获得成功，法国剧坛为之面貌一新。1895年，吕涅-珀又演出了梅特林克的另一出短剧《室内》（Intérieur）表现一家人安乐相聚，殊不知小女儿已在外淹死，人们正来向他们报告这个噩耗。作品突出地宣扬了厄运的不可避免。

1895年，梅特林克结识了法国女演员乔热特·勒布朗，她后来成为他的妻子，对他的创作影响较大。1896年，梅特林克离开比利时，到法国居住，这一年发表的散文集《卑微者的宝库》（Le Trésor des humbles）是他第一阶段思想的总结。他开始想从悲观主义中挣脱出来，研究生命的奥秘，思索道德的价值。这种努力从他的剧本《阿格拉凡和赛莉塞特》（Aglavaine et Sélysette，1896）中也显露出来，他赞扬了赛莉塞特在爱情问题上自我牺牲的精神，同时肯定了阿格拉凡有追求幸福的权利。接着，梅特林克又写出一系列散文集，发表了三部重要的剧本。这些新作力图解答道德和人生观的问题，表现了他逐渐形成的哲理观点。

《莫纳·瓦娜》（Monna Vanna，1902）以15世纪的意大利为背景。比萨城司令官基多的妻子瓦娜为了全城免遭屠杀，答应敌将普林齐瓦勒的要求，单身前往敌营。原来普林齐瓦勒是她少年时代的好友，有意要援救比萨。佛罗伦萨城邦派人来追捕助敌的普林齐瓦勒，瓦娜把他带回比萨。基多不相信他们之间纯洁的关系，于是瓦娜决心救出普林齐瓦勒一起出走。这个剧肯定了瓦娜为国牺牲的精神，在爱情问题上提出了新的道德观。

三幕象征剧《乔赛尔》（*Joyzelle*，1903）是一首对坚贞的爱情充满诗意的赞歌。阿丽埃代表巫师迈尔兰的一切无意识的思想。她为迈尔兰渴望乔赛尔的爱情，可是乔赛尔已同巫师的儿子朗塞奥相爱。阿丽埃设下重重障碍，想拆散这一对年轻人。她跟迈尔兰的对话代表着这个老头儿内心两种倾向的斗争。迈尔兰出于明智和父爱，想为孩子牺牲他在世上最后一次幸福的机会，然而"内心的力量"不由自主地反抗他，形成一场强烈的心理冲突。乔赛尔和朗塞奥的爱情经历了考验，终于取得了胜利。

六幕梦幻剧《青鸟》（*L'Oiseau bleu*，1908）是梅特林克的代表作。在剧中，青鸟象征着幸福。樵夫的儿子蒂蒂儿和女儿米蒂儿在圣诞节前夜梦见他们受仙姑之托，为她病重的孙女去寻找青鸟。兄妹俩用一颗魔钻召来了面包、糖、火、水、狗、猫等的灵魂，在光的引导下走遍记忆国、黑夜之宫、森林、墓地、幸福园、未来园，历尽千辛万苦，青鸟得而复失。梦醒后，貌似仙姑的邻居为她生病的孙女来讨鸟，蒂蒂儿答应把家中那只小鸟给她，这时他发现笼中的鸟是蓝色的。小姑娘一见青鸟，病就好了，后来不慎失手，青鸟飞掉了。蒂蒂儿安慰她说，会给她捉回来的。

1911年，梅特林克获得诺贝尔文学奖，授奖的理由是"赞赏他多方面的文学活动，尤其是他的著作具有丰富的想象和诗意的幻想等特色。这些作品有时以童话的形式显示出一种深邃的灵感，同时又以一种神妙的手法打动读者的感情，激发读者的想象"。

3. 前期的克洛代尔

保尔·克洛代尔（Paul Claudel，1868~1955）生于埃纳省的维尔纳夫村，父亲为房地产抵押登记官。1882年到巴黎，就读于法学和政治学院。1886年圣诞节，他在巴黎圣母院被唱诗班合唱的圣母赞歌打动，皈依天主教，决心通过抒情诗和诗剧来宣传宗教信仰。他曾受到兰波深刻的影响。1890年他在外交部举办的会考中获第一名，开始长期的外交家生涯，曾在美国、中国、日本及欧洲、南美一些国家担任领事、大使等职。他在中国断断续续住了14年，到过上海、福州、北京、天津等地，其感受写入剧本《第七天的休息》(*Le Repos du septième jour*，1896)、散文集《认识东方》(*Connaissance de l'est*，1895~1905)。克洛代尔的代表作是创作于20世纪20年代的剧本《缎子鞋》(*Le Soulier de satin*，1923，1943)。他于1946年当选为法兰西学院院士。

克洛代尔的早期创作有剧本《金头》(*Tête d'or*，1889，1894)、《城市》(*La Ville*，1890，1897)、《少女维奥莱娜》(*La Jeune fille Violeine*，1892，1898)、《交换》(*L'Echange*，1894)、《正午的分界》(*Le Partage de midi*，1906)、《给圣母报信》(*L'Annonce faite à Marie*，1912，1948)，三部曲《人质》(*L'Otage*，1910)，《硬面包》(*Le Pain dur*，1914)、《受辱的父亲》(*Le Père humilié*，1916)，以及诗集《五大颂歌》(*Cinq grandes odes*，1910)、《三声部大合唱》(*La Cantate à trois voix*，1913)等。克洛代尔对他的诗剧总是一改再改，从不认为已真正完成。他的诗不拘泥于格律，句子长短不齐，类似于散文诗，但注重自然的呼吸节奏以更适于抒发感情。

克洛代尔的剧作大多以象征手法否定世俗的情欲，肯定宗教信仰。悲剧《金头》写一个绰号叫"金头"的弑君篡位的野心家，妄图征服世界，最后战败，悔恨莫及，死在被他驱逐的不幸的公主跟前。

《城市》写一座腐败的城市被血腥的骚乱所毁,居民们把重建该城的希望寄托在信奉上帝的后代身上。《交换》以美国为背景,写两个男子企图交换妻子,结果一个被杀,另一个家产被烧光,意在说明天主教会关于神圣的婚姻不可随便解除的主张。《正午的分界》写一青年爱上一个有夫之妇后的苦恼、彷徨的心情,带有自传性。《给圣母报信》是在《少女维奥莱娜》的基础上写成的,1912年12月24日由吕涅-珀在作品剧院首次演出。少女维奥莱娜出于恻隐之心给麻风病人一吻,病人得救,她却染上此疾。未婚夫雅克听信她妹妹玛拉的谗言,辱骂维奥莱娜后将她抛弃。8年过去,玛拉已嫁给雅克,他们的小女儿在圣诞节前夜死去。玛拉找到穴居、病危的维奥莱娜,让她把死婴搂在怀里。第二天孩子复活了,眼睛变成蓝色——像维奥莱娜一样,唇边还挂着一滴乳汁。维奥莱娜临死前向雅克揭开这个谜,因为她太爱他了,上帝才赐给她神恩,让她把自己的生命给予这个死婴,并让她给孩子喂奶,就像传说中圣母哺育小耶稣一样。全剧充满中世纪神秘剧的气氛。

克洛代尔的诗剧不仅和自然主义戏剧决裂,也不同于由罗斯丹体现的浪漫主义诗剧。他创造了一种结构松散的戏剧,其力量主要依仗语言的音乐性和象征特色。他赋予笔下的天主教主题一种神秘性,认为它们不可能直接言传,为让人理解,必须运用象征诗的手法,使观众心领神会,为此他可以牺牲一切——戏剧结构、人物个性、历史准确性等。克洛代尔喜欢史诗的气魄,超凡入圣的角色,超越个人理解力的冲突,明显的说教,间离效果。他的剧本具有抒情性,落拓不羁,深奥费解,令人捉摸不定,已初步具有西方现代剧的一些特征。

4. 雅里

阿尔弗雷德·雅里(Alfred Jarry,1873~1907)生于拉伐尔一个纺织品商人的家庭。从小学习成绩优异。12岁开始写作,主要是写喜剧。1888年随母亲返回故乡雷恩市，在雷恩中学以教员埃贝尔为原型，与几位同学合作编写了一个剧本《波兰人》(Les Polonais)，以木偶演出。1891年到巴黎在亨利四世中学进修，同时向报刊投稿。1896年雅里担任吕涅-珀的作品剧院的秘书，同年12月10日在该剧院公演他根据《波兰人》改编的剧本《乌布王》(Ubu roi)，由于荒诞不经，引起观众哗然和争论，成为雨果的《欧那尼》之后又一次轰动法国剧坛的事件。1897年，雅里已把他继承的遗产挥霍殆尽，开始过穷愁潦倒的生活。虽然他不断创作，一生写了七部小说、一部诗集、一些剧本和不少文章，还翻译了一些作品，但除了写古罗马淫后的小说《梅萨丽娜》(Messaline，1900)之外，大都印数不大，一般只销售几百册甚至几十册，入不敷出，终于陷入赤贫之中，加上酒精中毒和肺结核病，34岁死于救济院。

雅里是由于他的五幕讽刺喜剧《乌布王》而闻名于世的。乌布老头是波兰国王旺塞斯拉斯的龙骑兵队长，深受国王宠信，但乌布大娘怂恿丈夫弑君篡位。她说当上国王后，"你可以无限地增加你的财富，经常吃香肠，乘四轮华丽马车上街"。乌布老头决定豁出去干。他与博尔迪队长密谋，趁阅兵之机杀死了国王，但王子布格尔拉斯却由于乌布临场胆怯而死里逃生。乌布即位后横征暴敛，大肆杀戮，百姓忍无可忍，起来造反。博尔迪队长因乌布违背对他的诺言，投靠沙皇，引俄军来讨伐。乌布老头吓得魂飞魄散，勉强应战，大败而逃。乌布大娘盗走珍宝后也逃进山里，偶遇在岩洞内藏身的丈夫。她装神弄鬼，请求饶恕她偷盗的罪行，乌布老头却要对她施以酷刑。这时布格尔拉斯率兵追来，乌布夫妇狼狈逃出，乘船返回法国。

《乌布王》是对莎士比亚的名剧《麦克白》戏谑的模拟。在这个剧中，雅里成功地塑造了一个既凶残又怯懦，既贪婪又愚蠢的乌布老头的形象，象征法国资产阶级的恶习和缺点。如今，法语中"乌布王式"(Ubuesque)一词已成了既可憎又可笑的同义词。乌布的语言粗俗，他上场第一句话就是用地方口音说的："他妈的！"这是他的口头禅。有时他又语无伦次，如第一幕第六场中国王召他进宫要嘉奖他，他却以为阴谋败露，没头没脑地把责任推在乌布大娘和博尔迪身上，显得既卑鄙又滑稽好笑。

由于《乌布王》获得成功，雅里又以同样怪诞的手法，接连写了几个以乌布为主人公的剧本，主要有《乌布当王八》(*Ubu cocu*，1944年出版)、《戴上镣铐的乌布》(*Ubu enchaîné*，1900)等。在后一个剧本中，乌布走向另一个极端，他甘心做奴隶，成了一个受虐狂的典型。雅里还编写了一部《乌布老头年鉴》(*Almanach du père Ubu*，1899)。

雅里在创作中有意与现实主义背道而驰。1896年1月8日，他在给吕涅-珀的信中，就导演技巧方面提出几点主张：给主人公乌布戴面具；用纸板做的马头挂在演员脖子上代表真马；只采用一个布景，取消幕的升降；废除群众角色，阅兵场上仅出现一个士兵；主人公用特殊的声调说话；服饰尽量不要地方色彩或表明年代等等。雅里引入的一系列新的戏剧观和他的创作实践，使他成了法国现代"反传统戏剧"——荒诞派戏剧的先驱。

第十二章 文艺批评家与历史散文家

第一节 泰纳

1. 泰纳的生平

伊波利特·泰纳（Hippolyte Taine，1828～1893）1828年4月21日生于阿尔登省的武齐叶尔，其父是当地的一位律师。泰纳自幼受到很好的家庭教育，从父亲那里学到拉丁文，13岁丧父后，又得到母亲与两个舅舅的精心培养，其中包括打下了深厚的英文基础，他上了两家私立学校后，被母亲送往巴黎上中学。他学习成绩出色，屡屡获奖。他很早就对哲学与文学批评产生了强烈的兴趣。1847年，他考入著名学府巴黎高等师范学校，名列榜首。泰纳性格内向，但到了这著名的学府却如鱼得水，1848年即获得了文学学士学位，并开始主攻哲学。

他专心致学，不问政治，1849年全国投票选举时，他表示弃权。他际遇不佳，道路坎坷，在1851年的全国学衔会考中，由于主考委员会陈腐的官方学术标准而落选。为了维持生计，泰纳应聘到内韦尔中学代课教哲学，他落落寡合，与周围的人格格不入，而且他的讲课又不符合正统的观点，故而遭到敌视与监视。不仅如此，1851年12月拿破仑三世政变后，由于他对政变持批评态度，处境每况愈下，他度过了"苦难的连连碰壁的一年"（1852 年 6 月 27 日给友人的信）：哲学教师的资格被取消，谋取文学教师资格的努力失败，博士学位也落空，还丢掉了代课的教席。他转到普瓦捷中学教修辞学，在这里他同样感到压抑，这才不得不决定放弃与拿破仑三世的帝国当局对立的态度，以求"生活在安静之中"。

泰纳继续为他的博士学位而奋斗，1853 年，他以论文《拉封丹及其寓言》（*La Fontaine et ses fables*）获得文学博士学位，开始了他辉煌的学术生涯。1855 年，他又发表了著名的论著《蒂特－李维论》（*Sur Tite-Live*）。他的学术成就引起了人们的重视，著名批评家圣伯夫在文章里盛赞他为"成就最突出的青年批评家"。1858 年，他的《历史与批评文集》（*Essais de critique et d'histoire*）出版，1863 年，他的巨著五卷本《英国文学史》问世，更奠定了他在学术界的地位。1865 年，他受聘为艺术学院教授，从此在这里执教近 20 年之久。在这段时期里，他的学术活动由文学艺术又扩大到哲学与历史的领域，1870 年，他发表了哲学著作《智慧论》，1871 年至 1890 年，他写出了六大卷的《当代法兰西的起源》。1878 年 11 月 4 日，他被选入法兰西学院。1882 年，他将自己在艺术学院的讲义收集起来出版，这便是他的又一力作《艺术哲学》，他的《历史与批评文集》第二卷于 1865 年出版，第三卷则出版于他逝世后的 1894 年。

除理论批评活动外，泰纳还从事散文写作，1855 年出版了《比利牛斯山之行》（*Voyage aux Pyrénées*），1866 年出版了《意大利游记》（*Voyage en Italie*）。

泰纳一生为人正直，处世淡泊，生活简朴，他 40 岁才结婚，有一子一女。他 1893 年 3 月 5 日逝世于巴黎。

2．泰纳的理论批评论著

泰纳集哲学家、历史学家、文艺理论批评家三种身份于一身，尤以文艺理论家著称于世，因此，可以说他是一个富于哲理、精通历史的文艺理论家，他的理论批评具有深邃的哲理内涵，并以系统的历史观为基础，这使他获得了一个世纪难得出现一两个的大文学批评家的地位与影响。

泰纳作为哲学家的主要著作是《论智慧》（*De l'Intelligence*，1870），显然，他哲学探讨的领域并非无所不包，而主要是集中在一个具体领域，即认识论的领域。泰纳是形而上学哲学思想的反对者，他一方面继承了18世纪的哲学特别是孔狄亚克的感觉论，另一方面又接受了稍先于他的奥古斯特·孔德的实证主义哲学的影响，他相信只有感觉才是人精神活动真正的凭据，人从感觉出发认识事物，人身上的一切智力活动都以感觉为基础，人的抽象思维能力将感觉转化为思想，在此基础上对它们进行分门别类，逐步加以系统化，最后构成体系。泰纳服膺于实证主义哲学的科学精神，在他看来，人虽然通过抽象与概括而具有认识能力，但只能认识现象与现象的变化规律，只能认识"怎样"，而不能认识"由于什么"与"为什么"，而人对"由于什么"与"为什么"的解释都是超验的、形而上学的，只有对"怎样"的认识才是真正的科学，科学应该以被仔细观察过的事实为其基础，以准确的抽象与有节制的概括为其方法。在认识论上，泰纳崇尚直观的清晰明晓，他把清晰明晓视为精神与理智健全的标志，而把不明确、模棱两可视为精神与理智的病态。正是在这种认识论的基础上，泰纳建立了他实证主义的方法。尽管泰纳在哲学上没有超出孔狄亚克的传统，但他却以实证的科学方法、强有力的逻辑性、严密的论证与富有色彩的描述性的文字，同时诉诸读者的理性与想象，因而在当时被视为影响最大的一位真正的实证主义大师。

泰纳哲学思想中另一较重要的部分是关于人性的理论。他从实证主义的立场出发，首先把人视为自然人，把民族视为自然人的族类，而人与民族的特性则首先来自遗传。在人性问题上，泰纳基本上是一个人性恶论者，他一直对人性善抱怀疑的态度，在他看来，人从根本上来说是"凶残而淫猥的大猩猩"，人身上仍残留着其远祖动物的贪婪、残忍的特性，人的行为受强烈的情欲所支配，而人的情欲则出于本能，尽管人要受到社会条件、社会规范的制约与束缚，他内在的野性并不稍减，甚至有时更为可怕，如果说人与动物有所区别的话，固然在于人具有理智，而且还在于人富有想象。泰纳把这种从动物学与生理遗传学来看待人的自然主义观点运用于文学批评，使他与左拉没有什么区别，因而，他也就被视为自然主义的理论批评家。

泰纳作为历史学家的力作是他的六大卷的巨著《当代法兰西的起源》(*Les Origines de la France contemporaine*，1875～1894)。这部书是他在1871年普法战争失败后有感于民族耻辱、为了对法国近代历史发展的进程做一番研究与总结而写的。全书分为三大部分，第一部分为《旧制度》共一卷，第二部分《革命》共三卷，第三部分《新制度》共二卷。在第一部分中，泰纳对资产阶级革命之前的旧法兰西社会作了全面的描述与剖析：特权阶级的状况、新的启蒙思想的传播、人民大众生活的苦难等等；第二部分论述了从立宪政府时期的混乱状况到雅各宾专政的发展过程；第三部分未完成，仅对拿破仑的性格与思想作了分析，考察了教会与公共教育的状况。这部历史论著的价值在于它比较全面、比较充分地说明与描述了法国革命的社会原因：旧制度的极端腐朽、社会物质惊人的挥霍浪费、财富高度集中于寡头之手而不进行社会的增值、贵族阶级享受特权造成社会中的种种弊端并引起社会下层的愤慨，最后还论述了演变为纯粹理性与抽象观念的法兰西传统精神之发展。泰纳所作的这些说明与分析，有一些是前人曾经作出过的，但关于法兰西传统精神的影响却有他自己独特的见解，在这个问题上，他把纯粹理性视为大革命的动力，因此不仅考察了18世纪的启蒙思潮对大革命的影响，而且还上溯到17世纪的理性主义精神。泰纳在自己的历史著作中，还力图贯注他的哲理思想，他从实证主义与自然主义的立场出发，把他关于人的思想运用于研究人类历史，在他看来，人的本性在革命之中展示得最充分，他之所以选择了法国革命史而没有选择其他时代的历史作为课题，正是为了再一次证实他关于人性恶的哲理思想，由此，他也就把人类历史进化与演变的过程，视为类似动物进化的过程，把人类发展史、社会变革史视为一种按动物学规律行事的自然史。泰纳的这种历史观具有明显的偏颇，貌似科学却偏离了真正的社会科学的真理，如果说泰纳的实证主义决定了他的历史观的根本局限，那么它却使他对具体的、大量的史料保持着高度的重视与兴趣，他的历史著作以史料的丰富、说明的具体、描述的形象性见长，虽然他所引证的史料有时未经严格的审定与筛选。

泰纳在文艺理论上以其决定文学的三因素论而闻名于世，他把"种族"、"环境"、"时代"视为决定文学的三种根本要素，认为考察文学必须从这三个方面入手。早在他的第一本著作《拉封丹及其寓言》里，他就提出了他日后将要加以发展与系统化的思想与原则，以拉封丹的出生地香槟的地方条件、他的生活环境与当时17世纪社会的风习为依据，考察了拉封丹和他的寓言。但他把自己的思想观点加以理论化、概括为文学原理与批评原则，却是在他的《英国文学史》的序言里，这篇序言由于阐述了文学艺术史的研究与社会研究的关系、作为精神现象的文学艺术与民族、社会时代、环境的关系，集中地概述了泰纳的基本理论主张，因而一直被视为文艺批评史上著名的文论。正是以他著名的三因素决定论的观点，泰纳在《英国文学史》里对英国文学作了细致的考察，论述了莎士比亚、弥尔顿、斯威夫特、拜伦等一系列作家都是他们的民族与各自的时代社会环境的产物。在《英国文学史》序言的基础上，泰纳把三因素决定论的文艺观点阐述得更为充分、更为透彻，则是在他的代表作《艺术哲学》中，《艺术哲学》(*La Philosophie de l'art*，1882)是一部史论相结合的论著，既有对艺术发展过程的具体而深入的考察，也有理论上的综合概括与阐述，既体现了泰纳作为艺术史家渊博的学识，也显示出了泰纳作为理论家的"高度的智慧与能力"，不仅在法国文学理论领域，而且在世界批评史上都占有重要的地位。

泰纳在《艺术哲学》中，从考察具体的作品与文学艺术的历史现象而展开他的理论，他"是从历史出发而不从主义出发，不是提出一套法则叫人接受，只是证明一些规律"。他以具体的事实进行说明，一部作品并不是孤立的，它属于作家的作品总和，是构成作家风格的一部分，而作家又属于他那个时代的艺术家族，具有时代的特色，整个时代的文学艺术又和整个时代的风俗、习惯、时代精神不可分割。他认为："要了解一件艺术品、一个艺术家、一群艺术家，必须正确设想他们所属的时代精神与风俗概况。"泰纳看到了文学艺术现象对于社会环境的从属关系，同时也看到了问题的另一方面，即时代社会环境等条件对于文学艺术的决定作用。他明确指出："作品的产生取决于时代精神和周围的风俗"，根据这一原理去观察文学艺术史上的种种现象，泰纳既能看出在某一个时代、某一个环境何以会有某种作家、某种艺术作品的出现，又能看出某种时代的变化何以会引起文学艺术领域里相应的变化。他结合自己丰富渊博的知识对一些重大的文艺现象进行了论述，如他从中世纪哥特式的建筑里分析出它所反映的当时社会心理，从法国古典主义文学中披着古希腊罗马衣装的人物身上指出了17世纪法国贵族的真面目，他认为《奥德赛》中近乎神人的英雄实质上就是当时"本领高强的水手"，他透过文学词藻看出勒内、浮士德、维特、曼弗雷特这些著名的文学人物就是近代个人主义思潮的产儿等等。泰纳对文艺现象进行如此客观的社会分析，努力在历史事实中寻找文艺现象的社会根源，的确作出了不少深刻精辟的论述，这些论述至今仍很有价值。

在泰纳的论著里，"作品的产生取决时代精神和周围的风俗"这一规律，并不是作为片断的思想出现的，而是作者通过具体事例从理论上加以多方面的论证达到的。他首先确定，文学艺术家作为某一时代的成员，其思想感情要受时代社会的决定，然后，他进一步说明时代环境的条件在作家的艺术创作过程中的作用。在这个问题上，泰纳表现了对艺术创作过程的深刻理解：他一方面说明如果是一个苦难的时代，那么，时代提供给作家的总是苦难的题材，围绕作家的气氛也是苦难的气氛，这对艺术家的构思便有重要的影响；另一方面他也指出，艺术家由于在感受与思维方面的特点，往往会把自己的印象、思想和情感加以深化、扩张与渲染，以致他这一切表现在作品里的时候，"他所看到、所描绘的事物，往往比别人所看到所描绘的色调更阴暗"。最后，当文艺作品流传于社会的时候，同时代群众对它的检验、他们的爱好与反感也起着作用。泰纳把以上种种原因称之为"重重的壁垒"，它们促使艺术家和自己的时代社会一致，"给艺术家定下一条发展的路，不是压制艺术家，就是逼他改弦易辙"。在这样一些具体论证的基础上，泰纳关于文学艺术决定于时代、环境的论断，在理论上就比较充实，并具有丰富的历史内容，显示了思想家与艺术史家出色的结合。

泰纳所谓"时代精神和周围的风俗"一语，主要是概括文学艺术所产生的某种"精神气候"，而从他的具体论述中可以看出，他所谓的精神气候又不外是民族和时代的心理素质、思想感情、社会心理以及社会政治组织等方面的因素，都是属于社会结构中的精神意识形态、上层建筑部分。泰纳也寻找过决定这些精神意识条件的物质原因，他所找到的便是地理环境、自然气候，他认为正是这些自然条件决定了社会意识与社会组织，从而对文学艺术产生作用。可见，泰纳虽然在论断中只提出了时代精神和周围的习俗决定文学艺术，但在实际的论述里,他却是从他所能认识到的全部客观条件来考察文学艺术的。他虽然在《英国文学史》序言中正式把决定文学艺术的一切条件归纳为种族、环境和时代三个方面,但在《艺术哲学》中,却归纳为精神气候和决定精神气候的物质条件两个方面。而在这两个方面中,他认为社会政治组织、道德理想、宗教信仰、哲学思想、心理习惯等等这些精神气候,较更根本的物质条件更为接近文学艺术、对文学艺术的影响更为直接,更为巨大。泰纳对文学艺术与周围精神气候的关系的认识,无疑比文艺批评史上其他批评家更为系统、更为细致,是一种关于意识形态问题的近代的科学认识。

在考察促使某种艺术产生的精神气候和客观条件的时候,泰纳总是细致地、周密地考察了这气候中的每一阵风力、每一股气流、每一次温度的变化,指出与这种艺术有关的几乎全部因素,他不仅说明形成某种艺术繁荣的一般条件,而且还说明与这种艺术的特点密切联系的那些特定的历史条件,从而表现出了每一个艺术的特定根源和由此而来的个性。他的《艺术哲学》在论述希腊雕刻、意大利文艺复兴时期的绘画以及尼德兰绘画时各不相同并均能给人独特的印象,其原因就在这里。

泰纳对文学艺术与社会生活关系的根本思想,使他不完全像很多资产阶级思想家那样,"专门同思维的材料打交道,不去研究任何其他的、比较远的、不以思维为转移的源泉",他在说明某一时期、某一民族的文学艺术时,总以这一时期、这一民族的社会生活和历史背景为依据,举出大量的史实作为论据。泰纳论著中的历史材料是相当丰富的,显示了作者对于研究对象认真努力的态度和他广博的学识。在批评史上,泰纳搜集资料、不辞辛苦、力求广博的精神是著名的,"他带着一种狂热去阅读、整理、积累和收集历史材料,特别对细小的事件、风俗习惯的细节和在浏览中易于被忽略的细微线索感兴趣",由于泰纳掌握了丰富的史料,再加上他生动具体的叙述、清楚的论证,他的理论著作使人读来饶有兴味。

在欧洲文艺批评史上,文学艺术与社会生活的关系问题,并非泰纳首次提出,近者19世纪圣伯夫在他之前发表过这种意见,远者则有孟德斯鸠与斯塔尔夫人。泰纳继承了他们的思想,而且他还接受了黑格尔《美学》中有关论述的影响。但泰纳的贡献在于,他在这个问题上更系统化、更理论化,总结出文学艺术决定于周围的"精神气候"以及决定"精神气候"的更为根本的物质条件这样一条规律,用具体而丰富的史料加以佐证,在一系列问题上达到比前人更明确、更清晰的结论。

泰纳的艺术哲学不可避免存在着缺陷与不足之处。他在考察精神气候对文学艺术的决定作用时,往往把一切与文学艺术有关的政治、道德、宗教、社会心理、风俗习惯等所有条件都看成是并列的,无主次之分。泰纳未能正确理解社会上层建筑结构中的具体关系,因此,在考察艺术史上一些重大的历史现象时,往往对重要的社会条件没有认识而只看到一些次要的原因,如他考察意大利文艺复兴时期绘画繁荣的问题时,对当时意大利社会发展中的转折点即"人类前所未有的最伟大的进步的变革"未作论述,对这一时期由于新生产方式的产生而引起的阶级关系和社会意识的变化也缺少必要的说明,而对一些次要的条件如统治阶级的文雅、文人的生活方式、粗野的社会风俗、五光十色规模盛大的游行赛会的流行以及当时人们服饰的鲜艳等等,以大量的篇幅加以绘声绘色的描绘,把这些当作意大利绘画艺术高峰产生的根源。同样,在解释希腊雕刻艺术繁荣的成因时,他又淹没在社会生活的表面现象、无关紧要的细节与风俗习惯里,很少触及根本的社会阶级关系与社会思想意识。这种只满足于以表面和零散的事实为依据去考察文学艺术的社会根源的方法,恰表现了泰纳实证主义的特点。

泰纳的"精神气候"固然是指某一特定的社会意识方面的条件而言,但主要的却往往是他所谓的种族特性或民族性,他在《英国文学史》的序言中对这种特性下了这样的定义:"人类与生俱来的一种天生的遗传性。"同样,他在《艺术哲学》里,也把种族性或民族性视为民族"永久的本能"、"不受时间影响、在一切形势、一切气候中始终存在的特征"。在他看来,这种种族性与民族性是文学艺术发展的永恒的"内在动力",它遇到一定的时代与情势就能开花结果,但一定时代、一定情势如缺乏这种基本动力则不会产生艺术繁荣。于是,在泰纳的理论中就出现了双重的从属性,即文学艺术一方面从属于社会环境对它的影响与作用,另一方面又从属于民族的天性。

泰纳也曾为他的"精神气候"找寻物质的原因,他所找到的便是地理环境与自然气候,他把这个因素强调到了过分的程度,把它看作是决定一切的最后根源。这种倾向特别明显表现在他对希腊与尼德兰两个民族的考察上。在他看来,希腊民族"精神气候"的种种条件都是希腊自然环境的产物,对希腊人的艺术创作有利的民族特点是自然环境培养的结果。泰纳未能认识社会生活中真正的科学的规律,他在强调地理环境的作用时,也就根本无法彻底说明同一个民族在同一地理环境条件下不同历史时期的文学艺术有不同局面这一明显的事实。

泰纳生活在自然科学长足发展的时代,深受达尔文进化论的影响,他关于文学艺术与社会环境的关系、人与社会环境的关系的认识,基本上是对达尔文学说的一种套用。他早在1855年的《意大利游记》中,就根据达尔文学说的观点去分析自然环境与民族的风土人情的关系,在他看来,"水土气候熏陶和造就动物,就像它熏陶和造就植物一样"。后来,他正是用这种方法去说明文学艺术与环境的关系,艺术家与时代社会的关系,他在《艺术哲学》里,曾把文学艺术比喻为植物,把各民族的艺术当作特定环境中的某一品种的"植物"来加以考察的,而且,他把文学艺术作品经受不同社会、不同时代考验的问题,也说成是精神气候对于文学艺术的"选择"与"自然淘汰",还进一步在他的批评标准中,把文艺作品能经受时间的考验说成是具有对精神气候的强大抵抗力。可见，泰纳的理论在很多关键点上都有进化论的痕迹。正因为他只从自然科学的观点来看社会发展与文学艺术的发展，所以只能看到自然环境方面的物质条件与社会生活的表层现象，只能到民族的地理环境与气候条件中去寻找文学艺术发展的根本原因；同样，正因为他从自然科学的角度把人看作自然人、把民族看作自然人的族类，所以他也就认定人和民族的特性只能来自遗传与天性，并把这种抽象的、遗传的民族特性与人性视为文学艺术发展的"内在动力"。

作为一个杰出的文艺理论批评家，泰纳不仅以论证文学艺术与外部环境的关系而著称，而且对文学艺术本身的内部规律，即文学艺术如何反映现实、文学艺术的创作与批评等重要问题，也作出了系统的精辟的论述。

泰纳继承了亚里士多德《诗学》的传统，认为一切艺术的共同特征都是对现实的模仿，在深入说明文学艺术与现实的关系时，泰纳反对所谓"绝对正确的模仿"，亦即简单机械的模仿、绝对忠实的描绘和单纯形似的摹写，他主张"艺术应力求形似的是对象的某些东西而非全部。我们要辨别出这个需要模仿的部分；我们可以预先回答，那是'各部分之间的关系与相互依赖'"。按泰纳的理解，具体地说，在人体绘画中"不是肉体单纯的外表，而是肉体的逻辑"，即各部分的比例、线条、姿势或关系等等；在文学作品里，不是"人物和事件的外部表象"，而是"人物与事件的整个关系与主客的性质"。例如写一群活动着的人，"不要求你报告10个20个人的全部谈话，全部动作，全部行为……只要求你记录比例、关系，首先是正确保持行为的比例：倘若人物所表现的是野心，你的描写就应以野心为主；倘是吝啬，就以吝啬为主；倘是暴烈，就以暴烈为主"。总之，他认为："我们在实物中感到兴趣而要求艺术摘录和表现的，无非是实物内部外部的逻辑","艺术的目的是表现事物的主要特征,表现事物的某个凸出而显著的属性"。泰纳这一系列要求艺术模仿事物的本质特征的论述,大大深化了他关于文艺模仿现实的基本思想。

在文艺反映现实的问题上,泰纳还进一步指出了文艺对现实的模仿与艺术家主体的关系。在泰纳看来,人对客观现实的认识与感受是各不相同的,艺术家表现现实的深刻与独特,往往首先在于对现实认识的深刻与精辟,因此,他强调艺术家对事物要有独特的感受:"否则只能成为临摹家或工匠。"而当艺术家具有了这种独特的感受进入创作过程,"把他所设想的事物形诸于外"的时候,便会"把事物重新思索过,改造过,或是照明事物,或是扩大事物;或是把事物向一个方面歪曲,变得可笑"。泰纳把"艺术家根据他的观念加以改变而再现出来"的事物称为"理想的",认为杰出的艺术家的优秀作品都是表现了作家自己的理想,其中的艺术真实都是现实材料经过作家加工改造的结果。因此,他很重视艺术家模仿现实时的主观能动性,他甚至这样说:"最大的艺术派别正是把真实的关系改变得最多的。"虽然泰纳的"理想"一词用得并不准确,但他能认识到艺术品是作家对现实的艺术认识的结果,能接触到文学艺术模仿现实中艺术家的主观与客观现实的辩证关系,却又是他在理论上细致深刻的所在。

根据他这一基本的文艺创作思想,泰纳全面地、系统地阐述了衡量艺术品的标准问题,提出应从三个方面去衡量文艺作品,即"特征重要的程度"、"特征有益的程度"与"效果集中的程度"三个标准。第一个标准是看作品所表现的是不是事物最重要的特征以及这特征重要到什么程度;第二个标准是看作品所表现的特征是否对人有益以及有益到什么程度;第三个标准则是看作品表现事物的特征是否集中、鲜明,以及是否有强烈的感染作用。前二者在泰纳看来是真与善的问题,而后者则主要是艺术美的问题。

泰纳认为:"美能够把最高的结构建筑在真理之上是美的光荣",

建筑在真理之上，便是表现事物的特征。泰纳看到了事物的特征有本质的与表面的、根本的与派生的、稳定的与暂时的之分，艺术愈是表现了事物的本质的稳定的特征，便愈有意义："一部书精彩的程度取决于它所表现的特征的重要程度，就是说取决于那特征的稳固的程度与接近本质的程度"，人类社会生活中一时的生活习惯、流行的思想舆论只是短暂的现象，表现这些内容的作品只不过是时兴的文艺，经不起时间的考验；时代精神和时代性格则是较为经久的东西，凡是成功地表现了时代精神和时代性格的，便是一代杰作；但在泰纳心目中，更为根本的却是经历过不同历史时代的民族特性和人类普遍持久的特点，他认为，艺术家只有抓住了这种对民族、对人类都有典型的、普遍意义的事物，才能写出伟大永恒的作品。虽然泰纳关于普遍的永恒的人性的论点和对于某些作品的具体评价不一定恰如其分，但他强调艺术家要表现出"深刻而经久的特征"、"经久的典型"，却是符合艺术创作的规律的。

泰纳强调作品的艺术形象必须集中，具体说来是指人物性格的集中、故事情节的集中和整个作品艺术形式的集中。泰纳把人物当作作品的元素，认为作品中是否塑造了个性显著的人物，是作品成功与否的标志。他指出，现实生活中的人的特点往往是分散的、不够鲜明的，文学艺术家就必须把这些特点加以集中，使作品中人物的性格"虽则组成的元素与真实的性格相同，但比真实的性格更有力量"。为了达到这一集中，泰纳进一步说明，不仅要把人物性格"加以补充"、"结合"、形成一种"深刻的逻辑"，而且还要具体运用一些艺术手法，通过人物的手势、心理、话语、表情来表现这集中的性格。故事的集中，一方面是为了使"艺术高出于现实"，另一方面则是为了"使人的遭遇与性格配合"，而艺术形式方面的集中，如风格、语言的选择、变化和配合，目的也是要使"假想的人物比真实的人物说话说得更好，更符合他的性格"，由此可见，这些都是为了性格的集中。

泰纳所有这些关于艺术形象的集中问题，根本说来，就是文艺作品中的艺术形象典型化问题，而其中心又是人物性格的典型化问题，这和他要求文学反映现实的本质关系和主要特征的主张是一脉相通的，构成了完整的现实主义创作思想体系，是狄德罗以后现实主义艺术论的最辉煌、最精彩的一次发挥，是对法国写实主义文学经历了几个时代发展到19世纪的一次深刻而全面的总结。

泰纳的论著文笔流畅优美，论说中不时有形象化的叙述与富于色彩的文字，颇有引人入胜的魅力，这是泰纳超出同时代其他理论批评家的又一特色。

第二节　其他文艺批评家

在19世纪后期，法国文坛出现了一些不同倾向、不同批评方法的评论家与学者，他们造成了多样化的文学评论局面，这些评论家与学者中有不少人以法国文学史为研究对象，他们的活动与论著给法国文学的评论与史的研究带来了空前的繁荣。他们所处的时代坐标使他们有可能对中世纪以来的法国文学进行系统的评判与总结，这个时期实证主义哲学思想与方法的盛行、科学精神对文史领域的渗透以及圣伯夫与泰纳所开辟的批评道路，又使他们对文学史问题的总结与评判得以发展到真正历史科学的水平。

1. 法盖

爱弥尔·法盖（Emile Faquet，1847～1916），1847年9月17日生于旺代，毕业于巴黎高等师范学校，1883年以深受赞赏的论文《论十六世纪的悲剧》获得博士学位，不久即受聘于巴黎大学主讲法国诗歌，从此长期任该校教授。

他是一位对大学的文科教育作出了重要贡献的教授，同时又是一位学院派的批评家，在批评界甚为活跃，曾为《论坛报》负责剧评专栏，与《两世界评论》亦有合作关系，他博览群书，兴趣广泛，不仅对文学问题有研究，且常涉猎哲学、道德伦理、社会政治、思想史等方面的问题。他勤于写作，论著甚丰，在19世纪的批评家中可算是比较突出的一人。他在文学批评方面的论著有：《十七世纪研究》（1885）、《高乃依》（1886）、《拉封丹》《十九世纪研究》（1887）、《当代戏剧注解》三卷（Notes sur le théâtre contemporain, 1889~1891）、《十八世纪研究》（1890）、《十六世纪研究》（1893）、《戏剧问题》（Questions de théâtre, 1890~1898）、《十九世纪的政治家与道学家》三卷（Politiques et moralistes du XIXe esiècle, 1891, 1898, 1900）、《伏尔泰》（1895）、《福楼拜》（1899）、《法国文学史》二卷（1900）、《孟德斯鸠、卢梭、伏尔泰的政治思想比较研究》（Politique comparée de Montesquieu, Rousseau et Voltaire, 1902）、《安德烈·谢尼埃》（1902）、《关于戏剧》五卷（Propos de Théâtre, 1903~1907）、《塞维尼夫人》（1910）、《卢梭研究》五卷（1912）、《读高乃依》（1913）、《圣伯夫的青年时代》《读莫里哀》（1914）、《法国诗歌史》（1923）。此外，还有哲学、政治学、社会学等方面的论著多种，如《当代政治问题》（Problèmes politiques du temps présent, 1901）、《自由主义》（Le Libéralisme, 1902）、《1907年的社会主义》（Le Socialisme en 1907, 1907）、《和平主义》（Le Pacifisme, 1908）、《女权论》（Le Féminisme, 1910）等。

  法盖可以说是泰纳的学生，但他不具有泰纳那种明丽优美的文笔，也不像泰纳那样善于从时代历史中概括出时代精神并追踪其影响，探索其对文学发生作用的规律，作为一个批评家，他甚至对理论体系不感兴趣，当然也就无所建树。他的批评思想受圣伯夫的影响，认为批评的道路是宽广的，应能理解一切、解释一切、引导人们进行欣赏。然而，他本人深受传统观念束缚，文艺趣味近于褊狭保守，他推崇古典主义而贬低浪漫主义，在论述中有时不免流于武断。他对作家的研究与评论注意把握整体，全面考察其生活、道德观念、文学思想、艺术技巧与风格，而且特别善于对作家进行思想分析，善于发现作家的主导倾向，并鲜明地加以表述，使人留下深刻印象。他的作家论虽然不能做到完全符合作家的客观实际，但也是勾画得很完整、很准确、很生动的一幅幅肖像。他对法国文学中四个重要的时代献出的四大卷研究，内容充实，具有实实在在的学术价值，连同他的《法国诗歌史》，至今仍不失为颇有用处的法国文学史参考书。

他于1916年6月7日在巴黎去世。

2. 布吕纳介

布吕纳介（Ferdinand Brunetière，1849～1906），是继泰纳之后在批评界名重一时、享有最高学术荣誉的人物。1849年7月19日，他生于南方的土伦，1906年12月9日逝世于巴黎。

他成名甚早，1875年在《两世界评论》发表了他最初的一些文章，崭露头角，从此成为该杂志的经常撰稿人。1886年，他被任命为著名学府巴黎高等师范学校的主讲教授，以其演说讲课的才能博得很高的声誉。1895年，他又成为《两世界评论》的主编。他的批评论著数量亦很可观，主要有：《法国文学史之批评研究》(*Etudes critiques sur l'histoire de la littérature française*，1880～1907)、《历史与文学》三卷(*Histoire et littérature*，1882～1884)、《自然主义小说》(*Le Roman naturaliste*，1883)、《文学体裁的演进》(*L'Evolution des genres*，1889)、《批评问题》(*Questions de critique*，1890)、《批评之演进》(*L'Evolution de la critique*，1890)、《当代文学散论》(*Essais de la littérature contemporaine*，1892)、《法国戏剧的发展阶段》(*Les Epoques du Théâtre français*，1892)、《十九世纪抒情诗的演进》二卷(*Evolution de la poésie lyrique au XIXe siècle*，1894)、《当代文

学新论》(*Nouveaux essais de la littérature contemporaine*, 1895)、《法国文学史教程》(*Manuel de l'histoire de la littérature française*, 1898)、《法国古典文学史》五卷 (*Histoire de la littérature française classique*, 1515~1830, 1904~1917)、《巴尔扎克》(1906) 等等。

在他的文字生涯前期，布吕纳介还不失为自由思想家。1895 年，他在《访梵蒂冈之后》(*Après une visite au Vatican*) 一文中，承认自己皈依天主教，从此他把精力、声誉与演讲的才能用来服务于鼓吹宗教与传统，他这一倾向与他的活动体现在他晚年与身后出版的几个文集之中：《在信仰的道路上》(*Sur les chemins de la Croyance*, 1904)、《论战演词集》(*Discours de combat*, 1907)、《论战书信集》(*Lettres de combats*, 1912) 等。

布吕纳介在批评与学术领域里颇有活力，他善于吸收当代批评中的一切成果并加以创造性地运用，他学识渊博，治学严谨，文学趣味高雅，观点鲜明。他属于泰纳这个批评传统，不过，他不像泰纳那样对其研究对象采取一种不动感情的纯科学的冷静态度，在他看来，文学批评不仅是分门别类地说明问题，而且还要作出评判，在他笔下，一些作品被评为"好的"，另一些则被评为"坏的"，凡是只表现了作者低级平庸个性的作品或拘泥于事物表面真实的作品都被他划入后一类。他评判的标准在相当程度上实际上就是道德标准，他认为，艺术与道德效果是不可分的，真正伟大的作品总能提供有益的教导，因此，他以道德与文学本身的名义，反对文学中一切有损道德教益的倾向。他反对为艺术而艺术的原则，因为在他看来它意味着对道德采取一种可怕的冷漠的态度；他反对粗俗的自然主义，因为他认为它往往热衷于描绘某些污秽的画面；他也反对主观精神的膨胀与扩张，因为它会倾诉某些损害道德原则的隐私的情感。问题在于，布吕纳介的道德标准与思想标准中有不少偏见与宗教的原则，这就必然使得他的某些批评有欠公正，例如过分推崇 17 世纪文学而贬低 18 世纪启蒙文学,对塞维尼、圣西门公爵这一类在他看来缺乏道德思想影响的作家往往予以忽视,对浪漫主义文学、自然主义文学以及象征派诗歌评价过苛等等。

作为批评家,布吕纳介除强调道德原则外,还以对文体进化论的研究著称。在这个问题上,他显然接受了自然科学中的进化论与文学批评中泰纳思想的影响,把进化论的观点运用于分析文学体裁的发展。他在《批评之演进》第一讲里这样说:"既然我们已经看到自然史、历史与哲学都已经从进化论中得到了启发,我愿意考察一下在文学史与文学批评中是否也可以运用进化论。"在他看来,正如自然界的万物一样,文学体裁也有产生、发展、消亡与转化的过程,他认为在文学中,任何一种体裁都不可凭空地自发地产生,而都有其来由与渊源,例如19世纪的抒情诗似乎是突然出现于该世纪,其实早在18世纪就已经孕育。布吕纳介的文学体裁进化论不失为对文学的一种科学考察,它的意义在于开辟了文学研究的一个方面。

3. 勒梅特尔

勒梅特尔(Julés Lemaître,1853~1914),生于一个小学教师的家庭,在奥尔良修道院完成他最初的学业。基督教的教育给他日后的文学观点打下了深深的烙印,即使是在他放弃了宗教信仰之后,这种烙印亦未消退。他在巴黎高等师范学校深造之后,到公立学校任教,先在哈弗尔中学任文学教师,从1880年起在阿尔及利亚高等学校供职,1884年,他来到巴黎,以发表在《蓝色杂志》上的文章引起人们的注意,这就是他著名的评论文丛《当代人》(*Les Contemporains*)的第一篇,这个评论当代作家的文集共有七卷之多,在1885年至1889年之间陆续问世。

从1889年起,在卢瓦恩伯爵夫人的影响下,他开始从事戏剧创作,连续写出了好几个剧本,都相当成功。与此同时,他开始作为戏剧评论家经常为《论坛报》写剧评，后来结集为十卷《戏剧印象》（*Impressions de Théâtre*，1888～1898）。1896 年，他当选为法兰西学院院士，年仅 43 岁。此后，他又发表了一些文学演讲：《论卢梭》（1907）、《论拉辛》（1908）、《论费纳龙》（1910）与《论夏多布里昂》（1912）。勒梅特尔还是一位诗人兼短篇小说作者，他的诗集有《大奖章》（*Les Médaillons*，1880）、《东方小女孩》（*Les Petites orienta les*，1883）、《诗歌总集》（*Poésies complètes*，1896）。他的短篇小说写得精致而俏皮，结集有：《一个殉道者的故事》（*Sérénus, histoire d'un martyr*，1886）、《十故事集》（*Dix contes*，1889）、《国王们》《古籍拾遗》（*En marge des Vieux livres*，1905～1907）、《海伦娜的暮年》（*La Vieillesse d'Hélène*，1914）。

19 世纪末，德雷福斯事件发生后，勒梅特尔卷入了以这个事件为中心的政治斗争的旋涡，他甚为活跃，但立场右倾保守。1914 年 8 月 5 日，他在自己的故乡达维尔去世。

勒梅特尔不拘泥于任何文学原理与艺术观念，是一个印象主义的批评家，他的批评方法与法朗士颇为相近，他认为在文学批评中无需有客观的态度，也不必作分门别类的研究，他的批评方法是直抒自己对作家作品的喜爱或反感，并对为什么喜爱或为什么反感作出说明，而与布吕纳介式的对定论的追求背道而驰。他的批评文章中虽然没有科学的标准，但他的好恶却不乏某种准绳，他喜爱作品不带功利的目的、适宜得体、明晰晓畅、富于普通的人情，他还很重视作品的道德意义。因此，他也推崇古典主义文学，而对夸张与矫饰的作品则甚为反感，雨果、波德莱尔、魏尔伦都是他不喜欢的作家。他特别憎恶的是那些被吹捧起来的艺术赝品与平庸的文学读物，并不时加以针砭。他的评论文章在当时颇具权威性，虽然缺乏科学的分析与论断，但显示了作者高度的欣赏能力、才情与艺术修养，毫无学究气味，娓娓道来，使人乐于阅读，其中又不乏精辟独特的创见，如他的《论拉辛》

就曾被人誉为"法兰西批评的经典"。

4. 古尔蒙

古尔蒙（Remy de Gourmont，1858~1915），1858年4月4日生于奥尔勒的一个贵族家庭，他在古当斯念完中学、在卡昂高等学院就读后，于1884年来到巴黎，进入国立图书馆任职。1890年与友人合作创办《法兰西水星》杂志，1891年因在该杂志上发表了《爱国主义小摆设》这篇被认为是反爱国主义的文章，引起了风波，因而丢掉了在图书馆的职位。加之他脸部生狼疮，从26岁起，他就退隐在家，除了到《法兰西水星》杂志社去以外，深居简出，潜心写作，直到1915年9月17日在巴黎去世。

古尔蒙涉足的范围甚广，他是一个诗人，写有五部诗集：《象形文字》（*Hiéroglyphes*，1894）、《天国的圣女》（*Les Saintes du paradis*，1898）、《恶劣的祈祷》（*Oraisons mauvaises*，1900）、《西蒙娜》（*Simone*，1901）、《嬉游曲》（*Les Divertissements*，1912）。他也是一个小说家，长篇小说有：《雌鸫》（*Merlette*，1886）、《智力生活的小说》（*Sixtine, roman de la vie cérébrale*，1890）、《幽灵》（*La Fantôme*，1892）、《怪堡》（*Le Château singulier*，1894）、《狄俄墨得斯的头发》（*Les Cheveux de Diomède*，1897）、《一个女人的梦》（*Le Songe d'une femme*，1899）、《卢森堡的一夜》（*Une Nuit au Luxembourg*，1906）、《一颗纯洁的心》（*Un Cœur virgial*，1907），共八种；短篇小说集有：《忧郁的散文》（*Proses moroses*，1894）、《神奇的历史》（*Histoires magiques*，1895）、《寂静的朝圣者》（*Le Pèlerin du silence*，1896）、《从一个遥远的国度》（*D'un pays lointain*，1898）等六种。他还写有三个剧本、一部游记散文与三种哲学论著。

使古尔蒙足以在文学史上占有地位的主要成就还是他的评论。他的大型评论集《结语》（*Epilogues*）共分五卷，陆续出版于1903年至

1910年，收集了他对1895年至1910年之间法国当代生活与文艺的追踪性的评论。其他的论著还有：《关于假面具的书》二卷（*Le Livre des masques*，1896、1898）、《法兰西语言的美学》（*Esthétique de la langue française*，1899）、《思想的培育》（*La Culture des idées*，1901）、《天鹅绒之路》（*Le Chemin de velours*，1902）、《风格问题》（*Le Problème du style*，1902）、《文学漫步》五卷（*Promenades littéraires*，1904~1913）、《但丁，贝阿特丽丝与爱情诗》（*Dante, Béatrice et la poésie amoureuse*，1908）、《论十八世纪末意大利的妇女理想》（*Essai sur l'idéal féminin en ltalie à la fin du XVIIIe siècle*，1908）、《比利时文学》（1915）等。

古尔蒙接受了勒南的影响，但他在精神上最崇尚的还是古希腊哲学家伊壁鸠鲁，他信奉享乐主义，认为追求享乐与幸福是生活的真谛，为此，人类应享有完全的自由。作为批评家，他不属于泰纳的实证主义批评传统，他不追求科学的方法与科学的论断，而着眼于文学中的生之意义，凡是有所开拓、有所追求、在内容与艺术形式上有新的创造的作家作品，他都予以肯定，他反对在文学中尊奉既定的陈规。与布吕纳介等人相反，他不爱古典主义作家，而喜爱19世纪后期新出现的象征主义与自然主义，可算是当时批评领域里的"先锋派"。特别对象征主义，他更是极为推崇，他的《关于假面具的书》是专门考察象征主义的起源与发展、对象征主义作家进行全面评价的一部论著，是对象征主义文学的一份献礼。在自己的评论文章中，古尔蒙不追求旁征博引，他以见解与文笔取胜，在批评问题与美学问题上给后人留下了不少富有启迪性的思想。特别是他的文笔明丽隽永，有散文之美，其思想又经常是通过奇特的隐喻笔法表述出来的，与象征主义文学同声相应。他被视为象征主义的最重要、最有权威的理论批评家。

5. 朗松及其他

朗松（Gustave Lanson，1857～1934），是19世纪末到20世纪前期法国文学史的研究与评论的权威。1857年8月5日生于奥尔良。毕业于巴黎高等师范学校后，先在图卢兹任修辞学教师，1886年受聘为日后成为尼古拉二世的俄国皇太子的文学教授，1888年，以论文《尼维尔或伤感的喜剧》获博士学位。他先后又在巴黎的好几个中学任教，然后才成为巴黎大学与高等师范学校的教授。从1902年起，他担任高等师范学校校长，直到1927年。1934年12月15日，他在巴黎去世。

朗松毕生从事文学教学与文学史研究，他的代表作是著名的《法国文学史》，此书于1894年出版后直到20世纪仍不断修改再版，日臻完善，至今仍是最著名的法国文学史的必读书。此外，他的论著还有：《博叙埃》（1890）、《布瓦洛》（1892）、《作家与作品》（*Hommes et livres*，1895）、《高乃依》（1895）、《伏尔泰》（1906）、《法国近代文学目录学教程》五卷（*Manuel bibliographique de la littérature française moderne*，1904～1914）、《法国悲剧史大纲》（*Esquisse d'une histoire de la tragédie française*，1920）。

朗松是在泰纳、法盖、布吕纳介等先行者开辟的文学史研究道路上继续前进的，他属于泰纳的批评传统，他接受了泰纳关于文学与时代、社会、环境的关系的理论，把它运用于文学史的研究。他不满足于编排文学的编年史，也不限于介绍作家的生平与作品的内容，他还考察文学的源流以及文学与客观环境的关系，由此，他的论述带有科学的综合与概括，不仅勾画出作家的面貌，而且通过对作家的论述说明了社会时代思想发展的过程与趋势。朗松具有广博的学识与修养，治学态度严谨，一丝不苟，并有很高的鉴赏力，他的评判与论断细致深刻、准确明快。

与朗松大致上同时代的学院派文学史家、学者批评家为数尚不少，作出了特殊贡献的有：

加斯东·巴里（Gaston Paris，1839~1903），其父是当时一位有名的学者，他先后在德国格廷根大学与波恩攻读罗曼语，回国后又于1865年获文学博士学位，后一直在各大学任教。其专长是中世纪文学，重要论著有：《查理帝国时期的诗歌史》（*Histoire poétlque de Charlemagne*，1865）、《中世纪的诗歌》二卷（*La Poésie du moyen âge*，1885）、《中世纪的法国文学》（1888）、《弗朗索瓦·维永》（1901）、《中世纪法国文学史纲》。他主要的学术观点是认为中世纪的史诗来自民间，是在相当长的历史时期里经传诵逐渐充实、丰富而最后形成的。由于他的工作，中世纪文学研究在法国才真正开始成为一个学科。

约瑟夫·贝狄埃（Joseph Bédier，1864~1938），1886年毕业于巴黎高等师范学校，是加斯东·巴里与布吕纳介的学生，曾先后在瑞士的大学与巴黎高师任教，1903年，继加斯东·巴里之后，在法兰西高等学校主持中世纪讲座，直到1936年。重要论著有：《中世纪韵文故事研究》（*Les Fabliaux, études de littérarure populaire et d'histoire littéraire au moyen âge*，1893）、《批评研究》（*Les Etudes critiques*，1903）、《论英雄史诗之形成》四卷（*Recherches sur Ia formation des chansons de geste*，1908~1913）等，后一部论著更是他的力作。他提出了中世纪史诗产生于职业文人之手的观点。和加斯东·巴里一样，他也是对中世纪文学研究作出了出色贡献的学者批评家。

第三节　勒南

勒南与泰纳同为19世纪后期法国思想界的两个泰斗，像泰纳一样,勒南也崇尚科学的实证精神,在这种精神的指引下,他以自己诗人的气质与作家的才能,在特定的历史学领域里取得了独特的出色成就,在当时群星灿烂的思想界发出格外夺目的光彩。

1. 勒南的生平

勒南(Joseph Ernest Renan,1823~1892),1823年2月28日生于特雷居叶这个拥有古老的修道院、宗教气氛甚浓的小城。他的家庭信仰虔诚,他自己性格敏感细腻,爱好想象,天性易于倾向神秘主义的事物,由此,他自认为生来该当教士,献身宗教。从9岁到15岁,他在特雷居叶的教会小学读书,这里的宗教老师对他影响颇深,他终身对他们感念不忘。不过,在这里他并没有学到多少近代文明的知识。他来到巴黎继续他的神学教育,先后在圣尼古拉·杜夏尔多内、伊西以及圣絮尔皮斯等修道院攻读。他研究了古希伯来文,并开始了从语言学的角度注释基督教典籍的尝试。然而,当他接触了浪漫主义文学、文献学,特别是黑格尔与赫尔德等人的德国哲学,并受到他的姐姐亨利埃特的影响后,他的宗教信仰产生了动摇。这一信仰危机改变了勒南的思想发展道路,导致了一个新思想家的诞生。

勒南忠于自己的思想转变,他下决心放弃稳定的宗教职业,离开了修道院,他在一个小小的私立学校里谋得一个辅导教师的职位,过着清贫、孤独、艰苦的生活。授课之余,除了与唯一的友人马尔瑟南·贝尔特罗讨论学问外,全部业余时间几乎都用来准备大学考试。1848年9月,他在哲学教师学衔的考试中名列第一,也是在这一年,25岁的勒南写出了他第一部哲学书稿《科学的未来》,他听从了前辈历史学家梯叶里的意见把它束之高阁,直到1890年才公开出版。1849年至1850年,勒南因公被派往意大利,他访问了罗马、佛罗伦萨等名城,着手为他的博士论文收集历史资料,1852年,他获博士学位。自他离开修道院后,勒南把主要的精力献给东方语言的研究,他的第一个重要的成果是 1855 年出版的《闪语族的通史与比较体系》。这一时期，勒南为《两世界评论》与《论坛报》写了很多宗教史与伦理批评方面的文章，这些文章分别于 1857、1859 年收集为《宗教史研究》（*Les Etudes d'histoire religieuse*）与《道德与批评散论》（*Essais de morale et de critique*）出版。至此，他在学术文化界已获得了高度的声誉，1861 年，他承担考古任务被派往叙利亚、巴勒斯坦。1862 年回国后，他应聘为法兰西高等学校的希伯来文教授，但是这门课刚一开始就被拿破仑三世的帝国政府禁止，因为勒南在第一堂课中竟敢把基督教中的神明耶稣称为"无与伦比的人"。

为此，1863 年，勒南决定发表他已写成的《耶稣传》，此书出版后获得极大的成功，很快就被译成多种文字，在思想文化界产生了很大的影响。《耶稣传》是他的巨著《基督教起源的历史》的第一卷，这部多卷本的论著从 1863 年到 1883 年陆续分卷出版。1870 年，他恢复了在法兰西高等学校的教席并被任命为校长，1879 年，他当选为法兰西学院院士，1887 年，他的另一部大型多卷本论著《以色列民族史》开始问世，最后于他去世后的次年出齐。他逝世于 1892 年 10 月 2 日。

2. 勒南的论著与作品

勒南是 19 世纪后半期精神文化领域里富有智慧、富有才情的一人。与当时科学的时代潮流合拍，他对科学有深挚的热爱与献身的精神，把科学当作自己的信念、教义与激情，他在《科学的未来》一书的序言中这样说："在我学术生涯开始的时候，我就有理由坚信科学，并把它当作我生活的目标。"作为一个学者、思想家，他不仅具有科学的态度、敏锐而深刻的思考力、锲而不舍、艰苦卓绝的精神，而且有广阔的、兼容并蓄的内心世界，对各种倾向、各种知识都有广泛的兴趣，他在自己的回忆录里曾经这样说："我复合的精神结构使我得到了人们所能尝到的所有一切知识的乐趣。"因此，他得以掌握了广博而精深的学识,登上了当代文化的高峰。他还是一个感情丰富细致、想象力活跃、具有浪漫诗人气质的散文大家,有流畅优美的文笔,这些才能又大大扩大与加强了他的智慧、思想与学识的魅力。

勒南的文学与学术活动的范围也很广泛,他在历史、宗教、哲学、语言、散文写作等方面都有出色的成就,其中以在宗教史上的成就最为突出。

他关于宗教史的两部主要论著是:《基督教起源的历史》(*Histoire desorigines du christianisme*,1863~1883)与《以色列民族史》(*Histoire dupeuple d'Israël*,1887~1893)。前者共分八卷:第一卷《耶稣传》(1863),第二卷《使徒传》(1866),第三卷《圣保罗》(1869),第四卷《反基督教义者》(1873),第五卷《福音书》(1877),第六卷《基督教教会》(1879),第七卷《马克·奥雷尔》(1881),第八卷《总索引》(1883)。《以色列民族史》有五卷。《基督教起源的历史》是他的代表作,其中又以《耶稣传》最为重要,最为著名。

勒南是一个具有科学的实证主义精神的历史学家,在方法论的原则上,他态度严谨,以实证主义的精神去看待宗教的历史,不承认宗教传说中的神性与奇迹,而把基督教的典籍仅作为历史的资料。他在《耶稣传》的《导论》中这样说:"……奇迹是一种令人不能接受的东西,我有理由把那些包含了奇迹叙述的篇章视为混杂着虚构的历史,我有理由用古希腊学的研究者、阿拉伯学的研究者以及印度学的研究者对待那些传奇资料的方法,去对待宗教典籍中的奇迹叙述。"为此,他对历史的每一点都进行了专题考察,以求他的论著成为"艰巨的、凝聚了大量劳动的、最客观、最忠于实际、扎实可靠的"论著,他这种科学的态度与方法,再加上他深厚的古希伯来文的功底和他在中东地区实地考察的经验,使他在难度极大的基督教史研究上达到了如果并非绝后、却肯定是空前的水平。从人类认识的发展来说,勒南最大的功绩在于,他最先清除了宗教史中的一些超自然的神奇性，而展现出它作为历史的真实面貌，他去掉了耶稣身上神圣的光圈与神秘的帷幕，而把他还原为一个真实的历史人物，把他放在他那个时代的社会条件与地理环境中去加以描述。整部《基督教起源的历史》，第一卷从耶稣写起，叙述了他作为一个新宗教创始者的生平行止，直到他的受难，第二、三卷讲的是耶稣教义的传播，第四卷讲罗马人对新宗教的迫害，第五、六、七卷记述教会进步组织的出现直到这种宗教与教会的最后定型。勒南考虑到只有对产生耶稣与他这种活动的社会环境与条件有所认识之后，才能理解基督教的起源，深感有必要对基督教的起源作前奏性的描述，为此，他又写了五大卷的《以色列民族史》，记述了耶稣诞生之前的社会条件与犹太教长老时期的状况。至此，人类历史中一个重要时期、人类精神领域中一个重大历史现象，在勒南的笔下得到了完整的科学的论述。

　　勒南的《基督教起源的历史》，特别是《耶稣传》，在法国19世纪思想史上具有重要的意义，可算是该世纪文化领域里最重大的事件之一。在这部论著里，勒南有力地再现了耶稣基督所生活的那个时代的物质、精神与道德状况，他把耶稣还原为一个历史的人，从根本上否定了作为神学与迷信的基督教，在当时无疑具有进步的意义。但是，另一方面，勒南在基督教的历史中，宣扬了基督教精神，特别是基督教的献身精神、自我牺牲精神，并且从道德的意义上予以赞颂，因而，勒南又从根本上肯定了作为一种人生信仰与一种哲理的基督教。如果说，夏多布里昂在世纪之初发掘了基督教作为一种文化所具有的美与诗意的话，那么勒南则顺应了19世纪后期科学昌明的时代要求，扬弃了基督教的神学成分，而发掘与肯定了它作为一种伦理体系、一种哲学的合理性及其价值与力量，这就为基督教在生产力大发展、科学观念深入人心的新时期中的存在提供了哲学科学的理论根据，从而又扩大了基督教的思想影响，提高了它的精神感召与道德诱导的力量。事实上，1870年以后达到成人年龄的好几代人，都接受勒南的思想，勒南的论著影响之大足以与世纪初夏多布里昂的《基督教真谛》的巨大社会作用媲美。

正如勒南力求在基督教与科学信仰之间追求某种合理的平衡一样，他作为一个既具有实证主义精神又天生有诗人气质的史家，力求在自己的历史论著里尽可能调和科学与艺术这两种成分。在他看来，真与美是可以结合在一起的，他在《耶稣传》第十三版序言中这样谈道："历史学家的才能在于以半真半假的线条描绘出真实的整体全局"。甚至在他看来，在细节上过分追求精确，反而会有损整体的真实，他在《耶稣传》的《导论》中指出："我们不妨设想，如果只根据仅有的文献记载去重新塑建菲狄亚斯的智慧女神的雕像，那就会得到一尊生硬、乏味、不自然的雕像，那么，由此该得出什么结论呢？只有一个结论：在文献记载的基础上，需要进行有情趣的发挥，要给文献记载细心地注入生命，使它们自圆其说，有助于塑造出一尊各个细部和谐配合、浑然一体的雕塑。"正因为勒南有如此明确的观点，又因为关于耶稣的生平与基督教的起源缺乏足够的历史资料，所以他为了在自己的论著里复活过去时代的历史，就赋予了自己以想象来弥补史料不足的权利，而且，他的诗人气质也使得他对某些不真实但却美丽动人的传说不能断然割爱，这样，在他的论著里就保留下一些传说性的材料，这在一定程度上有损它作为严格历史科学的价值。

勒南在哲学方面的实绩，除了他主要的论著《科学的未来》（*L'Avenir de la science*，1890）外，还有《道德与批评散论》（*Essai de morale et de Critique*，1859）、《当代问题》（*Questions contemporaines*，1868）、《知识与道德之改造》（*La Réforme intellectuelle et morale*，1871）、《哲学对话录》（*Dialogues philosophiques*，1876）以及哲理戏剧五种。作为一个哲学家，勒南没有建立系统的理论体系，他的论著中经常表现出一种无定向的随意性，有时甚至似乎有意地表述矛盾的思想观点，在《哲学对话录》与《哲理戏剧》中就是如此，他有些文章赞颂德行，认为世界井然有序，安排合理，而在另外一些篇章里，似乎理想已经从世界上消失了，作者完全变成了一个悲观主义者，认为罪恶已无可救药。不过，他在主要的论著《科学的未来》中，却表述了他成系统的思想观点，他认为科学是未来社会中的真正宗教，应该使科学走上正轨，发挥作用，它将有助于人道主义在人类社会中发扬光大，为此，当今就是要教育人民，使他们具有高尚的趣味与对真实的尊重与崇拜。勒南曾把他早在这部1848年写就的论著中所表述的观点，称之为"我血肉之躯的一个组成部分"，并且在他一生的学术活动中始终坚持这些观点与信念。

勒南既是历史学家、思想家，也是杰出的散文家，这两个方面在他身上水乳交融，结为一体，他不仅写有多种散文作品：《历史与旅行杂记》（*Mélanges d'histoire et de voyage*，1878）、《英格兰讲座》（*Conférences d'Angleterre*，1880）、《青少年时期的回忆》（*Souvenir d'enfance et de jeunesse*，1883）、《演讲集》（*Discours et Conférences*，1887）、《零散的叶片》（*Feuilles détachées*，1892）、《我的姐姐亨利埃特》（*Ma sœur Henriette*，1895）、《通信集》（1898）、《青年时期新旧记事》（*Cahiers et nouveaux cahiers de jeunesse*，1906）等，即使是在他的历史与理论著作中，他也不失作为散文家的本色。他文体中浓厚的感情色彩与个性成分，来自他那敏感而真挚的性格，他在自己主要的散文作品《青少年时期的回忆》中告诉人们，早在圣尼古拉修道院学习的时候，"提起笔来写而又不表达自己个人的思想感情，对我就是一种最令人厌烦的事"，他不仅有思想要表达，而且有感情需倾诉，因此，在他的理论著作中常出现带有抒情性的文字，抒情遣怀，与说理论述相得益彰，情与理互相渗透。

如果说勒南的理论文章中有散文手笔，那么，在他的历史叙述里，形象性的、描绘性的散文段落则更多，如《耶稣传》第四章中这

样描写巴勒斯坦的风光:

　　加利利地区郁郁葱葱,覆盖在绿荫之下,景色明媚悦人,真乃《雅歌》中所描绘的佳境,每年四五月份,田野铺上了花草,色彩鲜丽无比。

这样的风景描写显然凝聚了勒南在本地区旅行中的亲身感受。又如他这样描写耶稣的游方布道:

　　他骑着一头母骡,中东地区的这种牲口很好使唤,很可依靠,它黑色的大眼上有长长的睫毛,神情显得很温驯,弟子们不时在他周围举行简朴的仪式,把他们的衣服铺在地上当作祭坛。

在这样的描写中,显然又有了作者根据历史地理条件所作的推理与想象。对于他论著中所涉及的历史人物,勒南也常着意去勾画他们的形象,他善于给历史资料的记载注入活的生命力,使得圣保罗、尼禄、多米杰、马克·奥雷尔、哈德良这些历史人物,在他笔下都有了几分生气。他以历史材料为依据,这样描写古罗马历史上荒淫无度的暴君尼禄:

　　对他来说,驾着四轮车在竞技场上兜风,在大庭广众之下大叫大嚷,到京城外去巡回享乐,都不过瘾,于是,大家见他拆了皇袍用其中的金丝线去钓鱼,亲自训练他的鼓掌捧场队,导演假的凯旋仪式,把古希腊所有的王冠都加冕在自己的头上,举行闻所未闻的奢侈的节庆活动,在舞台上扮演无名的小角色。

勒南的散文艺术的主要特色是自然纯朴,毫无雕琢之痕。他的文体有很强的表现力，这种力量既来自他遣词造句的绝对准确，也来自他细腻的思想情感所呈现出来的一种透明性，还来自他所具有的那种从容自然、优美柔和的风度。勒南还善于以鲜明的形象来喻示与表述自己抽象的理论概念与思维，而在有的篇章中，则又充满了诗的激情，如在《童年回忆》中，他这样形象而热情地描写自己如何对完整的美有了理解：

> 啊，崇高，啊，真正的单纯的美，代表着理智与智慧的女神，你的圣殿就是教给人们以信仰与真挚的永恒的一课，我迟迟来到你奥秘的门口，把我大量的悔恨献在你的祭坛之上。
>
> 为了找到你，我作过无数的探求，经过长期的努力，进行了大量的思索之后，我终于从你通过一个微笑给予雅典人的启示中得到了你的真谛。

除散文外，勒南还写有一部小说：《罗马贵人》（*Patrice*，1908）。他的语言著作除了《闪语族的通史与比较体系》（*L'Histoire générale et système comparé des langues sémitiques*，1855）外，还有《论语言的起源》（*Essai sur l'origine du langage*，1858），他还翻译了《圣经》中的《约伯篇》《雅歌》与《传道书》。由于勒南多方面的才能，由于他深刻的思想与出色的文笔，批评家法盖曾评论他为"19世纪最富有天才和智慧的人"。

3. 其他历史学家

与勒南大致同时期的历史学家为数相当多，其中比较重要的首推菲斯特尔·德·库朗热。

库朗热（Fustel de Coulanges，1830~1889），毕业于巴黎高等师范学校后，1870年以前一直任斯特拉斯堡学院的教授，1870年至 1877 年在高等师范学校执教，并在巴黎大学主持中世纪史讲座，1880 年至 1883 年曾任高师的校长。他的论著有：《古代城市》（*La Cité antique*，1864）、《古法兰西政治建制史》六卷（*Histoire des institutions politiques de l'ancienne France*，1875～1892）、《若干历史问题的研究》（*Recherches sur quelques problèmes d'histoire*，1885）、《若干历史问题的再研究》（*Nouvelles recherches sur quelques problèmes d'histoire*，1891）与《历史问题》（*Questions historiques*，1893）。

库朗热的《古代城市》与《古法兰西政治建制史》的第一卷发表后，曾受到德国学者的猛烈批评，为了应付学术论争的需要，他大大加强了自己重视文献资料与考据的研究方法。他这样总结自己的方法说："概括起来，它有三条规则，其一，仅仅直接研究文献，而且不厌其细；其二，只相信文献所提供的一切；其三，绝对要把过去时代的历史与伪科学所带来的现代观念划分开来。"他认为："好的历史学家总是最贴近文献，总是最准确地解释文献，总是只根据文献来思考问题与下笔。"因此，库朗热无意从故纸堆里复活过去时代的形象与色彩，他所追求的是说明民众在一定政治关系制约下的精神与道德的状况。他的主要著作《古代城市》共分五部分，分别论述古代信仰、家庭、城市、革命与城市自治的消失五个方面。在这部论著里，他对古代的信仰与古代的法律进行了比较，说明古代原始的宗教构成了古希腊罗马家庭的基础，确立了婚姻的形式与父权，排定了亲属关系的等级，派生出财产权与继承权，而这种原始的宗教又进一步把家庭关系加以扩张充实，又形成了新的集合体即古代的城镇，并且像缔造家庭关系一样，缔造了城镇的关系，由它派生出城镇的建制、原则、规章、习俗。随着时间的推移，古老的信仰发生了变化并逐渐淡化，私有权与政治建制随着发生了变化，尔后，是一连串革命的爆发。在《古法兰西政治建制史》中，他叙述了罗马人在高卢建立统治到蛮族入侵后建立了封建等级政治关系的过程。

尽管库朗热关于社会变化总是随着精神变化而发生的史学观不符合历史唯物论的科学原理，他的论著在具体历史细节上也存在一些在所难免的错误，但他在难度很大的古代史研究上毕竟达到了前所未有的水平，他在历史学中最先论证了宗教在古代民族生活中的重要作用，并对封建制度的产生提出了创见。库朗热的文笔朴素自然，清晰明确，毫无夸张与矫饰，有些描述的文字能与泰纳的文笔媲美，而且，字里行间显示出他的才智与优雅，如他在《古代城市》第十六章这样记叙古人的生活与宗教的关系：

> 他每天的每个行动都是一种宗教仪式；他整个一天都属于宗教，清晨与黄昏，他要向自己的家园、灶神与祖先祈求保佑，他离家出门或外出归来，都要向它们祈祷，他每一顿饭都是与家里的神明共享的，生小孩、参加祭礼、被授予公职、婚娶以及这些事件的每个周年纪念，无不都要举行庄严隆重的宗教典礼。

在为数甚多的历史学家中，其他值得注意的还有：

维克多·迪吕伊（Victor Duruy，1811~1894），以古希腊罗马史研究见长，曾任巴黎高等师范学校与巴黎高等工艺学校的教授，因其《恺撒传》投合了拿破仑三世的政治需要而受到重视，于1863年被任命为公共教育部长，在职6年期间，进行了不少改革，对法国教育事业颇多建树，其代表作是七大卷的《罗马史》（1843~1874）与三卷本的《希腊史》（1887~1889），特别是前一部论著尤为著名。

埃内斯特·拉维斯（Ernest Lavisse，1842~1922），1865年毕业于巴黎高等师范学校，由于迪吕伊的赏识，被任命为皇太子的家庭教师。普法战争失败后，为探索历史教训，他开始研究德国历史，1879年出版了他著名的《普鲁士历史研究》一书，接着又发表了一系列关于腓德烈二世的论著。此后，他先后在巴黎高等师范学校与巴黎大学执教，在学术界、教育界影响颇大。1892 年，他选入法兰西学院。他主要的论著还有《欧洲政治史》（1893）与《四世纪以来的通史》（1893），他所主编的《法国通史》规模巨大，是重要的法国史的读物。拉维斯在史学上是米什莱传统的最好的继承者，他的文体清晰明澈，具有高度的概括力。

亨利·乌塞（Henry Houssaye，1848～1911），他主要致力于对法国历史上重大事件与关键时期的研究，其主要论著是：《第一帝国的衰亡》四卷（1888～1905），特别是其中的第二卷《1815 年，第一次复辟》与第三卷《1815 年，滑铁卢之战》更为著名。

阿尔贝·索雷尔（Albert Sorel，1842～1906），以研究对外关系史著称，代表作是《法德之战的外交史》（1875）、《十八世纪的东方问题》二卷（1877～1878）、《欧洲与法国大革命》八卷（1885～1904）。

朱里昂·德·拉·格拉维叶（Jurien de la Gravier，1812～1892），以研究海军史著称，有一系列海军史的论著。马斯珀罗（Maspero，1846～1916），在埃及学的研究上成绩卓著等等。